Mimi Zeiger의
생의학 영어논문 작성법
Essentials of Writing Biomedical Research Papers

Mimi Zeiger의 생의학 영어논문 작성법
Essentials of Writing Biomedical Research Papers

첫째판 1쇄 인쇄 | 2005년 1월 5일
첫째판 1쇄 발행 | 2005년 1월 10일

지 은 이 Mimi Zeiger
옮 긴 이 안성민
발 행 인 장주연
편집디자인 김성아
표지디자인 고경선
발 행 처 군자출판사
등 록 제 4-139호(1991. 6. 24)

본 사 (110-717) 서울특별시 종로구 인의동 112-1 동원회관 BD 3층
Tel. (02) 762-9194/5 Fax. (02) 764-0209
대구지점 Tel. (053) 428-2748 Fax. (053) 428-2749
부산지점 Tel. (051) 893-8989 Fax. (051) 893-8986

* 파본은 교환하여 드립니다.
* 검인은 저자와의 합의 하에 생략합니다.

ISBN 89-7089-525-6

정가 38,000원

A Division of The McGraw-Hill Companies

Essentials of Writing Biomedical Research Papers, 2/e

1 2 3 4 5 6 7 8 9 10 KJ 20 09 08 07 06 05 04

Original: Essentials of Writing Biomedical Research Papers, 2/e
By Mimi Zeiger
ISBN 0-07-134544-2

This book is exclusively distributed in Koonja Publishing Co.

When ordering this title, please use ISBN 89-7089-525-6

Printed in Korea

* 역자약력

안성민 MD-PhD

학력
BSc in Biochemistry and Molecular Biology, the University of Queensland
아주대학교 의과대학
PhD, Ludwig Institute for Cancer Research, the University of Melbourne, with emphasis on genomics and proteomics

경력
가천대 기초의학부 분자의학과 조교수
가천대 길병원 중개의학과 조교수
가천대 기초의학부 분자의학과 부교수
가천대 길병원 중개의학과 부교수
서울아산병원 종양내과/의생명정보학과 촉탁임상교수(현)
서울아산병원 아산생명과학연구원 연구기획관리실 부실장(현)
서울아산병원 암병원 암연구기획 책임교수(현)

수상경력
21세기를 이끌 우수인재상(대통령상)
Australia-Asia Awards
연강학술상

역서

의생명정보학 기법	Jules J. Berman 저/ 안성민 등역 허원미디어
At the Bench	Kathy Barker 저/ 안성민, 박상진, 홍성호 공역 월드사이언스
세포의 반란	로버트 와인버그 저/ 조혜성, 안성민 공역 사이언스북스
생물학 실험을 위한 수학	Dany Adanms/ 안성민 등역 월드사이언스

논문
주저자로 Hepatology, Genome Research, Oncogene, BMC Genomics 등의 저널에 다수의 논문 발표.

서문

영어로 생의학 논문 쓰는 법(Essentials of Writing Biomedical Research Papers)은 심혈관계 연구에 몸담고 있는 박사후 과정 연구원을 대상으로 한 과학적 글쓰기 과정에서 발전해 왔으며 이 글쓰기 과정은 캘리포니아 대학 샌프란시스코 분교의 심혈관 연구소의 창립자이자 최초의 소장이었던 Julius H. Comroe, Jr., M.D.가 시작한 것이다. 나는 1978년부터 이 과정을 가르치기 시작한 이래로 과학논문의 초고에서 글쓰기와 관련된 문제점을 평가하고 저자가 명쾌한 글쓰기를 위해 필요로 하는 글쓰기의 원칙을 발견하는 일에 매달리고 있으며, 이런 글쓰기의 원칙을 보여주기 위해 젊은 저자들이 쓴 논문의 초고를 예문과 연습문제로 변형시키는 일을 병행했다.

이 책은 특징적으로 글의 구조와 줄거리의 중요성을 강조하고 있으며, 각 단락과 섹션, 최종적으로 논문 전체가 명쾌한 줄거리를 전개하도록 개별 단락과 논문의 각 섹션을 구성하는 법을 설명해준다.

이 책의 다른 특징으로는 명쾌한 생의학적 글쓰기와 관련한 많은 과학적 원칙과 더욱 명쾌한 교정문을 동반하고 있는 명쾌하지 못한 많은 글쓰기에 관한 예문, 하나 또는 그 이상의 교정문을 동반하고 있는 많은 연습문제를 들 수 있다. 예문과 연습문제는 주로 논문의 초고에서 채택된 것이며 일부는 출판된 생의학연구논문에서도 채택되었다. 교정문은 학생들이 자신의 논문에서 모방해 사용할 수 있는 모델이라 할 수 있다.

이 책은 석박사 과정 학생 및 박사후 과정 연구원, 신임 교원을 대상으로 한 생의학적 글쓰기 과정의 교재로 전세계에 걸쳐 성공적으로 사용되고 있으며, 이러한 과정은 학생들의 제한된 시간 때문에 4주나 6주, 12주에 걸쳐 24시간 동안 진행되거나 일주일 동안 35시간에 걸쳐 간결하고 집중적인 형태로 운영된다.

나는 지난 수 년간 이 책을 준비하면서 많은 사람의 도움을 받았다. 우선 나는 Dr. Comroe에게 큰 빚을 지고 있다. 그가 글쓰기 과정을 위해 마련한 목차는 내게 큰 디딤돌이 되었으며 그의 헌신적인 가르침도 고무적이었다. 두 번째로 나는 교범으로 사용하기에 충분할 만큼 거의 완벽에 가까운 경지에 이를 때까지 논문과 씨름한 많은 박사후 과정 연구원에게 감사한다. 그들의 완벽을 추구하고자 하는 의지와 자신들의 초고와 교정문을 내가 출판할 수 있게 허락해 준 너그러움이 없었다면 이 책의 출판은 불가능했을 것이다. 마찬가지로, 논문의 일부를 예문과 연습문제로 사용할 수 있게 허락해 준 이미 출판된 논문의 저자와 출판사에도 감사를 표한다. 출판된 논문에서 발췌된 예문은 이 책에서 가장 유용하고 흥미로운 예문과 연습문제의 일부가 되었다. 또한, 나는 통찰력있는 교정을 통해 이 책을 풍요롭게 해준 글쓰기 과정의 많은 학생들에게 감사한다. 그리고 내가 과학과 관련해 터무니없는 실수를 범하지 않도록 도와준 많은 과학자에게도 감사한다. 여전히 몇 가지 실수는 남아있겠지만 그저 독자들이 그런 과학적 문제를 뛰어넘어 내가 보여주려고 한 글쓰기의 원칙을 이해하기를 바랄 뿐이다. 마지막으로 나는 다음의 일곱 명에게 특별히 감사하고 싶다: 이 책에서 손으로 그린 그림을 책임진 뉴욕 식물원의 일러스트레이터 Bobbi Angell과 컴퓨터로 그린 그림을 책임진 캘리포니아 대학 샌프란시스코 분교의 심혈관연구소 편집장인 Paul Sagan에게는 그들의 정교한 작업과 수많은 교정을 거치면서도 유쾌하게 일을 진행해 준 마음에 감사한다. 캘리포니아 대학 샌프란시스코 분교의 소아과 교수인 David F. Teitel, M.D.와 네브라스카 대학 생리학과의 부교수인 Harold Schultz, Ph.D., 캘리포니아 대학 샌프란시스코 분교의 심혈관연구소의 연구생리학자인 Thomas Pisarri, Ph.D.에게는 몇 가지 어려운 연습문제와 관련해 내가 교정문을 반복해서 고쳐 쓰는 것을 친절하고 효율적으로 도와준 데 대한 감사를 표한다. 캘리포니아 대학 샌프란시스코 분교의 의대 교수인 Stanton A. Glantz, Ph.D.와 버몬트 대학의 내과 및 생리학, 생물리학 교수인 Bryan K. Slinker, D.V.M., Ph.D.에게는 이 책을 발전시켜나가는 과정에서 과학적 및 통계학적 질문에 관해 지치지 않고 친절하게 조언해준 데 감사한다. 이들은 과학 분야에서 일하는 모든 언어학자들이 필요로 하는 특별한 종류의 컨설턴트로서 지식이 풍부하고 분별력이 있으며 관대하기까지 하다.

제 2 판에는 분자생물학에 관한 여러 예문과 연습문제를 추가했다. 또한 모든 장(章)을 정교하게 가다듬고 다시 조직했으며 제 3 장을 확장시켰다. 제 3 장은 글쓰기의 주요 원칙을 제시하고 있으며 이 책의 다른 장은 모두 제 3 장에 기초하고 있다. 이렇게 내용을 추가하고 변화시키는 과정에서 나는 다른 일곱 명의 도움을 빌게 되었다. 나는 캘리포니아 대학 샌프란시스코 분교의 병리학 교수인 James McKerrow, M.D., Ph.D.와 구강병학과의 편집장인 Evangeline Leash에게 분자생물학에 대해 일깨워준 설명과 분장생물학 논문을 쓸 때의 문제점에 관한 최근 경향을 제시해준 데 대해 감사한다. 또한, 내과 및 세포분자약물학 교수인 Henry Bourne, M.D.와 Harlan Ives, M.D., PhD., 소아과 교수인 Joseph Kitterman, M.D., 해부학 교수인 Zena Werb, Ph.D.(모두 캘리포니아 대학 샌프란시스코 분교 소속)에게는 논문의 일부에 담긴 과학을 친절하게 설명해주고 이들을 연습문제로 바꾸는 과정에 도움을 준 것에 관해 빚을 지고 있다. 클리브랜드 클리닉 재단 분자심장학과의 혈전 및 혈관 생물학 센터의 Stanley D' Souza, Ph.D.에게는 좋은 예문으로 사용해도 이미 별 문제가 없는 그의 논문 일부를 내가 소심하게 다시 쓰는 작업을 친절하게 도와준 데 감사한다. 이 일곱 명의 너그러운 도움이 없었다면 제 2 판에는 일곱 개의 유용한 예문과 연습문제가 새로 실릴 수 없었을 것이다.

마지막으로, 캘리포니아 대학 샌프란시스코 분교와 세계 여러 곳에서 열린 내 글쓰기 과정의 참가자들이 수행한 작업에 기초해 나는 제 1 판의 연습문제의 교정문 중 상당수를 다시 교정했다. "퇴고에는 끝이 없다."는 격언을 되새기게 해준 모든 참가자에게 가슴속 깊이 감사한다.

목차

Mimi Zeiger의 생의학 영어논문 작성법

Essentials of Writing Biomedical Research Papers

목적은 바로 명쾌한 글쓰기

이 책의 목적

대부분의 독자는 생의학 분야 논문의 작문 수준이 형편없다는 사실에 의견을 달리하지 않을 것이다(Woodford, 1967). 거의 모든 생의학 논문의 문제점은 나무를 보느라 숲을 보지 못하는 데 있으며, 가장 단적인 예는 다음과 같다. 우선, 다른 사람이 발견해 놓은 사실을 너무나 자세히 늘어놓는, 즉 문헌 리뷰에 과도한 지면을 할애하는 경우가 있고, 그 외에도 측정된 변수들의 목록을 한도 끝도 없이 늘어놓는 경우(그것도 대개 약어로 되어있는 알파벳 퍼즐의 형태로 쓰여진다), 평균, 표준 오차, P 값(p value) 등의 형태로 데이터를 폭포수처럼 쏟아내는 경우, 데이터에 대한 고찰을 두서없이 늘어놓는 경우 등이 있다. 그러나 과학은 데이터가 아니다. 데이터는 과학의 재료에 불과하며 과학은 그 데이터를 가지고 여러분이 하고자 하는 일, 해석, 하고 싶은 이야기인 것이다.

이 책의 목적은 독자에게 생의학 연구논문의 세부요소를 말끔하게 정렬해서 명쾌한 메시지를 담은 산뜻한 이야기로 만드는 방법을 보여주는 데 있으며 이 목적을 달성하기 위해서 명쾌한 작문을 위한 여러 가지 구체적인 원칙이 제시되어 있다. 또한, 이 책에는 각 원칙과 관련해 이를 벗어난 작문의 예를 들고 이를 교정해 놓은 결과를 함께 보여줌으로써 과학적 아이디어를 더 명쾌한 방식으로 정리하는 법이 예시되어 있다. 따라서, 여러 가지 구체적인 작문의 원칙과 교정이 뒷받침된 다양한 실례가 이 책의 두 가지 주요 특징이라 할 수 있겠다. 다른 특징으로는 각 장마다 곁들여져 있는 연습문제를 들 수 있으며 각 문제에 대해서는 책의 뒷 부분에 한두 개의 모범 답안이 제시되어 있다. 독자는 연습문제를 통해 작문의 원칙이 적절하게 혹은 부적절하게 적용된 상황을 인식할 수 있는 기회를 얻게 될 것이며(독해 연습문제), 다른 한 편으로는 그 원칙을 실제로 응용해 볼 기회를 얻게 될 것이다(작문 연습문제). 교정된 예제와 작문 연습문제는 모두 독자의 작문을 위한 모델로 사용될 수 있다.

연습문제를 푸는 이유는 작문의 원칙을 적용하는 일에 판단이 요구되기 때문이다. 작문의 세계에서는 무엇이 반드시 옳고 무엇이 반드시 나쁘다고 말하기 어렵지만 더 적절한 선택과 더 그릇된 선택은 반드시 존재하기 마련이다. 그렇다면 좋은 작문을 위한 열쇠는 판단능력을 계발해서 더 적절한 선택을 내릴 수 있게 되는 것일 게다. 이러한 선택을 내리는 일에 있어서 여러분의 판단능력을 계발하고 싶다면 독해 연습문제에 대한 여러분의 비평과, 작문 연습문제를 여러분이 교정한 결과를 책 뒷 부분의 모범답안과 비교해보는 것이 도움이 될 것이다. 이 책에 교정되어 있는 글의 상당 수는 수 년 동안 학생들이 작문하고 교정한 결과를 통해 얻어진 것이지만, 완벽한 논문은 없다는 점을 항상 염두에 두어야 한다. 실제로 여러분은 이 책의 교정된 글에 등장하는 몇 가지 선택에 동의하지 않을 수도 있지만, 그것이 문제가 되지는 않는다. 교정이란 작업에는 끝이 없다. 따라서 이 책에 제시된 교정문은 절대적인 완성 단계가 아니라 단지 개선된 글이라는 관점에서 의도된 것이다.

이 책에 제시된 대부분의 예제와 연습문제는 캘리포니아 대학 샌프란시스코 분교의 심혈관계 연구센터에서 박사후 과정을 밟고있는 주니어 연구원들이 쓴 출판 전 단계의 원고다. 이런 예시문들은 훌륭한 작문의 극치를 보여주기 위해 의도된 것이 아니며 이제 막 경력을 쌓기 시작한 젊은 연구가들이 달성할 수 있는 합리적인 수준의 명료성을 보여주기 위한 것이다. 글쓰기에 관심있는 사람이라면 자신의 글이 명료할 뿐만 아니라 좀더 생생하게 보이기 원할 것이며 사실 그것이 글쓰기의 최종 목표다. 그러나 이 책의 목적은 오로지 명료성에 초점을 맞추고 있다.

명쾌하게 써야만 하는 이유

대부분이라면 과장일지 몰라도 적지 않은 과학자들이 실험실에서 일하기는 좋아하면서 논문을 쓰는 일에는 질색한다. 그러나 글쓰기는 최소한 실험하는 일 만큼이나 중요하며 명쾌하게 쓰는 일은 독자뿐만 아니라 저자에게도 중요하다.

명쾌하게 써야 독자들이 여러분의 메시지를 이해할 수 있다.

잠시 여러분이 논문을 읽고 있다고 생각해보자. 어떤 종류의 논문인가? 간결하고 내용이 충실하며 명쾌한 논문일 가능성이 높다. 그렇다면, 간결하고 내용이 충실하며 명쾌한 논문을 직접 써보라. 간결하고 내용이 충실하며 명쾌한 논문은 독자가 제대로 이해할 가능성이 대단히 높다. 여러분이 이 책에 제시된 생의학 논문의 예문을 읽은 뒤에 우리가 얼마나 쉽게 논문을 잘못 이해할 수 있는지 알게 된다면 이 명제의 진실을 깨달을 수 있을 것이다. 여러분이 논문을 잘못 이해할 수 있다면 여러분이 쓴 논문을 읽는 독자도 마찬가지일 것이다.

그러면 누가 여러분의 논문을 읽는가? 분명히 그 독자층에는 여러분의 분야에서 연구를 하는 과학자가 포함될 것이다. 그러나 이들은 단지 핵심적인 독자층에 불과하다. 여러분의 논문의 잠재적인 독자층에는 대학원생에서 노벨상 수상자에 이르기까지 대단히 다양한 사람이 포함되며 모국어가 영어가 아닌 수 많은 독자도 물론 포함된다. 게다가, 어떤 독자는 여러분의 분야에 문외한일 수도 있다. 결국은 모든 과학자가 자신이 몸담고 있는 분야 외의 논문을 읽게 되기 마련이다. 즉, 참호를 깊게 파다보면 언젠가는 다른 전문분야와의 고리를 찾게 되는 법이다. 또한 이러한 고리가 때로는 멋진 과학적 발견으로 이어지기도 한다. 따라서 여러분 분야와 무관한 과학자들이 여러분의 논문을 읽는다는 점은 대단히 중요하다. 마지막으로, 어쩌면 가장 중요한 사실 한 가지는 대부분의 독자가 여러분의 논문을 읽을 때 반쯤은 졸고 있다는 점이다. 어쩌면 밤늦게, 아니면 버스나 비행기 안에서 말이다. 이렇게 광범위한 잠재적 독자층과 이들의 반쯤은 넋이 나간 상태 때문에 저자가 논문을 명쾌하게 써야 할 무게는 더욱 무거워진다. 독자가 할 일은 저자의 생각을 따라가면서 거기에 동의하는지, 동의하지 않는지를 결정하는 것이며 독자에게 논문을 해독해서 재구성할 의무가 있는 것은 아니다. 따라서 독자가 여러분의 메시지를 받아들이기 원한다면 그 메시지를 충분히 명쾌하게 전달해야만 하는 것이다.

우리가 사용하게 될 명료성의 표준은 로마 시대의 수사학자였던 퀸틸리안(Quintilian)에게로 거슬러 올라간다. "명쾌한 글이란 도저히 잘못 이해할 수 없는 글을 말한다". 퀸틸리안의 명제는 명쾌한 글은 이해할 수 있는 글이라는 표현보다 훨씬 강력한 메시지를 담고 있다. 그렇지 않은가?

명쾌하게 써야 저자의 생각도 명료해진다.

어렵지만 명쾌한 글쓰기의 표준을 고수하는 일에는 부가적인 유익이 뒤따른다. 명쾌하게 쓰면 여러분의 생각을 명쾌하게 정리하는 일에 도움이 된다(Woodford, 1967). 말하고자 하는 사실을 자기가 알고 있다고 생각하는 사람들이 많지만 막상 그 사실을 글로 써보라고 하면 결과는 달라진다. 글쓰기의 과정을 통해서 여러분은 정말로 알고 있는 것이 무엇인지를 발견하게 될 것이다. 여러분은 글쓰기의 과정을 거치면서 생각의 흐름이 바뀌는 것과 연구를 시작할 때 제기했던 질문과는 조금 다른 질문에 대답하게 되는 것을 흔히 경험할 것이다. 이렇게 생각이 진화하는 것이야말로 글쓰기의 위대한 장점 중 하나다. 또 다른 장점은 여러분이 쓴 글을 읽으면서 그릇된 추론이 노출된다는 점이다. 여러분은 논리의 이탈이나 일관성의 결여를 발견하게 될 것이고 이를 통해 정말로 의도했던 것이 무엇인지를 다시 생각해보는 계기를 얻게될 것이다.

이 책의 범위

이 책은 실험 과학자가 써야할 글의 대부분을 차지하는 논문, 즉 저널에 실리는 논문으로서 연구의 결과를 보고하는 형태의 글을 다루고 있으며, 그 외에도 방법론에 관련된 논문(새로운 또는 개선된 방법이나 장비, 재료를 보고하는 논문)에 대한 몇 가지 해석을 담고 있다. 이론에 관한 논문이나 증례 보고서(case report), 리뷰 등과 같은 종류의 논문은 이 책에서 다루어지지 않는다. 이 책에 사용된 예제는 주로 생의학 분야의 한 줄기에서 나온 것이지만 사용된 작문의 원칙은 다른 대부분의 과학 분야에도 적용이 가능하다.

이 책의 접근방법

이 책의 접근방법은 명쾌하게 쓰여진 생의학 연구논문이 무엇인지를 설명하고 예시하는 것이다. 논문을 찾는 과정은 가볍게만 다루어졌다. 이런 접근방법의 기초가 된 생각은 목표를 정확하게 알면 거기에 도달할 가능성이 높아진다는 발상에서 비롯된 것이다. 따라서, 이 책은 우선 이걸 하고 다음엔 저걸 하라는 식의 접근방법이 아니라 명쾌한 글이 되려면 최종 결과물이 어떤 식이 될 것이라는 점을 보여주는 형식을 띠고 있다.

이 책의 첫 단원은 글쓰기의 기본 단위(단어 선택, 문장 구조, 단락 구조)에 할애되었으며 두 번째 및 세 번째, 네 번째 단원은 생의학 연구논문의 각 요소의 구조를 순서대로 살피는 일에 할애되었다. 우선 텍스트 부문에 해당되는 서론(Introduction)과 대상 및 방법(Materials and Methods), 결과(Results), 고찰(Discussion)을 다룬 뒤에 이를 뒷받침하는 정보에 해당하는 그림(figure)과 표(table), 참고문헌(References)이 다루어지고 마지막으로 전체적인 개요에 해당하는 초록(Abstract)과 제목(Title)에 관한 내용과 모든 구성 요소가 일치되어 하나의 단순하고 명쾌한 메시지를 전달할 수 있도록 논문의 구조 전체를 평가하는 청사진에 관한 내용이 다루어진다.

이 책은 점진적인 성격을 띤다. 즉, 뒷 부분에 나오는 장(章)은 앞 부분에서 제시된 작문 원칙의 기초 위에 새로운 내용을 쌓아올리고 있다. 특별히, 연구논문의 각 요소와 관련된 4장~7장과 청사진과 관련된 12장은 단락 구조의 원칙 위에 이룩된 것이다. 결국 이 책은 작문의 가장 작은 단위(단어)에서 시작해서 가장 큰 단위(논문 전체)로 끝나게 된다.

이 책에는 여러 가지 작문의 원칙이 포함되어 있으며 각 주제와 관련된 원칙을 요약한 내용이 각 장의 마지막 부분에 제시되어 있다. 지금부터는 이 책에 제시된 주요 원칙의 개요를 살펴보도록 하자.

이 책에 제시된 주요 원칙의 개요

거의 모든 생의학 연구논문의 문제점이 나무를 보고 숲을 보지 못하는 것이며 이를 해결하려면 논문 안에 구조를 세워서 숲을 분명하게 볼 수 있게 해야한다. 생의학 연구논문의 네 섹션에는 각각 고유한 구조가 있다.

서론(Introduction)

서론은 깔때기라는 표준적인 구조를 따른다. 깔때기는 넓은 입구로 시작하지만 점점 좁아지는 구조를 가지고 있으며 가설을 검증하는 논문의 서론도 이와 마찬가지로 잘 알려진 사실에서 출발해서 알려지지 않은 사실, 즉 그 논문이 묻고자 하는 질문으로 접근하게 된다. 서론은 질문으로 끝날 수도 있으며 그 질문에 대답할 수 있는 실험적 방법을 기술하는 것으로 끝날 수도 있다. 예문1에는 깔때기 구조를 지닌 서론이 소개되어 있다.

예문 1 서론

A 알려진 사실
B 알려지지 않은 사실
C 질문
D 실험적 접근방법

A B C D

*A*It is known that several general anesthetics, including barbiturates, depress the bronchomotor response to vagus nerve stimulation (1, 7, 9). *B*However, the site of this depression has not been determined. *C*To determine which site in the vagal motor pathway to the bronchioles is most sensitive to depression by barbiturates, *D*we did experiments in isolated rings of ferret trachea in which we stimulated this pathway at four different sites before and after exposure to barbiturates.

서론에서 주목해야 할 중요한 사실은 이탤릭체로 표시된 질문의 핵심용어가 알려진 사실과 알려지지 않은 사실을 기술한 문장의 어구를 그대로 반복하고 있다는 점이다. 핵심용어를 반복하는 일은 대단히 중요하며 이는 이러한 반복을 통해서 논문이 묻고자 하는 질문이 알려진 사실과 알려지지 않은 사실을 필연적으로 연결하고 있다는 점이 분명해지기 때문이다. 연구논문의 나머지 부분이 전적으로 서론에 제시된 질문에 의존하고 있기 때문에 논리적 경로를 따라 질문하며 질문을 명쾌하게 기술하는 일은 대단히 중요하다. 구체적으로 짚어본다면, 방법(Methods)에서 여러분은 서론의 질문에 대답하기 위해 어떤 실험을 했는지를, 결과(Results)에서는 서론의 질문에 답해주는 어떤 결과를 얻었는지를 기술해야 한다. 그리고 고찰(Discussion)에서는 서론의 질문에 대한 대답을 기술하고 설명하는 일이 이루어진다. 생의학 연구논문에서 나무를 보고 숲을 보지 못하는 우를 피하려면 논문의 각 섹션에서 아이디어를 선택하고 조직할 때 서론의 질문을 시금석으로 삼을 필요가 있다.

대상 및 방법(Materials and Methods)

대상 및 방법의 구조는 본질적으로 연대기적 특성을 띤다. 즉, 여러분은 서론의 질문에 대답하기 위해 처음 한 일을 기술하는 것으로 시작해서 가장 마지막에 한 일을 마지막에 기술하게 된다. 또한, 대상 및 방법은 보통 긴 내용을 담고 있기 때문에 기술되는 정보의 종류에 따라 몇 가지 하부 구조로 나뉘게 된다. 예를 들어, 가설을 검증하고 모든 실험을 미리 디자인해야하는 연구의 경우, 대상 및 방법은 다음과 같은 구조를 갖게 된다.

준비(Preparation)
연구디자인(Study Design)
측정방법(Methods of Measurement)
자료분석(Analysis of Data)

여기에서 숲을 보여주는 하부구조가 바로 연구디자인이다. 연구디자인은 서론의 질문에 대답하기 위해 수행한 연구의 개요를 보여주며 따라서 방법과 관련한 모든 세부사항이 따라야 할 청사진이 된다.

연구디자인에는 다음과 같은 세 가지 구성요소가 필요하다.

- 독립변수(The independent variable): 실험자가 조작하는 변수
- 종속변수(The dependent variable): 실험자가 측정하는 변수
- 모든 대조군

예문2에는 이 세 가지 요소를 모두 가지고 있는 연구디자인이 제시되어 있다(이 예문은 예문1과는 다른 논문에서 선택된 것이다.)

예문 2 연구디자인

E 독립변수
F 종속변수+베이스라인

*E*To determine whether stimulation of pulmonary C-fibers reflexively evokes increased secretion from tracheal submucosal glands, we stimulated pulmonary C-fiber endings in each of the 9 dogs by injecting capsaicin (10-20 μg/kg) into the right atrium. *F*At 10-s intervals for 60 s before (baseline) and 60 s after each

G Sham control
H 세부사항

injection, we measured secretions from tracheal submucosal glands. [G]As a control, in the same 9 dogs we measured secretion in response to injection of vehicle (0.5-1.0 ml) into the right atrium. [H]Injections were separated by resting periods of about 30 min.

결과(Results)

결과의 전체적인 구조는 일반적으로 연대기적 특성을 지닌다. 모든 실험을 미리 디자인하게 되는 가설검증연구의 결과 섹션은 서론의 질문과 관련해 가장 중요한 것에서 가장 중요하지 않은 것의 순서를 취할 수도 있다(예를 들어, 여러 실험이 동시에 수행된 경우).

또한, 결과 섹션의 각 단락 내에서도 각각의 아이디어가 가장 중요한 것에서 가장 중요하지 않은 것의 순으로 조직될 수 있다. 따라서, 예문3에서 볼 수 있는 것과 같이 중요한 결과는 첫 문장에 기술되며 덜 중요한 결과나 부수적인 사항은 뒤따르는 문장에 기술된다.

예문 3 결과

I 중요한 결과
J, K 덜 중요한 결과

[I]Incubation of rings of fetal lamb ductus arteriosus in arachidonic acid increased production of prostaglandin E_2 to 3.5 times the baseline value (Fig. 1). [J]This increase was blocked when the rings were incubated in arachidonic acid in the presence of indomethacin. [K]In the control series of experiments, prostaglandin E_2 production measured at the same 90-min intervals did not change.

고찰(Discussion)

고찰에는 정해진 구조가 없으며 단지 몇 가지 일반적인 가이드라인이 있을 뿐이다. 최우선으로 생각해야 할 가장 중요한 원칙은 서론의 질문에 대한 내답을 고찰의 앞부분에 기술하는 것이다. 앞부분에 질문에 대한 대답을 기술하는 이유는 대답이 논문에서 가장 중요한 부분이며 따라서 가장 눈에 잘 띠는 곳에 자리를 잡아야 하기 때문이다. 대답을 기술한 직후에는 이를 뒷받침하는 증거를 제시해야 한다. 예문4에는 한 고찰의 첫 단락이 제시되어 있으며 이 단락의 첫 문장은 질문에 대한 대답을 기술하고 나머지 문장은 이를 뒷받침하는 증거를 제시한다.

예문 4 고찰의 중반

L 대답
M, N 개선된 결과를 뒷받침

1 *L*In this study, we have shown that a 42-day course of dexamethasone leads to sustained improvement in pulmonary function and improves neurodevelopmental outcome in very low birth weight infants who are at high risk of developing bronchopulmonary dysplasia. *M*Evidence of improved pulmonary function is that after a 42-day course of dexamethasone given to our preterm infants who were ventilator and oxygen dependent at 2 weeks of age, the durations of positive pressure ventilation, of supplemental oxygen, and of hospitalization were less than those in control infants, who received saline placebo. *N*Evidence of improved neurodevelopmental outcome is that the infants who received the 42-day course of dexamethasone had a lower incidence of neurologic handicap and significantly higher scores on the Bayley Scales of Infant Development than did infants in the control group.

대답을 기술하고 이에 대한 증거를 제시한 후에는 과학적 논리에 따라 또는 가장 중요한 것에서 가장 중요하지 않은 순으로 나머지 주제를 정리하면 된다. 주제문을 통해 전체 구조를 부각시키면 각 단락의 핵심을 쉽게 드러낼 수 있다. 이렇게 하면 예문5에서와 같이 독자는 고찰 각 단락의 첫 문장만을 읽고도 고찰의 줄거리를 좇아갈 수 있게 된다. 예문5는 예문4에서 시작된 고찰의 뒷부분이다.

예문 5 고찰의 중반

2, 3 심각한 합병증
4 42일 치료를 뒷받침
5, 6 다른 합병증

2 Importantly, we did not observe any of the serious complications of dexamethasone administration suggested by previous, uncontrolled trials (14, 15, 17). (etc.)

3 However, some infants may have had adrenocortical suppression, since mean serum cortisol levels were significantly lower in infants who received the 42-day course of dexamethasone than in control infants. (etc.)

4 We have also found that the duration of dexamethasone therapy is important. (etc.)

5 Two points regarding the clinical courses of infants in our study are worth noting. First, the only two infants who developed pneumothoraces during the study period were receiving dexamethasone. (etc.)

6 Second, retinopathy was found in a very high number of infants in all three groups. (etc.)

이 고찰의 중반은 가장 중요한 것에서 가장 중요하지 않은 주제의 순으로 진행되고 있다. 고찰의 앞부분에서 질문에 대한 대답이 기술된 후(치료법은 효과가 있다: 예문4 참조), 고찰의 중반에서는 제일 먼저 만약 발생한다면 치료법의 효과를 뒤집을 수 있는 심각한 합병증에 대한 견해가 제시되고 다음으로 왜 긴 치료기간(42일)이 필요한가에 관한 설명이 이어진다. 그리고, 마지막으로 서론의 질문에는 포함되지 않았던 점들이 설명되고 있다. 이 부분에 설명된 사실(다른 합병증들)은 흥미롭긴 하지만 중요도는 떨어진다. 주제문을 읽어 내려가면 이런 줄거리가 명쾌하게 나타난다.

고찰이 중간에서 멈추어 서는 법은 없다. 고찰은 반드시 종착역에 도착해야 한다. 종착역에 이르는 두 가지 표준적인 방법은 질문에 대한 대답을 다시 한 번 기술하거나 그 대답의 중요성을 부각시키는 것이다. 물론 둘 다 할 수도 있다. 예문4와 예문5의 고찰의 경우 저자는 대답과 더불어 합병증과 관련된 사실을 한 번 더 기술하고 있으며 이렇게 함으로써 논문의 메시지를 한 곳으로 모으고 있다(예문6).

예문 6 고찰의 종결

O 대답
P 합병증

7 *O*In summary, we have shown that dexamethasone therapy for 42 days leads to sustained improvement in pulmonary function and improves neurodevelopmental outcome in very low birth weight infants who are ventilator and oxygen dependent at 2 weeks of age and therefore are at high risk of developing bronchopulmonary dysplasia. *P*Although dexamethasone use may be associated with adrenocortical suppression, it is not associated with an increased incidence of major complications, including infection, hypertension, and growth failure.

이런 결말은 논문의 메시지를 한 층 강화시켜주며 종결되었다는 인상을 준다.

고찰의 마지막 단락에 제시된 대답이 고찰의 첫 단락에 제시된 대답과 사실상 동일하다는 점에 주목하라. 이렇게 대답을 정확하게 반복하는 일은 대단히 중요하나. 만약 이 두 대답이 서로 다르다면 어느 쪽을 믿어야 할 지 혼란스러울 것이다.

마지막으로, 서론에서 제기한 질문에 대답하는 것이 중요하다. 독자는 논문 전체를 서론의 질문을 통해 바라보게 된다. 따라서 고찰에 제시된 대답이 서론의 질문에 대한 대답이 되지 못한다면 독자는 미궁에 빠지게 되며, 예문7이 바로 그러한 예에 속한다.

예문 7 질문과 대답의 불일치

질문 : We asked whether liquid leaks directly from edematous lung.
대답 : We conclude that liquid leaks across the visceral pleura.

이 예문의 대답은 사실상 질문에 대답을 하고 있지만 사용된 핵심용어가 다르기 때문에 그러한 관계가 명료하지 못하다. 질문이 요구하는 대답을 명쾌하게 제시하려면, 즉 논문의 메시지를 명쾌하게 하려면 질문과 대답에서 동일한 핵심용어를 사용해야 한다. 예문7의 교정문을 읽어보라.

교정문

질문 : We asked whether liquid leaks directly from edematous lung.
대답 : We conclude that lung edema leaks into the pleural space.

이 책의 뒷 부분에서는 지금까지 제시된 가이드라인을 따르는 방법이 훨씬 더 자세하게 설명되어 있으며 이를 통해 여러분은 숲과 나무가 모두 명쾌하게 드러나 있는 생의학 연구논문을 쓸 수 있게 될 것이다.

이 책의 사용법

이 책을 독학하건 교재로 사용하고 있건 간에 각 장을 주의 깊게 읽고 그 안의 모든 원칙을 확실하게 이해하도록 하라. 가장 강조하고 싶은 점은 시간을 두고 각 연습문제를 주의 깊게 써보라는 것이다. 연습문제를 슬쩍 읽어 내린 뒤에 이렇게 교정하면 되겠구나 생각하는 것으로는 부족하다. 배움의 길은 연습문제를 가지고 씨름하면서 적절한 작문의 원칙을 적용하려고 애쓰는 데 있다. 여러분 스스로가 교정한 글을 책 뒷부분의 모범답안과 비교해보면 모범답안과 같을 수도, 아니면 상이할 수도 있다. 어쩌면 여러분의 글이 훨씬 좋을 수도 있다. 설령 한두 가지 사실을 놓쳤다 할 지라도 그렇게 씨름한 것만으로 충분한 가치가 있다. 글쓰기를 배우는 유일한 길은 바로 글을 쓰는 일이기 때문에 종이 위에서 단어와 씨름하는 일은 대단히 중요하다. 따라서 절대로 모범답안을 컨닝하지 말라. 대신에 스스로에게 넘어지고 일어설 수 있는 기회를 부여하라. 그러면 작문의 원칙을 적용할 수 있는 판단력을 계발하게 될 것이다.

어떤 연습문제는 꽤 어렵다. 그럴 때는 연습문제를 이해하는 데 필요한 시간을 충분히 들이되 연습문제 속의 과학적 사실에 목을 매지는 말라. 예문과 연습문제는 거의 예외없이 심혈관계 연구와 관계된 것이므로 어떤 독자들에게는 생소할 수도 있다. 하지만, 글쓰기에 관해서만 생각하고 과학은 접어두라. 어떤 독자들에게는 자신의 분야와는 무관한 분야에서 글쓰기를 이해하는 것이 더 쉬울 수도 있다.

이 책에 제시된 작문의 원칙을 여러분의 글쓰기에 적용하기 시작하면(각 장의 마지막 부분에 제시된 요약을 점검표로 활용하라) 어떤 논문도 모든 원칙을 정확하게 따를 수 없다는 사실을 발견하게 될 것이다. 모든 논문은 고유한 이야기를 담고 있으며 따라서 전체 구조를 일관성있게 유지하기란 쉽지 않다. 요컨대, 어떤 내용은 다른 곳에서는 적당하지 않고, 어떤 주제는 전체 줄거리를 흩트리기 일쑤다. 그렇기 때문에 생의학 연구논문을 쓰기가 쉽지 않은 것이다. 절대적 공식이란 존재하지 않으며 모든 논문은 고유의 특성을 지닌다. 따라서 여러분은 판단력과 창의력을 가지고 이 책에 제시된 원칙을 여러분 고유의 글쓰기에 적용해야만 하며 글쓰는 기술은 계발하는데 시간이 필요하다. 때때로 곤경에 빠질 수도 있을 것이다. 그럴 때는 가능하다면 과학 분야 글쓰기에 경험 많은 선생님과 상담하거나 명쾌한 글쓰기에 정통한 동료와 상의해보는 것이 좋다. 그런 것이 불가능할 경우 작문의 원칙이 혼란을 주거나 그 원칙대로 따를 수 없다면 무시해버리라. 글쓰기가 완전해지는 것보다는 과학이 정확해지는 것이 더 중요하다. 글쓰기에 능숙해질수록 여러분은 하고싶은 말을 논문이 그대로 전할 수 있도록 원칙을 구어삶을 수 있게 될 것이다. 결국 여러분의 목적은 모든 원칙을 그대로 따르는 것이 아니라 논문을 명쾌하게 쓰는 것이 아닌가?

제1단원
글쓰기의 기본 단위

글을 쓰려면 단어가 필요하다. 여러분은 단어를 가지고 두 가지 일을 할 수 있으며 그 두 가지란 바로 선택과 배열이다. 이 책의 첫 장에서 우리는 단어를 선택하는 법을 다루게 되며 나머지 부분에서는 주로 단어를 배열하는 법을 다루게 된다. 배열은 점점 큰 단위로 진행되는데 문장에서 단락으로, 단락에서 논문의 각 섹션으로, 그리고 논문 전체로 범위가 넓혀진다.

단어와 문장, 단락은 글쓰기의 기본 단위다. 이 책의 뒷 부분에서는 단어 선택과 문장 구조, 단락 구조에 관한 원칙들이 확장되어 생의학 연구논문의 각 섹션에 적용될 것이며 최종적으로 논문 전체에 적용된다.

제1장 단어의 선택

생의학 연구논문에 사용되는 단어의 선택에는 몇 가지 기본 원칙이 있다. 이번 장의 첫 번째 연습문제는 문장 속의 단어를 평가함으로써 이런 원칙을 발견하는 데 도움이 되도록 고안된 것이며, 그 속에 담겨있는 원칙은 책 뒷부분의 모범답안 속에 상세하게 설명되어 있다. 이 원칙들이 이번 장에서 가장 중요한 개념이다.

두 번째 연습문제는 이와는 다른 문제를 다루고 있으며 여기에서는 의미가 유사하지만 완전히 동일하지는 않은 단어들을 구분하는 과제가 주어진다. 영어에서 단어를 서로 구별하는 일이 쉽지 않은 이유는 영어에 50만 개 가까운 엄청난 어휘가 존재하며 동의어와 동의어는 아니더라도 의미가 유사한 어휘가 많기 때문이다. 또 다른 이유 하나는 다른 모든 언어와 마찬가지로 영어가 계속해서 변하기 때문이다. 다행스럽게도 대부분의 어휘의 의미는 수 세기가 지나도 본질적으로 훼손되지 않는다. "폐"는 여전히 폐일 뿐이며 "증가한다"도 여전히 증가한다일 뿐이다(하지만, 연습문제 1.2를 보라). 그러나, 시간이 지나면서 일부 어휘의 의미는 그 언어를 사용하는 사람들의 필요를 충족시키기 위해 변하게 된다. 단어의 의미가 변하는 한 가지 방식은 추가적인 의미를 지니게 되는 것이며 어떤 경우에는 정반대의 의미를 지니게 되기도 한다. 예를 들어 영어의 "scan"이란 단어는 "to glance at quicky", 즉 빨리 훑어보다라는 의미와 "to scrutinize closely", 즉 꼼꼼하게 살펴보다라는 의미를 모두 가지고 있다. 게다가 25-30년 전쯤에 "scan"이란 단어는 의학 분야에서 다음과 같은 새로운 의미를 얻게 되었다. "인체에서 방사능 물질의 존재와 위치를 검사하는 것". 또한, "scan"은 과거에는 동사로만 사용되었지만 지금은 명사로도 사용되며 명사의 뜻은 인체 내부에서 방사능 물질의 분포를 보여주는 사진을 의미한다. 결국, 주어진 시점에 따라 특정 단어의 의미는 유동적인 것이다. 연습문제 1.2는 생의학 연구자들이 혼동하기 쉬운 어휘에 초점을 맞추고 있다. 지금부터 20여년 전이었다면 이 연습문제에 지금과는 다른 단어들이 포함되었을 게다.

이번 장의 나머지 부분에서는 연습문제 1.2에서 다루어진 어휘와 더불어 다른 몇 가지 어휘의 정의와 용례가 주어진다.

이번 장의 모든 예문과 연습문제를 통해서 우리는 단어를 개별적이 아닌 문맥 속에서 다루게 될 것이며 이는 단어가 그 자체로 좋거나 혹은 나쁜 것이 아니기 때문이다. 단어는 주어진 문장과 단락의 문맥 속에서 조명되어야 하며 사실상 논문 전체의 문맥 속에서 조명되어야 한다.

영어에서 단어의 사용에 관한 한 최고의 권위자는 없으며 학문적 글쓰기(여기에 생의학 연구논문이 포함된다)의 표준은 교양있는 저자의 관습을 따르는 것이다. 개별 단어의 의미와 존재에 관한 구체적인 지침을 얻으려면 Webster's Third New International Dictionary of the English Language Unabridged (Webster's Third)와 같은 사전을 참고하라. 또한, 단어의 현대적 용례에 관한 지침을 위해서라면 The American Heritage Dictionary of the English Language의 용례를 참고하도록 하라.

연습문제 1.1: 단어 선택의 원칙

예문에서 밑줄이 그어진 단어들은 생의학 연구논문에서 흔히 발견되는 단어 선택상의 문제를 보여주고 있다.

1. 예문 1-27의 단어 선택을 교정해보라(사전을 활용해도 좋다).
   단어 선택을 어떻게 교정할 지 모르겠다면 잠시 생각해보라. 문장 구조를 바꿀 필요는 없다. 그냥 단어만을 바꾸라. 예문 3, 16, 18, 20에는 교정에 필요한 힌트가 들어있다.
2. 네 그룹의 예문에서 각 그룹의 예문에서 밑줄이 그어진 단어들은 모두 단어 선택상의 동일한 원칙을 한 가지 위반하고 있다. 각 그룹마다 위반되고 있는 단어 선택상의 원칙이 무엇인지 찾아보라. 그리고, 각 그룹을 표시하는 로마자 옆에 그 원칙을 적어보라. 이 연습문제는 Strunk와 White가 저술한 The Elements of Style을 참고하면서 풀어도 좋다(참고문헌 참조).
3. 생의학 연구논문에서 약어(abbreviation) 사용에 관한 가이드라인을 나열해보라.
   - 논문에서 얼마나 많은 약어를 사용할 수 있는가?
   - 언제 약어를 쓸지를 어떻게 결정하는가?

예문을 제시하라.

I.____

1. Renal blood flow was drastically compromised when the aorta was obstructed.

2. The short-circuit current remained increased for several hours.

3. The change in short-circuit current produced by 10^{-5} M major basic protein was 85% of the maximal response to isoproterenol. A higher concentration of major basic protein would therefore probably have produced only a minimal further increase in the short-circuit current.

4. The cells were exposed to lipoprotein-deficient serum for 48 h.

5. Animals were studied 4-9 weeks later.

6. In Xenopus, microinjection of mRNA on the dorsal side ventralized the embryo. This ventralizing effect was rescued by β-catenin or Siamois.
7. Deficits in Drosophila containing a deletion of its APP homologue can be partially rescued by human APP695.
8. Transcription of the promoter of the calcium-dependent protease (CANP) gene is negatively regulated by repeated GC-rich elements.
9. In isolated, perfused dog lungs, infusion of serotonin was associated with an increase in microvascular pressure.
10. We found a linear increase in the percentage of early loss of microspheres with a doubling of coronary arterial pressure.
11. With inhalation of amyl nitrate, compliance decreased.
12. Maximal coronary vasodilatation with carbochromen had other effects.
13. The salicylates are rapidly absorbed with a peak plasma salicylate concentration within 2 h.
14. The osmotic pressure of plasma was subtracted from the osmotic pressure of plasma with heparin.

II. ______________________________

15. Blood samples were drawn from the 5 female and 3 male children at 1/2, 1, 2, 3, and 4 h following the initiation of dialysis.
16. The rapid replication of chromosomes relies on DNA polymerases that initiate replication in response to regulatory signals, achieve high processivity without dissociation from the template, and then disengage rapidly and restart replication elsewhere as needed.
17. As an initial step toward understanding the relationship between multiple trans-acting factors and GC-rich sequences, we have isolated a cDNA clone for a factor that binds to a GC-rich sequence.
18. The expression of these genes by motor neurons is evident prior to the formation of distinct motor axon pathways and before the segregation of motor neurons into columns.
19. These multiple docking sites guide the saltatory movement of karyopherin-NLS protein complexes from the cytoplasmic to the nucleoplasmic side of the nuclear pore complex by a series of docking and undocking reactions.
20. Prostaglandins are known to enhance nociceptive responses and accordingly indomethacin and aspirin have been shown to reduce pain.

21. In the somatosensory system, for example, the different somatic sensory submodalities (touch, proprioception, nociception, and thermoregulation) result from the activation of distinct sensory cells that project to specific regions of the brain via topographically segregated pathways.
22. These ganglia contained 1-40 neuronal perikarya.
23. The Doppler signal displayed continuous, low-frequency blood flow that was directed hepatopetally.

III.____

24. After 4 h of hemodialysis, we abruptly ended the hemodialysis procedure.
25. Oxygen uptake in response to drugs was examined and found to vary considerably.
26. Wnt inhibits the activation of GSK-3β through Dsh. This inhibition leads to accumulation of a cytoplasmic pool of β-catenin.
27. Maximal coronary blood flow further decreased endocardial diameter and increased wall thickness during systole. Both the decrease in systolic endocardial diameter and the increase in systolic wall thickness were greater when the pericardium was closed.

IV.____

28. *A*This study measured the responses of forearm blood flow (FBF) and forearm vascular resistance (FVR) after isometric handgrip exercise (IHE) and related them to plasma norepinephrine (NE) and epinephrine (E) in 12 normotensives (N) and 14 primary hypertensives (PH). *B*IHE was performed at 30% of maximum voluntary contraction using a calibrated dynamometer. *C*Systolic blood pressure (SBP), diastolic blood pressure (DBP), heart rate (HR), FBF, FVR, NE, and E were measured in the resting arm before and after IHE. *D*Pre-exercise SBP and DBP were higher in PH than in N. *E*FVR was similar in PH and N. *F*NE was higher in PH compared to other matched normotensives. *G*After IHE, SBP and DBP were increased 18% and 19%, respectively, in PH and 16% and 25% in N. *H*HR, NE and E were increased in PH and N. *I*Group differences were not significant. *J*Pre and post IHE FBF was similar in both groups. *K*FVR increased in both groups. *L*The findings indicate that skin and muscle arteriolar resistance at rest and during stress in PH with enhanced sympathetic tone are not different

from N, and suggest that other hemodynamic abnormalities, perhaps increased cardiac output and splanchnic resistance, mediate the excessive neural tone and raise blood pressure.

생의학 연구논문에서 약어(abbreviation) 사용에 관한 가이드라인

- 논문에서 얼마나 많은 약어를 사용할 수 있는가?
- 언제 약어를 쓸지를 어떻게 결정하는가?

연습문제 1.2: 부주의하게 혼용되는 단어

괄호 안의 단어 중에서 문장에 가장 적합한 단어를 선택하라. 사전에서 단어의 의미를 찾아봐도 좋다. 이 연습문제를 끝낸 뒤에는 다음 몇 페이지에 걸쳐 나오는 단어들의 정의를 읽으면서 답을 확인해보라.

1. This response was blocked by phentolamine but was not (**affected, effected**) by propranolol.
2. The digoxin (**amount, concentration, content, level**) was increased from 0.5 to 2.5 ng/ml.
3. Drug therapy (**included, consisted of, was comprised of**) 0.25 mg of digoxin per day, 750 mg of procainimide every 4 h, and 40 mg of propranolol 4 times a day. No other drugs were used.
4. Preganglionic stimulation (**enhances, increases**) norepinephrine release from terminals within the superior cervical ganglion.
5. Increased knowledge of cardiac muscle function has greatly (**enhanced, improved**) our ability to detect and quantify disorders of myocardial contraction.
6. Treatment with methylprednisolone after the lesion is establihed significantly (**enhances, speeds**) recovery.
7. At frequent (**intervals, periods**) we measured pH, Po2, and Pco2 in arterial blood, and during each (**interval, period**) of study we measured pulmonary blood flow two or three times.
8. We studied the responses of the following (**parameters, variables**): heart rate, cardiac output, oxygen consumption, and systemic vascular resistance.
9. Seventy-five percent nitrous oxide (**represents, is**) a subanesthetic concentration in the dog.

부주의하게 혼용되는 단어

사려 깊은 저자는 아래의 보기와 같이 평범한 저자들이 부주의하게 혼용하는 단어를 구별해서 사용한다.

정의	예문
ABILITY, CAPACITY	
Ability : 어떤 일을 수행할 수 있는 정신적 또는 육체적 능력, 또는 그 일을 수행하는 데 필요한 기술.	Optimal oxygen transport depends on the remarkable *ability* of hemoglobin to combine with oxygen.
Capacity : 어떤 물체가 담거나 수용할 수 있는 최대량.	The oxygen *capacity* of 1g of hemoglobin is 1.39ml of oxygen.
ACCURACY, PRECISION, REPRODUCIBILITY	
Accuracy : 측정치가 참값에 일치하는 정도.	The *accuracy* of the polygraphic method for estimating the efficiency of oxidative phosphorylation was checked by the conventional manometric technique.
Precision : 측정치가 정밀하게 측정되거나 보고되는 정도	The value 3.43 shows greater *precision* than the value 3.4, but it is not necessarily more accurate.
Reproducibility : 동일한 조건하에서 측정된 측정치들이 재현될 수 있는 정도	The *reproducibility* of the method, as analyzed in 19 series of sequential measurements in 12 dogs, was excellent.
AFFECT, EFFECT	
Affect(동사) : 영향을 미치다	How smoking *affects* the health is still a matter of concern to physicians.
Effect(명사) : 결과, 효과	We studied the *effect* of epinephrine on glucose kinetics in dogs.

ALTERNATELY, ALTERNATIVELY

Alternately : 교대로

The mice were *alternately* fed and deprived of food.

Alternatively : 둘 이상의 가능성 중에서 다른 하나를 언급할 때

The dog' s weight can be controlled by diet or, *alternatively*, by drugs.

AMONG, BETWEEN

Among : 한 사물과 일단의 여러 가지 사물과의 관계를 표현할 때 사용되며 둘 사이의 관계를 표현할 때는 사용되지 않는다.

We found one intact test tube *among* the broken ones.

Between : 개체로서의 둘 또는 그 이상의 사물의 관계를 표현할 때 사용됨.

There were no significant differences *between* the three experimental groups.

AMOUNT, CONCENTRATION, CONTENT, LEVEL

Amount : 측정된 총량.

The amount of DNA isolated from the left ventricle of the rats was 600 μg.

Concentration : 주어진 양의 특정 물질 내에 들어있는 해당 물질의 양; 용액의 세기 또는 밀도.

Content : 특정 물질 내에 들어있는 해당 물질의 총량.

The concentration of DNA in the left ventricle of the rat is 1.5 μg/mg of tissue. The ventricle weighs 400 mg. Therefore, the ventricular content of DNA is 600 μg.

Level : [1]수직 축에서의 위치; [2]척도 상의 상대적 위치 또는 서열; [3]amount, concentration, content를 가리키는 보편적 용어.

[1]The chest was opened at the level of the fifth rib.

[2]Cardiac output and heart rate did not increase above normoxic levels.

[3]Blood sugar levels (that is, concentrations) remained stable throughout the experiment.

CAN, MAY

Can : 어떤 일을 수행할 수 있는 힘 또는 능력.

Homogeneous cell lines of short duration can be achieved with cloning techniques.

May : 가능성 또는 허락을 나타낼 때. — This mechanism may also be the cause of the ozone effect noted in two other studies.

CONTINUAL, CONTINUOUS

Continual : 간헐적인 또는 규칙적인 간격으로 일어나는. — The experiments were hampered by continual infections in the rat colony.

Continuous : 연속성이 단절되지 않음. — The machine made a continuous hum.

INCIDENCE, PREVALENCE

Incidence : 단위 시간 동안 단위 군집에서 발생한 사건의 수. — According to data from the American Lung Association, the incidence of tuberculosis is 100 cases per 100,000 persons per year.

Prevalence : 특정 시점에서 단위 군집에 존재하는 사건의 수; 덜 엄격하게 말하면, 어떤 사건이 일어나는 정도(얼마나 퍼져있으며, 얼마나 흔한지). — The prevalence of tuberculosis in the Bay Area at the present time is 300 cases per 100,000 persons.

INCLUDE, COMPRISE, COMPOSE, CONSIST OF

Include : 일부분 또는 하나의 구성요소로 포함; 적어도 일부가 해당 요소로 이루어져 있음; "include" 에는 목록이 완전하지 않다는 의미가 내포됨. — Conditions that increase intra-abdominal pressure also increase the likelihood of significant reflux. These conditions include obesity, ascites, and pregnancy.

Comprise : 이루어져 있음. "Comprise" 는 목록이 완전하다는 의미를 내포하며 수동태로 사용되지 않는다. — The Union comprises 50 states.

Compose : 이루어져 있음. 흔히 수동태로 사용된다. — The Union is composed of 50 states.

Consist of : to be composed of — Pre-prolactin and ovalbumin consist of 228 and 385 residues, respectively.

INCREASE, AUGMENT, ENHANCE

Increase : 크기나 양, 수, 정도, 가치, 강도의 증가를 의미하는 일반 용어. — Although the insulin concentration increased, the insulin/glucose ratio decreased.

Blood pressure was increased by intravenous injection of epinephrine.

Augment : 좀더 격식을 갖춘 용어로서 이미 크기나 양이 상당한 대상에 새로운 것을 추가함으로써 증가시킨다는 의미를 내포함.

Confiscation of the monasteries greatly augmented the resources of the crown.

Enhance : 가치가 내포되어 있으며, 이미 매력적이거나 가치가 있는 대상에 새로운 것을 더함으로써 가치를 높인다는 의미.

The neat polished floors were enhanced by fine Arabian carpets.

Improve : 더 좋은 상태 또는 질로 개선하는 것.

The patient's condition did not improve after chemotherapy.

Speed : 시간을 앞당기다.

Lying in bed for 10 days speeds recovery from a back injury.

INTERVAL, PERIOD

Interval : 두 개의 특정 시점이나 사건, 상태 사이의 시간적 간격.
Period : 특정 사건이나 상태가 발생한 시간적 범위.

Electrical testing was performed at 5-min intervals for a period of 30 min after the administration of insulin.

LOCATE, LOCALIZE

Locate : 대상의 위치를 결정하는 것; 위치를 찾는 것.

We located a fetal hindleg and delivered it through a small incision in the uterine wall.

Localize : (대상이 있을 경우) 특정 장소 또는 부분에 국한 또는 고정시키는 것. (대상이 없을 경우) 제한된 장소에 축적되거나 국한 되는 것.

Hot applications helped to localize the infection.
Iodine tends to localize in the thyroid.

MILLIMOLE, MILLIMOLAR, MILLIMOLAL

Millimole(mmol) : 양, 농도가 아님.
Millimolar(mM) : 농도, 양이 아님.

A 0.5 *millimolar* solution contains 0.5 *millimole* of a solute in 1 liter of solution (*or*, a 0.5mM solution contains 0.5 mmol/liter of solution). The final volume is 1 liter.

Millimolal: 농도, 양이 아님.

A 0.5 *millimolal* solution contains 0.5 mmol of a solute in 100 grams of solvent. The final volume may be more or less than 1 liter.

MUCUS, MUCOUS

Mucus : 명사
Mucous: 형용사

Mucus is a viscous secretion of the *mucous* membranes.

OPTIMAL, OPTIMUM

Optimal: 형용사, 결코 명사로 쓰이는 법이 없다.

An organism will grow best under *optimal* conditions.

Optimum: 명사, 종종 형용사로 쓰이기도 한다.

The *optimum* is the most favorable set of conditions for the growth or reproduction of an organism.

PARAMETER, VARIABLE, CONSTANT

Constant: 상수, 즉 고정된 값을 의미하며 변하지 않는다.

Pi is a constant. 2 is a *constant*.

Parameter: 매개변수, 상수와는 달리 절대적으로 고정되지 않은 값이며 변할 수 있다. 하지만 주어진 계(system) 내에서는 고정되며 따라서 계를 규정짓는 특성이 된다.

Parameters from saturation experiments (the dissociation constant, K_D, and the receptor concentration, B_{max}) were determined by an analysis of bound ligand as a function of free ligand.

Variable: 변수, 주어진 계 내에서 변할 수 있는 값이며 따라서 변수는 계를 규정짓는 특성이 아니다.

The concentration of a drug in the blood plasma as a function of time after injection is a *variable*.

주의: 모집단의 평균값과 표준편차는 parameter에 속한다. 모집단을 표본 추출해서 얻은 모집단의 평균값과 표준편차의 추정치는 statistics이다.

도움말: 공식을 논하지 않는 한 "parameter" 란 단어를 사용하지 말라. 십중팔구 "variable" 이 들어가야 할 것이며 또는 수 많은 동의어 중에 "factor" 나

In a process for which growth rate is proportional to mass—represented, for example, by dm/dt = km—there is an exponential relationship between the variables mass, m, and time, t; m grows exponentially as t increases (see the equation below). The exact shape of the exponential increase depends on the value of the parameter k, which is "characteristic", "condition", "criterion", "index", 또는 "measure"가 들어갈 자리일 게다. 혹시 "perimeter"(!)를 쓰고 싶었다면 그냥 "perimeter"를 사용하라.

different for different systems. The value of k determines the exact nature of the exponential relationship for the specific system (see the graph below). If k is large (for example, 1.0), the growth rate is rapid; if k is small (for example, 0.005), the growth rate is slow. The variables mass and time can take on many values in each system. The parameter k has a fixed value for each system.

Equation: $m(t)=m_0e^{kt}$

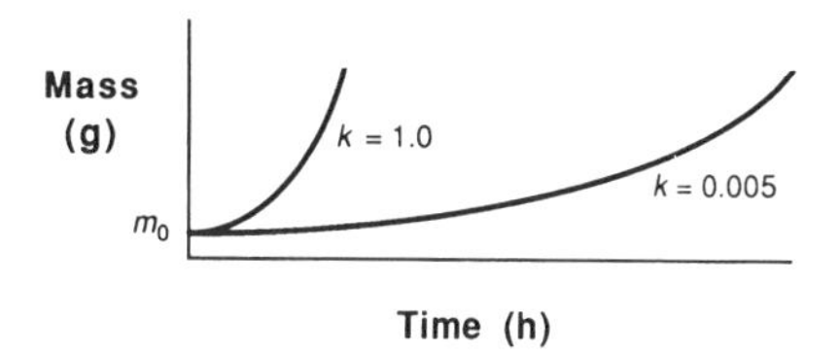

PRONE, SUPINE

Prone: 얼굴과 배를 바닥에 대고 누운 자세.

We placed the dog *prone* on the table so that we could examine its back.

Supine: 등을 바닥에 대고 머리와 배는 위로 향한 자세.

We placed the apneic man *supine* and applied rhythmic pressure to his rib cage.

REPRESENT, BE

Represent: 표시하다, 의미하다, 나타내다

Each data point *represents* one measurement of airway resistance.

Be: ~이다, 동일하다. 구성하다.

Alcohol *is* a depressant of the central nervous system.

제2장 문장 구조

영어 문장은 단순하고 직설적이기만 하면 명료하고 설득력있을 뿐만 아니라 이해하기가 대단히 쉽지만 한편으로 문장이 복잡하고 우회적일 경우 독자들을 지치고 혼란스럽게 만든다. 문장을 단순하고 직설적으로 유지하는 다섯 가지 기법은 다음과 같다.

· 주어와 동사, 목적어 및 보어군을 통해 핵심 메시지를 표현하라.
· 명사의 과도한 연결을 피하라.
· 짧은 문장을 사용하라.
· 명확한 대명사를 사용하라.
· 대비되는 개념은 대비되는 형태로 배열하라.

주어와 동사, 목적어 및 보어군에 핵심 메시지를 표현하라.

주어와 동사, 목적어 및 보어군이 핵심 메시지를 전달하게 되면 문장은 단순하고 직설적이 될 가능성이 높다. 그렇게 만들기 위해서는 주제를 문장의 주어로 삼고, 그 문장에 담겨있는 행동을 동사로 표현하라(주제란 문장이 말하고자 하는 바를 의미하며, 행동이란 주제가 수행하는 일 또는 주제에 행해진 일을 말한다).

주제를 문장의 주어로 삼으라.

예문 2.1 The children with arteriovenous shunts had the shunts opened, heparin injected, and the arterial and venous sides of the shunt clamped.

이 문장에서 주어와 동사는 각각 children과 had이다. 그러나 이 문장의 주제는 children이 아니며, 문장이 전달하고자 하는 메시지도 children이 어떤 질병을 가지고 있느냐에 관한 것이 아니다(예를 들어 "The children had diabetes mellitus."와 같이). 이 문장에는 shunts와 heparin, the sides of the shunt와 관련된 세 가지 주제가 담겨있으며 이 문장이 전달하려는 메시지는 이 세 가지 주제에 어떤 일이 일어났느냐에 관한 것이다. 따라서 이 세 용어가 문장의 주어가 되어야만 한다.

교정문 In the children who had arteriovenous shunts, the shunts **were opened**, heparin **was injected**, and the arterial and venous sides of the shunt **were clamped**.

이 교정문에서는 각 주제가 각 문장의 주어가 되었으며 주어와 동사가 문장의 메시지를 전달하고 있다.

동사를 통해 행동을 표현하라.

영어에서 동사는 행동을 표현한다. 문장의 행동이 주동사에 표현되면 문장이 자연스러워지고 직설적이 되며 이해하기 쉽다. 반면에 행동이 명사를 통해 표현되면 문장이 모호해지고 혼란스러워지며 난해해진다.

행동을 표현하는 상당수의 명사는 아래쪽에 제시된 목록과 같이 동사에 명사화 어미를 첨가함으로써 만들어진다. 참고적으로 "increase"나 "decrease"와 같은 동사는 명사로도 사용된다.

동사를 명사로 만드는 데 사용되는 명사화 어미

어미	동사	명사
-tion	prolong, inhibit	prolongation, inhibition
	form, decompose	formation, decomposition
-ment	measure, assess	measurement, assessment
-ence	occur, exist	occurrence, existence
-al	remove	removal

정상적인 문장은 동사를 가지고 있어야 하기 때문에 문장 안의 동사를 명사로 바꾸려면 다른 동사가 첨가되어야 하며, 이렇게 첨가되는 동사들은 행동을 표현하고 있지 않기 때문에 일반적으로 뜻이 불분명하다. 이런 모호한 동사의 예로 "occurred"나 "was noted", "was observed" 등을 들 수 있으며 "caused"나 "produced", "showed"도 같은 예라 할 수 있다.

동사 대신에 명사로 행동을 표현하는 세 가지 일반적인 방식은 문장의 주어에 행동을 표현하거나, 문장의 목적어 또는 전치사구를 통해 행동을 표현하는 것이다.

행동이 주어를 통해 부적절하게 표현된 경우

예문 2.1 An increase in heart rate occurred.

이 예문에서는 동사(occurred)가 문장의 행동을 표현하고 있지 않으며 대신에 문장의 주어(increase)가 행동을 표현하고 있다. 결과적으로 문장 구조가 의미와 일치하지 않게 되며 문장이 복잡하고 우회적인 모습이 되었다.

행동이 주어를 통해 표현되어 있는 문장의 교정법
- 주어와 주어를 수반하는 전치사를 생략하라(이 예문의 경우 "increase in").
- 모호한 동사(이 예문의 경우 "occurred")를 생략된 주어의 행동을 담고 있는 동사로 대치하라(이 예문의 경우 "increase"가 "increased"가 된다).

교정문 Heart rate increased.

교정문에서는 문장 구조와 의미가 일치하고 있다. 즉, 주어가 주제를 기술하고 있으며(Heart rate) 동사는 주어의 행동을 표현하고 있다(increased). 따라서 이제 문장이 단순하고 직설적으로 표현되었다.

추가적으로, 교정문에서는 본래의 문장에 비해 단어수가 줄어들었고 따라서 더 효율적인 문장이 되었다.

주어에 행동이 표현될 경우	An increase in heart rate occurred.	(6 단어)
동사에 행동이 표현될 경우	Heart rate increased.	(3 단어)

또한, 본래 문장에 사용되었던 모호한 동사인 occurred가 문장의 의미에 아무런 기여를 하고 있지 않으며(실제 의미는 주어에 담겨있다) 단순히 동사의 기능만을 수행하고 있다는 점에 주목하라. 따라서 occurred는 "was seen"이나 "was noted"와 같은 다른 모호한 동사로 대치하더라도 문장의 의미에 별다른 변화가 일어나지 않는다.

마지막으로, 예문과 교정문의 주어와 동사를 비교해보면 교정문의 주어와 동사(heart rate increased)가 핵심 메시지를 전달하고 있는 반면 본래 문장의 주어와 동사(increase occurred)는 핵심 메시지의 일부만을 전달하고 있다는 점을 알 수 있다. 따라서, 행동이 동사를 통해 표현될 경우 문장은 더욱 단순해지고 직설적이 되며 효율성이 높아진다.

행동이 목적어를 통해 부적절하게 표현된 경우

예문 2.3 The new drug **caused** a decrease in heart rate.

교정문 The new drug **decreased** heart rate.

이 예문에서는 행동이 목적어("decrease")를 통해 표현되어 있으며 실제 목적어("heart rate")는 전치사구("in heart rate")에 담겨있다. 따라서 본래 문장의 주어와 동사, 목적어(drug caused a decrease)는 교정된 문장의 주어, 동사, 목적어(drug decreased heart rate)에 비해 더 적은 메시지를 전달하고 있다. 여기에서도 마찬가지로 행동이 동사를 통해 표현될 경우 문장은 더욱 단순해지고 직설적이 되며 효율성이 높아진다.

행동이 목적어를 통해 표현된 문장을 교정할 때는 동사(이 예문의 경우 "caused")와 목적어, 그리고 목적어를 수반하는 전치사(이 예문의 경우 'a decrease in")를 생략하라. 그리고 나서 목적어로부터 새로운 동사를 만들어내면 된다(이 예문의 경우 "a decrease"가 "decreased"가 된다).

행동이 전치사구를 통해 부적절하게 표현된 경우

때로는 행동이 전치사구의 목적어를 통해 표현되며 이런 경우 동사는 존재하지 않는다(전치사란 "of", "for', "on", "in", "to", "with"와 같은 단어를 말한다).

예문 2.4 WITH BILATERAL LEG VESSEL CONGESTION, the compliance of forearm vessels increased significantly.

예문 2.4에서는 문장의 첫 부분에서 행동이 "congestion"이라는 명사를 통해 표현되었으며 "congestion'은 전치사 'with"의 목적어이다. 전치사구는 의미가 압축되어 있으며 따라서 독해가 쉽지 않다. 이해하기가 쉽지 않은 이유 중 한 가지는 "with"의 의미가 부정확하기 때문이다. 더 정확한 단어("during")를 사용한다면 문장이 더 명쾌하게 될 것이다.

이 전치사구를 이해하기가 쉽지 않은 또 다른 이유는 동사기 없기 때문이다. 따라서 문장을 이해하기 쉽게 만들려면 접속사를 첨가한 뒤에 주어와 동사를 이용해 절(節)을 만들어야 한다. 구체적으로 들어가보면, "with"가 "during"을 의미하기 때문에 "with"를 "when"이나 "while", "as"와 같은 접속사로 대치해야 한다. 그런 뒤에 "vessel"을 주어로 삼고 명사인 "congestion"을 이 명사가 유래한 동사를 이용해 "were congested"로 바꾸면 된다.

교정문 WHEN THE VESSELS IN BOTH LEGS **WERE CONGESTED**, the compliance of forearm vessels increased significantly.

이 교정문에서는 "bilateral"과 같은 현학적 단어가 생략되었다는 점에 주목하라. 다음 예문에서는 숨겨진 동사를 찾는 일이 첫 번째 예문처럼 쉽지 않다.

예문 2.5 WITH HYPOXIA OF LONGER DURATION OR SEVERER DEGREE, the shortening phase may get progressively briefer.

교정문 WHEN HYPOXIA **LASTS** LONGER OR **IS** MORE SEVERE, the shortening phase may get progressively briefer.

이 교정문은 문장의 명료성에 핵심적인 요소가 동사를 통해 행동을 표현하는 점이라는 사실을 잘 보여주고 있다.

"There Is"로 시작되는 문장에서 명사를 통해 행동이 부적절하게 표현된 경우

"There is"는 문장을 연약하게 시작하는 방법이며 이 두 단어에는 거의 아무런 의미도 존재하지 않는다. 따라서, "There is"를 피할수만 있다면 반드시 그렇게 해야 한다. 예문 2.6의 교정문에서는 "There is"가 생략되어 있고 "There is" 뒤에 뒤따라 나오던 명사인 "alteration"이 본래 유래한 동사로 바뀌어져 있다("are altered"). 결과적으로 교정문은 메시지를 더 분명하고 힘있게 전달하고 있다.

예문 2.6 We tested the hypothesis that there is **alteration** of phospholipid metabolites in lipid of white matter signal hyperintensities.

교정문 We tested the hypothesis that phospholipid metabolites in lipid of signal hyperintensities in white matter **are altered**.

동사나 보어군 대신에 수식어를 통해 행동이 부적절하게 표현된 경우

예문 2.7에서는 문장이 주어와 동사로 시작되어("These results demonstrate") 목적어로 끝난다("role...'). 한편, 문장의 핵심 메시지는 "essential"이라는 형용사에 담겨 있으며 이 형용사는 "role"을 수식하고 있다.

예문 2.7 These results demonstrate the essential role of the D1 receptor in the locomotor stimulant effects of cocaine.

동사가 사용된다면 이 문장은 훨씬 강력해질 수 있다. 교정문에서는 본래 문장에서 "essential role" 뒤의 전치사 "of"의 목적어로 사용되었던 "the D1 receptor"가 주어로 사용되었으며 동사가 첨가되었다. 이제 문장의 핵심 메시지는 동사와 보어군을 통해 전달된다("that"은 새로운 주어와 동사를 앞에 있는 주어와 동사에 연결시키는 역할을 한다는 점에 주목하라).

교정문 A These results demonstrate that the D1 receptor **is** *essential* for the locomotor stimulant effects of cocaine.

교정문 B These results demonstrate that the D1 receptor **plays** *an essential role* in the locomotr stimulant effect of cocaine.

교정문 A는 동사로 표현되는 상태가 단순히 어떤 상태(이 경우 "is")를 의미할 수도 있다는 점을 보여주고 있다. 동사가 "is"일 경우 메시지를 완성하기 위해 형용사(이 경우 "essential") 또는 명사가 필요하다. 교정문 B는 목적어("role")와 목적어를 수식하는 형용사("essential")가 뒤따르는 좀더 적극적인 동사("plays")를 사용해서 예문 2.7을 교정하고 있다. 두 교정문 모두 동사를 통해 행동을 표현하고 있으며 동사와 형용사("is essential" 또는 "plays an essential role")가 문장의 메시지를 전달하고 있다.

분사 대신 명사를 통해 행동이 부적절하게 표현된 경우

때로는 행동이 동사의 다른 형태 즉, 현재분사(동사 + "-ing")나 과거분사(보통, 동사 + "-ed")를 통해 표현될 수 있다. 행동을 동사에 담는 것과 마찬가지로 명사 대신 분사에 행동을 담는 것도 문장을 활기차고 읽기 쉽게 만들어 준다.

예문 2.8 One of these factors, TFIIH, possesses DNA-dependent ATPase, helicase, and protein kinase activities that may be involved in transcription initiation.

교정문 One of these factors, TFIIH, possesses DNA-dependent ATPase, helicase, and protein kinase activities that may be involved in initiating transcription.

동사는 영어 문장의 생명의 근원과도 같으며 따라서 동사를 생략하거나(행동을 전치사구를 통해 표현함으로써) 약화시키는 것(명사나 목적어를 통해 행동을 표현하거나 모호한 동사를 사용하는 것)은 문장의 생명의 근원을 메마르게 해서 문장을 압축시키고 난해하게 만든다.

이 문제를 수학적으로 바라볼 수도 있다. 즉, 문장은 동사 대 명사의 비율이 증가할수록 독해가 쉬워진다. 동사 대 명사의 비율은 모든 행동이 동사로 표현될 때 최대가 되며, 이렇게 글을 쓰는 것이 영어로 자연스럽게 글을 쓰는 방법이다. 명사를 통해 행동을 표현함으로써 문장을 부자연스럽게 만들면 동사 대 명사의 비는 감소하게 되며 이에 비례해서 문장은 점점 난해해진다.

행동을 담은 품사		**동사 : 명사**
Subject:	An increase in heart rate occurred.	1:2
Verb:	Heart rate **increased**.	1:1
Object:	The new drug **caused** a decrease in heart rate.	1:3
Verb:	The new drug **decreased** heart rate.	1:2
Prepositional Phrase:	With hypoxia of longer duration or severer degree, the shortening phase **may get** progressively briefer.	1:4
Verb:	When hypoxia **lasts** longer or **is** more severe, the shortening phase **may get** progressively briefer.	3:2

위의 마지막 예문에서 보여진 예와 같이 동사-명사 비율을 극적으로 뒤집을 경우 동사를 통해 행동을 표현하는 글쓰기의 장점이 확실하게 드러난다.

글쓰기를 점검할 때는 각 문장을 통해 나타내고 싶은 동작이 무엇인지 자문한 뒤에 해당되는 동작이 동사를 통해 표현되었는지 확인해보라.

연습문제 2.1 주어와 동사, 목적어 및 보어군을 통해 핵심 메시지를 표현하라

다음 문장들의 주제가 주어가 되도록 하라.

1. The adults ended dialysis with a plasma acetate concentration almost double that of the children.

2. The patient showed no change in symptoms.

3. The patient was begun on 0.6 g of aspirin daily and had resolution of his arthritis.

행동이 주어를 통해 부적절하게 표현된 경우

동사를 통해 다음 각 문장의 행동을 표현하라(주어와 주어에 수반되는 전치사를 생략한 뒤 모호한 동사를 생략된 주어의 행동을 담고 있는 동사로 대치하라).

4. A progressive decrease in the death rate occurred.

5. Evaporation of ethanol from the mixture takes place rapidly.

6. Removal of potassium perchlorate was achieved by centrifugation of the supernatant liquid at 1400 × g for 10 min.

7. Measurements of blood pH were made with a Radiometer capillary electrode.

8. Prolongation of life for uremic patients has been made possible by improved conservative treatment and hemodialysis.

9. An abrupt increase in minute ventilation and respiratory frequency occurred in all dogs as exercise began.

10. Light inactivation of COP1 was achieved prior to its nuclear depletion.

문제 11에서는 문장의 첫 부분을 교정하라.

11. When immunoprecipitations of a partially purified TFIIH fraction with Ab-ERCC2 under medium high salt conditions (0.5 M KCl) were performed, a triplet consisting of MO15, p34, and p32, in addition to the known TFIIH subunits, was visualized on silver-stained polyacrylamide gels.

문제 12에서는 두 번째 문장을 교정하라.

12. Base pair mismatches within the heteroduplex are sometimes corrected, resulting in gene conversion. If mismatch correction does not occur, postmeiotic segregation results.

행동이 목적어를 통해 부적절하게 표현된 경우

동사를 통해 다음 각 문장의 행동을 표현하라(동사를 생략한 뒤, 행동을 표현하는 명사를 가지고 새로운 동사를 만들라).

13. We made at least two analyses on each specimen.

14. Infusion of tyramine produced a decrease in cutaneous blood flow.

15. The mutation causes an embryonic lethality.

16. Homozygous p53-knockout mice showed significant resistance to neuronal apoptosis induced by a variety of neuronal toxins.

17. D1-like receptors exert a permissive or "enabling" regulation of D2-like receptors.

18. These agents exert their action by inhibition of synthesis of cholesterol by the liver.

19. This net difference in osmolarity causes a flux of water into the cerebrospinal fluid, causing increased pressure.

행동이 전치사구를 통해 부적절하게 표현된 경우

동사를 통해 다음 각 문장의 행동을 표현하라

문제 20에서는 "for"를 'that"으로 바꾼 뒤에 새로운 주어와 동사를 만들라.

20. Recently, evidence for light control over the nuclear import of a potential transcription factor has been provided

문제 21에서는 "with"를 "when"이나 "while", "as"로 바꾼 뒤에 새로운 주어와 동사를 만들라.

21. A capsule of amyl nitrite was crushed and held in front of the nose for 20 s with normal respiration maintained.

문제 22에서는 "with"를 "when"이나 "while", "as"로 바꾼 뒤에 두 문장 모두에 새로운 주어와 동사를 만들라.

22. Calcium is translocated across the membrane along with the formation of a phosphorylated enzyme intermediate. Calcium is then released into the lumen with the simultaneous decomposition of the phosphorylated intermediate enzyme into the unphosphorylated enzyme and ADP plus phosphate.

"There Is"로 시작되는 문장에서 명사를 통해 행동이 부적절하게 표현된 경우

문제 23에서는 "there is"를 생략한 뒤에 동사를 통해 행동을 표현하라.

23. There is a modest enhancement in radical cleavage at base pairs 10-12.

동사나 보어군 대신 수식어를 통해 행동이 부적절하게 표현된 경우

문제 24에서는 "uncovered"를 "showed that"으로 바꾼 뒤에 "showed that" 다음에 동사를 통해 행동을 표현하라.

24. Genetic work in C. elegans uncovered the central regulatory function of its BCL2 homolog in the apparatus of cell death control.

명사의 과도한 연결을 피하라

명사구

영어에서는 하나의 명사가 다른 명사를 수식하는 일을 흔히 볼 수 있으며, "blood flow"나 "protein metabolism", "lung function", "ion concentration" 등의 예를 들 수 있다. 그러나 또 하나의 명사(또는 명사들)를 이미 존재하고 있는 한 쌍의 명사에 첨가하는 것은 혼란을 일으킨다(이 주제와 관련해 상세한 처방을 얻고자 한다면 Woodford, *Scientific Writing for Graduate Students*, p. 52를 참조하라).

예문 2.9 filament length variability
예문 2.10 air spaces phospholipid pool

언뜻 봐서는 이 용어들이 의미하는 바를 쉽게 알 수 없다. 이렇게 명사를 과도하게 연결하지 않는다면 의미가 훨씬 분명해질 것이다.

명사구를 풀어내는 법

명사구를 풀 때는 뒤쪽에서 시작해서 앞쪽으로 진행하면서 적절한 전치사를 공급해주어야 한다. 교정문에서처럼 명사구를 완전히 해체할 수도 있으며 한편 일부 명사구는 그대로 남길 수도 있다.

교정문 variability <u>of</u> the length <u>of</u> the filaments
variability <u>of</u> filament length
pool <u>of</u> phospholipids <u>in</u> the air spaces
phospholipid pool <u>in</u> the air spaces

명사구보다 이를 해체한 형태가 더 명료해 보이는 이유는 전치사들이 명사 간의 관계를 가르쳐주고 있기 때문이다. 명사구를 해독이 가능한 영어 문장으로 번역할 때 사용되는 전치사가 항상 동일하지는 않다는 점에 주목하라. 또한, 예외없이 교정문이 본래 문장보다 길다는 점에도 주목하라. 길다고 문제될 것은 없다. 결국 우리의 목표는 간결성이 아니라 명료성에 있지 않은가?

명사를 나열한 것이 모두 명사구는 아니다. 어떤 경우 두 개의 명사나 심지어 세 개의 명사가 하나의 형태로 잘 확립되어 한 단어처럼 사용되는 경우도 있다. 예를 들어 "heart rate"은 두 단어처럼 보이지만 실제로는 한 단어이다. 이와 마찬가지로 예문 2.10에 나오는 "air spaces"도 한 단어다. 따라서 이러한 용어들은 명사구를 해체할 때도 하나의 단어로 취급해서 본래의 순서를 보존해야만 한다(즉, "...in the spaces of air"가 아니라 "....in the air space"가 되어야 한다). 어떤 명사쌍이 하나의 단어로 취급되는 지를 결정하기 위해서는 사전을 참고하는 것이 좋다.

명사구에 형용사가 추가된 경우

명사구에 형용사가 추가될 경우 문제는 더욱 복잡해진다.

예문 2.11 chronic sheep experiments
예문 2.12 peripheral chemoreceptor stimulation

과연 chronic이란 형용사는 sheep을 수식하는가 아니면 experiment를 수식하는가? Peripheral은 chemoreceptor를 수식하는가 아니면 stimulation을 수식하는가? 이 질문에 대한 분명한 대답을 얻으려면 우선 명사구를 완전히 해체한 후에 적절한 명사 앞에 형용사를 위치시켜야 한다. 형용사 뒤에는 반드시 하나의 명사만이 오도록 해야 독자들이 그 형용사가 어떤 명사를 수식하고 있는지 알 수 있게 된다.

교정문 chronic **experiments** in sheep
stimulation of the peripheral **chemoreceptors**

"chronic"은 명사구의 마지막 단어("experiments)를 수식하고 있지만 "peripheral"은 명사구의 첫 번째 단어('chemoreceptor")를 수식하고 있다는 점에 주목하라. 형용사가 명사구의 어떤 단어를 수식하고 있는지는 예측할 수 없기 때문에 가장 분명한 방법은 쓰고자 하는 생각을 명사구가 아닌 형태로 길게 풀어 쓰는 것이다.

수식을 받는 명사가 명사구에서 생략된 경우

형용사가 수식하는 명사가 명사구에서 생략되었을 경우 혼란은 극치에 달한다.

예문 2.13 To assess for zero drift, we checked each catheter in saline at 38℃.

도대체 zero drift가 무슨 뜻인가? 얼핏 보면 'no drift"를 의미하는 것 같지만 실제로는 "drift of the zero point"를 의미한다.

교정문 To assess for drift *of* the zero point, we checked each catheter in saline at 38℃.

도움말 : 명사구는 약어(abbreviation)와 같다고 생각하라. 따라서, 피할 수 있으면 피하는 것이 좋다. 반드시 사용해야만 한다면 처음 사용할 때는 길게 풀어 쓴 뒤에 그 다음부터는 명사구를 활용하라.

연습문제 2.2 명사구 해체하기

적절한 전치사나 기타 필요한 단어를 추가함으로써 다음 각 문장의 명사구를 해체하라. 명사구의 뒤쪽에서 시작해서 앞쪽으로 진행하라.

명사 + 명사

1. Shunt blood clotting occurred after 5 days.

2. DNAase I nicking interference patterns correspond precisely to ethylation interference patterns with both 10 bp sequences.

3. The precipitate was further purified by sucrose density gradient centrifugation.

4. Title: "Blood-Brain Barrier CSF pH Regulation"

형용사 + 명사 + 명사

명사구를 해체하고 형용사를 가장 적절한 명사 앞에 위치시키라.

5. The antigen was prepared from whole rat liver homogenates.

6. T_4 stimulated choline incorporation into primary fetal lung cell cultures.

7. PKC-activation-induced RACK1 translocation is specific for the βIIPKC isozyme.

형용사 + ( ) + 명사

명사구를 해체한 뒤에 형용사가 수식하고 있는 명사를 첨가하라. 첨가하는 명사 앞에 형용사를 위치시키라.

8. Normal and ulcerative colitis serum samples were studied by paper electrophoresis.

9. There was no significant difference between resting lactates and exercising lactates.

짧은 문장의 작법

짧은 문장은 긴 문장보다 이해하기가 쉽다. 따라서 개념을 한꺼번에 연결하거나 한 번에 하나 이상의 개념을 설명함으로써 여러 개념을 한 문장에 압축시키는 일은 피해야 한다.

개념을 한꺼번에 연결해서는 안 된다.

예문 2.14 (53 단어)

In one patient who had numerous lesions, the echocardiogram correctly detected a large lesion (15 mm) attached to the right coronary cusp but failed to detect the 4- to 5-mm lesions found at surgery on the remaining two cusps, whereas in another patient, the echocardiogram correctly detected lesions on all three cusps.

이 예문에서는 "whereas" 앞에서 첫 번째 개념이 끝나고 그 후에 두 번째 개념이 이어지고 있다.

교정문 A

In one patient who had numerous lesions, the echocardiogram correctly detected a large lesion (15 mm) attached to the right coronary cusp but failed to detect the 4- to 5-mm lesions found at surgery on the remaining two cusps. However, in another patient, the echocardiogram correctly detected lesions on all three cusps.

첫 번째 문장 역시 "but"을 기점으로 둘로 나뉘어질 수 있다.

교정문 B

In one patient who had numerous lesions, the echocardiogram correctly detected a large lesion (15 mm) attached to the right coronary cusp. It failed to detect the 4- to 5-mm lesions found at surgery on the remaining two cusps. However, in another patient, the echocardiogram correctly detected lesions on all three cusps.

한 번에 하나씩 설명하라

여러 개념을 한꺼번에 연결하는 긴 문장은 이해하기가 어렵지만 이보다 더 어려운 것은 두 가지 개념을 한 문장에 동시에 설명하는 경우 또는 한 문장에서 하나의 개념 속에 다른 개념이 들어가 있는 경우다. 예문 2.15에서는 두 개의 개념이 동시에 다루어지고 있다(elution order와 extent of separation).

예문 2.15 (43 단어)

The elution order and extent of separation of these two isoenzymes are *quite different* from those achieved on DEAE-cellulose chromatography of α-chymotryptic-digested S1, *where light chain 1 emerges first, followed by a well-resolved second peak of light chain 3.*

예문 2.15의 개념들은 분리된 문장으로 표현될 경우 더 이해하기가 쉬워진다.

교정문 B

The elution order of these two isoenzymes, *light chain 3 followed by light chain 1*, is *the reverse* of that achieved by DEAE-cellulose chromatography of α-chymotryptic-digested S1. Similarly, the extent of separation is *reversed*, *the peak of light chain 1 being much better resolved than the peak of light chain 3*.

각 개념을 서로 다른 문장으로 표현함으로써 elution order와 extent of separation의 차이점이 정확하게 기술되고 있는 점에 주목하라.

다음 예문에서는 실험의 목적과 실험 수행 방법, 환자에 관한 설명과 관련된 세 가지 개념이 한 문장에 제시되어 있다. 게다가, 환자에 관한 설명은 실험 수행 방법에 관한 설명 안에 삽입되어 있다.

예문 2.16 (47단어)

To study the mechanisms involved in the beneficial effects of hydralazine on ventricular function in patients who have chronic aortic insufficiency, a radionuclide assessment of ventricular function was performed in 15 patients with pure aortic insufficiency, functional capacity I or II, at rest and during supine exercise.

교정문 A

To study the mechanisms involved in the beneficial effects of hydralazine on ventricular function in patients who have chronic aortic insufficiency, a radionuclide assessment of ventricular function was performed in 15 patients at rest and during supine exercise. All patients had pure aortic insufficiency and were in functional capacity I or II.

교정문 A에서는 환자에 관한 설명이 독립적인 문장에 제시되어 있다. 그러나, 교정문 B에서처럼 세 가지 개념을 모두 서로 다른 문장에 제시하는 것이 더 바람직하다.

교정문 B

Our aim was to assess the mechanisms involved in the beneficial effects of hydralazine on ventricular function in patients who have chronic aortic insufficiency. For this assessment, we did a radionuclide study of ventricular function in 15 patients at rest and during supine exercise. All patients had pure aortic insufficiency and were in functional capacity I or II.

교정문 B에서는 실험 목적에 관한 기술과 수행된 실험에 관한 기술이 분리되어 있으며, 환자에 관한 설명도 독립적인 문장에 제시되어 있다. 결과적으로, 각 문장은 하나의 개념만을 설명하고 있으며 따라서 더욱 이해하기가 쉬워졌다.

가능한 문장을 짧게 유지하는 것이 좋으며 수치적으로 도움이 될 만한 가이드라인은 문장의 평균 길이가 22단어를 넘어서는 안 된다는 것이다. 물론 이 수치가 평균값을 의미한다는 사실을 염두에 두라. 만약 두세 개의 긴 문장이 있다면 하나쯤 짧은 문장을 사용해서 균형을 맞추어야 한다. 예문 2.14와 예문 2.16의 교정문 A에서 볼 수 있는 것처럼, 짧은 문장은 강력한 효과를 가져다 준다. 그리고, 이러한 효과를 제대로 활용하기 위해서는 중요한 개념을 짧은 문장에 담을 필요가 있다.

특별히 어려운 과학적 내용을 담은 논문의 경우 짧은 문장의 사용은 대단히 중요하다. 내용이 어려우면 어려울수록 글은 단순해져야 한다.

연습문제 2.3 비대한 문장의 교정

연습문제에 제시된 비대한 문장들을 두개 이상의 짧은 문장으로 교정하라.

문제 1 (49단어)

Mutagenesis of several MADS box proteins including MEF2 has shown that DNA binding requires the 56-amino-acid MADS box, in addition to an extension of about 30 amino acids on the carboxyl-terminal side of the MADS box, which is unique to each subclass of MADS box proteins.

문제 2 (46단어)

An adjacent section stained by alcian blue for the identification of mast cells shows that several mast cells, but not the number equivalent to the number of chymase mRNA positive cells in Fig. 5B, appeared in the media and adventitia region of the same intramural arteriole.

문제 3 (70단어)

A temporal and spatial relationship between lipid peroxidation and type I collagen gene expression has been described in stellate cells and correlated with an in vitro model of coculture between stellate cells and hepatocytes in which, following addition of LCL4 in culture, collagen expression occurs in stellate cells located in the immediate vicinity of the stellate cell-hepatocyte boundary but not in distant cells or in stellate cells cultured alone.

대명사의 명확한 사용법

대명사는 명사 대신 사용되는 단어이며 명사를 가리키는 데 사용된다. 대명사의 예로는 "it", "he", "she", "they", "these", "those", "them", "this", "that", "which", "both" 등을 들 수 있다. 예문 2.17의경우 "they" 는 "methods"를 가리키고 있으며 "that"은 "conditions"를 지칭한다.

예문 2.17 We used these methods because *they* enabled us to measure loss of microspheres under conditions *that* are normally used to assess blood flow.

대명사가 지칭하는 명사가 명확하지 않으면 독자가 문장을 제대로 이해할 수 없으며 이런 경우 적어도 두 가지 이유가 존재한다.

후보 명사가 너무 많을 경우

대명사가 모호해지는 한 가지 이유는 문장 내에 대명사가 가리킬 수 있는 명사가 너무 많을 경우다.

예문 2.18 The presence of disulfide bonds in oligopeptides may restrict the formation of ordered structures in sodium dodecyl sulfate solution. Once *they* are reduced, the predicted conformation can be fully induced.

이 예문에서는 'they"의 의미가 불분명하다. 이 예문의 "they"는 "bonds"나 "structures", 심지어 "oligopeptides"를 의미할 수도 있다. 따라서, 의미를 분명하게 하려면 해당 명사를 반복해서 사용하던지 문장 구조를 교정해야만 한다. 아래의 교정문에서처럼 가장 간단한 해결책은 명사를 반복해서 사용하는 것이다.

교정문 The presence of disulfide bonds in oligopeptides may restrict the formation of ordered structures in sodium dodecyl sulfate solution. Once the bonds are reduced, the predicted conformation can be fully induced.

예문 2.19 Laboratory animals are not susceptible to these diseases, so research on *them* is hampered.

예문 2.19의 "them"은 "diseases"를 뜻하도록 의도된 것이지만 문장을 더욱 명쾌하게 만들고자 한다면 한 가지 해결책은 교정문 A와 같이 단순히 'these diseases"를 반복해서 사용하는 것이다.

교정문 A Laboratory animals are not susceptible to these diseases, so research on these diseases is hampered.

또 하나의 해결책은 문장 구조를 바꾸는 것이다. 이런 경우 문장 구조를 바꿈으로써 얻을 수 있는 이득은 "these diseases"를 세련되지 못하게 반복하는 일을 피할 수 있다는 점이다.

교정문 B Research on these diseases is hampered because laboratory animals are not susceptible to *them*.

교정문 B의 "them"은 필연적으로 "theses diseases"를 지칭할 수 밖에 없다. 왜냐하면, 목적어인 "them"이 문장의 주어인 "laboratory animals"를 지칭할 수는 없기 때문이다.

이 예문이 보여주는 바와 같이 명확하지 않은 대명사를 해결하는 두 가지 방법 중 하나는 효과를 거두게 된다.

후보 명사가 없을 경우

대명사의 의미가 명확하지 않은 두 번째 이유는 대명사가 가리키는 명사가 없는 경우다. 이러한 상황은 "this"라는 대명사가 앞 문장에 내포된 개념을 가리키기 위해 문장의 도입부에 사용되었을 경우 발생한다.

예문 2.20 Tyson et al. abruptly occluded the venae cavae before analyzing the heart beats. As a result of *this*, the volume of the right heart rapidly decreased.

"this"의 의미를 명쾌하게 만들려면 "this" 뒤에 앞 문장에서 사용된 단어를 반복할 필요가 있다. 예문 2.20에 사용된 "this"가 내포하는 개념은 "occlusion"이며 따라서 앞 문장에 사용된 "occluded"의 명사인 "occlusion"을 "this" 뒤에 첨가하면 된다.

교정문 Tyson et al. abruptly occluded the venae cavae before analyzing the heart beats. As a result of this occlusion, the volume of the right heart rapidly decreased.

어떤 경우에는 예문 2.21(연습문제 1.1의 문제 27) 처럼 앞 문장의 단어를 반복할 수 없을 때가 있다.

예문 2.21 Maximal coronary blood flow further decreased endocardial diameter and increased wall thickness during systole. Both the decrease in systolic endocardial diameter and the increase in systolic wall thickness were greater when the pericardium was on.

이 예문의 "both"는 한 변수의 감소와 다른 한 변수의 증가를 의미한다. 이런 경우 너무 많은 단어를 반복하는 일을 피하려면 범주형 용어를 사용해야 하며 범주형 용어로는 사용된 구체적인 용어들을 아우르는 최소 단위의 용어가 사용되어야 한다. 이 예문의 경우 가장 작은 범주는 바로 "changes"가 된다(교정문에서는 "changes" 앞에 "of these"가 첨가됨으로써 앞 문장에서 언급된 바 있는 "changes"라는 점을 분명하게 해주고 있다.

교정문 Maximal coronary blood flow further decreased endocardial diameter and increased wall thickness during systole. Both of these changes were greater when the pericardium was on.

결론적으로 너무 많은 후보 명사가 있거나 후보 명사가 아예 없을 경우 대명사의 의미는 불분명해진다. 첫 번째 이유에 대한 해결책으로는 적절한 명사를 반복 사용하거나 문장 구조를 바꾸는 방법이 있으며, 두 번째 문제에 대한 해결책으로는 앞 문장의 단어를 대명사 뒤에 반복 사용하거나 대명사 뒤에 범주형 용어를 첨가하는 방법이 있다.

한 가지 더 주목할 필요가 있는 사실은 대명사가 가리키는 명사는 텍스트의 일부가 되어야 한다는 점이다. 소제목은 텍스트의 일부가 아니다.

예문 2.22 Hearts.
Those used for this study were taken from 13 litters of newborn hamsters.

교정문 Hearts.
The hearts used for this study were taken from 13 litters of newborn hamsters.

참고문헌과 같이 괄호 안에 들어가 있는 내용 역시 텍스트의 일부가 아니다.

예문 2.23 In previous studies, fetal sheep responded to asphyxia with immediate femoral vasoconstriction, which was abolished by sciatic nerve section (8). However, despite nerve section, delayed vasoconstriction occurred, and they speculated that it resulted from circulating catecholamines.

"they"는 누구인가?

교정문 In previous studies, fetal sheep responded to asphyxia with immediate femoral vasoconstriction, which was abolished by sciatic nerve section (8). However, despite nerve section, delayed vasoconstriction occurred, and the investigators speculated that it resulted from circulating catecholamines.

여기에서 핵심은 모든 소제목과 괄호 안의 내용을 생략하더라도 텍스트의 모든 내용이 맞아 떨어져야 한다는 점이다.

연습문제 2.4 대명사의 명확한 사용법

한 가지 이상의 후보 명사가 있는 경우

다음 문장에 나오는 대명사는 하나 이상의 명사와 연결될 수 있다. 따라서 명사를 반복 사용하거나 문장 구조를 바꿈으로써 문장을 명쾌하게 교정하라.

문제 1 To decrease blood volume by about 10% in a few minutes, blood was pooled in the subjects' legs by placing wide congesting cuffs around the thighs and inflating them to diastolic brachial arterial pressure.

우보 명사가 없는 경우

다음 문장들에는 대명사가 가리키는 명사가 존재하지 않는다. 앞에 있는 문장에서 한 단어 혹은 그 이상을 반복 사용함으로써 의미가 명료해지게 문장을 교정하라.

문제 2 After repeated ultracentrifugation, the apolipoprotein A-I content of high-density lipoproteins was reduced to about 65% of the original serum value, but no A-II was lost. This suggests that the binding environments of these two apolipoproteins in high-density lipoproteins differ.

문제 3 A large bolus of contrast material decreases the relative error by producing a larger change in CT number. This is limited by the relative difficulty of administering a bolus and by the patient' s tolerance.

대비되는 개념에는 대구법(對句法)을 사용하라

대비되는 개념이란 논리와 중요성에 있어서 동등한 개념을 말하며 예를 들어 "and" 나 "or" , "but" 으로 연결될 수 있는 개념을 들 수 있다. 서로 비교되는 개념들도 여기에 속한다.

대비되는 개념들은 대구법을 사용해서 한 쌍으로 쓰여지던가 아니면 하나의 연속적인 형식으로 쓰여져야 한다. 대구법이란 두 개 혹은 그 이상의 대비되는 개념에 대해 동일한 문법 구조를 사용하는 것을 말하며 여기에서 말하는 문법 구조에는 절(주어, 동사, 목적어 또는 보어군을 포함하는)과 구(예를 들어 전치사구), 부정사구(to +

동사) 및 명사와 형용사 같은 단어들이 포함된다.

대비되는 개념에 대구법을 사용하는 것의 장점은 앞에서 제시된 개념의 형식과 그 다음 개념의 형식을 독자들이 비교할 수 있다는 점이며, 결과적으로 독자들은 개념들이 제시된 형식이 아닌 개념 그 자체에 초점을 맞출 수 있다.

쌍을 이루는 개념

쌍을 이루는 개념, 즉 두 개의 개념이 "and"나 "or", "but"으로 연결되었을 경우에는 예문 2.24 ~ 예문 2.26에서처럼 대구법을 사용해야 한다.

예문 2.24 "But"을 사용한 대조 구문

Cardiac output	**decreased**	by 40%	but
blood pressure	**decreased**	by only 10%.	
subject	**verb**	completer (prepositional phrase)	

예문 2.24에서 "but" 뒤에 나오는 일군의 단어는 "but" 앞에 나오는 일군의 단어와 동일한 문법 구조, 즉 주어와 동사, 전치사구를 지니고 있다.

예문 2.25 "And"로 연결된 유사한 개념

We hoped	to increase	**the complete response**	and
	to improve	**survival.**	
	infinitive	**object**	

예문 2.26 "Or"로 연결된 양자택일적 개념

In dogs, about 20% of plasma glucose carbon is recycled via tricarbon

compounds	either	in	**cold**
	or	at	**neutral ambient temperature.**
		preposition	**object**

이 예문에서는 비록 사용된 전치사는 다르지만("in"과 "at") "in cold"와 "at neutral ambient temperature"가 대비되는 형식으로 쓰여졌다는 점에 주목하라. 결국 중요한 것은 양쪽 모두에서 전치사구가 사용되었다는 점이다.

예문 2.27 비교 구문

Pulmonary blood flow was always greater than
renal blood flow.
noun

예문 2.28 비교 구문

Cardiac output was higher	in	the experimental group
than	in	the control group.
	preposition	*object*

만약 대비되는 개념에 대구법을 사용하지 않는다면 개념 간의 논리적 연결(유사성, 양자택일성, 대조 및 비교)이 모호해진다.

예문 2.29 This lack of response could have been due to damage of a cell surface receptor by the isolation procedure, but it could also be that isolated cells do not respond normally because the cells are isolated.

이 문장에서 "but" 전후에 배치된 단어군은 서로 대비되고 있지 않으며 따라서 "but" 이후의 문장이 "the lack of response"에 대한 또 다른 이유를 제시하고 있는지 여부가 분명하게 드러나있지 않다("it"이 "this lack of response"를 가리키고 있지 않다는 점에 주의하라).

교정문 A This lack of response could have been due to damage of a cell surface receptor by the isolation procedure, but it could also have been due to the fact that isolated cells do not respond normally because they are isolated.

이 교정문에서는 "but" 전후의 개념에 대구법이 사용되고 있으며 "it"은 "this lack of response"를 적절하게 가리키고 있다. 그러나, 이 문장도 다음과 같이 더욱 단순하게 쓰여질 수 있다.

교정문 B This lack of response could have been due to damage of a cell surface receptor by the isolation procedure or simply to the fact of isolation, which could alter normal cell responses.

이 교정문에서는 "could have been due to"의 반복과 "isolated"의 반복이 생략되었기 때문에 이해하기가 더욱 쉬워졌다. 두 교정문 모두 대구법을 사용하고 있기 때문에 가능성있는 두 가지 이유를 제시하려는 저자의 의도가 분명하게 드러나 있다.

비교 구문 작법의 세 가지 문제점

비교 구문을 쓸 때 수반되는 세 가지 문제점은 "compared to"를 과도하게 사용하는 것과 유사하지 않은 사물을 비교하는 것(예를 들어 사과와 오렌지), 그리고 겉모양만 비교 구문이지 실제로는 절대적 사실을 기술하고 있는 경우를 들 수 있다.

"compared to"의 과도한 사용

"higher"나 "greater", "lower"나 "less"와 같이 비교법에 쓰이는 용어를 담고 있는 비교 구문의 경우 "compared to"가 아니라 "than"을 함께 사용해야 한다.

예문 2.30 We found a higher K_D at 37°C compared to 25°C.

교정문 We found a higher K_D at 37°C than at 25°C.

교정문에서 대구법을 사용하기 위해 "at"을 반복 사용했다는 점에 주의하라.

"compared to"는 의미가 모호해지기 때문에 "decreased"나 "increased"와 함께 사용해서는 안 된다.

예문 2.31 Experimental rabbits had a 28% decrease in alveolar phospholipid as compared to control rabbits during normal ventilation.

alveolar phospholipid가 토끼 실험군과 대조군 모두에서 감소했는가(A)? 아니면 실험군에서만 감소했는가(B)? 아니면 양쪽 군에서 모두 감소하지 않았는가(C)?

A 양쪽군 모두에서 감소

교정문 A Experimental rabbits had a 28% greater decrease in alveolar phospholipid than did control rabbits....

B 실험군에서만 감소

C 양쪽군에서 모두 감소하지 않음

교정문 B Experimental rabbits had a 28% decrease in alveolar phospholipid but control rabbits had no decrease....

교정문 C Experimental rabbits had 28% less alveolar phospholipid than did control rabbits....

"decrease compared to" 에는 적어도 세 가지 해석이 가능하기 때문에 "compared to" 는 "decreased" 혹은 "increased" 와 함께 사용되어서는 안 된다.

유사하지 않은 사물의 비교

사과와 오렌지를 비교할 수 없다는 것은 누구나 다 알고 있지만 과학연구논문에서는 이런 종류의 비교가 비일비재하다.

예문 2.32 These results are similar to previous studies.

교정문 A These results are similar to the results of previous studies.

명사의 반복을 피하기 위해 대명사("that" 또는 "those")를 사용할 수 있다는 점에 주목하라.

교정문 B These results are similar to those of previous studies.

예문 2.33 Activation-controlled relaxation in these membrane-deprived cells **resembled** intact myocardium from frogs.

교정문 Activation-controlled relaxation in these membrane-deprived cells **resembled** that in intact myocardium from frogs.

비교 구문에서 "that" 이나 "those" 를 첨가해야 할 때는 언제인가. "that" 이나 "those" 를 첨가하거나 혹은 해당 명사를 반복해서 사용할 것인지를 결정하기 위해서는 비교에 사용되는 용어가 한 곳에 모여있는지 분리되어 있는지를 결정해야 한다(예문 2.32와 2.33에서 비교에 사용되는 용어인 "are similar to" 와 "resembled" 는 모두 한 곳에 모여있다). 만약 비교에 사용되는 용어가 한 곳에 모여있다면 "that" 이나 "those" 가 필요하지만, 분리되어 있다면 "that" 이나 "those" 는 필요하지 않다.

예문 2.34
한 곳에 모여있는 경우
Losses at 34 min were greater than **those** at 4 min.
("that" 또는 "those" 첨가)

분리되어 있는 경우
Losses were greater at 34 min than at 4 min.
("that" 또는 "those"를 첨가해서는 안됨)

겉모양은 비교 구문이지만 실제로는 절대적 사실을 기술하고 있는 경우

절대적 사실을 기술하는 구문은 비교 구문의 형식을 취해서는 안 된다.

예문 2.35 This medium contains about 4-5 mM phosphate compared to Schneider's medium.

사실 특정 medium에서 4-5mM phosphate가 들어있다는 사실은 Schneider's medium의 phosphate 농도와 아무런 상관이 없다. 농도는 절대값이며 다른 농도의 영향을 받지 않는다.

교정문 This medium contains 4-5 mM phosphate; Schneider's medium contains 9-10 mM phosphate.

두 농도를 비교하고 싶다면 다음과 같은 문장을 사용하면 된다.: "In this medium, the concentration of phosphate(4-5mM) is about half that in Schneider's medium(9-10mM)."

연속적 형식

앞에서 제시된 모든 예문에서 두 가지 개념이 대비되는 형식이 사용되었으나, 연속적 형식을 사용하면 두 개 이상의 개념을 대비시킬 수 있다.

예문 2.36

We	washed out	the lungs	five times with Solution I,
	instilled	8-10 ml	of the fluorocarbon-albumin emulsion into the trachea,
and	incubated	the lungs	in 154 mM NaCl at 37°C for 20 min.
	verb	*object*	*completer*

예문 2.37 The best way of removing the nonadherent cells was

to tip	**the plate**	at a 45° angle,
to flood	**the top edge of the plate**	with 3-4 ml of medium,
to remove	**the medium, and**	
to repeat	**this procedure**	until almost all the floating cells were removed.
infinitive	***object***	completer

연속적 형식에서도 한 쌍을 대비할 때와 마찬가지로 대비되는 개념들의 형식이 동일해야 한다. 예문 2.36과 2.37에서는 대비되는 개념이 모두 동사이며 2.36에서는 동사 ("washed", "instilled", "incubated") 뒤를 목적어와 다른 보어군이 따르고 있으며 2.37에서는 to 부정사("to tip", "to remove", "to repeat") 뒤를 목적어와 다른 보어군이 따르고 있다.

대구법(對句法)의 두 가지 문제점

하이브리드

대구법 사용에서 흔히 찾아볼 수 있는 문제점은 한 쌍을 대비하는 것과 연속적 형식을 사용하는 것을 혼동하는 것이다. 이 둘을 혼동할 경우 이상한 하이브리드가 탄생한다.

예문 2.38 The D225 modification contains 12.5 mg of cysteine HCl, 50 mg of methionine and has a final volume of 115 ml.

이 예문에 나오는 두 가지 값(12.5mg, 50mg)을 보면 우리는 "and" 뒤에 세 번째 값이 나오게 되리라는 기대를 갖게 된다. 그러나, "and" 뒤에는 세 번째 값 대신에 동사("has")가 나와있으며 이 동사는 "12.5mg"이나 "50mg"에 대비되는 개념이 아니다. "has"는 "contains"에 대비되는 개념이며 이 예문에서 12.5mg과 50mg에 대비되는 세 번째 값은 존재하지 않는다. 두 가지 값만이 존재한다는 점을 분명히 하려면 쉼표를 집어넣는 것이 아니라 교정문 A와 같이 두 가지 값 사이에 "and"를 집어넣어야 한다.

교정문 A The D225 modification contains 12.5 mg of cysteine HCl and 50 mg of methionine and has a final volume of 115 ml.

그러나 서로 다른 형식으로 묶여있는 대구 문장을 한 문장 안에서 "and"를 중복 사용해 묶는 것은 어딘가 부자연스럽다. 이를 피하려면 두 번째 "and" 자리에 세미콜론을 사용하면 된다.

교정문 B The D225 modification contains 12.5 mg of cysteine HCl and 50 mg of methionine; its final volume is 115 ml.

짝을 이루는 접속사의 사용

대구법의 또 다른 문제는 쌍을 이루는 접속사의 올바른 사용에 관한 것이다. 영어에는 "both...and..."나 "either...or...", "neither...nor...", "not only...but also..."와 같이 서로 짝을 이루는 접속사들이 있다.

예문 2.39 짝을 이루는 접속사

The mechanical response of heart muscles depends

on	*both*	the absolute osmolal increase
and	on	the species studied.

교정문

The mechanical response of heart muscles depends

both	on	the absolute osmolal increase
and	on	the species studied.

대구를 이루기 위해서는 "both"와 "and" 사이에 들어가는 일군의 단어가 "and" 다음에 나오는 일군의 단어와 정확하게 같은 형식을 지니고 있어야 한다. 교정문을 보면 이 두 군의 단어는 모두 전치사구의 형태를 띠고 있다("on the absolute osmolal increase", "on the species studied").

짝을 이루는 접속사를 사용할 때 문장이 올바른 대구 형식으로 구성되었는지 확인하려면 접속사와 전치사 간의 상대적인 위치를 비교해보면 된다. 만약 다음과 같이 첫 번째 접속사(이 경우 "both")가 전치사("on") 뒤에 나오고 두 번째 전치사(이 경우 "and")가 전치사("on") 앞에 나온다면

on	*both*	x
and	on	y,

뭔가 잘못된 것이다. 두 접속사 모두 전치사 앞에 위치하거나,

both	on	x
and	on	y

아니면 전치사가 첫 번째 접속사 앞에만 오는 것이 맞다.

on	*both*	x
	and	y

대구법의 또 다른 묘미: 반복을 피할 수 있다.

문장이 명료해지는 것 외에도, 대구법의 또 다른 묘미는 반복을 피할 수 있다는 데 있다.

예문 2.40 The young subjects could readily accommodate blood volume changes in other compartments, but the middle-aged subjects could not readily accommodate blood volume changes in other compartments.

교정문 The young subjects could readily accommodate blood volume changes in other compartments, but the middle-aged subjects could not.

예문 2.41 Pulse rate **decreased** by 40 beats/min, systolic blood pressure **declined** by 50 mmHg, and cardiac output **fell** by 18%.

예문 2.41의 저자는 "decreased"를 반복하는 것이 단조롭다고 생각했기 때문에 매번 다른 동사를 사용했다. 그러나 같은 "decreased"를 이렇게 여러 가지 다른 형태로 표현하게 되면 실제로 다른 개념들을 분간하는 일이 어려워진다. 무미건조한 반복을 피하기 위해 이런 식으로 변화를 줌으로써 혼동을 일으키기 보다는 단순히 두 번째 및 세 번째 동사를 생략하면 된다.

교정문 Pulse rate **decreased** by 40 beats/min, systolic blood pressure by 50 mmHg, and cardiac output by 18%.

대구법 형식 때문에 독자는 같은 단어가 반복되리라고 기대하게 되며 따라서 이 동사들을 생략하더라도 문장의 의미는 여전히 유효하다.

연습문제 2.5 대구법의 사용

다음 문제들에서 잘못된 대구법을 교정하라(문제 3은 특별히 주의할 필요가 있다).

한 쌍의 개념을 대비할 때

1. Cardiac output was less in the E. coli group than the Pseudomonas group.
2. Left ventricular function was impaired in the dogs that received endotoxin and the control dogs.
3. Pulsation of the cells or cell masses may be quick and erratic or may occur at fairly regular and leisurely intervals. (*What do you expect after "quick and erratic or"? Make your revision as simple as possible.*)
4. Whereas epidural administration of fentanyl at a rate of 20 μg/h reduced the requirement for patient-controlled bupivacaine, this was not the case in patients receiving either intravenous fentanyl (20 μg/h) or no fentanyl (placebo).

연속적 형식

5. The tubes were spun on a Vortex mixer for 10 s, stored at 4°C for 2 h, and then they were centrifuged at 500 × g for 10 min.
6. Tracheal ganglion cells have been classified on the basis of their spontaneous discharge (12), according to their electrical properties (5), and whether vasoactive intestinal peptide is present or absent (8).

하이브리드

7. Phenylephrine increased the rate of mucus secretion, the output of non-dialyzable ^{35}S and caused a net transepithelial movement of Na towards the mucosa.
8. The fractions were centrifuged, resuspended in a small volume of buffer, and a sample of cells was counted in an electronic cell counter.

짝을 이루는 접속사

교정할 때 짝을 이루는 접속사(밑줄이 그어진)를 생략해서는 안 된다.

9. Even the highest dose of atropine had no effect on either baseline pulse rate or on the vagally stimulated pulse rate.

10. An impulse from the vagus nerve to the muscle has to travel both through ganglia and post-ganglionic pathways.
11. The internal pressure must not only depend on volume but also the rate of filling.

연습문제 2.6: 비교문의 대구법

"compared to" 대신에 "than"을 사용해서 문제 1과 2를 교정하라

1. The greater stability in this study compared to the previous study resulted from more accurate marker digitization.

2. Total microsphere losses were greater at 34, 64, and 124 min when compared to 4 min.

의미가 명료해지도록 문제 3을 교정하라.

3. We frequently observed a decrease in mean coronary arterial pressure compared to mean aortic pressure after carbochromen injection.

서로 동등한 대상을 비교하도록 문제 4-6을 교정하라.
(비교법에 사용되는 단어가 모두 한 곳에 모여있을 경우 "that"이나 "those"를 사용하거나 명사를 반복해야 하지만 분리되어 있을 경우 그렇게 할 필요가 없다).

4. The loss of apolipoprotein A-I from high-density lipoproteins during ultracentrifugational isolation was greater than during other isolation methods.

5. Losses of apolipoprotein A-I during other isolation methods were smaller in comparison to ultracentrifugation.

6. Like subfragment 1, the protein composition of heavy meromyosin was homogeneous.

작문상의 오류를 피하는 길

지금까지 설명한 다섯 가지 작문 기법 외에도 피해야 할 다섯 가지 작문상의 오류가 있다. (1)주어와 동사가 논리적으로 맞지 않는 경우. (2)주어와 동사가 일치하지 않는 경우. (3)조동사가 생략된 경우. (4)수식어가 어중간한 경우. (5)괄호 안의 내용이 논리적으로 맞지 않는 경우. 이런 오류 중 하나가 돌출하면 독자가 글을 읽는 속도가 느려지게 되며 저자가 의도한 의미를 찾기 위해 문장을 다시 읽어야 할 필요까지 생기게 된다.

주어와 동사가 논리적으로 연결되는지 확인하라

예문 2.42 The appearance of nondialyzable ^{35}S in the luminal bath was measured.

과연 "appearance"가 "측정(measured)" 될 수 있는가?

교정문 A The amount (OR concentration, rate of appearance, rate of secretion) of nondialyzable ^{35}S in the luminal bath was measured.

교정문 B The appearance of nondialyzable ^{35}S in the luminal bath was noted.

주어와 동사가 일치하도록 하라 (Strunk and White, 1.9 참조)

예문 2.43 The esophagus, stomach, and duodenum of each rabbit was examined.

"rabbit was" 그러면 맞는 것처럼 들리지만 이 문장의 주어는 사실상 복수 ("esophagus, stomach, and duodenum)이며 따라서 동사도 복수형이어야 한다.

교정문 The esophagus, stomach, and duodenum of each rabbit were examined.

조동사를 생략하지 말라

예문 2.44 The tissue **was minced** and the samples **incubated**.

"Tissue"는 단수이며 따라서 "was minced"는 올바른 표현이다. 그러나 "samples"는 복수이기 때문에 "was"를 그대로 넘겨서 생략하는 것은 문법적으로 올바르지 않다.

교정문 The tissue **was minced** and the samples **were incubated**.

예문 2.45 Contrast medium **was infused** at a steady rate into the injection port, and the flow **calculated** from the observed change in CT number at equilibrium.

"contrast medium' 과 마찬가지로 "Flow"도 단수형이며 따라서 조동사 "was"를 그대로 넘기는 것은 문법적으로 전혀 문제가 없다. 그러나 "calculated' 는 자칫하면 형용사처럼 들릴 수도 있기 때문에("flow that was calculated") 독자들이 이를 잘못 이해하고 문장의 끝부분에 이를 때까지 동사를 계속해서 찾을 수도 있다. 이러한 오해를 막기 위해서라도 조동사를 반복해서 사용하는 것이 가장 명쾌한 해결책이다.

교정문 Contrast medium **was infused** at a steady rate into the injection port, and the flow **was calculated** from the observed change in CT number at equilibrium.

어중간한 수식어를 피하라 (Strunk and White, 1.11 참조)

예문 2.46 Blood flow was allowed to return to baseline before proceeding with the next occlusion.

이 문장에서는 마치 "blood flow"가 다시 혈액을 차단하는 것("proceed with the next occlusion")처럼 들린다. 이렇게 들리는 이유는 문장의 앞 부분은 수동태를 띠고 있지만 뒷 부분은 능동태를 띠고 있기 때문이며, 따라서 "proceeding"의 의미가 어중간해진다. 즉, "proceeding"이 수식하고 있는 명사가 없는 것이다. 이 문제를 해결하려면 문장의 앞부분과 뒷부분을 모두 수동태로 또는 능동태로 만들 필요가 있다. 능동태로 만들 경우 "proceeding"은 "we"를 수식하게 되며, 수동태로 만들 경우 "proceeding"이 "was begun"으로 대치된다.

교정문 A (능동태) We allowed blood flow to return to baseline before proceed ing with the next occlusion.

교정문 B (수동태) Blood flow was allowed to return to baseline before the next occlusion was begun.

예문 2.47 In changing from a standing to a recumbent position, the heart expands noticeably in all directions.

이 예문에서는 "changing"이 부적절한 명사를 수식하고 있기 때문에 그 의미가 어중간해졌으며 결과적으로 심장(heart)이 서있다가 누운 자세로 바꾸는 것처럼 들리게 된다. 의미를 분명하게 하려면, 실험 대상이나 실험 동물을 문장에 포함시켜야 한다.

교정문 When the subject changes from a standing to a recumbent position, the heart expands noticeably in all directions.

괄호 안의 내용이 논리적으로 일치하도록 하라

예문 2.48 Pentobarbital (10^{-6} M) had no effect, 10^{-5} M slightly depressed the response, and 5×10^{-5} M almost abolished the response.

만약 독자가 괄호 안의 내용을 읽지 않고 넘어간다면(괄호 안의 내용을 읽는 것이 올바른 독서법이다) 이 문장은 앞뒤가 맞지 않을 것이다. 이 문장의 핵심은 phenobarbital이 특정 농도에서 아무런 효과가 없다는 뜻이며 phenobarbital이 아무런 효과가 없다는 뜻이 아니다.

교정문 At 10^{-6} M pentobarbital had no effect, at 10^{-5} M it slightly depressed the response, and at 5×10^{-5} M it almost abolished the response.

교정문에서는 세 개의 연속되는 사실에 대구법이 사용되었다는 점에 주목하라.

단순하고 직설적인 문장 작법을 위한 가이드라인

핵심 메시지를 주어와 동사, 보어군에 담으라

- 주제가 문장의 주어가 되도록 하라
- 동사를 통해 행동을 표현하라

명사의 과도한 연결을 피하라

짧은 문장을 사용하라

- 여러 가지 개념을 한꺼번에 늘어놓지 말라.
- 한 번에 하나씩 설명하라.
- 문장 당 평균 단어수가 22개가 넘지 않도록 하라.

명확한 대명사를 사용하라.

- 연결이 가능한 후보 명사가 너무 많은 경우 대명사 대신 명사를 반복 사용하거나 문장 구조를 바꾸라
- 가리키는 명사가 없는 대명사의 경우(일반적으로 "this") 대명사 뒤에 가장 작은 단위의 범주형 용어를 사용하라.

대비되는 개념에는 대구법(對句法)을 사용하라.

- "and" 나 "or", "but" 으로 연결되거나 서로 비교되는 개념에는 대구법을 사용하라.
- 비교할 때는 "compared to" 가 아닌 "than" 을 사용하라.
- 사과와 오렌지를 비교해서는 안 된다.
- 비교법에 사용되는 용어가 모두 한 곳에 모여있으면 "that" 이나 "those" 를 첨가하라.
- 비교법에 사용되는 용어가 분리되어 있으면 "that" 이나 "those" 를 첨가하지 말라.
- 절대적인 사실을 기술할 때 비교의 형식을 사용하지 말라.
- 한 쌍을 대비하는 것과 연속적 형식을 사용하는 것을 혼동하지 말라.
- 짝을 이루는 접속사를 사용할 때는 대구법을 적용하라.

· 대구법을 사용해서 표현의 반복을 피하라.

작문상의 오류를 피하라

· 주어와 동사가 논리적으로 연결되는지 확인하라.
· 주어와 동사가 일치하는지 확인하라.
· 조동사를 생략하지 말라.
· 어중간한 수식어를 피하라.
· 괄호 안의 내용이 논리적으로 일치하도록 하라.

제3장 단락의 구조

논문의 단어 선택과 문장 구조가 완벽하다 할지라도 단락의 구성이 명료하지 않다면 독해가 어려워질 수 있다. 각 단락은 하나의 이야기를 말하도록 구성되어야만 하며, 독자는 그 속에 담긴 과학을 이해하던 못하던 간에 단락 속의 메시지를 인식하고 각 단락의 이야기를 따라갈 수 있어야 한다.

하나의 단락이 하나의 명쾌한 이야기를 담기 위해서는
- 단락 속의 개념들에 짜임새가 있어야 하고,
- 연속성, 즉 개념 간의 관계가 명료해야 하며,
- 중요한 개념이 부각되어야 한다.

단락의 구성

주제문과 뒷받침문

일반적 접근방법: 우선 조망한 뒤에, 세부적으로 들어가라.

단락이란 한 가지 주제에 관한 여러 문장의 집합을 의미하며, 단락의 목적은 하나의 메시지를 전달하고 그 메시지의 뒤에 있는 이야기를 분명하게 보여주는데 있다. 이러한 목적은 다양한 방법을 통해 달성될 수 있지만 대부분의 독자에게 가장 명쾌하게 다가갈 수 있는 일반적인 접근방법은 우선 전체에 관한 조망을 제시한 뒤에 세부적으로 들어가는 것이다. 이 접근방법의 전략은 독자에게 일종의 기대를 심어준 뒤에 그 기대를 채워주는 것이다.

과학 논문에서는 이와 정반대의 접근방법이 흔히 사용된다. 즉, 세부사항을 제시한 뒤에 이들의 의미를 제시하는 것이다. 이 전략은 훌륭한 이야기꾼의 경우에는 대단히 효과적인 전략이지만 숙련되지 못한 사람의 경우에는 세부사항 속에 파묻혀버리는 경향이 있다. 즉, 나무가 숲을 가리게 되는 것이다. 이런 문제점을 피하기 위해서는 그냥 단순한 방법을 사용해야 한다. 즉, 우선 조망한 뒤에, 세부적으로 들어가라.

단락에서 전체적인 조망을 제시하는 전통적인 방식은 주제문을 활용하는 것이며, 주제문이란 단락의 주제나 메시지에 관해 기술하고 있는 문장을 말한다. 주제는 그 단락이 기술하는 대상을 뜻하며, 메시지는 그 단락이 주장하는 바를 말한다. 주제를 밝히려면 핵심용어(key term)를 사용해야 하며, 메시지를 전달하려면 동사를 사용해야 한다. 물론, 동사에는 주어와 보어군(일반적으로)이 수반된다.

하나의 단락에는 하나의 메시지만을 담는 것이 가장 명쾌한 방법이다. 하나의 단락에 하나 이상의 메시지를 담을 경우 단락이 복잡해지며 독해가 더욱 어려워진다.

주제문을 뒷받침하는 세부사항은 단락의 나머지 문장, 즉 뒷받침문에 쓰여지게 된다. 뒷받침문들은 단락의 메시지를 설명할 수 있도록 논리적인 얼개를 이루어야 한다.

아래에 제시된 예문 3.1-3.3은 모두 주제문으로 시작하고 있으며, 각 주제문은 주제를 부각시키고 주장하고자 하는 메시지를 기술하고 있다. 또한, 뒷받침문은 논리적으로 조직되어 주제문이 말한 메시지를 뒷받침하고 있기 때문에 주제문이 만들어낸 독자의 기대를 충족시키고 있다.

예문 3.1

구조

A 주제문
B 첫 번째 이론 기술
C B의 세부사항 설명
D 두 번째 이론 기술
E D의 세부사항 설명
F 세 번째 이론 기술

[A]There are three different theories put forward for the very slow relaxation of catch muscles of molluscs. [B]One theory holds that catch is due to some unusual property of myosin in these muscles that produces a slow rate of detachment (12). [C]In this theory, paramyosin would have no special role beyond that of providing the long scaffolding on which the myosin is positioned as well as the mechanical strength for the large tensions developed. [D]The second theory holds that tension is developed by actin-myosin interaction but is maintained by paramyosin interactions (13, 14). [E]Because the thick filaments are of limited length, interaction would have to occur through fusion of thick filaments (15). [F]A third theory, to which I subscribe, pictures a structural change in the paramyosin core affecting the rate of breaking of myosin-actin links at the filament surface (5, 16).

어느 저널에 실린 논문의 서론에서 발췌한 예문 3.1은 주제문과 논리적으로 짜여진 뒷받침문으로 구성되어 있다. 이 단락의 주제는 세 가지 이론에 관한 것이며 주제문이 기술하고 있는 메시지는 세 가지 이론이 존재한다는 사실이다.

이 주제문을 뒷받침하기 위해서, 뒷받침문은 단순한 유형, 즉 나열식 유형으로 짜여져 있다. 이 단락에서는 나열식 유형을 통해 한두 문장이 하나의 이론을 간단하게 설명하고 있으며 이렇게 짧은 설명이 죽 나열됨으로써 주제문에서 언급된 "세 가지 다른 이론"이 만들어낸 독자의 기대를 충족시키고 있다.

이론이 나열된 순서는 무작위적인 것이 아니며 중요하지 않은 것에서 중요한 순으로 진행하고 있다. 즉, 가장 중요하지 않은 것에서 가장 중요한 것의 순으로 세부사항을 나열함으로써 조직화를 꾀하고 있는 것이다. 결과적으로, 저자는 저자가 받아들이지 않는 두 가지 이론을 먼저 설명한 뒤에 자신이 받아들인 이론, 따라서 자신의 논문의 목적에 가장 중요한 이론을 마지막에 설명하고 있다. 저자가 두 이론을 거부하는 이유는 두 개의 이론에 관해 쓴 추가적인 문장(C와 E)에 내포되어 있으며 이 논문의 나머지 부분에서는 계속해서 세 번째 논문에 대해 훨씬 많은 내용을 설명하고 있다.

이와는 정반대로 단락을 조직하는 것, 즉 가장 중요한 사실에서 시작해서 중요하지 않은 사실로 진행하는 형식 역시 뒷받침문의 흔한 조직 유형 중 하나에 속한다.

예문 3.2

구조

A 주제문
B 분포 평가
B_1 첫 번째 단계
B_2 두 번째 단계
C 크기와 형태 평가
D C의 세부사항 설명

ATo assess the distribution, size, and shape of ganglion cell bodies in the tracheal neural plexus, we examined individual cell bodies in their entirety at 100-400 × with a compound light microscope. B1For the assessment of distribution, first each ganglion cell body that was stained by the acetylcholinesterase reaction product or that was bordered by acetylcholinesterase-positive ganglion cell bodies was classified according to its location in the tracheal neural plexus; B2then the number of cell bodies in each ganglion was counted. CFor the assessment of the size and shape of each ganglion cell body, the major (a) and minor (b) axis of the cell body were measured with a calibrated reticle in the eyepiece of the microscope, and, based on these dimensions, the mean caliper diameter, the volume (πab2/6), and the aspect ratio (a/b) were calculated. DMean caliper diameter was calculated by the formula for a prolate ellipsoid of rotation as described by Elias and Hyde (1983).

예문 3.2는 한 논문의 방법(Methods) 섹션에서 발췌된 내용으로서 단락의 주제는 tracheal neural plexus에 있는 ganglion cell bodies의 분포(distribution)와 크기(size), 형태(shape)의 평가에 관한 것이다. 주제문에 나타난 바와 같이 단락의 메시지는 compound light microscope를 사용해서 cell bodies를 100-400배율로 검사함으로써 위의 세 가지 변수를 평가했다는 점이다. 주제문을 보면 주어 앞에 나오는 이행부("To assess...")에서 단락의 주제를 찾을 수 있으며, 단락의 메시지는 이행부와 주어, 동사, 및 보어군에 나와있다("we examined...").

주제문을 뒷받침하기 위해서 여기에서도 뒷받침문이 나열식으로 짜여져 있고, 나열된 순서는 주제문에서 언급된 변수들의 순서를 따르고 있다. 요컨대, 언급된 순서에 따른 조직 유형을 보이고 있는 것이다.

예문 3.2의 주제문은 주제문이 수행할 수 있는 또 하나의 기능, 즉 뒷받침문의 구성을 예시하는 기능을 보여주고 있다. 주제문의 이런 기능은 필요할 때만 사용되는 것이며, 이런 경우 주제문은 독자에게 또 다른 기대를 심어주게 된다. 주제문은 언제나 그 단락이 주제문에 언급된 주제에 관해 설명할 것이라는 기대를 심어주며(이 예문의 경우 세 가지 변수들이 어떻게 평가되었는지) 두 번째 기대는 단락이 어떻게 짜여질 것인지에 관한 기대, 즉 단락이 주제문에 언급된 순서대로 세부사항을 설명할 것이라는 기대를 심어준다. 이 예문의 뒷받침문은 이런 두 가지 기대를 충족시키고 있다. 뒷받침문들은 우선 주제에 관해 설명하고 있으며 주제문에 언급된 변수의 순서를 따르고 있다.

예문 3.3

구조

A 주제문
B, C 뒷받침하는 증거
D, E 예외

*A*Pulmonary nerve endings were relatively insensitive to phenyl diguanide (table 1, fig. 3B). *B*Of 25 pulmonary nerve endings tested, only 10 were stimulated when this drug was injected into the right atrium, and in only one of these did firing exceed 2.2 impulses/s. *C*If the latter ending is excluded, the average peak frequency of the endings stimulated was only 1.7 impulses/s. *D*The exception, which fired with an average frequency of 17.4 impulses/s at the peak of the response, was encountered in the only dog in which right atrial injection of phenyl diguanide evoked reflex bradycardia within the pulmonary circulation time (latency 2.2 s). *E*Moreover, in this dog arterial pressure fell, whereas in all other dogs it rose, but only after sufficient time had elapsed for the drug to reach the systemic circulation.

예문 3.3은 한 논문의 결과(Results)란에서 발췌된 것이며 이 단락의 주제는 바로 pulmonary nerve endings이며(주제문의 주어), 주제문에 담긴 메시지는 pulmonary nerve endings이 어떤 약물에 대해 relatively insensitive하다는 점이다(동사와 보어군에 기술되어 있음).

만약 "relatively"라는 말을 생략한다면, 어떤 뒷받침문도 필요하지 않을 것이다. 독자는 표와 그림을 보면서 pulmonary nerve endings이 약물에 insensitive하다는 사실을 알 수 있으며, 따라서 주제문이 독자에게 심어주는 기대는 과연 pulmonary nerve endings이 relatively insensitive하다는 뜻이 무엇인가라는 점이다. 첫 번째와 두 번째 뒷받침문은 50% 미만의 nerve endings 만이 자극되었고 그것도 대부분 약하게 반응했다고 기술함으로써 이 기대를 충족시키고 있다.

그렇다면, 왜 거기서 멈추지 않고 단락이 이어질까? 그 이유는 일부 데이터가 "relatively insensitive" 라는 메시지를 뒷받침하고 있지 않으며 이런 데이터를 간과할 수 없기 때문이다. 그래서, 뒷받침문이 제시된 증거의 종류에 따라 짜여져 있는 것이다. 우선, "insensitivity" 를 뒷받침하는 증거가 제시되고, 그 다음에 "insensitivity" 를 뒷받침하지 않는, 상충되는 증거가 제시되었다.

상충되는 증거는 단순히 기술된 것이 아니라 독자가 pulmonary nerve endings이 실제로 relatively insensitive하다는 주장에 대해 이를 뒷받침하는 증거가 강력한지, 아니면 이와 상충되는 증거가 강력한지를 결정할 수 있는 여지를 남겨두고 있다. 대신에, 저자는 사용된 개가 전형적이지 않았다는 점을 지적함으로써 상충되는 증거에 반박하고 있으며, 이렇게 상충되는 증거를 반박함으로써 "insensitivity" 를 뒷받침하는 증거가 이에 상충되는 증거보다 비중이 있음을 분명히 드러내고 있다.

이 단락의 조직 유형은 지지 및 부정(pro-con)의 형식으로 알려져 있으며 이 형식을 갖춘 단락은 주제문의 메시지를 뒷받침하는 증거와 이를 부정하는 증거를 제시한다. 지지 및 부정 형식의 단락에서 메시지를 뒷받침하는 증거가 먼저 제시될 수도, 혹은 나중에 제시될 수도 있으며 이 종류의 단락에 있어서 유일하게 옳은 구성은 없다. 단락의 구성은 전적으로 어떤 점을 강조하고자 하느냐와 제시할 증거의 질에 따라 달라진다(제 7 장의 예문 7.5를 참조하라).

이와 관련된 조직 유형으로는 모두 지지하거나 및 모두 부정하는 형식이 있다. 지지 및 부정 형식을 사용하거나 모두 지지, 또는 모두 부정 형식을 사용하는 것은 저자가 어떤 점을 강조하고자 하느냐와 저자가 확보한 증거의 질에 따라 달라진다.

예문 3.4는 "모두 지지" 하는 단락이며, 이 단락의 구조와 줄거리는 예문 3.1-3.3의 구조와 줄거리와 같이 단순하지 않다.

예문 3.4

구조

A 주제문(주제)
B 주제문(메시지)
C-E B를 뒷받침
C B를 뒷받침하는 발견
D C를 해석하는데 사용된 발견
E D에 기초한 C의 해석
F 주제문(정련된 메시지)
G F를 뒷받침

ALike Karoum et al. (21), we estimated the half-life of ganglionic dopamine to be considerably less than 1 h, which indicates a very rapid rate of turnover. BAlthough measures of total dopamine turnover cannot distinguish between the rates of turnover associated with SIF cells and principal neurons, from our results we suspect that this rapid rate of turnover is accounted for primarily by precursor dopamine in principal neurons. CWe based this suspicion on our finding that within 1 h after injection of the synthesis inhibitor α-MT, and 40 min after injection of the synthesis inhibitor NSD-1015, the ganglionic dopamine content had dropped by about 60%, leaving some 7 pmol of dopamine that was resistant to further significant depletion for at least 3 h. DTo interpret these data, we used Koslow' s finding that approximately 40% of the dopamine in the rat superior cervical ganglion is stored in SIF cells (26). EApplying this figure to our measure of ganglionic dopamine (18 pmol/ganglion) would mean that about 7 pmol of dopamine is contained in SIF cells. FTherefore, we speculate that the 7 pmol of dopamine remaining 1 h after synthesis was inhibited represents SIF cell dopamine that is slowly turning over, whereas the 60% that is rapidly depleted represents precursor dopamine in principal neurons that is rapidly turning over. GThis notion is consistent with reports which have shown that SIF cell catecholamines have a very slow turnover in the rat superior cervical ganglion (32, 41).

예문 3.4는 두 개의 주제문으로 시작한다. 첫 번째 주제문(A)은 주제를 기술하고 있고(a very rapid rate of turnover of ganglionic dopamine), 두 번째 주제문(B)은 메시지를 전달하고 있다(이렇게 빠른 turnover가 일어나는 이유가 principal neurons에서 precursor dopamine이 빠르게 turnover되는 데 기인할지 모른다). 문장 C-E는 주제문 B를 뒷받침하는 뒷받침문이며 저자들이 B에 제시된 메시지를 신뢰하는 이유를 설명하고 있다. 이 세 개의 뒷받침문은 고유한 구조를 지니고 있다(예문 3.4 왼쪽의 구조를 참조하라). 문장 F는 또 다른 주제문이며, 문장 B에 담긴 메시지를 좀더 계량적이면서 완전하게 다시 기술하고 있다. 그리고나서 단락의 마지막 문장은 문장 B에는 없지만 문장 F에는 담겨있는 사실을 앞서 발견된 사실과 비교함으로써 이를 뒷받침하고 있다. 결과적으로, 이 "지지" 단락에는 세 개의 주제문과(A, B, F), 두 세트의 뒷받침문(C-E와 G)이 존재한다.

단락이 단순하건 복잡하건 간에 단락의 명료성을 위해 기억해야 할 두 가지 중요한 핵심은 다음과 같다. 1)주제문은 단락의 주제나 메시지를 기술함으로써 전체적인 조망을 제시한다. 2)뒷받침문은 제시된 주제나 메시지를 가장 잘 설명할 수 있는 방식으로 논리적으로 짜여져야 한다.

흔히 쓰이는 다른 조직 유형에는 깔때기형(서론에서 사용됨), 연대기형(방법 및 결과에서 널리 사용됨), 문제-해결형 및 해결-문제형(방법론을 다룬 논문에서 사용됨) 등이 있다.

단락 조직의 흔한 유형

중요하지 않은 사실에서 중요한 사실로
중요한 사실에서 중요하지 않은 사실로

주제문에 언급된 순서대로
지지-부정형
지지형
부정형
깔때기형
연대기형
문제-해결형
해결-문제형

주제문의 길이

주제문은 길이가 짧고 단순할 때 가장 명료하고 강력하다. 예문 3.1-3.4의 주제문을 비교해보라. 예문 3.1과 3.3의 문장 A에 제시된 두 개의 짧고 단순한 주제문이 예문 3.2와 3.4의 문장 A에 제시된 두 개의 길고, 더 복잡한 주제문에 비해 더욱 명료하고 강력하지 않은가?

주제문의 수와 위치

예문 3.4에서 볼 수 있었던 것처럼 하나의 단락에 하나 이상의 주제문이 있을 수도 있으며, 이런 경우 주제문은 다양한 위치에 자리를 잡을 수 있다. 예를 들어, 한 단락에 두 개의 주제문이 있을 경우, 두 개가 모두 단락의 맨 앞에 자리를 잡고 하나는 주제를 기술하고 다른 하나는 메시지를 기술할 수 있다. 한편 주제문 두 개가 분리되어 하나는 단락의 앞쪽에, 다른 하나는 단락의 뒤쪽에 올 수 있다. 이 경우 앞쪽의 주제문은 주제를 기술하고 뒤쪽의 주제문은 메시지를 기술할 수 있다. 단락의 뒤쪽에서 메시지를 반복하는 것은 긴 단락의 메시지를 재강화시켜주는 효과적인 방법이 될 수 있으며, 또는 예문 3.4에서와 같이 뒷받침문에 제시된 설명에 기초한 메시지를 다듬을 수 있는 좋은 방법이 된다. 한 단락에 세 개 이상의 주제문이 있을 경우에는 좀더 복잡한 조합이 가능하며, 예를 들어 한 주제문을 중간에 삽입하여 소주제에 대한 조망을 제시할 수 있다.

연습문제 3.1: 주제문과 뒷받침문

"방법(Methods)란에서 발췌된 이 단락에는 어떤 방식으로 capsaicin을 guinea pigs에 주입하였는지가 설명되어 있으며 이 단락의 메시지인 capsaicin was given in two doses가 명료하지 않다. 다음과 같은 방법으로 이 단락의 메시지를 명쾌하게 하라.

1. 이 단락의 주제문(A)을 더욱 명쾌하게 교정하라. 주제문은 단락의 메시지를 담고 있어야 하며(capsaicin was given in two doses), 주제문의 주어가 단락의 주제가 되도록 하라.
2. 새로운 주제문이 만들어낸 기대를 충족시킬 수 있도록 뒷받침문(B-C, not D)을 재조직하라(주제문 뒤에 마취에 대한 이야기가 나올 것이 기대되는가?)

[A]Guinea pigs were injected with a total dose of 50 mg/kg capsaicin given subcutaneously (7, 8). [B]After being anesthetized with pentobarbital (30 mg/kg i.p.), guinea pigs were injected with salbutamol (0.6 mg/kg s.c.) to counteract respiratory impairment caused by capsaicin and 10 min later with capsaicin (20 mg/kg, 12.5% solution in equal parts of 95% ethanol and Tween-80, diluted to 25 mg/ml with saline). [C]Two hours later, the guinea pigs were again anesthetized with pentobarbital (10-20 mg/kg i.p.) and injected with salbutamol, after which capsaicin (30 mg/kg s.c.) was again injected. [D]Control guinea pigs underwent the same procedure with vehicles.

논리의 비약에 주의하라

단락의 조직 유형이 단순하건 복잡하건 간에 모든 논리적 단계가 반드시 포함되어 있어야 하며 한 단계만 생략되더라도 독자가 줄거리를 따라가기가 어려워진다. 예문 3.5에서는 문장 B와 C 사이에 논리적 단계 하나가 생략되어 있으며 따라서 줄거리를 따라가기가 쉽지 않다.

예문 3.5

[A]As expected, serum glucose decreased to about 800 mg/dl by the sixth hour of insulin infusion. [B]It was elected to stabilize serum glucose at this level to allow for osmotic equilibration. [C]An estimate of net loss of total body glucose was made as follows:...

문장 C가 말하는 바를 이해할 수는 있지만 왜 이 문장이 나왔는지는 알 길이 없다. 저자들은 왜 갑자기 net loss of total body glucose에 대해 이야기하는 것일까?

교정문

[A]As expected, serum glucose decreased to about 800 mg/dl by the sixth hour of insulin infusion. [B]To allow for osmotic equilibration, we stabilized serum glucose at this level by adding to the fluid infusion an amount of glucose equivalent to the net loss of total body glucose. [C]We estimated net loss of total body glucose as follows:...

이 교정문에서는 생략되었던 단계(밑줄진 내용)가 serum glucose와 total body glucose와의 관계를 연결시켜주고 있으며 이제는 줄거리를 훨씬 쉽게 따라갈 수 있게 되었다.

줄거리에서 한 단계가 생략되는 것은 독자가 극복해야 할 가장 큰 장애물에 속한다. 저자는 주제에 너무나 익숙하고 따라서 논리적 단계가 생략되더라도 쉽게 그 간격을 보충할 수 있기 때문에 여러 논리적 단계를 부주의하게 생략하는 경우가 흔하다. 저자와 대단히 지식이 풍부한 독자는 머릿속에 과학적인 틀이 잘 짜여져 있기 때문에 생략된 단계를 쉽게 채워넣을 수 있지만 주제에 익숙하지 않은 독자는 그러한 틀을 가지고 있지 않기 때문에 논리가 비약될 경우 그 간격을 보충할 수 없다. 따라서 모든 독자에게 명쾌한 줄거리를 제시하려면 줄거리에 모든 논리적 단계를 포함시켜야 한다. 자신이 쓴 글에서 논리적 비약을 찾으려면 1-2주 후쯤 지나서 더 이상 초고를 기억할 수 없을 때 다시 읽어보는 방법과 자신의 분야에 문외한인 동료에게 초고를 읽히는 방법이 있다.

연속성

잘 짜여진 단락, 즉 주제문이 있고 뒷받침문이 논리적으로 조직되어 있으며 논리에 비약이 없는 단락이라 하더라도 연속성이 없다면 이해하기가 어렵다. 연속성이란 문장에서 문장으로(그리고 단락에서 단락으로) 생각의 흐름이 매끈하게 진행되는 것을 의미한다.

연속성의 정수는 문장과 이에 선행하는 문장과의 명쾌한 관계에 있으며, 연속성을 이루기 위해서 특별한 기법이 사용될 수 있다. 연속성을 위한 여섯 가지 중요한 기법은 다음과 같다.

1. 핵심용어를 반복하라.
2. 개념 간의 관계를 나타내는 연결어구를 사용하라.

3. 일관된 순서를 유지하라.
4. 일관된 관점을 유지하라.
5. 대비되는 개념에는 대구법을 사용하라.
6. 단락의 소주제를 미리 알리라.

핵심용어의 반복

핵심용어란 논문에 나오는 중요한 개념을 지칭하는 어구를 말하며, "G-protein"이나 "mitogenesis"와 같은 전문용어, "increase"나 "function"과 같은 일반용어가 모두 핵심용어가 될 수 있다. 문장에서 문장으로(또한 단락에서 단락으로) 핵심용어를 반복하는 것은 연속성을 제공하는 가장 강력한 수단이다. 예를 들어서 예문 3.5의 교정문과 같이 "serum glucose"와 "net loss of total body glucose"라는 핵심용어를 반복하는 것이 단락 전체를 유기적으로 연결시켜 준다. 예문 3.1에서는 문장 E를 제외한 모든 문장에 등장하는 "theories"가 단락 전체를 연결시켜주는 주요 핵심용어가 된다.

핵심용어를 동일하게 반복하는 것

명료성을 위하여. 명쾌한 연속성을 위한 최고의 지침은 핵심용어를 동일하게 반복하는 것이다. 핵심용어가 동일하게 반복되지 않고 대신에 다른 용어가 사용되면 두 용어 간의 관계를 파악하기 위해 정신 노동이 필요하게 되며 해당 분야에 익숙한 독자라면 그런 관계를 쉽게 파악할 수 있겠지만 그렇지 않은 독자는 어려울 것이다.

예문 3.6

Digitalis increases the contractility of the mammalian heart. This change in inotropic state is a result of changes in calcium flux through the muscle cell membrane.

"inotropic state"란 무엇인가? 이 어구가 앞 문장과 어떻게 연결되고 있는가? 결론은 "contractility"와 "inotropic state"가 동일한 것을 의미한다는 사실이다. 만약 의도한 바가 의미에 아무 차이도 두지 않는 것이라면 왜 두 가지 다른 용어를 사용해서 독자를 혼란스럽게 하는 위험을 감수하려는 것인가?

교정문

Digitalis increases the contractility of the mammalian heart. This increased contractility is a result of changes in calcium flux through the muscle cell membrane.

이 교정문에서는 핵심용어인 "contractility"가 동일하게 반복되었기 때문에 모든 독자에게 연속성이 분명하게 드러나 있다. 게다가, 핵심용어인 "increases"도 "change"라는 말로 일반화되는 대신 반복 사용되었다. 이렇게 두 가지 핵심용어를 반복함으로써 연속성이 한층 강화되었다.

예문 3.7에서는 저자가 한 단락의 마지막에서는 핵심용어로 "digestion"과 'liver"를 사용한 뒤에 다음 단락의 시작 부분에서는 핵심용어로 "isolation"과 'hepatocytes"를 사용하고 있으며 따라서 두 단락 간의 관계가 첫 눈에 분명하게 연결되지 않는다.

예문 3.7

1 *A*The extent of digestion of the liver was determined empirically, on the basis of the softness of the liver in response to gentle scratches applied with sterile tweezers. *B*When these scratches broke the surface of the liver, digestion was considered complete.

2 *C*The key enzyme in hepatocyte isolation is collagenase, but there is surprisingly little definitive information about what constitutes a good enzyme preparation for efficacy of cell yield and viability.

문장 C에 핵심용어인 "digestion"과 "liver"를 반복함으로써 단락 간의 관계가 분명해졌다.

교정문

1 *A*The extent of digestion of the liver was determined empirically, on the basis of the softness of the liver in response to gentle scratches applied with sterile tweezers. *B*When these scratches broke the surface of the liver, digestion was considered complete.

2 *C*The key enzyme used to digest liver is collagenase, but there is surprisingly little definitive information about what constitutes a good enzyme preparation for efficacy of cell yield and viability.

만약 단락 2에 "isolation"을 포함시키고 싶다면 그렇게 하는 것도 가능하다. 단순히 이렇게 쓰면 된다. "The key enzyme used to digest liver for isolation of hepatocytes is collagenase..." 이 경우 관심이 되는 세포(cell)가 바로 hepatocytes이므로 문장 C의 뒤쪽에 나오는 "cell" 이라는 핵심용어를 "hepatocyte" 로 바꿔야 한다.

이 두 예문에서 볼 수 있는 바와 같이 연속성은 핵심용어가 동일하게 반복할 때 극명해진다.

정확성을 위하여. 예문 3.8과 마찬가지로 때로는 핵심용어를 바꿈으로써 의미가 과학적으로 부정확해진다.

예문 3.8

*A*To determine which collagenase concentration is the most appropriate for our purposes, we tested collagenase B (Boehringer Mannheim, Indianapolis, IN) dissolved at different concentrations in the perfusion medium. *C*First we perfused mouse liver with a medium containing the same quantity of collagenase B as the medium used to perfuse rat liver (70 mg enzyme per liter of perfusion medium).

교정문

*A*To determine which collagenase concentration is the most appropriate for our purposes, we tested collagenase B (Boehringer Mannheim, Indianapolis, IN) dissolved at different concentrations in the perfusion medium. *C*First we perfused mouse liver with a medium containing the same concentration of collagenase B as the medium used to perfuse rat liver (70 mg enzyme per liter of perfusion medium).

예문 3.9

Since RACK1 and βIIPKC are translocated together and bind each other, we next wanted to determine the timing of association... This merging of images at a site different from the Golgi apparatus indicates that RACK1 and βIIPKC bind each other before they are translocated together to the Golgi apparatus.

"binding" 보다는 "association"이 더 일반적인 용어다. "binding"에 대해 말하고 싶다면 그 용어를 사용하는 것은 가장 명쾌한 길이다.

교정문

Since RACK1 and βIIPKC are translocated together and bind each other, we next wanted to determine the timing of binding... This merging of images at a site different from the Golgi apparatus indicates that RACK1 and βIIPKC bind each other before they are translocated together to the Golgi apparatus.

잡음을 피하기 위해. 예문 2.10과 같이 때로는 핵심용어를 바꾸는 것이 부정확하거나 불명확하지는 않지만 단순히 잡음을 일으키는 경우가 있다.

예문 3.10

In humans, apo-B100, mainly synthesized in the liver, and apo-B48, mainly synthesized in the intestine, are the products of a single apo-B gene (ref). The production of apo-B48 in the human intestine is the result of an RNA-editing process that changes a glutamine codon (CAA) of the mRNA for apo-B100 into a translational stop codon (UAA). This apo-B mRNA-editing process does not occur in human livers, so apo-B48 is not synthesized in human livers. However, the mRNA-editing process, and thus apo-B48 formation, occurs in mouse and rat livers.

"production"과 'formation"이 "synthesis"를 의미한다면 왜 두 번 모두 "synthesis"를 사용하지 않는가?

어떤 단어를 반복하지 않는 이유는 거의 모든 사람이 한 문장이나 단락 등에서 같은 단어를 두 번 반복하지 말라고 배웠기 때문이다. 같은 단어를 반복하지 않는 글쓰기의 목적은 따분하지 않고 우아한 스타일을 위해서다. 실제로, 잘만 요리한다면 같은 단어를 반복하지 않음으로써 우아한 스타일을 창출할 수 있다. 연습문제 2.4의 문제 1의 두 번째 교정문에서 우리는 같은 단어를 반복하지 않음으로써(그렇다고 다른 단어를 사용하는 것은 아님) 우아한 스타일을 만들어내는 실례를 볼 수 있다. 이 교정문에서는 "congesting cuffs"의 반복을 피하고 있다. 반면에 예문 3.10의 스타일은 그렇게 우아하지 않다. 예문 3.10의 경우 핵심용어를 반복하지 않을 경우 명료성을 잃을 위기에 처하게 되며 이 경우 핵심용어를 동일하게 반복하지 않는다면 적어도 "잡음"이 일어난다.

핵심용어를 반복하지 않아야겠다는 유혹을 받을 경우 세 가지를 고려해야 한다. 첫 번째로, 자신이 사용한 각 단어를 정확하게 알고 있는 저자와는 달리 대부분의 독자는 과학 논문을 읽을 때 반쯤 졸고 있다는 점이다. 따라서, 세 번째로 읽기 전까지 어지간한 단어는 눈에 띄지도 않는다. 따라서 같은 단어를 대여섯 번 쓰기 전까지는 반복해서 썼다고 지루하지 않을까 염려할 필요는 없다.

두 번째로, 메시지를 전달하고 줄거리를 분명하게 만드는 것이 저자의 목적이라는 점을 염두에 둘 필요가 있다. 만약 여러분의 논문의 주제가 "synthesis"에 관한 것이라면 그 용어가 독자의 마음에 남게 되길 원할 것이다. 그렇다면 "synthesis"를 반복하기를 피하려 하지 말고 가능한 적절한 곳에 "synthesis"를 반복함으로써 독자들이 반쯤 졸고 있는 상태에서도 논문의 주제가 "synthesis"라는 점을 알게 해야 한다.

마지막으로, 독자가 반쯤 졸고 있던 집중해 읽고 있던 간에 한 가지 용어가 한 가지만을 의미하게 하고 논문 전체에 걸쳐 이를 동일하게 반복 사용할 때 독해가 제일 쉬워진다. 핵심용어를 정확하게 반복하는 것은 과학에서 대단히 중요하며 이는 각 단락마다 과학적으로 많은 이야기가 오가고 많은 핵심용어가 등장하기 때문에 더욱 그러하다. 따라서, 명쾌한 연속성을 위한 최선의 지침은 핵심용어를 동일하게 반복하라는 것이다.

당연한 경고: 한 가지 용어가 두 가지 의미를 갖도록 사용해서는 안 된다. 한 가지 의미로 두 가지 서로 다른 용어를 사용해서는 안되는 것과 정반대로 한 가지 용어를 서로 다른 의미로 사용해서는 안 된다.

예문 3.11

...reduction of reduced glutathione...

What does this phrase mean? "Reduced glutathione" must mean glutathione that has been deoxidized. Presumably "reduction" does not also mean "deoxidized" but "decreased." It is clearest to write "decrease in reduced glutathione" if that is what you mean.

이 어구의 의미가 무엇인가? "reduced glutathione"은 "glutathione that has been deoxidized"를 의미하는 것임이 분명하다. 아마도 "reduction"은 "deoxidized"가 아니라 "decreased"를 의미할 것이다. 따라서, 의도한 바와 일치한다면 "decrease in reduced glutathione" 이라고 쓰는 것이 가장 명쾌한 길이다.

핵심용어를 문장의 도입부에 반복하라.

핵심용어를 주어로서 반복하는 것. 핵심용어가 문장의 도입부에서 반복될 때 연속성이 가장 명료해진다. 핵심용어가 문장의 뒷부분에 가서야 등장하면 연속성에 금이 가며 독자는 그 때까지 애를 태우게 된다. 예문 3.12에서 이런 예를 찾아볼 수 있으며 예문 3.12는 예문 3.6의 교정문을 조금 바꾸어 놓은 것이다.

예문 3.12

Digitalis increases the contractility of the mammalian heart. Changes in the calcium flux through the muscle cell membrane cause this increased contractility.

교정문

Digitalis increases the contractility of the mammalian heart. This increased contractility results from changes in calcium flux through the muscle cell membrane.

교정문에서는 주어("changes…')와 보어군("this increased contractility")의 자리가 바뀌어져 있으며 따라서 반복되는 핵심용어가 문장의 주어로서 두 번째 문장의 도입부로 자리를 옮겼다.

핵심용어의 반복이 지체되면 될수록 연속성은 더욱 불명확해지며, 그 이유는 두 문장의 관계가 명료해지기 전에 점점 더 많은 새로운 핵심용어가 추가되기 때문이다. 실례를 살펴보자.

예문 3.13

*A*Cellular oncogenes are created when normal cellular genes that have latent transforming potential, that is, proto-oncogenes, are activated and key regulatory pathways that control cell proliferation are subverted. *B*Several subfamilies of G-protein-coupled receptors, for example, the serotonin (1c) and muscarinic cholinergic (m1, m3, m5) receptors, have been shown to result in conditional, agonist-dependent activation of proto-oncogenes (refs).

예문 3.13에서는 문장 A의 핵심용어("activated", "proto-oncogenes")가 문장 뒷부분에서 반복되기 전에 여러 개의 새로운 핵심용어가 도입되었기 때문에 두 문장 간의 연속성이 분명하지 않다.

교정문

*A*Cellular oncogenes are created when normal cellular genes that have latent transforming potential, that is, proto-oncogenes, are activated and key regulatory pathways that control cell proliferation are subverted. *B*Proto-oncogenes can be activated conditionally by various agents, including several subfamilies of G-protein-coupled receptors, for example, the serotonin (1c) receptors and muscarinic cholinergic (ml, m3, m5) receptors (refs).

예문에서는 문장 B의 보어군의 마지막 단어였던 "proto-oncogenes"가 교정문에서는 문장의 주어가 되었으며 예문에서는 문장의 주어였던 "several subfamilies..."가 보어군이 되었다. 또한, 행동을 동사를 통해 표현함으로써("can be activated") 문장이 더욱 직설적이 되었으며 문장 A와 유사하게 되었다.

주어의 한 측면으로서 핵심용어를 반복하는 것. 지금까지는 핵심용어를 문장의 앞부분에서 반복하기 위해 핵심용어를 문장 맨 앞의 주어로서 반복했다. 핵심용어를 반복하는 또 하나의 방법은 예문 3.14에서 볼 수 있는 것과 같이 핵심용어의 한 측면을 문장의 주어로 삼는 것이다. 이 경우 핵심용어는 주어 바로 다음에 반복되어 나오게 된다.

예문 3.14

Signals that confer localization to the endoplasmic reticulum (ER) have been characterized in the cytoplasmic domain of many mammalian type I transmembrane proteins that reside in the ER and in the ER-Golgi intermediate compartment. One common feature of these signals is the presence of two lysine residues at positions −3 and −4 from the C-terminal end of the cytoplasmic domain (refs).

예문 3.13에서 반복되는 핵심용어인 "signal"은 두 번째 문장의 주어가 아니며, 대신에 "signal"의 한 측면에 해당되는 "one common feature"가 주어이다. 핵심용어

("signal")는 주어 바로 뒤에서 반복되고 있으며, 결국 이 단락의 줄거리는 "signals"에서 "a common feature of the signals"로 진행된다. 문장 A의 핵심용어가 문장 B의 앞부분에서 반복되기 때문에 독자는 쉽게 줄거리를 따라갈 수 있다.

핵심용어가 문장의 주어로 반복되건 주어 바로 뒤에서 반복되건 간에 중요한 점은 새로운 문장과 선행 문장과의 관계가 새로운 문장의 앞부분에서 분명해져야 한다는 점이다.

앞부분에서 반복해야 하는 이유. 핵심용어를 앞부분에서 반복하는 기법은 앞에서 언급된 사실은 주어에 담고 새로운 사실은 동사와 보어군에 담을 때 이야기가 가장 명료해진다는 원칙에 기초한 것이다. 또한, 반복되는 핵심용어들이 서로 긴밀하게 연관될수록 연속성도 강화된다.

양방향성 연속성. 핵심용어를 앞부분에서 반복하면 앞문장과의 연속성을 확보하는 것과 동시에 다음 문장과의 연속성도 확보할 수 있다.

예문 3.15에서는 각 문장이 새로운 핵심용어로 시작하며, 앞에서 언급된 핵심용어는 문장 B와 C의 뒷부분에서 반복된다. 게다가, 동일한 용어가 반복되는 것도 아니다. 결과적으로, 단락의 줄거리를 따라가기가 매우 어렵다.

예문 3.15

*A*The ability to perform high-resolution genotyping for the purposes of genetic mapping depends on the availability of polymorphic markers at very high density. *B*Single-base variations, reported on average at every 1 kb of the human genome, provide an attractive reservoir of polymorphisms. *C*Mismatch repair detection is an in vivo method for the detection of DNA sequence variations.

교정문

*A*The ability to perform high-resolution genotyping for the purposes of genetic mapping depends on the availability of polymorphic markers at very high density. *B*An attractive reservoir of polymorphic markers is single-base variations, reported on average at every 1 kb of the human genome. *C*An in vivo method for detecting single-base variations is mismatch repair detection.

교정문에서는 "polymorphic markers"가 문장 B의 앞부분에서 반복되기 때문에 문장 A와 B의 연속성이 분명해졌다. 이렇게 문장의 앞부분에서 핵심용어를 반복하면 또 다른 핵심용어인 “single-base variations”가 문장 B의 뒤쪽으로 옮겨지기 때문에 문장 B와 C의 관계가 좀더 분명해지지만 이것도 역시 “variations”가 문장 C의 앞쪽으로 좀더 이동한 다음에야 가능하다.

또한 교정문에서는 핵심용어가 동일하게 반복되었다. 즉, “polymorphic markers”가 반복되었으며 “polymorphisms”나 “single-base variations”, “DNA sequence variations”는 사용되지 않았다. 교정문에서도 각 문장이 새로운 핵심용어로 시작하긴 하지만 새로운 핵심용어가 반복되는 핵심용어의 한 측면에 관한 것이기 때문에 단락의 줄거리를 따라가기가 훨씬 쉬워졌다.

연습문제 3.2: 핵심용어를 문장의 앞부분에서 동일하게 반복하기

문제 1

핵심용어가 문장의 앞부분에서 동일하게 반복되도록 다음에 나오는 주제와 서론을 교정하라.

A LUMPED TRANSPORT MODEL TO DETERMINE RESIN CAPACITY AS A FUNCTION OF BED HEIGHT AND FLOW RATE

Introduction

*A*The dynamic binding capacity of a protein on chromatographic resins depends on linear velocity, bed length, binding kinetics, and the physical and chemical properties of the resin. *B*Breakthrough curves at different bed lengths and velocities provide an excellent method of measuring this dynamic binding capacity. *C*For large molecules such as proteins, the shape of the breakthrough curve may vary considerably as linear velocity and column length are changed.

문제 2

다음에 나오는 초록에서는 줄거리가 다섯 개의 문장(B, C, E, H, I) 앞에서 끊어지고 있다. 핵심용어를 문장의 앞부분에서 동일하게 반복함으로써 초록의 줄거리를 명쾌하게 만들라. 다음의 질문을 고려해보라.

1. 문장 A와 B에서는 왜 "expression" 및 "transcription"과 같이 서로 다른 두 개의 핵심용어가 사용되었는가? 한 가지 핵심용어를 선택한 뒤에 이를 반복 사용하라.
2. 문장 C와 D의 phosphate levels이 어떻게 문장 A와 B에 연결되는가?
3. 문장 E의 "retained"가 문장 D의 어떤 핵심용어에 연결되는가?
4. 문장 H의 핵심용어인 "first hypothesis"가 문장 F와 G의 핵심용어에 어떻게 연결되는가?
5. 문장 I의 핵심용어인 "interaction"과 "localization"이 문장 F의 핵심용어인 "the hypothesis these results are for"에 어떻게 연결되는가?

*A*Expression of the acid phosphatase PHO5 in the yeast Saccharomyces cerevisiae is regulated by extracellular phosphate levels. *B*The PHO4 gene encodes a positive regulatory factor which is required to activate transcription of PHO5. *C*When yeast cells are grown in medium containing high phosphate levels, PHO4 is in the cytoplasm and PHO5 is not transcribed. *D*When cells are starved for phosphate, PHO4 enters the nucleus, where, in conjunction with a second transcription factor called PHO2, it activates transcription of PHO5. *E*It is not known how PHO4 is retained in the nucleus under conditions of low phosphate. *F*One possible explanation is that PHO4 is retained in the nucleus through binding to a nuclear component. *G*Two possibilities are that the interaction of PHO4 with PHO2 or DNA keeps PHO4 in the nucleus. *H*The first hypothesis is being tested by examining the subcellular localization of PHO4 in a strain from which PHO2 has been deleted. *I*Preliminary results suggest that the PHO2-PHO4 interaction is not required for the nuclear localization of PHO4 under low phosphate conditions. *J*The second possibility is that the DNA binding domain of PHO4 is responsible for keeping PHO4 in the nucleus through its interaction with DNA. *K*To test the second hypothesis, we are generating a mutant version of PHO4 from which the DNA binding domain has been deleted. *L*This PHO4 mutant will be introduced into yeast and its subcellular localization will be determined.

특수용어에서 범주형 용어로 옮겨갈 때나 혹은 정반대의 경우 핵심용어를 연결하는 법

어떤 경우에는 특수용어에서 범주형 용어로 전환하거나 그 반대로 전환하는 경우가 필요하다(범주형 용어란 특수용어가 속하는 범주를 가리키는 용어로서 예를 들어

"rodent"는 "rats", "mice", "guinea pigs" 등의 범주형 용어다).

연속성을 잃지 않으면서 특수용어와 범주형 용어를 넘나드는 방법은 바로 핵심용어를 연결하는 것이다. 핵심용어를 연결하려면 특수용어를 정의하기 위해 범주형 용어를 사용하면 된다. 정의에 범주형 용어를 사용하면 핵심용어가 반복되는 것이고, 그러면 연결고리가 만들어진다.

핵심용어를 연결하는 법

· 용어의 정의를 정의될 용어가 사용되기 바로 전이나 후에 위치시키라.
· 정의가 용어 뒤에 나올 때는 두 개의 쉼표를 이용해 분리하라.
· 정의에 앞 문장의 핵심용어가 반복되는지 또는 정의가 다음 문장의 핵심용어를 준비시키고 있는지 확인하라.

특수용어를 범주형 용어에 연결시키려면 "Which is"가 생략된 "Which is" 구문을 사용하라.

예문 3.16

*A*The v-erbB gene is related to the neu oncogene. *B*Both oncogenes have...

"neu oncogene" 말고 다른 oncogene은 무엇인가?

교정문 A

*A*The v-erbB gene, <u>an oncogene of the avian erythroblastosis virus</u>, is related to the neu oncogene. *B*Both oncogenes have...

교정문 A에서는 "v-erbB gene"이 "oncogene"으로 정의되어 있기 때문에 다른 oncogene이 v-erbB gene이라는 사실이 분명해진다. "oncogene"이라는 범주형 용어를 포함하고 있는 정의가 특수용어("v-erbB gene") 바로 뒤에 놓여 있으며 두 개의 쉼표를 통해 분리되어 있다. 문장 A의 정의에 사용된 용어인 "oncogene"은 문장 B의 핵심용어로 반복되었다.

문장 A에 나오는 정의는 "which is"가 생략된 "which is..." 절의 형식을 띠고 있으며, 이런 절을 동격절이라 부른다. "which is"는 다음과 같이 포함될 수도 있다. "The v-erbB gene, which is an oncogene of the avian erythroblastosis virus, is related to the neu oncogene." 그러나, "which is"를 생략할 때 정의가 더 명료해지며 따라서

"which is"가 생략되었다.

정의를 다음과 같이 본문장과 다른 문장에 담아서는 안 된다. "The v-erbB gene is related to the neu oncogene. The v-erbB gene is an oncogene of the avian erythroblastosis virus. Both oncogenes have...". 이렇게 별개의 문장에 정의를 담을 경우 연속성에 금이 간다. 연속성을 유지하려면 본 문장과는 별개의 문장이 아닌 본 문장의 일부로 정의를 포함시키는 것이 중요하다.

때로는 더 간단한 해법이 가능하며, 교정문 B와 같이 특수용어를 범주형 용어를 수식하는 수식어로 사용할 수도 있다.

교정문 B

The v-erbB oncogene is related to the neu oncogene. Both oncogenes have...

그러나, 특수용어로 범주형 용어를 수식하는 것이 항상 가능한 일은 아니다. 예를 들자면 "the mouse rodent"나 "the endonuclease enzyme"이라는 말을 쓰지는 않는다.

범주형 용어를 특수용어에 연결하려면 "Namely"가 생략된 "Namely" 구(句)를 사용하라.

예문 3.17

The family of TGF-signaling molecules play inductive roles in various developmental contexts.[1] One member of this family, Drosophila Decapentaplegic (Dpp),[2] serves as a morphogen that patterns both the embryo[2,3] and adult.[4,5]

예문 3.17에서 "one member of this family"를 생략하면 두 문장 간의 연속성이 깨진다. "one member of this family"를 "Drosophila Decapentaplegic" 바로 앞에 포함시키면 "Drosophila Decapentaplegic"을 해당 family의 일원으로 정의하는 것이므로 특수용어인 "Drosophila Decapentaplegic"를 범주형 용어인 "family of TGF-signaling molecules"에 연결시킬 수 있다. 핵심용어인 "family"를 반복 사용함으로써 두 문장 간에 연결고리가 만들어진다.

이 예문에서 정의된 용어인 "Drosophila Decapentaplegic"는 "namely"가 생략된 "namely" 구이며, 다음과 같이 "Namely"를 포함시킬 수도 있다. "One member of this family, namely Drosophila Decapentaplegic..." 그러나 "namely"가 없을 때 정의가 더 명료해지기 때문에 "namely"를 생략한 것이다.

이 예문에서는 다음과 같이 정의될 용어 바로 뒤에 정의가 등장할 수도 있다. "The family of TGF-signaling molecules play inductive roles in various developmental contexts.1 Drosophila Decapentaplegic(Dpp)2, one member of this family, serves as a morphogen..." 그러나 새로운 핵심용어가 도입되기 전에 앞서 나온 핵심용어가 가능한 빨리 반복되는 것이 연속성 강화에 바람직하다.

예문 3.18에서는 저자가 문장 A와 B의 핵심용어를 연결시키지 않았으며 따라서 연속성이 훼손되었다.

예문 3.18

*A*To examine whether triglyceride-lowering treatment with etofibrate for 6 weeks affects fasting and postprandial hemostasis positively and reverses the potential negative effects of a fatty meal on postprandial hemostasis, we repeated the oral tolerance test after treatment with etofibrate or placebo for 6 weeks. *B*In each sample we measured the concentrations of fXII, fXIIa, PAP, PAI-1, plasminogen, protein C, prothrombin activation fragment$_{1+2}$, and D-dimer.

fXII 등이 문장 A와 어떻게 연결되는가?

교정문

*A*To examine whether triglyceride-lowering treatment with etofibrate for 6 weeks affects fasting and postprandial hemostasis positively and reverses the potential negative effects of a fatty meal on postprandial hemostasis, we repeated the oral tolerance test after treatment with etofibrate or placebo for 6 weeks. *B*In each sample we measured the concentrations of eight markers of hemostasis: fXII, fXIIa, PAP, PAI-1, plasminogen, protein C, prothrombin activation fragment$_{1+2}$, and D-dimer.

교정문에서는 정의에 해당하는 "eight markers of hemostasis"가 "fXII..." 앞에 놓여졌기 때문에 fXII 등과 문장 A의 관계가 분명해졌다. 정의에서 반복된 핵심용어인 "hemostasis"가 문장 A와 B를 연결시켜준다.

맞춤법에 관한 도움말. 이 교정문에서는 일반적인 경우와 달리 특수 핵심용어가 쉼표나 괄호로 분리되지 않았으며 대신에 콜론(:)으로 분리되었다. 이 예문에서는 특수 핵심용어가 문장의 끝부분에 등장했으며 범주형 용어가 숫자("eight")를 포함하고 있기 때문에 콜론이 사용되었다.

"Such As"와 "Including". 예문 3.18의 교정문에서는 정의 뒤에 "such as"를 쓰느냐 아니면 "including"을 쓰느냐에 따라 의미가 달라질 수 있다: "In each sample we measured the concentrations of eight markers of hemostasis, such as fXII," etc. "such as"를 사용하는 것은 언급된 여덟 개의 marker 외에도 다른 marker들이 측정되었다는 것을 내포하며, 이는 실제와 다를 수 있다.

같은 이유로, "including"도 사용해서는 안 된다.

반면에 "namely"의 경우는 단지 여덟 개의 marker 만을 언급하고 있다는 사실을 내포하기 때문에 사용이 가능하다.

그러면 언제 "such as"와 "including"을 사용할 수 있는가? 대답은 대단히 긴 리스트에서 하나 또는 서너 개의 예만을 선택하고 있다는 사실을 나타내고 싶을 때 사용할 수 있다는 것이다. 예를 들어 다음 문장을 살펴보자. "Angiogenesis is critical for normal physiological processes such as embryonic development and wound repair(1, 2)." 이 예문에 사용된 "such as"는 두 개의 생리학적 과정을 소개하고 있으며 이 문장이 암시하는 바는 angiogenesis가 다른 여러 정상적인 생리학적 과정에도 중요하다는 사실이다. 이 문장이 암시하는 바는 우리가 알고있는 사실에 부합된다.

요약

요약하자면, 핵심용어를 반복하는 것은 연속성을 확보하기 위한 가장 중요한 기법에 속한다. 명쾌한 연속성을 위해 세 가지를 기억하라.

· 핵심용어를 동일하게 반복하라.

· 핵심용어를 문장의 앞부분에서 반복하라.

· 특수용어에서 범주형 용어로 옮겨갈 때는 핵심용어를 연결하라.

연습문제 3.3: 핵심용어의 연결

다음 단락에서는 두 문장 간의 관계가 분명해지도록 핵심용어인 "medications"와 "glucocorticoid"를 연결하라. 연결고리는 한 가지 핵심용어의 반복을 포함해야 한다.
참조: "Glucocorticoid"는 "medication"의 일종이다.

[A]Medications, dietary deficiencies, inflammatory mediators, abnormal calcium metabolism, and decreased physical exercise have all been implicated in the pathogenesis of decreased bone mineral density in children with juvenile rheumatoid arthritis (refs). [B]Recent evidence now indicates that glucocorticoids decrease bone mineral density and degrade muscle in these children (refs).

연습문제 3.4: 핵심용어의 반복과 연결

서론에서 발췌된 다음 단락에는 첫 두 문장의 핵심용어인 "blood products"와 "risk of intracranial hemorrhage", "timing", "method"가 세 번째 문장에서 반복되고 있지 않으며, 따라서 세 문장의 관계를 파악하기 어렵다.

문장 C에서 이 관계를 분명히 하려면,

1. 핵심용어인 "blood products"를 동일하게 반복하고, "volume expansion"을 생략하라.
2. "timing"이나 "method" 대신에 좀더 정확한 핵심용어를 사용하고 이들을 동일하게 반복 사용하라.
3. 핵심용어인 "risk of intracranial hemorrhage"를 "cerebral blood flow"와 'intracranial pressure"에 연결하라. ("cerebral blood flow"와 "intracranial pressure"는 'risk of intracranial hemorrhage"의 지표가 되는 변수들이다).

[A]Blood products are used frequently in the care of sick preterm infants, but their use may increase the risk of intracranial hemorrhage. [B]Clinicians may be able to decrease the risk of intracranial hemorrhage by optimizing the timing and method of blood product administration. [C]We therefore studied the effects of the rapidity of volume expansion on cerebral blood flow and intracranial pressure in small preterm infants within the first 7 days after birth.

연결어구를 사용해 상관관계를 보여주라

단락이 연속성을 갖는다는 의미에는 독자가 단순히 각 문장이 말하는 바를 이해한다는 의미 뿐만 아니라 저자가 왜 각 문장을 썼는지와 그 문장이 왜 단락의 그 위치에 사용되었는지를 이해한다는 의미까지 포함된다. 즉, 그 문장이 전체 줄거리에 어떻게 연관되느냐의 문제가 포함되는 것이다. 예문 3.19와 같이 어떤 경우에는 이런 관계가 분명하게 드러나 있다.

예문 3.19

Neuritic plaques and neurofibrillary tangles in brain tissue are major features of the pathology of Alzheimer' s disease. Neuritic plaques are rich in an amyloid that consists largely of the 39- to 43-residue amyloid β-peptide (A4), a proteolysis product of the β-amyloid precursor protein (βAPP) (ref).

예문 3.19의 첫 번째 문장은 "neuritic plaques"와 "neurofibrillary tangles"에 대해 설명하고 있으며, 두 번째 문장은 "neuritic plaques"에 대해 좀더 자세한 정보를 제공한다. 이 두 문장의 연속성은 핵심용어인 "neuritic plaques"의 반복으로 확보되고 있다.

한 문장을 다른 문장 다음에 배치하는 이유가 분명하지 않을 경우 이 두 문장이 어떻게 연결되어 있는지를 보여줄 필요가 있으며 이런 관계를 보여주기 위한 기법이 바로 연결어구를 사용하는 것이다.

연결어구는 단어나 구, 절 심지어 문장이 될 수도 있다.

연결어휘(words)

연결에 쓰이는 단어는 개념 간의 일반적인 논리적 관계를 가리키는 용어를 말하며, 결론을 위해 사용되는 "therefore"나 "thus", 예를 들 때 사용되는 "for example", 순서를 나타내는 "first", 보충을 암시하는 "in addition", 대조에 사용되는 "in contrast", 차이를 나타내는 "however" 등을 예로 들 수 있다. 따라서, 연결어구는 "for example"이나 "in addition", "in contrast", "on the other hand" 처럼 구(句)가 될 수도 있다.

문장과 단락에 대한 이해를 돕는 일에 연결어구가 차지하는 비중을 이해하고자 한다면 다음 예문들을 밑줄 친 단어없이 그리고 밑줄 친 단어와 함께 각각 읽어보라.

예문 3.20

문장 안에 연결어휘가 있는 경우

The lymphocytes that infiltrate the alveolar walls in this rejection phase are likely to be conveyed by the blood, because they infiltrate all alveolar walls synchronously all over the lungs.

Both of these high-density-lipoprotein-associated proteins are initially synthesized as proteins and therefore undergo both co- and post-translational proteolysis.

Although individual residues in the repeated-sequence blocks in the core have diverged, the patterns of amino acids are identical.

문장 사이에 연결어휘가 있는 경우

By widening our focus to the entire trachea, we were able to see that most ganglion cell bodies (72%) are located in the neural plexuses associated with the trachealis muscle and submucosal glands, and only a small proportion (28%) are located along the longitudinal nerve trunks. Furthermore, we were able to see that most of the ganglia in the superficial muscle and gland plexuses contain only 1-4 ganglion cell bodies (average, 2.8 ganglion cell bodies). Thus, previously reported ganglia along the longitudinal nerve trunk that contain 10-20 ganglion cell bodies are not typical of most tracheal ganglia.

예문 3.20에서 밑줄 친 단어 중 하나라도 생략된다면 논리적 연관성을 파악하고 단락의 줄거리를 따라가기가 쉽지 않을 것이다. 예를 들어, 첫 문장에서 "because"를 생략한다면 독자들은 "they infiltrate..."를 lymphocytes가 혈액에 의해 운반될 가능성에 관한 이유로 파악할 수도 있지만 그렇지 못할 수도 있다. 요점은 독자가 단락의 줄거리를 짜맞추도록 해서는 안 된다는 사실이다. 줄거리를 명쾌하게 하는 것은 저자의 몫이다.

예문 3.20의 두 번째 문장에 등장하는 "therefore"가 생략된다면 논리의 틀이 무너진다. 단지 "and" 만이 사용된 문장에서 원인-결과의 인과관계를 찾아낼 것을 독자에게 기대해서는 안 된다. 따라서, "protein"으로 합성되었기 때문에 결국 "proteolysis"가 되는 것이라면 반드시 "therefore"를 포함시켜야 한다.

단락(그리고 논문)의 줄거리는 단순히 문장이 말하는 바가 아니며, 문장이 하고 있는 역할, 즉 이유를 제시하고, 세부사항을 추가적으로 전달하며, 결론을 내리는 등등의 모든 역할이 포함된다. 결국 독자가 줄거리를 이해하려면 각 문장이 말하고자 하는 바와 문장의 역할이 무엇인지를 이해해야 한다. 그렇기 때문에 연결어구가 중요한 것이다.

연습문제 3.5: 연결어휘의 가치

다음에는 방법(Methods)란에서 발췌된 두 개의 문장이 세 가지 형태로 제시되어 있다. 각 형태마다 (1)두 번째 문장과 첫 번째 문장의 논리적 관계가 무엇이며 (2)이를 알 수 있는 실마리는 무엇인지 기술하라.

1.

The microspheres were prepared for injection as previously described (2). They were then suspended in 1 ml of dextran solution in a glass injection vial that was connected to the appropriate catheter and to a syringe containing 4 ml of saline.

관계:

단서:

2.

The microspheres were prepared for injection as previously described (2). In brief, they were suspended in 1 ml of dextran solution in a glass injection vial that was connected to the appropriate catheter and to a syringe containing 4 ml of saline.

관계:

단서:

3.

The microspheres were prepared for injection as previously described (2). They were suspended in 1 ml of dextran solution in a glass injection vial that was connected to the appropriate catheter and to a syringe containing 4 ml of saline.

관계:

단서:

연결구(句)

때로는 저자가 원하는 연결어휘(words)가 없는 경우도 있다. 예문 3.21(예문 3.1의 시작부)의 경우 문장 B와 C의 논리적 관계를 나타내는 연결어휘가 존재하지 않는다. 이 경우 "In this theory"의 자리에 "For example"이나 "In addition", "Therefore", "In brief", "Accordingly"를 쓸 수는 없다(한 번 이런 어휘를 예문 3.21에 대입해보라).

예문 3.21: 전치사로 시작되는 연결구

*A*There are three different theories put forward for the very slow relaxation of catch muscles of molluscs. *B*One theory holds that catch is due to some unusual property of myosin in these muscles that produces a slow rate of detachment (12). *C*In this theory, paramyosin would have no special role beyond that of providing the long scaffolding on which the myosin is positioned as well as the mechanical strength for the large tensions developed.

연결어휘가 존재하지 않을 경우 연결구를 가지고 단락의 줄거리를 명쾌하게 만들 필요가 있다. 연결구는 일반적으로 전치사구나 부정사구가 사용되며 저자는 연결구를 통해 두 문장간의 논리적 관계를 보충한다.

전치사구. 연결구로 사용된 전치사구는 세 가지 방법으로 문장을 연결할 수 있다. 첫 번째로 전치사 자체(이 경우 "in")가 논리적 관계를 나타낼 수 있다(세부사항이 나올 것을 암시). 두 번째로 전치사의 목적어("this theory")가 논리를 완성시켜주고 있다(In what? In this theory). 마지막으로, 전치사의 목적어에서 핵심용어가 반복됨으로써 두 문장 간의 관계를 한층 두텁게 해주고 있다. "In this theory"에는 저자가 문장 A와 B에서 언급된 theory에 관해 더 자세히 설명할 것이라는 암시가 담겨있다.

예문 3.20(예문 2.13의 교정문 B)에는 전치사구가 연결구로 사용된 또 다른 예가 실려있다.

예문 3.22: 전치사로 시작하는 연결구

*A*Our aim was to assess the mechanisms involved in the beneficial effects of hydralazine on ventricular function in patients who have chronic aortic insufficiency. *B*For this assessment, we did a radionuclide study of ventricular function in 15 patients at rest and during supine exercise.

예문 3.22의 연결구는 "for this assessment"이다. 이 때 전치사 "For"는 목적을 나타내며, 전치사의 목적어인 "this assessment"는 논리를 완성시키고 있다(For what? For this assessment). 또한 문장 A의 핵심용어인 "assess"가 반복되면서 두 문장을 더욱 밀접하게 연결시켜 주고 있다.

예문 3.23(예문 2.17의 교정문 B)의 연결구는 두 개의 전치사구로 이루어져 있다.

예문 3.23: 전치사로 시작하는 연결구

Tyson et al. abruptly occluded the venae cavae before analyzing the heart beats. As a result of this occlusion, the volume of the right heart rapidly increased.

예문 3.23의 첫 번째 전치사구는 "As a result"이며, 두 번째 전치사구는 "of this occlusion"이다("As a result of"를 단일 전치사로, "this occlusion"을 그 목적어로 간주하는 것도 가능하다).

부정사구. 예문 3.24와 같이 부정사구도 연결구로 사용될 수 있다. 이 경우 부정사로 시작하는 연결구는 전치사 "for"로 시작하는 연결구와 마찬가지로 목적을 가리킨다.

예문 3.24: 부정사로 시작하는 연결구

The effects of intra-arterial pressure gradients on steady-state circumflex pressure-flow relations derived during long diastoles were examined in five dogs. To obtain each pressure-flow point, we first set mean circumflex pressure to the desired level and then arrested the heart by turning off the pacemaker.

예문 3.24에서는 부정사 "to obtain"이 목적을 나타내고 있으며, 부정사의 목적어("each pressure-flow point")가 논리(To obtain what?)를 완성하는 동시에 핵심용어인 "pressure-flow"를 반복함으로써 두 문장을 연결시켜주고 있다.

이 네 가지 예문에서 볼 수 있는 바와 같이 연결구란 저자가 문장 간의 관계를 나타내기 위해 보충하는 전치사구 또는 부정사구를 말한다. 연결구는 저자가 말하려는 바와 두 문장 간의 관계의 복잡성에 따라 길이가 달라질 수 있지만 짧을수록 의미는 명료해진다.

연습문제 3.6: 연결구

다음 단락에서는 문장 B와 C 간의 논리적 관계가 분명하지 않으며 문장 C를 읽을 때는 “Approach to what?” 이라는 질문을 던지게 된다.

문장 B와 C의 관계를 분명하게 하기 위해서 문장 C의 시작부에 연결구를 추가하라. 연결구에는 문장 A나 B 또는 두 문장 모두의 핵심용어가 최소한 하나 이상 사용되어야 한다.

*A*Hepatocytes cultured in tissue slices, where cell contacts and tissue organization are largely retained, continue tissue-specific transcription at nearly normal levels in culture media. *B*However, hepatocytes grown in cell culture, where cell contacts and tissue organization are disrupted, have severely altered levels of transcription. *C*One approach has been to combine extracellular matrix with pure hepatocytes in culture.

연결절(節)

연결구와 마찬가지로 연결절도 두 문장간의 논리적 관계를 기술함으로써 단락의 줄거리를 연결시키며 형식에서만 차이를 보인다. 즉, 연결구에서는 전치사 또는 부정사와 목적어가 사용되는 데 반해 연결절에서는 논리적 관계를 가리키기 위해 주어와 동사가 사용된다. 연결절의 주어에서는 연결구의 목적어와 마찬가지로 핵심용어가 반복 사용된다.

예문 3.25에서는 문장 A와 B의 관계가 분명하지 않다. 왜 “ligands activating G protein-coupled receptors”가 등장하는 것일까?

예문 3.25

*A*Considerable evidence indicates that heterotrimeric (α, β, γ) G proteins are involved in signaling pathways that stimulate mitogenesis and thus contribute to neoplastic growth (1-3). *B*Many ligands that activate G protein-coupled receptors, including bombesin (4), lysophosphatidic acid (LPA) (5), acetylcholine (6), and serotonin (5HT) (7), have mitogenic effects. *C*Moreover, pertussis toxin blocks the mitogenic effects of three of these ligands [bombesin (8), LPA (9), and 5HT (10)] and also of thrombin (11) and phosphatidic acid (12).

예문 3.25의 줄거리를 관통하는 논리는 "Considerable evidence indicates X. Here is some of that evidence"이다. 이 논리를 명쾌하게 부각시키려면 문장 B의 앞부분에 연결절을 첨가할 필요가 있다.

교정문

*A*Considerable evidence indicates that heterotrimeric (α, β, γ) G proteins are involved in signaling pathways that stimulate mitogenesis and thus contribute to neoplastic growth (1-3). *B***Evidence for stimulation of mitogenesis is that** many ligands that activate G protein-coupled receptors, including bombesin (4), lysophosphatidic acid (LPA) (5), acetylcholine (6), and serotonin (5HT) (7), have mitogenic effects. *C*Moreover, pertussis toxin blocks the mitogenic effects of three of these ligands [bombesin (8), LPA (9), and 5HT (10)] and also of thrombin (11) and phosphatidic acid (12).

이 교정문에서는 연결절이 추가되어 문장 A와 B의 관계를 보여주고 있기 때문에 단락의 줄거리가 명료해졌다. 연결절은 두 문장 간의 관계를 두 가지 방식으로 보여준다. 1)문장 B에 주어지는 정보의 종류를 확인시키기 위해 주어로 "evidence"를, 동사로 "is"를 사용했으며 2)문장 A의 세 가지 핵심용어("evidence", 'stimulation", "mitogenesis")를 반복 사용했다.

또 다른 예를 살펴보자

예문 3.26

*A*Our findings demonstrate that in patients with clinically moderate to severe congestive heart failure and left ventricular dysfunction, the arteriolar vasodilator hydralazine produces significant hemodynamic benefits independent of the presence or absence of mitral regurgitation. *B*We found significant increases in cardiac index, stroke volume index, and stroke work index, and significant decreases in systemic vascular resistance in all patients. *C*These beneficial effects were greatest in patients who had documented severe to moderate mitral regurgitation, intermediate in those who had mild to no apparent mitral regurgitation, and smallest in patients who had competent mitral valve prostheses and therefore no mitral regurgitation.

예문 3.26를 따라갈 때 발생하는 문제점은 예문 3.25의 문제와 비슷하다. 무엇이 증가하고 감소한다는 이야기를 왜 듣고 있는지 알 수 없는 것이다.

교정문

*A*Our findings demonstrate that in patients with clinically moderate to severe congestive heart failure and left ventricular dysfunction, the arteriolar vasodilator hydralazine produces significant hemodynamic benefits independent of the presence or absence of mitral regurgitation. *B***The benefits** we found **were** significant increases in cardiac index, stroke volume index, and stroke work index, and significant decreases in systemic vascular resistance in all patients. *C*These **benefits** were greatest in patients who had documented severe to moderate mitral regurgitation, intermediate in those who had mild to no apparent mitral regurgitation, and smallest in patients who had competent mitral valve prostheses and therefore no mitral regurgitation.

문장 B에 "the benefits were" 라는 연결절을 추가하면 증가와 감소에 관해 나열된 내용을 "benefits" 로서 인식할 수 있기 때문에 문장 B와 문장 A가 서로 연결된다. 따라서, 문장 A에 언급된 "benefits" 이기 때문에 증가와 감소에 관해 나열된 내용이 등장하는 것이다. 두 문장을 연결시키는 분명한 기술이 있으면 독자가 줄거리를 따라가는 일이 더욱 쉬워진다.

핵심용어를 반복하지 않는 연결구와 연결절

지금까지 살펴본 연결구와 연결절은 예외없이 적어도 하나의 핵심용어를 반복하고 있었다. 그러나, 핵심용어를 반복하지 않는 연결구와 연결절을 사용하는 것도 가능하다. 핵심용어를 사용하는 대신 연결구와 연결절에서는 범주형 용어를 사용할 수 있다. 이런 종류의 연결구는 이번 장의 앞부분에서 살펴본 예문 3.4의 문장 D에서 찾아볼 수 있다. "To interpret these data." 이 경우 "Data" 는 "60%" 와 "7pmol" 을 가리키는 범주형 용어다. 또한 연결구나 연결절이 핵심용어를 반복하지도, 범주형 용어를 사용하지도 않을 수 있다. 예를 들어, 예문 3.23에서는 "As a result of this occlusion" 대신에 "As a result" 가 연결구로 사용될 수 있으며 "One reason is that" 과 같은 연결절도 이러한 유형에 속한다.

예문 3.25와 3.26의 연결절에서는 be 동사("is" 와 "were")가 사용되었지만 연결절의 동사가 꼭 be 동사일 필요는 없다. Be 동사 이외의 다른 동사를 사용하는 연결절의 예는 예문 3.4에서 찾아볼 수 있다(문장 B, C, E, F).

연결어구의 강도

연결구나 연결절은 더 길기 때문에 연결어휘보다 강력하며 만약 앞 문장의 핵심용어를 반복할 경우 그 강도가 한층 더 강화된다.

연결어구의 위치

연결어휘나 연결구, 연결절이 문장의 맨 앞에 위치할 때 연속성이 최고조에 달하며 단락의 이야기가 가장 명쾌하게 된다.

줄거리를 이끌어가는 기법으로서의 연결어구

어휘이건 구(句)건 절(節)이건 간에 주제문을 동반한 연결어구는 단락과 논문 전체의 이야기를 이끌어가는 중요한 기법이다. 주제문과 연결어구는 함께 논리적 얼개를 제공함으로써 세부사항이 전체 그림에 들어맞게 해준다. 해당 과학 분야에 대단히 익숙한 독자라면 해당 분야의 논리적 얼개를 머릿속에 담고 있기 때문에 필요할 경우 쉽게 보충이 가능하지만, 해당 분야에 익숙하지 않은 독자에게는 이러한 논리적 얼개가 제공되어야 한다. 저자가 단락(그리고 논문)의 줄거리를 명쾌하게 만들기 위해 할 수 있는 가장 유용한 일은 필요할 때마다 주제문과 연결어구를 사용해 줄거리의 논리적 얼개를 제공하는 것과 단락의 주제가 명료해지도록 핵심용어를 반복하고 연결시키는 것이다.

연습문제 3.7: 연결절

문제 1

문제 1에서는 문장 A, B, C 간의 논리적 관계가 분명하지 않다. 이 관계가 명료해지도록 문장 B의 앞부분에 연결절을 추가하여 문장 B를 A에 연결시키고 문장 C를 준비시키라.

문장 B의 앞부분에 추가하는 연결절에는 문장 A와 C의 핵심용어가 포함되어 있어야 한다. 교정문에서는 문장 C의 유형에 맞춰 문장 B를 교정하라(즉, 문장 B가 문장 C와 대구를 이루도록 하라).

문장 A와 B간의 논리적 관계를 확인하는 방법 한 가지는 문장 C의 앞부분에 있는 연결절에서부터 거꾸로 거슬러 올라가는 것이다. 만약 문장 C가 "the primary limitation"에 관해 설명하고 있다면 문장 B는 무엇을 설명하고 있어야 하는가?

문장 A와 B의 논리적 관계를 확인하는 또 한 가지 방법은 단락의 조직 유형을 파악하는 것이다. 문장 A는 "a potential solution"을 제시하고 있으며 문장 C는 "a problem with(limitation to) this potential solution"을 설명하고 있다. 문장 B는 이 유형에 어떻게 맞추어져야 하는가?

*A*Xenogeneic transplantation, or the transplantation of organs between species, is a potential solution to the severe shortage of donor organs for clinical transplantation [1, 2]. *B*Chronic immunologic rejection of xenografts is mediated by a number of different pathways, including both cellular and humoral pathways [3]. *C*However, the primary limitation to xenograft transplantation between widely disparate species is hyperacute rejection, which is triggered by the recipient' s natural antibodies directed against the donor' s endothelial cells [4].

문제 2

문제 2에서는 문장 A와 B의 논리적 연결이 분명하지 않다(사실상 같은 논리가 문장 A를 B, C, D와 연결하고 있다). 연관성이 명료해지도록 "It has previously been reported that"을 생략하고 문장 B의 앞부분에 문장 A와 B의 논리적 관계를 보여주는 연결절을 추가하라. 연결절에는 문장 A의 핵심용어가 반복되어야 한다.

*A*Another question that frequently arises when we try to increase apo-B secretion by hepatocytes grown in culture is whether or not albumin should be included in the culture medium. *B*It has previously been reported that albumin appears to be an effective sink for toxic products released into the medium by damaged cells (ref). *C*Also, albumin solubilizes water-insoluble long-chain fatty acids by complexing with them (ref), thus raising the lipid level in the culture medium. *D*Therefore, albumin could increase apo-B secretion, which depends on lipid levels in the medium. *E*We therefore tested the effect of different concentrations of fetal bovine serum albumin (from 0 to 15% v/v) on the level of apo-B secreted in the culture medium and determined that 6.5% (v/v) is the ideal concentration for our purposes.

문제 3

문제 3에서는 문장 A를 읽은 뒤에 LDL과 HDL이 phophoinositide/calcium cascade와 exocytosis를 조절하는지 여부에 대한 내용이 등장하리라 기대하게 된다. 그러나 문장 B와 C는 이런 기대를 충족시켜 주지 않는다.

1. 문장 B의 앞부분에 대답으로 이끌어줄 결과들이 등장하리라는 사실을 가리켜 주는 연결절을 추가하라.
2. 문장 B와 C에서는 B와 C의 세부내용이 어떻게 문장 A의 질문과 연결되는지 분명해지도록 핵심용어를 반복하고 서로 연결시키거나 연결구를 사용하라.

참고

1. Phosphoinositide catabolism, calcium mobilization, and translocation of protein kinase C from cytosolic to membrane compartments are three steps in the phosphoinositide/calcium cascade.
2. Exocytosis results in secretion of phosphatidylcholine.

*A*We asked whether low-density lipoproteins (LDL) and high-density lipoproteins (HDL) from serum regulate the phosphoinositide/calcium cascade and exocytosis. *B*Both LDL and HDL stimulated primary cultures of type II cells to secrete phosphatidylcholine (PC), the major phospholipid component of pulmonary surfactant. *C*Before stimulating PC secretion, LDL and HDL stimulated phosphoinositide catabolism, calcium mobilization, and translocation of protein kinase C from cytosolic to membrane compartments. *D*Heparin, which blocks the binding of ligands to the LDL receptor, blocked the effects of LDL on the phosphoinositide/calcium cascade and PC secretion, but did not inhibit the effects of HDL.

순서를 일관적으로 유지하는 것

주제문에 두 개 이상의 아이템을 나열한 뒤에 뒷받침문에서 이들을 계속해서 설명할 경우에는 그 순서를 일관적으로 유지해야 한다. 즉, 주제문에 제시된 아이템이 A, B, C라면 뒷받침문에서도 A를 먼저 설명하고 다음에 B, C의 순으로 진행하라. 그래야 독자의 기대를 충족시킬 수 있다. 또한, 뒷받침문은 주제문에 언급된 모든 아이템을 포함해야만 하며 주제문에 언급되지 않은 어떤 아이템도 뒷받침문에 추가되어서는 안 된다.

저자가 뒷받침문에서 주제문과 동일한 사실을 다루고 있다는 점을 독자가 알 수 있도록 핵심용어를 동일하게 반복하라.

뒷받침문에서는 다른 정보를 가지고 설명의 진행 순서를 어지럽게 해서는 안 된다.

예문 3.2는 순서가 일관적으로 유지된 단락의 좋은 예이다. 예문 3.2에서는 주제문(A)이 ganglion cell bodies의 distribution, size, shape에 대해 언급하고 있으며, 그 다음 문장(B)은 distribution을, 문장 B 다음 문장인 문장 C는 size와 shape에 대해 언급함으로써 주제문과 동일한 순서를 유지하고 있다.

예문 3.27에서 또 다른 예를 찾아볼 수 있다. 이 예문에서는 주제문에 세 개의 아이템이 분명하게 나열되어 있으며 뒷받침문은 주제문과 동일한 순서로 세 개의 아이템을 설명하면서 동일한 핵심용어를 사용하고 있다. 불행하게도 두 번째와 세 번째 아이템 중간에 다른 정보가 설명되어야만 했으며(문장 D와 E는 두 번째 아이템을 설명하고, 문장 F는 세 번째 아이템을 준비시키고 있다), 다른 정보가 끼어 들었기 때문에 세 번째 아이템의 등장을 기다리던 독자의 기대가 충족되는 것이 지연되면서 단락을 이해하기가 어려워졌다.

예문 3.27

*A*Samples of inspired, end-tidal, and mixed-expired gases were taken during the 2-h wash-in period. *B*Inspired gas samples were collected proximal to the non-rebreathing valve. *C*End-tidal gas samples were collected through a catheter, the tip of which was placed near the tracheal end ofthe endotracheal tube. *D*The endotracheal tube was connected to the non-rebreathing valve with flexible Teflon® tubing whose internal volume was approximately 100 ml. *E*Teflon® was used to avoid the absorption and releaseof anesthetic that occur with plastics such as polyethylene, and the added 100 ml of dead space was used to prevent contamination of end-tidal samples with inspired gas. *F*Expired gases were conducted via a flexible Teflon® tube to an aluminum mixing chamber. *G*Mixed-expired gas samples were collected distal to the aluminum mixing chamber. *H*All gas samples were collected in 50-ml glass syringes that were stored upright (to produce a slight positive pressure) until analyzed.

From Carpenter RL, Eger EI II, Johnson BH, Unadkat JD, Sheiner LB. The extent of metabolism of inhaled anesthetics in humans. *Anesthesiology* 1986; 65(2): 201-5.

예문 3.27에서는 Teflon과 100ml의 순서도 일관되게 유지되고 있다는 점에 주목하라.

일관적인 관점을 유지하라

우리는 제 2 장에서 주제가 문장의 주어가 되어야 한다는 점을 배웠다. 이와 마찬가지로, 단락에서도 두 개 이상의 문장의 주제가 동일하다면 모든 해당 문장의 주어가 같아져야 한다. 같은 주제를 다루는 두 개 이상의 문장의 주어를 동일하게 유지할 때 우리는 일관적인 관점이 유지되었다고 말한다.

구체적으로 말하자면, 관점이란 동일한 용어 또는 같은 범주의 용어가 같은 주제를 다루는 연속되는 문장의 주어가 될 때 일관되게 유지되는 것이다. 반대로 주제는 같은데 주어가 다르다면 관점이 일관되지 않은 것이다. 관점이 일관되지 못하면 독자는 방향성을 상실하고 유사한 것과 상이한 것을 구별하기 어렵게 된다.

동일한 용어의 사용

때로는 연속되는 문장의 주어로 동일한 용어가 사용되어야 한다. 예문 3.28은 이 원칙에서 벗어나 있다.

예문 3.28

*A*Propranolol had variable effects on the hypoxemia-induced changes in regional blood flow. *B*In the cerebrum, the increase in blood flow caused by hypoxemia was not significantly altered by propranolol. *C*However, in other organs, such as the gut and the kidneys, and in the peripheral circulation, propranolol caused a more severe decrease in blood flow than did hypoxemia alone.

예문 3.28에서는 세 개의 문장 모두가 propranolol(독립변수)이 regional blood flow(종속변수)에 미치는 영향을 설명하고 있지만 문장 A와 C만이 같은 관점, 즉 독립변수의 관점에서 기술되었으며, 문장 B는 독립변수에 미치는 영향의 관점에서 기술되고 있다.

이렇게 관점이 바뀌면 두 가지 이유로 문제가 초래된다. 우선, 두 개의 대조되는 문장(B, C)은 같은 관점에서 기술될 때, 즉 두 문장의 주어가 동일할 때 가장 쉽게 차이를 이해할 수 있다. 두 번째로는 뒷받침문(B, C)이 주제문(A)에 명쾌하게 연결되려면 주제문과 같은 관점에서 쓰여져야 한다(주제문과 같은 주어를 가져야만 한다).

세 개의 문장에서 관점이 일관되게 유지된다면 단락이 훨씬 명료해지고 이해하기가 쉬울 것이다.

교정문

*A*Propranolol had variable effects on the hypoxemia-induced changes in regional blood flow. *B*In the cerebrum, propranolol did not significantly alter the increase in blood flow caused by hypoxemia. *C*However, in other organs, such as the gut and the kidneys, and in the peripheral circulation, propranolol caused a more severe decrease in blood flow than did hypoxemia alone.

같은 범주의 용어 사용

관점을 일관되게 유지하기 위해서 주어에 항상 같은 단어를 사용해야하는 것은 아니며, 단지 같은 범주의 용어를 사용하면 될 때도 있다.

예문 3.29

The control injection of naloxone produced no significant changes in arterial blood pressure or heart rate. The arterial blood pressures and heart rates measured after 24 h of morphine infusion did not change significantly.

예문 3.29에서는 두 문장 모두 원인과 결과를 설명하고 있지만 첫 번째 문장의 주어는 원인(control injection)인 반면에 두 번째 문장의 주어는 영향을 받은 변수(arterial blood pressures and heart rates)이다. 따라서, 관점이 일관되지 못하며 둘 사이의 유사성을 파악하기 힘들다. 이 경우 두 문장을 같은 범주의 용어(원인)로 시작해야 한다.

교정문 A

The control injection of naloxone produced no significant changes in arterial blood pressure or heart rate. Twenty-four hours of morphine infusion produced no significant changes in arterial blood pressure or heart rate.

이 교정문에서는 각 문장의 주어의 범주가 "원인"으로 동일하기 때문에 관점이 일관되며 유사성을 파악하기가 쉽다. 또한, 이제 관점이 일관되기 때문에 두 문장을 쉽게 연결시킬 수 있다.

교정문 B

Neither the control injection of naloxone nor the 24-h morphine infusion significantly altered arterial blood pressure or heart rate.

예문 3.29에서 볼 수 있는 바와 같이 관점을 일관되게 유지하는 것은 유사한 점을 기술할 때 특별히 중요하며, 예문 3.30에서도 비슷한 예를 찾아볼 수 있다. 이 예문에서 저자는 다른 사람들의 발견을 하나의 관점으로 기술한 뒤에 자신의 발견을 정반대의 관점에서 기술하고 있으며 결과적으로 저자의 발견이 누구의 발견과 일치하고 있는지를 파악하기 힘들다.

예문 3.30

Olsen et al. (22) concluded that series interaction was more important than direct interaction; Visner et al. (23), using a nearly identical preparation and protocol, concluded the opposite. We found that direct interaction was about one-half as important as series interaction in determining left ventricular volume at end diastole when the pericardium was on, and that the direct interaction effect decreased when the pericardium was removed.

교정문

Olsen et al. (22) concluded that direct interaction was less important than series interaction; Visner et al. (23), using a nearly identical preparation and protocol, concluded the opposite. We found that direct interaction was about one-half as important as series interaction in determining left ventricular volume at end diastole when the pericardium was on, and that the direct interaction effect decreased when the pericardium was removed.

교정문에서는 관점이 일관되기 때문에 저자의 발견과 Olsen 등의 발견 간의 유사성을 파악하기가 쉬워졌다.

유사성을 명쾌하게 드러내며 따라서 독자가 쉽게 논문을 이해할 수 있도록 하기 위해서 저자는 마지막 문장 앞에 "Like Olsen et al"과 같은 연결구를 추가하거나 아니면 "Our results support the conclusion of Olsen et al."과 같은 주제문을 추가할 수도 있다. 그러나, 연결구나 주제문을 추가하더라도 다음과 같이 관점을 일관되게 유지하지 않으면 아무 소용이 없다는 점을 염두에 두라. "Olsen et al.(22) concluded that series interaction was more important than direct interactions; . . . Like Olsen et al., we found that direct interaction was about one-half as important as series interaction. . . ." 이 경우 둘 사이의 유사성이 언급되었음에도 불구하고 관점이 일관되지 못하기 때문에 이를 파악하기가 쉽지 않다.

"I" 나 "We"의 사용

과학은 객관적인 학문이지만 "I" 나 "We" 와 같은 단어는 주관적이라는 판단 때문에 과학연구논문에서 배제되어야 한다는 의견이 유행하던 때도 있었다. 그러나, 과연 과학이 순수하게 객관적인가? 과학자는 실험을 디자인할 때 언제, 어떻게, 얼마나 많이와 같은 사항을 결정하면서 선택을 내리지 않는가? 또한 용어를 정의하고 가정하고 목적을 가지고 실험을 수행하거나 결과를 해석하고 추론하지 않는가? 이런 모든 활동은 주관적인 활동이며 따라서 다음 예문들과 같이 과학연구논문에서 판단을 내릴 때는 언제라도 "I"나 "We"의 관점을 사용하는 것이 타당하다.

예문 3.31

To determine the mechanism for the direct effect of contrast media on heart muscle mechanics, this study on heart muscles isolated from cats was carried out.

서론에서 발췌된 이 문장에 "We"가 사용되었더라면 더 정확하고 힘이 있었을 것이다.

교정문

To determine the mechanism for the direct effect of contrast media on heart muscle mechanics, we carried out this study on heart muscles isolated from cats.

예문 3.32

A nosocomial infection was defined as one that was clearly not present in the culture of any body fluid when the infant was admitted, although it was recognized that virtually all infant colonization, and therefore all infections, are nosocomial.

방법(Methods)란에서 발췌된 이 문장에는 판단과 관련된 두 가지 행위, 즉 정의(defined)와 인식(recognized)이 설명되어 있지만, 누가 이러한 판단을 내렸는지는 기술되어 있지 않다. 게다가, 저자는 갑자기 이상하고 우아하지 않은 방식으로 두 번째 논점을 기술하고 있다: "it was recognized that" 이와 대조적으로 "We recognized that"을 사용했더라면 문장이 직설적이고 활기차며 자연스러울 뿐만 아니라 동시에 완벽하게 정보를 전달할 수 있을 것이다.

교정문

We defined a nosocomial infection as one that was clearly not present in the culture of any body fluid when the infant was admitted, although we recognize that virtually all infant colonization, and therefore all infections, are nosocomial.

예문 3.33

*A*Acetylcholinesterase activity has been found in most ganglion cells of the myenteric and submucosal plexuses of the enteric nervous system, but differences have been found in the intensity of the acetylcholinesterase reaction, and ganglia have been classified accordingly (5). *B*Likewise, differences in the intensity of the acetylcholinesterase reaction were found in the ferret trachea. *C*However, the intensity of the reaction appeared to depend more on the ganglion cell' s position and on the presence of overlying connective tissue than on acetylcholinesterase content. *D*Therefore, no attempt was made in this study to classify ganglion cells according to the amount of their acetylcholinesterase activity.

고찰에서 발췌된 이 단락의 문장 B에서는 ferret trachea에서 그러한 차이를 발견한 사람이 누구인지가 분명하지 않다. 이 논문이 ferret trachea에 관한 논문이기 때문에 생각해보면 저자가 그 사실을 발견한 사람이라는 것을 깨달을 수 있겠지만 그렇게 생각하는 일 자체가 필요해서는 안 된다. 특별히 같은 단락에서 다른 사람들의 연구 내용을 논의하고 있다면 "we"를 사용해서 자신이 한 일을 확인시키는 것이 가장 명쾌한 방법이다. 또한 문장 D에서도 "we"를 사용하는 것이 더 자연스러울 것이다.

교정문

*A*Acetylcholinesterase activity has been found in most ganglion cells of the myenteric and submucosal plexuses of the enteric nervous system, but differences have been found in the intensity of the acetylcholinesterase reaction, and ganglia have been classified accordingly (5). *B*Likewise, we found differences in the reactivity in the ferret trachea. *C*However, the intensity of the reaction appeared to depend more on the ganglion cell' s position and on the presence of overlying connective tissue than on acetylcholinesterase content.

D Therefore, in this study we made no attempt to classify ganglion cells according to the amount of their acetylcholinesterase activity.

예문 3.34

It is concluded that this method is a sensitive quantitative measure of lung interstitial fluid and can detect pulmonary edema and congestion in the dog lung before alveolar flooding occurs.

교정문

We conclude that this method is a sensitive quantitative measure of lung interstitial fluid and can detect pulmonary edema and congestion in the dog lung before alveolar flooding occurs.

"we"의 사용이 가장 논란이 되는 곳은 바로 방법(Methods)란이다. 앞에서 설명한 바와 같이 판단과 관련된 기술에 "we"를 사용하는 것은 전혀 논쟁거리가 되지 않지만 방법 섹션에서 "we"를 사용할 때는 분명히 논란의 소지가 있다. 방법 섹션에서 "we"를 사용하는 것의 장점은 "we"를 사용할 경우 일반적으로 저자가 더 능동적인 목소리를 낼 수 있기 때문에 결과적으로 더욱 활기차고 읽기 쉬운 글이 된다는 점이 있으며, 반면에 단점으로는 "we"가 방법 섹션의 주제가 되는 일은 드물다는 점이다. 방법 섹션의 주제는 "we"라기보다는 변수나 기법이 되기 마련이다. 기술적으로 "we"의 장점만을 취하고 단점을 피할 수 있는 방법은 없으며 따라서 방법 섹션에서는 "we"를 사용하던가 아니면 피하던가 양자택일을 하는 것이 좋다. 이와 관련된 설명과 예문을 보려면 제 5 장: 대상 및 방법을 참조하라.

연습문제 3.8: 일관적인 관점과 순서를 유지하는 것

문제 1

관점이 일관되도록 문제 1을 교정하라

[A]Mortality in this series of patients was 90%. [B]Generally, survival in clinical series has been less than 20%. [C]The only exception to this is the experience of Boley (2), who reported a mortality of 46%.

문제 2

1. 관점이 일관되게 문제 2를 교정하라(모든 문장의 주어가 원인이 되도록 하던가 아니면 모든 문장의 주어가 결과가 되도록 하라).
2. 또한 "contraction"과 "relaxation"을 일관된 순서로 유지하라.

[A]The response produced by bradykinin alone consisted of a contraction followed by a longer lasting relaxation. [B]Adding indomethacin (2 μg/ml for 20-30 min) along with bradykinin reduced the magnitude of the relaxation to 7% of that induced by bradykinin alone. [C]The magnitude of the contraction, when one was present, was increased after treatment with indomethacin and bradykinin.

문제 3

1. A의 핵심용어(apo-B-containing lipoprotein)의 한 측면을 사용해서 B의 관점이 A의 관점에 근접하도록 문제 3을 교정하라. 또한, 주제가 주어가 되도록 하고 행동은 동사를 통해 표현하라.
2. 문장 B와 A의 논리적 관계가 드러나도록 문장 B의 앞부분에 연결어구를 추가하라.

[A]Considerable evidence indicates that the apo-B-containing lipoproteins (for example, VLDL, IDL, LDL, lipoprotein [a]) are atherogenic (1). [B]Feeding a diet rich in fats and cholesterol to nonhuman primates (2, 3) as well as certain strains of mice (4, 5) results in elevated levels of the apo-B-containing lipoproteins, and is accompanied by the development of atherosclerotic lesions in the large arteries.

대비되는 개념을 위한 대구법

대비되는 개념에는 대구법을 사용하라

대비되는 개념이란 같은 종류의 개념을 말하며 예를 들어 "X는 증가했지만 Y는 감소했다"와 같이 서로 비교되거나 대조되는 개념이 대비되는 개념에 속한다. 비교나 대조가 명쾌하게 드러나도록 하려면 대비되는 개념은 같은 관점에서, 즉 대구법을 사용해서 기술해야 한다.

대구법이란 일관된 관점을 유지하는 것과 연장선상에 있다. 문장이 일관된 관점을 유지한다는 의미는 각 문장의 주어에 같은 용어 또는 같은 범주의 용어가 쓰인다는 뜻이지만, 문장이 대구를 이룬다는 의미는 주어든 동사든 보어군이든 간에 문장을 이루는 모든 부분의 문법적 형태가 서로 동일하다는 뜻이다(따라서, 대구를 이루는 문장들은 자동적으로 동일한 관점을 가지게 된다).

개념을 대조하거나 개념 간의 유사성을 부각시킬 때는 관점만을 일관되게 유지하는 것보다 대구법을 사용하는 것이 훨씬 효과적이다. 대조에 대구법을 사용하는 배경은 "같은 내용은 일정하게 다른 내용만 서로 다르게 유지"(Fowler, 1965)할 때 대조되는 내용을 파악하기가 가장 쉽다는 점에 있다. 결국, 개념에 서로 차이가 나는 부분의 단어만 달라지게 된다는 것이다. 두 개념이 동일하다면 사용되는 단어도 같아질 것이며 이렇게 해서 차이만 더욱 부각된다.

예문 3.35

*A*The $\log_{10}$ function eliminated some waves. *B*The factor that determined whether a wave was eliminated or amplified was the divisor. *C*When the divisor was greater than the absolute value of the peak of a wave, the wave was eliminated. *D*When the divisor was less than the absolute value of the peak of a wave, the wave was amplified.

예문 3.35의 마지막 두 문장은 두 번째 주제문(B)의 주장을 뒷받침하는 대구 형식의 문장이다. 대구되는 문장에서는 문장 형식이 동일하다는 점에 주목하라. 앞 문장은 주어("the divisor"), 동사("was"), 보어군("greater than X", "less than X")의 형식을 가지고 있으며 뒷 문장도 주어("the wave"), 동사("was eliminated", "was amplified")의 형식이다. 뿐만 아니라 거의 대부분의 단어 역시 동일하며 대조되는 단어만 차이를 보이고 있다: "greater", "less"; "eliminated", "amplified".

예문 3.36과 같이 단락 내에서의 대구법은 두 문장보다 길어질 수도 있다.

예문 3.36

*A*After fetal injection of naloxone, fetal arterial blood pH and Po2 both decreased (from 7.39 ± 0.01 (SD) to 7.35 ± 0.02 and from 23.0 ± 0.5 to 20.8 ± 0.8 mmHg, respectively). *B*There was no change in arterial blood Pco_2. *C*After maternal injection of naloxone, only fetal arterial blood Po_2 decreased (from 24.4 ± 0.8 to 22.2 ± 1.0 mmHg). *D*There were no significant changes in fetal arterial blood pH or Pco_2.

예문 3.36에 나온 단락은 두 개의 대구되는 소주제로 구성되어 있으며 첫 번째 소주제(A, B)인 "the effects of fetal injections"는 두 번째 소주제(C, D)인 "the effects of maternal injections"와 대구를 이루고 있다. 또한 같은 소주제 내에서도 첫 번째 문장은 변화가 있는 변수들을 언급하고 있으며 두 번째 문장은 변화가 없는 변수들을 언급하고 있다. 따라서 문장 A와 C(변화가 있는 변수들)가 같은 대구 형식을 띠고 있으며("After fetal/maternal injection of naloxone, Q decreased"), 문장 B와 D(변화가 없는 변수들)가 또 하나의 대구 형식을 띠고 있다("There was/were no change(s) in R").

이 예문들이 보여주는 바와 같이 단락 내의 문장에 대구법을 사용하는 것이 대비되는 개념을 제시할 때 가장 명쾌한 방법이다.

동사에도 대구법을 사용하라

대구법의 중요한 요소 중 하나는 동사가 동일하던지(유사한 개념의 경우) 아니면 정반대(대조되는 개념의 경우)여야 한다는 점이다. 예문 3.35의 문장 C와 D는 서로 대조되는 개념을 제시하고 있으며 동사도 적절하게 서로 반대되는 위치에 서있다: "was eliminated", "was amplified". 예문 3.36의 문장 A와 C는 유사성을 보여주고 있으며 문장 B와 D도 마찬가지다. 따라서 동사도 같아야 한다: "decreased" (A와 C), "was", "were" (B와 D).

당연한 경고: 대비되지 않는 개념에 대구법을 사용해서는 안 된다

대구법은 대단히 효율적인 기법이지만 대비되는 개념에만 사용해야 한다. 대비되지 않는 개념에 대구법을 사용해서는 안 된다.

예문 3.37

To determine whether cholinergic or adrenergic nerves mediate secretion of fluids from tracheal submucosal glands, we did experiments on glands excised from ferrets. To induce secretion, we stimulated the tissue both electrically and pharmacologically. To inhibit secretion, we added XXXX to the bathing solution.

이 단락에서는 세 문장이 대구 형식을 띠고 있지만(부정사+목적어, 주어+동사+목적어), 그 속에 담긴 개념은 서로 대비되는 것이 아니다. 첫 문장(주제문)은 연구의 전체적인 목적과 수행된 실험의 일반적인 종류를 제시하고 있으며 두 번째 및 세 번째 문장에는 구체적인 목적과 절차가 기술되어 있다. 따라서 두 번째 및 세 번째 문장은 다른 형식으로 기술되어야만 한다.

교정문 A

To determine whether cholinergic or adrenergic nerves mediate secretion of fluids from tracheal submucosal glands, we did experiments on glands excised from ferrets. We induced secretion by stimulating the tissue both electrically and pharmacologically. We inhibited secretion by adding XXXX to the bathing solution.

교정문 A에서는 마지막 두 문장의 형식이 바뀌었지만 이 두 문장은 대비되는 개념을 다루고 있으므로 여전히 대구법이 사용되었다.

교정문 B

We wanted to determine whether cholinergic or adrenergic nerves mediate secretion of fluids from tracheal submucosal glands. For this purpose, we studied the secretory responses to electrical and pharmacological stimulation of segments of ferret trachea in vitro in the presence and in the absence of a specific nerve blocker and autonomic antagonists.

교정문 B에서는 한 문장 내에서만 대구법이 사용되었으며(밑줄 친 부분) 문장 간에는 대구법이 사용되지 않았다. 이것도 좋은 방법이며 중요한 점은 교정문 B의 두 문장은 서로 대비되는 정보를 제시하고 있지 않으며 따라서 대구법이 사용되지 않았다는 사실이다.

단락의 소주제를 미리 알리라

이번 장의 앞부분에서 우리는 단락을 주제문으로 시작할 경우 독자가 단락을 다 읽기 전에 그 단락의 주제를 알 수 있으므로 이상적이라는 사실을 배웠다. 이와 마찬가지로 단락 내의 각 소주제도 소주제가 등장하자마자 독자가 알 수 있어야 한다. 주제나 소주제를 미리 알리는 방법에는 시각적인 방법과 문자적인 방법이 있다. 새로운 주제는 새로운 단락을 통해 시각적으로 알릴 수 있으며 동시에 주제문을 통해 문자적으로 알릴 수 있다. 또한 소주제는 새로운 문장을 통해 시각적으로 알릴 수 있으며 그 문장의 앞부분에 놓인 핵심용어 속에 소주제의 이름을 담아 문자적으로 알릴 수 있다. 문장의 앞부분에 위치하는 핵심용어는 문장의 주어가 되거나(예문 3.38), 연결구의 목적어(예문 3.39), 또는 연결절이 될 수 있다.

예문 3.38: 핵심용어가 문장의 주어인 경우

*A*Samples of inspired, end-tidal, and mixed-expired gases were taken during the 2-h wash-in period. *B*Inspired gas samples were collected proximal to the non-rebreathing valve. *C*End-tidal gas samples were collected through a catheter, the tip of which was placed near the tracheal end of the endotracheal tube. *D*The endotracheal tube was connected to the non-rebreathing valve with flexible Teflon® tubing whose internal volume was approximately 100 ml. *E*Teflon® was used to avoid the absorption and release of anesthetic that occur with plastics such as polyethylene, and the added 100 ml of dead space was used to prevent contamination of end-tidal samples with inspired gas. *F*Expired gases were conducted via a flexible Teflon® tube to an aluminum mixing chamber. *G*Mixed-expired gas samples were collected distal to the aluminum mixing chamber. *H*All gas samples were collected in 50-ml glass syringes that were stored upright (to produce a slight positive pressure) until analyzed.

예문 3.38(=예문 3.27)에서는 주제문이 세 종류의 가스를 언급하고 있으며 이들 각각은 단락의 뒷부분에서 논의되고 있다. 각 소주제의 등장을 미리 알리기 위해서 저자는 새로운 문장을 시작했고(시각적 신호), 주제문의 핵심용어를 각 소주제의 첫 번째 뒷받침문의 도입부의 주어로 반복했다(B, C, G)(문자적 신호).

예문 3.39: 핵심용어가 연결구에 포함된 경우

[A]Propranolol had variable effects on the hypoxemia-induced changes in regional blood flow. [B]In the cerebrum, propranolol did not significantly alter the increase in blood flow caused by hypoxemia. [C]However, in other organs, such as the gut and the kidneys, and in the peripheral circulation, propranolol caused a more severe decrease in blood flow than did hypoxemia alone.

예문 3.39(=예문 3.28의 교정문)에서는 주제문이 regional blood flow를 언급하고 있으며 소주제는 다양한 regions이다. 저자는 이들 소주제를 새로운 문장을 통해 시각적으로, 그리고 문장 앞부분의 연결구(밑줄 친)를 통해 문자적으로 알려주고 있으며, 각 연결구에는 소주제인 region을 알려주는 핵심용어가 포함되어 있다: "cerebrum", "other organs".

대비되는 소주제를 알리는 법

단락의 소주제들이 대구를 이룰 경우 소주제를 알리는 방식도 대구를 이루어야 한다. 따라서, 한 핵심용어가 문장의 주어로서 첫 번째 소주제의 등장을 알렸다면, 두 번째 소주제와 다른 모든 소주제도 그러한 방식으로 알려야 한다. 마찬가지로 핵심용어가 연결구의 일부로 첫 번째 소주제의 등장을 알렸다면 두 번째 소주제와 다른 모든 소주제도 동일한 방식으로 알려야 한다. 연결구는 문장의 주어보다 눈에 잘 띠기 때문에 이 두 방식을 혼합해 사용하면 효과가 없으며 소주제를 알리기 위해 연결구를 사용한 뒤에 핵심용어를 문장의 주어로 사용해 소주제를 알리는 것은 더욱 효과가 없다.

소주제를 알리는 것 = 단락의 짜임새를 알리는 것

예문 3.38의 주제문은 가스의 종류에 따라 단락이 짜여질 것이라는 점을 제시하고 있으며 이와 마찬가지로 예문 3.39에서도 단락이 "the region of blood flow"에 따라 짜여질 것이라는 점이 주제문에 암시되어 있다. 이렇게 암시된 조직 설계도는 뒷받침문에서 실행에 옮겨지며 소주제를 가리키는 핵심용어에 의해 독자에게 알려진다. 결과적으로 소주제를 알리는 것은 단락의 짜임새를 알리는 것과 본질적으로 같다.

주제문에 언급되지 않은 소주제를 알리는 것

예문 3.40과 같이 주제문에서 한 가지 주제 이상을 언급하지 않았더라도 단락에는 소주제가 포함될 수 있다. 이런 경우에는 주제문이 소주제에 대한 기대를 심어주지 않았기 때문에 문장의 앞부분에 소주제를 언급함으로써 소주제를 알리는 것이 더욱

중요하다.

예문 3.40

[A]Pulmonary nerve endings were relatively insensitive to phenyl diguanide (table 1, fig. 3B). [B]Of 25 pulmonary nerve endings tested, only 10 were stimulated when this drug was injected into the right atrium, and in only one of these did firing exceed 2.2 impulses/s. [C]If the latter ending is excluded, the average peak frequency of the endings stimulated was only 1.7 impulses/s. [D]The exception, which fired with an average frequency of 17.4 impulses/s at the peak of the response, was encountered in the only dog in which right atrial injection of phenyl diguanide evoked reflex bradycardia within the pulmonary circulation time (latency 2.2 s). [E]Moreover, in this dog arterial pressure fell, whereas in all other dogs it rose, but only after sufficient time had elapsed for the drug to reach the systemic circulation.

예문 3.40(=예문 3.3)에서는 새로운 단락의 도입부에 있는 주제문이 첫 세 단어(pulmonary nerve endings)를 가지고 단락의 주제를 언급하고 있으며 그 다음에는 주장을 펴고 있다("were relatively insensitive"). 그리고 다음 두 문장(B, C)은 이 주장을 뒷받침하고 있지만, 마지막 두 문장(D, E)은 새로운 주제(그 주장을 뒷받침하지 않는 예외)에 관한 내용이다. 저자는 이 새로운 소주제를 새로운 문장(D)을 통해 시각적으로 알리고 있으며 동시에 주제인 "the exception"(핵심용어)을 문장 도입부에 주어로 등장시킴으로써 문자적으로 알리고 있다.

주제문이 없는 단락에서 소주제를 알리는 법

주제문이 없는 단락의 소주제를 알리는 일에는 요령이 필요하다. 이런 경우 발생하는 문제점은 단락의 도입부에 두 종류의 신호, 즉 단락의 주제를 알리는 신호와 첫 번째 소주제를 알리는 신호가 필요하다는 것이다. 두 개의 신호가 모두 첫 번째가 될 수는 없는 일이기 때문에 예문 3.41과 같이 둘 중 하나는 약해질 수 밖에 없다.

예문 3.41

[A]**Blood flow to the serum-instilled lung** decreased in the control experiments to 20% of baseline values and did not change over 4 h (Figure 3). [B]In contrast, after beta-adrenergic agonists, blood flow decreased less (to about 75% of baseline). ^C^Furthermore, the blood flow recovered to baseline levels by 2 h, and at 4 h was even slightly above baseline. ^D^After intravenous nitroprusside, blood flow to the serum-instilled lung was similar to blood flow after beta-adrenergic agonists.

예문 3.41에 제시된 단락의 주제는 "blood flow to the serum-instilled lungs"이며, 소주제는 각각 "control experiments"(A), "beta-adrenergic agonists"(B-C), "intravenous nitroprusside"(D)이다. 단락의 주제는 핵심용어인 "blood flow to the serum-instilled lung"이 첫 번째 문장의 맨 앞에 등장함으로써 부각되고 있으며 결과적으로 단락의 첫 번째 소주제의 등장을 알리는 신호("in the control experiments")는 문장의 뒷부분에 등장하게 되고 따라서 무용지물이 되지는 않더라도 약해질 수밖에 없다. 주제나 소주제를 알리는 신호가 되려면 핵심용어가 문장의 앞부분에 등장해야 하지만 만약 저자가 "in the control experiments"를 문장 A의 앞에 두었다면 단락의 주제를 알리는 신호가 묻혀버렸을 것이다.

단락의 주제와 단락의 소주제 중 어느 것에 비중을 두어야 할 지 결정해야 한다면 단락의 주제(상위 개념)를 알리는 것이 바람직하다. 그리고, 주제와 첫 번째 소주제를 모두 알리고 싶다면 해결책은 주제문을 첨가하는 것이다.

교정문

^A^The decrease in pulmonary blood flow that occurred after instillation of serum was inhibited by both beta-adrenergic agonists and nitroprusside. ^B^After serum alone (control), blood flow to the serum-instilled lung decreased to 20% of baseline values and did not change over 4 h (Figure 3). ^C^In contrast, after beta-adrenergic agonists, blood flow decreased less (to about 75% of baseline). ^D^Furthermore, the blood flow recovered to baseline levels by 2 h, and at 4 h was even slightly above baseline. ^E^After intravenous nitroprusside, blood flow to the serum-instilled lung was similar to blood flow after beta-adrenergic agonists.

이제 주제문이 첨가되었기 때문에 주제문은 단락의 주제를 알리는 한 편 문장 B, C, E 앞부분의 연결구는 소주제를 알리고 있다.

신호의 유효기간

문장의 앞부분에서 소주제의 등장을 알렸다면 그 신호는 소주제를 바꿀 때까지 유효하다. 따라서 예문 3.41에서는 문장 C의 소주제("after beta-adrenergic agonists")

가 문장 D로 이어지며 우리는 "recovery of blood flow to baseline levels"가 "after beta-adrenergic agonists" 상황에서 일어난 사실이라는 점을 알 수 있다. 이와 마찬가지로 한 단락 전체의 주제("blood flow to the serum-instilled lung")는 단락 전체에 걸쳐 유효하다. 비록 문장 B와 C에서는 따로 언급하지 않았지만 우리는 이 단락이 여전히 "blood flow to serum-instilled lung"에 관해 설명하고 있다는 점을 이해할 수 있다. 단락의 주제와 소주제를 알리는 것은 단락의 연속성을 유지하는 강력한 도구가 된다.

요약

· 단락의 주제는 새로운 단락을 통해 시각적으로, 단락 앞부분의 주제문에 주제 또는 메시지를 기술함으로써 문자적으로 알릴 수 있다.
· 단락의 소주제는 새로운 문장을 통해 시각적으로, 문장 앞부분에 주어나 연결구 또는 연결절의 형태로 소주제를 언급함으로써 문자적으로 알릴 수 있다.
· 소주제가 대구를 이룬다면 소주제를 알리는 신호도 대구를 이루어야 한다.
· 소주제를 알리는 신호는 단락의 짜임새를 보여주는 신호의 역할도 담당한다.
· 주제나 소주제를 알리기 위해 단락이나 문장 앞부분에 등장하는 신호는 새로운 신호가 등장할 때까지 유효하다.

연습문제 3.9: 소주제 알리기

다음 단락의 문장 C와 D는 대구를 이루고 있으며 문장 D의 소주제를 알리는 신호는 있지만("For the 47-kD protein") 문장 C의 소주제를 알리는 신호는 없다.

1. 문장 C의 앞부분에 소주제를 알리는 신호를 첨가하라. 단, 그 신호는 문장 D의 신호와 대구를 이루어야 한다.
2. 문장 B의 연결어휘인 "therefore"를 "internal amino acid sequence analysis"를 수행하는 목적을 기술하는 연결구로 대치하라. 단, 연결구에는 문장 A의 핵심용어가 반복되어야 한다.

*A*Direct amino acid sequence analysis of both the 57- and 47-kD proteins on PVDF showed that these proteins were blocked at the N-terminus. *B*Therefore, internal amino acid sequence analysis was performed on the proteins from the SDS-PAGE gel. *C*N-terminal sequence analysis of a mixture of two cleavage fragments obtained after trypsin digestion and preparative HPLC yielded two amino acid residues for each of 11 cycles: (Val/Ala)-(Phe/Trp)-(Tyr/Pro)-(Val/His)-(Asn/Lys)-(Val/Asp)-(Leu/Tyr)-(Asn/Pro?)-(Glu/Leu?)-(Glu/Ile?)-(Gln/Pro?). [D]For the 47-kD protein, N-terminal sequence analysis of an internal fragment obtained after trypsin digestion and preparative HPLC yielded 13 amino acid residues, corresponding with amino acid residues 203 to 215 of human alpha-enolase (ref): Asp-Ala-Thr-Asn-Val-Gly-Asp-Glu-Gly-Gly-Phe-Ala-Pro.

연습문제 3.10: 대구 형식과 소주제 알리기

문제 1. 두 문장의 대구법: 소주제 알리기

1. 다음 단락은 대조되는 결과를 기술하고 있다(문장 A와 C). 대조 구문이 완벽한 대구 형식을 이루도록 단락을 다시 작문하라. 원한다면 "controls"와 관련된 문장을 생략해도 좋으며 만약 포함시키고 싶다면 rats와 cats 모두에 "controls"를 포함시켜야 한다(두 군의 controls는 서로 같다). 또한, "controls'를 대조되는 두 그룹의 중간에 삽입해서는 안 된다.
2. 소주제를 문장의 주어 또는 문장 앞부분의 연결구의 핵심용어로 사용해서 미리 알리라. "controls"를 포함시킬 경우 단락의 소주제가 늘어나므로 소주제를 알리는 일이 더 복잡해질 것이다.
3. 마지막 문장을 논리적으로 전개하라(즉, 카페인이 한 번에 한 가지 농도로만 투여되도록 하라).

참고

control conditions = 카페인 투여 전.

Control response는 rats와 cats에서 동일했다.

[A]In rat papillary muscle, caffeine (3 mM) converted load-sensitive relaxation (Fig. 1A, B) to load-insensitive relaxation (Fig. 1C, D). [B]In cat papillary muscle, under control conditions (Fig. 2A, B), relaxation was sensitive to load. [C]In contrast to the response in rat papillary muscle, the addition of 3 mM caffeine to cat papillary muscle (Fig. 2C, D), even at concentrations of 5 mM (Fig. 3A, B) or 10 mM, failed to eliminate the load sensitivity of relaxation.

문제 2. 두 문장 이상의 대구법

다음 단락에서는 문장 B와 C가 한 가지 소주제(tracheal segments fixed in Bouin' s fixative)를 설명하고 있으며 문장 D와 E가 다른 소주제(tracheal segments fixed in 0.2% glutaraldehyde)를 설명하고 있다. 문장 B와 D는 대비되는 개념을 제시하고 있으며 대구 형식으로 쓰여진 반면에 문장 C와 E는 대비되는 개념을 제시하고 있지만 대구 형식이 사용되지 않았다.

문장 C와 E가 대구 형식이 되도록 문장을 교정하라.

*A*Tracheal segments were placed either in Bouin' s fixative for 24 h at room temperature or in 0.2% glutaraldehyde in 0.08 M cacodylate buffer (pH 7.5) for 1 h at 4°C. *B*Tracheal segments fixed in Bouin' s fixative were dehydrated in graded ethanol solutions, cleared in alpha-terpineol, and embedded in paraffin. *C*Paraffin-embedded tissues were sectioned at 7 μm with a rotary microtome (American Optical). *D*Tracheal segments fixed in 0.2% glutaraldehyde were dehydrated in graded acetone solutions and embedded in araldite (Polysciences). *E*Thick sections (1 μm) were cut with an ultramicrotome (Porter-Blum MT-1).

문제 3. 대구 형식의 유지

다음 단락은 예문 3.36과 동일하며 저자는 이제 "the maternal responses to naloxone"에 대한 기술을 포함시키고자 하며, 그 내용은 "None of the variables changed after either fetal or maternal injections of naloxone"이다. 단락의 대구 형식이나 소주제를 알리는 신호를 무너뜨리지 않은 채로 "the maternal response"가 포함되도록 단락을 교정하라.

*A*After fetal injection of naloxone, fetal arterial blood pH and Po_2 both decreased (from 7.39 ± 0.01 (SD) to 7.35 ± 0.02 and from 23.0 ± 0.5 to 20.8 ± 0.8 mmHg, respectively). *B*There was no change in fetal arterial blood Pco_2. *C*After maternal injection of naloxone, only fetal arterial blood Po_2 decreased (from 24.4 ± 0.8 to 22.2 ± 1.0 mmHg). *D*There were no significant changes in fetal arterial blood pH or Pco_2

강조

지금까지 우리는 독자가 쉽게 단락의 메시지를 발견하고 줄거리를 따라올 수 있도록 단락을 조직하고 연속성을 유지하는 일에만 초점을 맞춰왔다. 여기에 추가적으로 독자는 무엇이 중요한지를 알아야 한다. 단락이나 논문의 모든 정보가 동일하게 중요한 것은 아니며, 독자가 중요한 정보를 쉽게 찾을 수 있으려면 중요한 정보는 강조하고 중요하지 않은 정보는 강조하지 말아야 한다.

강조의 여섯 가지 기법은 다음과 같다.

1. 중요하지 않은 정보의 압축 또는 생략
2. 중요하지 않은 정보의 종속화.
3. 중요한 정보는 중요한 위치에.
4. 중요한 정보는 표시하라.
5. 중요한 정보는 반복하라.
6. 중요한 정보는 암시하지 말고 기술하라.

압축 또는 생략

중요한 정보를 강조하는 가장 중요한 기법은 압축 또는 생략을 통해 중요하지 않은 정보를 약화시키는 것일 게다. 출판되고 있는 많은 논문에서 중요하지 않은 정보의 비중이 중요한 정보의 비중을 뛰어넘고 있기 때문에 나무에 가려 숲을 보지 못하게 되기가 일쑤다. 이 때 해결책은 알고 있는 모든 것을 말하는 것과 한 가지 메시지를 전달하는 양 극단 사이에서 균형점을 찾는 것이다. 분명히 염두에 두어야 할 것은 "말이 많아질수록 메시지는 적어진다는 점이다."

다음 예문들에서 볼 수 있는 바와 같이 압축은 다른 강조 기법과 함께 사용해야 할 때가 많다.

종속화

중요하지 않은 정보를 약화시키는 두 번째 기법은 이를 종속시키는 것이며 종속절을 사용하는 것이 그런 예에 속한다. 예문 3.42의 문장 B는 너무 많은 강조가 담겨있어서 줄거리의 흐름을 방해하고 있다.

예문 3.42

^{A}We chose a period equal to three times the time constant because 95% of the change in anesthetic concentration within a compartment, and likewise 95% of the recovery from a compartment, should occur during this period. ^{B}These percentages are rough estimates of the amount distributed to and subsequently recovered from each compartment. ^{C}However, the distinct separation of these compartments means that most anesthetic eliminated from each compartment should occur during the periods we chose.

줄거리를 명쾌하게 만들려면 문장 A와 C에 기술된 대조를 방해하는 문장 B를 문장 C의 종속절로 만들고 압축시킴으로써 약화시킬 필요가 있다.

교정문

^{A}We chose a period equal to three times the time constant because 95% of the change in anesthetic concentration within a compartment, and likewise 95% of the recovery from a compartment, should occur during this period. ^{B}Although these percentages are rough estimates, ^{C}the distinct separation of these compartments means that most anesthetic eliminated from each compartment should occur during the periods we chose.

중요한 위치

압축과 생략, 종속화를 통해 중요하지 않은 정보를 약화시키는 일이 우거진 수풀을 말끔하게 정리해주기는 하지만 그래도 저자는 중요한 정보를 강조할 필요가 있으며 그렇게 하는 한 가지 방법은 중요한 정보를 중요한 위치에 놓는 것이다. 이 때 중요한 위치란 처음과 마지막을 말한다. 첫머리는 가장 중요한 위치다. 독자는 문장과 단락, 논문의 각 부분을 처음부터 읽기 시작하기 때문에 첫머리에는 시선이 집중되기 마련이다. 그래서, 단락에 주제문이 하나라면 그 주제문을 첫머리에 놓아야 하는 것이다. 마찬가지로 예문 3.3("pulmonary nerve endings")에서처럼 주제문의 첫 번째 명사가 주어가 되고 그 주어가 단락의 주제가 될 경우에는 대단히 강력한 효과를 얻을 수 있다.

중간 위치는 공동묘지나 다름없다. 따라서, 중요한 핵심을 문장의 중간에 담거나 중요한 결과를 결과를 설명하는 여러 문장의 중앙에 놓는다는 것은 무덤을 파는 일이다.

중요한 위치

문장, 단락, 섹션의 첫머리
(가장 눈에 띔)
문장, 단락, 섹션의 끝부분
(두 번째로 눈에 띔)
문장의 첫 명사(특별히 문장의 주어)
(눈에 잘 띔)

약한 위치

문장, 단락, 섹션의 중간
괄호 안의 단어들
문장 중간의 형용사나 명사

예문 3.43은 둔감해지리만큼 결과를 늘어놓고 있다. 따라서 무엇이 중요한지 분간하기가 어렵다.

예문 3.43

*A*Mean pulmonary artery pressure and cardiac output did not change after instillation of serum alone or serum with epinephrine or terbutaline (Table 1). *B*Left atrial pressure fell slightly below the baseline after all three treatments, but the decrease was statistically significant only after epinephrine (Table 1). *C*Peak airway pressure increased slightly after all three treatments, but the increase was statistically significant only for epinephrine and terbutaline (Table 1). *D*There was a significant increase in lung lymph flow and a significant decrease in the lymph-to-plasma protein concentration ratio after all three treatments. *E*Both the rise in lymph flow and the decrease in the lymph-to-plasma protein concentration ratio were greater after terbutaline and epinephrine than after serum alone (Table 2). *F*Arterial oxygen tension decreased after all three treatments, although it was always greater than 85 mmHg.

가장 중요한 결과인 문장 D는 중간에 묻혀 버렸다. 중요한 결과를 쉽게 찾을 수 있게 하려면 단락의 맨 앞에 두어야만 한다.

교정문

[A]After serum was instilled either alone or with one of the two beta-adrenergic agonists, lung lymph flow increased and the lymph-to-plasma protein concentration ratio decreased. [B]Both of these changes were greater after terbutaline and epinephrine than after serum alone (Table 2). [C]Arterial oxygen tension decreased, although it was always greater than 85 mmHg. [D]There were no important changes in hemodynamics or peak airway pressure (Table 1).

교정문에서는 가장 중요한 결과가 맨 앞에 나와있으며 중요도가 가장 떨어지는 세 개의 문장은 한 문장으로 압축되어 마지막에 놓여있다(문장 D). 또한 다음과 같은 두 개의 압축 기법도 사용되었다. 첫 번째로는 처치법이 단락의 앞부분에서 언급되었기 때문에 각 문장마다 반복할 필요가 없다는 점이다(본래 예문과 비교해 보라). 그리고 문장 B에서는 범주형 용어("changes")가 사용되었기 때문에 무엇이 증가했고 감소했는지에 관한 세부사항이 반복되는 것을 피하고 있다.

이제 중요한 결과가 중요한 위치(맨 앞)를 차지하고 있으며 불필요한 정보-핵심 메시지 비율이 감소했기 때문에 단락의 결과가 보다 명료해졌다.

중요한 정보의 표시

중요한 정보를 강조하는 또 다른 좋은 방법은 중요하다고 표시하는 것이다. 예를 들어 논문의 고찰 섹션을 다음과 같이 시작할 수도 있다. "The most important finding of this study is. . . ." 마찬가지로 고찰의 각 단락들도 비슷한 문구로 시작될 수 있다. "One of the most striking findings of our investigations was . . ." 또는 "The most unusual aspect of the Odr-7 sequence is . . . ." 물론 예문 3.43 교정문의 문장 D와 같이 중요하지 않은 정보도 표시할 수 있다("There were no important changes in . . .").

중요한 정보의 반복

중요한 정보를 강조하는 다섯 번째 방법은 반복이다. 논문의 가장 중요한 정보는 전하고자 하는 메시지이며 메시지는 한 번 이상, 최소한 초록과 고찰에는 기술되어야 한다. 논문의 메시지는 고찰의 시작과 마지막 모두에서 반복 사용될 수 있으며 논문 제목에 기술될 수도 있다.

마찬가지로 개별 단락 내에서도 단락의 메시지는 단락 앞부분의 주제문에서 기술된 뒤에 끝부분의 주제문에서 반복될 수 있다(이번 장 앞부분의 예문 3.4의 문장 D와 F 참조).

중요한 정보는 암시하지 말고 기술하라

중요한 정보는 기술되어야지 독자들이 파악해야 하는 정보가 아니다. 한 단락의 가장 중요한 정보는 일반적으로 단락이 전하려는 메시지이며 따라서 이러한 메시지는 단순히 암시되는 것이 아니라 언제나 기술되어야 한다.

고찰 섹션에서 발췌된 예문 3.44와 같이 때로는 저자가 중요하지 않은 세부사항에 몰입한 나머지 메시지를 기술하지 않고 넘어가는 경우도 있다.

예문 3.44

*A*The final variable that can shift the pressure-dimension curve acutely is a change in temperature. *B*Rectal temperature was monitored in many dogs and tended to drift downward from 38 to 36° C. *C*The greatest drift in temperature (to 36° C) occurred during the thoracotomy and then the temperature usually remained stable. *D*Templeton et al. (38) reported greater cardiac muscle stiffness and greater diastolic pressure consistent with a leftward shift in the pressure-dimension curve at 33° C (PLVED, 6.6 mmHg) than at 37° C (PLVED, 1.8 mmHg). *E*The major increase in diastolic pressure came at temperatures below 35° C. *F*The authors believed that the elevation in diastolic pressure was mediated by changes in viscous rather than elastic properties. *G*However, 1all recorded temperatures in the present study were greater than 35° C, 2temperature was usually stable during the experimental protocol at 37° C, and 3there was no evidence that viscous factors changed during maximal coronary blood flow.

문장 D에 이르면 눈이 어지러워지기 시작한다. 문장 D-G가 말하는 바는 이해할 수 있지만 왜 그런 이야기들이 등장하는지는 알 수 없으며 암시하는 바가 분명하지 않다. 도대체 이 모든 세부사항이 전달하는 메시지는 무엇인가?

교정문

*A*The final variable that can shift the pressure-dimension curve acutely is a change in temperature. [B]In our experiments, rectal temperature tended to drift downward from 38 to 36° C. [C]The greatest drift in temperature (to 36° C) occurred during the thoracotomy and then temperature usually remained stable. [X]This change in temperature probably did not shift the pressure-dimension curve, since a leftward shift has been reported only at temperatures below 35° C (38).

저자가 메시지를 기술하고 있기 때문에(밑줄 쳐진 문장 X) 교정문에서는 메시지가 분명해졌다. 세부사항은 불필요한 내용이기 때문에 생략되었다.

따라서, 중요하지 않은 정보를 압축이나 생략, 종속화를 통해 약화시키는 한편 중요한 정보를 중요한 위치에 놓고, 중요하다고 표시하며, 반복하고, 암시하기 보다는 기술함으로써 강조하면 단락의 메시지와 줄거리가 분명해 진다.

연습문제 3.11: 압축

결과 섹션에서 발췌된 다음 단락에는 불필요한 반복과 불필요한 어휘 때문에 메시지를 파악하기가 힘들다.

1. 불필요한 반복과 어휘를 생략함으로써 단락을 압축하라. 교정문이 35단어가 넘지 않도록 하라.
2. 압축을 끝낸 뒤에는 문장 구조를 개선하라
   주제를 주어로 삼으라; 행동은 동사에 담으라.
   과도한 명사 연결구를 피하라.
   문장을 짧게 유지하라.
   대명사가 가리키는 바를 분명하게 하라.
   대비되는 개념에는 대구법을 사용하라.

참고

1. Extravasation = leaking of a substance from the blood vessels ; 이 단락의 경우 Evans blue dye가 유출되는 것을 말한다.
2. "n min after exposure" 와 "after n min of exposure" 를 혼동해서는 안 된다. 이 단락에서는 얼마나 오랫동안 노출되었는지 알 수 없으며 따라서 "after n min of exposure" 란 표현은 정확하지 않다.

Asignificant increase in Evans blue dye extravasation was observed both in the trachea and main bronchi 45 and 60 min after exposure to ozone. However, there was no significant increase in the amount of extravasated Evans bluc dye 15 or 30 min after ozone exposure either in the trachea or in the main bronchi.

(55 단어)

바람직한 단락 구조를 위한 가이드라인

일반적 지침

명쾌한 메시지와 명쾌한 줄거리를 전달하려면 단락에 짜임새와 연속성이 있어야 하며 중요한 정보가 강조되어야 한다.

구체적 지침

조직

우선 주제문을 통해 전체를 조망한 뒤에 논리적으로 짜여진 뒷받침문을 통해 세부사항을 전달하라.

논리에 비약이 있어서는 안 된다.

연속성

핵심용어를 반복하라.

　동일하게 반복하라.

　일찍 반복하라.

특수용어에서 범주형 용어로 전환하거나 그 반대로 전환할 때는 핵심용어를 연결하라.

개념 간의 논리적 관계를 보여주기 위해 연결어휘나 연결구, 연결절을 사용하라.

순서를 일관되게 유지하라.

두 개 이상의 문장의 주제가 같을 때는 일관된 관점을 유지하라.

대비되는 개념에는 대구법을 사용하라.

단락의 소주제를 미리 알리라.

강조

압축이나 생략, 종속화를 사용해서 중요하지 않은 정보를 약화시키라.

중요한 정보는 중요한 위치에 두고, 중요하다고 표시하고, 반복하며, 암시하기 보다는 기술함으로써 강조하라.

제2단원
생의학 연구논문의 텍스트

제 1 단원인 글쓰기의 기본 단위에서 우리는 어떻게 어휘를 선택하고 문장과 단락 속에 배열하는 지를 배웠다. 이제 제 2 단원에서는 더 큰 단위인 생의학 연구논문의 각 섹션으로 넘어가기로 하겠다.

연구논문의 각 섹션을 쓰는 원칙은 단락 구조를 쓰는 원칙에 기초하고 있으며 연구논문의 특정 섹션에 특별히 부합되는 어휘 선택과 문장 구조의 구체적인 원칙은 해당되는 장(章)에 포함되어 있다.

연구논문의 각 섹션의 작문 원칙으로 들어가기 전에 우리는 논문 전체를 관통하는 줄거리에 대해 이해할 필요가 있다. 논문의 줄거리는 과학적 방법을 반영하며 생의학 분야의 대부분의 논문이 가설을 검증하기 때문에 우리는 가설검증논문에 초점을 맞출 것이다. 가설검증논문의 기본적인 줄거리에는 네 가지 요소가 있다.

가설검증논문의 줄거리

질문(=가설)
질문에 답하기 위해 수행한 실험(가설검증을 위한 실험)
질문에 답을 제공하는 결과
질문에 대한 대답(=가설이 사실인가)

우리는 또한 두 종류의 다른 논문, 즉 기술논문(descriptive paper)과 방법논문(methods papers)을 간결하게 살펴볼 것이다.

기술논문이란 어떤 구조(structure)와 같이 새롭게 발견된 사물을 기술하는 논문이며, 기술논문의 줄거리는 다음과 같다.

기술논문의 줄거리

메시지(예를 들어, 어떤 구조의 묘사)
메시지를 얻기 위해 수행한 실험
메시지로 이끌어준 결과
메시지에 내포된 내용(예를 들어, 구조의 기능)

방법논문이란 새롭거나 개선된 방법, 대상(material), 장비를 기술하는 논문으로서 방법논문의 줄거리는 다음과 같다.

방법논문의 줄거리

기술되는 방법, 대상, 또는 장비
대상이나 장비의 주요 특징 또는 방법이나 장비의 작동 방식
방법이나 대상, 장비를 검증한 방법
방법이나 대상, 장비가 얼마나 잘 기능하는지(=검증 결과)
방법, 대상, 장비의 장점 및 단점
방법, 대상, 장비의 응용

각각의 줄거리는 네 개의 주요 섹션(서론, 대상 및 방법, 결과, 고찰)이 있는 논문에 제시되며, 이 외에도 그림과 표, 제목, 초록 및 참고문헌에 의해 뒷받침된다. 다음 표는 줄거리의 각 단계가 논문의 어느 위치에서 제시되는지 보여준다.

논문의 종류	줄거리의 각 단계	논문의 주요 섹션
가설검증 A[1]	질문	서론
	실험	방법
	결과	결과
	대답	고찰
가설검증 B[2]	질문	서론
	실험	결과
	결과	결과
	대답	고찰
기술	메시지	서론
	실험	방법
	결과	결과
	내포된 내용	고찰
방법	방법	서론
	주요 특징, 작동 방법	방법
	검증 방법	방법
	얼마나 잘 기능하는지	결과
	장점 및 단점	고찰
	응용	고찰

A[1]: 모든 실험이 미리 디자인된 경우
B[2]: 한 실험의 결과가 다음 실험의 방향을 결정하는 경우

논문의 네 가지 섹션과 기타 요소를 공부하는 동안 우리는 서론의 첫 단어부터 고찰의 마지막 단어에 이르기까지 줄거리가 명쾌하게 드러나도록 줄거리를 쓰는 법을 익히게 될 것이다.

제4장 서론

역할

서론은 두 가지 역할을 담당한다. 첫 번째는 독자의 관심을 일깨우는 것이며 두 번째는 독자가 해당 분야의 전문가이건 아니건 간에 독자가 논문을 이해할 수 있기에 충분한 정보를 제공하는 것이다.

관심을 일깨우려면 서론은 직설적으로 핵심을 찔러야 하며 명료성과 정보전달성을 갖추는 동시에 가능한 짧아야 한다. 물론 읽기 쉬운 스타일로 쓰여져야 하는 것은 말할 필요도 없다(1장 및 2장 참조).

정보를 전달하기 위해서 서론은 앞으로 제시될 가이드라인을 따라야 한다.

줄거리

논문의 서론은 줄거리의 첫 번째 단계이며, 첫 번째 단계가 무엇이 되느냐는 논문의 종류에 따라 달라진다. 가설검증논문의 경우 첫 번째 단계는 질문이 될 것이고, 기술논문에서는 메시지, 즉 예를 들어 새로운 구조의 주요 특징이 된다. 방법논문에서는 새롭거나 개선된 방법, 대상, 또는 장비가 등장할 수 있다. 다음에는 다양한 논문 종류에 따라 줄거리의 첫 번째 단계가 어떻게 제시되는지를 살펴보도록 하자.

가설검증논문의 내용

알려진 사실(Known), 알려지지 않은 사실(Unknown), 질문(Question)

가설검증논문의 경우 독자가 서론에서 얻어야 할 내용은 연구의 질문이 무엇인지와 그 질문이 어디에서 왔는지, 즉 왜 저자가 그 질문을 하고 있는지에 관한 내용이다. 서론의 가장 중요한 내용인 질문은 질문의 형태 또는 가설의 형태로 기술된다. 질문이 어디에서 유래했는지에 관한 이야기는 알려진 사실 또는 주제에 관해 믿어지고 있는 내용과 알려지지 않았거나 아직 논란이 되고 있는 내용으로 구성된다.

대상과 동물 또는 인간

서론에서는 또한 연구 대상(분자, 세포주, 조직, 장기)과 연구 대상이 얻어진 유기체, 연구되는 동물 또는 인간군을 언급해야 한다. 필요하다면 이와 관련된 기술은 실문에 대한 답을 얻기 위해 수행된 실험적 방법에 관한 기술로 확장될 수 있다.

대답이나 결과, 내포하는 내용을 적어서는 안 된다.

질문에 대한 대답이 서론에 포함되어서는 안 된다. 마찬가지로 서론에는 결과나 결과가 내포하는 내용이 포함되어서는 안 된다. 서론의 목적은 독자를 논문 속으로 이끄는 것이다. 대답이나 결과, 내포하는 내용은 초록의 마지막 부분에나 어울릴 법하다. 이런 내용은 논문 속으로 이끄는 것이라기보다는 논문의 결말을 맺는 내용이다.

후향성 연구와 전향성 연구

후향성 연구, 즉 데이터가 수집된 후에 질문이 던져진 경우에는 연구가 후향성이라는 점을 반드시 서론에서 언급해야 한다. 예를 들자면 이런 식이다. "In this retrospective study, we asked whether. . . ." 전향성 연구, 즉 실험이 디자인된 후에 질문에 답하기 위해 데이터가 수집된 경우에는 특별히 이를 기술할 필요가 없다. 만약 연구의 일부는 후향성, 일부는 전향성이라면 서론에서 각각에 해당하는 부분을 확인시켜줘야 한다.

참고문헌

알려진 사실에 관한 기술에는 참고문헌이 포함되어야 하며(예문 4.1과 4.2 참조), 참고문헌으로는 논문의 질문으로 이끄는 주요 연구를 반영하는 논문이 선택되어야 한다.

참고문헌의 수는 최소한으로 유지해야 하며 만약 주제와 관련해 많은 연구가 수행되었다면 첫 번째 연구, 가장 중요한 연구, 가장 우아한 연구, 가장 최근 연구에 관한 논문을 선택하라. 여러분이 논문에 언급한 참고문헌이 독자를 다른 참고문헌으로 이끌 수 있다는 점을 염두에 두라. 리뷰 논문도 참고문헌에 포함시킬 수 있다.

참신성, 중요성

생의학 저널들은 "새롭고, 참되며, 중요하고, 이해할 수 있는" 논문을 출판하기 원한다(DeBakey, 1976). 서론은 해당 연구가 새로운 것이라는 점을 분명히 할 수 있는 장소이며("알려지지 않은 사실을 기술함으로써") 연구의 중요성이 분명하게 드러나지 않을 경우 저자는 서론에서 그 연구가 중요한 이유를 지적할 수 있다. 또한 저자는 해당 연구의 중요성을 대신에 고찰에서 기술하고 설명할 수도 있다.

가설검증논문의 조직

깔때기 패턴

알려진 사실(Known), 알려지지 않은 사실(Unknown), 질문(Question)

A 알려진 사실
B 알려지지 않은 사실
C 질문
D 실험적 접근방법

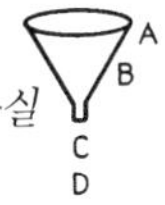

서론은 표준적인 형태의 조직 방식인 깔때기 패턴을 따르며 깔때기의 개념은 넓게 시작해서 단계별로 점점 좁아지다가 어느 한 점에 집중하는 것이다. 가설검증논문의 서론의 경우 깔때기 패턴에는 다음과 같이 최소한 세 단계가 있다: 주제에 대해 알려진 사실, 알려지지 않은 사실, 질문. 여기서는 질문이 바로 초점이 되며, 이렇게 한 단계 한 단계 좁아지는 패턴이 모든 가설검증논문이 기술하는 일반적인 줄거리가 된다. "현재 알려진 사실은 이렇다. 알려지지 않은 사실은 이렇다. 우리의 질문은 이렇다." 이러한 일반적인 틀 속에서 다양한 이야기가 전개되는 것이다. 독자는 모든 서론에서 이러한 일반적인 틀을 볼 수 있어야 하며 또한 각 논문의 질문으로 이끄는 구체적인 논리적 단계를 따라갈 수 있어야 한다.

알려진 사실

알려진 사실은 깔때기 패턴의 첫 번째 단계이며, 많은 문장이 포함되는 경우가 많다. 알려진 사실은 적절한 과학적 논리를 통해 좁아지면서 알려지지 않은 사실로 연결된다.

알려지지 않은 사실

알려지지 않은 사실은 보통 한 문장에 지나지 않는다. 짧긴 하지만, 알려지지 않은 사실에 관한 기술은 두 가지 이유에서 중요하며 첫 번째 이유는 알려지지 않은 사실로 인해 해당 연구가 새로운 것이라는 점이 부각된다는 점이고 두 번째 이유는 알려지지 않은 사실이 알려진 사실과 질문을 연결하면서 하나의 줄거리를 이룬다는 점이다.

알려지지 않은 사실의 중요한 특징은 알려지지 않은 사실이 사실상 질문과 동일하다는 점이다. 예를 들어 예문 4.1에서는 "the site" 가 알려지지 않은 사실이며 질문은 "What is the site?" 이다. 따라서, 알려지지 않은 사실이 기술되면 질문이 결정된다.

질문

질문은 논문의 구체적인 주제이며 깔때기 패턴의 마지막 정점이다(논문의 일반적 주제는 알려진 사실의 첫 번째 문장에 언급된다).

실험적 접근방법

서론은 질문에 대한 기술로 끝을 맺을 수도, 아니면 나아가서 실험적 접근방법을 기술할 수도 있다. 실험적 접근방법이 포함될 경우 질문 뒤에 기술되어야 논리적으로 맞다. 질문 앞에 실험적 접근방법을 두는 것은(실험적 접근방법을 "배경" 으로 간주하면서) 소용이 없다. 배경(알려진 사실, 알려지지 않은 사실)이란 질문으로 이끄는 사실만을 의미하며, 실험적 접근방법은 질문을 유도하지 않으며 오히려 질문을 쫓아간다. "우리의 질문은 이렇다. 그리고 우리는 이 질문에 답하기 위해 이러한 방법을 사용할 것이다."

중요성

깔때기 패턴에서 연구의 중요성을 언급하는 특별한 장소가 있는 것은 아니며 예문 4.1과 같이 중요성이 언급되지 않는 경우도 있다. 예문 4.2에서는 서론의 거의 마지막 부분에 있는 문장 K에서 중요성이 암시되어 있다. 예문 4.3과 4.4에서는 서론의 다양한 위치에서 중요성이 암시되지 않고 직접 기술되었다: 중간(예문 4.3, 문장 D), 시작부(예문 4.4, 문장 A). 서론에 따라 각기 다른 문장에 중요성이 기술될 수 있다.

예문 4.1은 간단한 깔때기 패턴으로 이루어진 서론을 보여준다. 이 예문에서는 알려진 사실과 알려지지 않은 사실에 각각 한 문장이 배정되었고 질문을 던지는 세 번째 문장 뒤를 실험적 접근방법이 따르고 있다. 구체적으로 들어가보면 첫 번째 문장은 논문의 일반적 주제를 언급하고 있으며(barbiturates' depression of the bronchomotor response to vagus nerve stimulation) 주제에 대해 알려진 바를 설명하고 있다. 두 번째 문장은 알려지지 않은 사실을 기술하고 있으며(which site is most sensitive to depression) 곧바로 질문으로 이어진다. 질문은 구체적인 주제를 언급하고 있다(which site in the vagal motor pathway to the bronchioles is most sensitive to this depression).

예문 4.1: 짧은 서론

A 알려진 사실
(일반적인 주제)
B 알려지지 않은 사실
(구체적인 주제)
C 질문
D 실험적 접근방법

*A*It is known that several general anesthetics, including barbiturates, depress the bronchomotor response to vagus nerve stimulation (1, 7, 9). *B*However, the site of this depression has not been determined. *C*To determine which site in the vagal motor pathway to the bronchioles is most sensitive to depression by barbiturates, *D*we did experiments in isolated rings of ferret trachea in which we stimulated this pathway at four different sites before and after exposure to barbiturates.

이 보다 더 긴 서론도 마찬가지로 깔때기 패턴을 따르지만 이를 더욱 확장시킨다. 깔때기 패턴을 확장시키는 한 가지 방법은 예문 4.2와 같이 알려진 사실의 폭을 넓히는 것이다. 깔때기 패턴은 단락 3에서 종결되며 J는 알려지지 않은 사실 한 가지를 암시하고, K는 알려지지 않은 다른 사실과 더불어 연구의 중요성(that we are finding an overarching mechanism for a variety of similar functions in disparate species)을 암시하고 있다. L은 가설을, M은 실험적 접근방법을 기술하고 있다.

예문 4.2: 긴 서론

단락 1: *알려진 사실*
A 일반적인 주제
D 중요성

1 *A*Heart development in animals as different as insects and vertebrates involves related NK-2 family homeobox genes (reviewed in ref. 1). *B*In Dro-sophila, the tinman homeobox gene is expressed in cardiac precursors, and tin-man mutants completely lack a heart (2-4). *C*Likewise in vertebrates, the nkx2.5 homeobox gene is expressed in myocardial precursors (5-9), and mouse Nkx2-5 mutants exhibit defects in cardiac morphogenesis and gene expression (10). *D*This remarkable molecular conservation suggests that a common mechanism controls heart development in a wide variety of species.

단락 2: *알려진 사실*

2 *E*Unlike insects and vertebrates, nematodes have no heart or defined circulatory system. *F*However, evidence suggests that the nematode pharynx, a rhythmically contracting organ involved in feeding, shares functional and molecular similarities with the heart in other species. *G*At the functional level, pharyngeal muscle contraction, like the contraction of vertebrate cardiac muscle, does not require nervous system input (11). *H*At the molecular level, pharyngeal muscle development involves not the MyoD family of myogenic regulatory factors (12, 13) but the homeobox gene ceh-22, which is related to tinman and nkx2.5. *I*ceh-22 is expressed exclusively in pharyngeal muscle, where it binds the enhancer of the pharyngeal muscle-specific myo-2 gene, and a ceh-22 mutant displays defects in pharyngeal morphology and function (13, 14).

J 알려지지 않은 사실 (내포됨)
K 알려지지 않은 사실; 중요성
L 질문
M 실험적 접근방법

3 *J*These functional and molecular similarities suggest that these genes perform similar functions. *K*This suggestion in turn implies that the mechanism that controls heart development in insects and vertebrates may also control pharyngeal development in nematodes. *L*We therefore hypothesized that the nematode gene ceh-22 and the vertebrate gene nkx2.5 perform similar functions. *M*To test this hypothesis, we examined the ability of the zebrafish nkx2.5 gene (8, 9) to substitute for the nematode ceh-22 gene in transgenic Caenorhabditis elegans.

연속성

이주 짧은 서론에서는 각 문장 또는 문장의 일부가 줄거리의 단계가 되기 때문에 줄거리를 쉽게 따라갈 수 있다. 하지만 긴 서론은 줄거리를 다음과 같이 이차원적으로 전개하기 때문에 줄거리를 따라가기가 어렵다. 1)서론 전체를 관통하는 전체 줄거리(알려진 사실, 알려지지 않은 사실, 질문). 2)단락 내부 또는 단락의 일부를 지나가는 작은 줄거리.

그러면 작은 줄거리를 여기저기 펼쳐놓으면서 전체 줄거리를 명쾌하게 할 수 있는 방법은 무엇일까? 다시 말하면, 작은 줄거리가 끼여들더라도 전체 줄거리를 유지할 수 있는 방법은 무엇일까? 대답은 연속성과 주제문과 관련한 모든 기법을 사용하라는 것이다.

전체 줄거리

예문 4.2에서 전체 줄거리가 어떻게 유지되고 있는지 살펴보자. 이 예문의 전체 줄거리는 두 개의 알려진 사실(A, E-F)과 두 개의 알려지지 않은 사실(J, K), 질문(L), 실험적 접근방법(M)으로 구성되어 있으며 두 개의 작은 줄거리(B-D, G-I)가 중간에 끼여들고 있다.

구체적으로 들어가보면 문장 A에 담긴 알려진 사실은 "the involvement of similar genes in the heart development of very different animals"에 관한 것이며 이 논문의 주제의 일부이긴 하지만 중요한 부분은 아니다. 이제 줄거리는 두 번째 단계(단락 2)로 좁아지면서 주제의 핵심부로 옮겨지게 되며 여기에서는 다른 수축성 장기인 "pharynx"(F, G), 특별히 "pharyngeal development"와 연관된 유전자에 관해 알려진 사실이 기술되고 있다(H, I). 단락 3의 첫 번째 두 문장(J, K)에 기술된 알려지지 않은 사실은 두 개의 연관된 유전자가 유사한 기능을 수행하는지, 또한 좀더 포괄적으로 두 개의 서로 다른 수축성 기관의 발달을 조절하는 기전이 동일한지를 기술하고 있다. 문장 L에 제시된 질문은 첫 번째 알려지지 않은 사실에 기초하고 있으며 두 번째 알려지지 않은 사실이 기술된 이유는 저자가 고찰 마지막에 전개하고 있는 좀 더 넓은 주제와 관련해 독자들을 준비시키고 질문의 중요성을 부각시키기 위한 것이다.(주제의 중요성은 문장 D에 기술되어 있다). 실험적 접근방법(M)은 저자들이 질문에 답하기 위해 무엇을 했는지를 말해준다.

연속성을 위한 기법

연속성을 위한 어떤 기법을 사용해야 줄거리가 두드러질까? 한 가지 기법은 줄거리의 첫 번째 세 가지 단계 각각을 새로운 단락으로 시작하는 것이다(두 개의 알려진 사실, 문장 A와 E-F 및 첫 번째 알려지지 않은 사실, J). 즉, 줄거리의 해당 단계(중요한 정보)를 중요한 위치에 두는 것이다.

또한 작은 줄거리(B-D)를 훼손하지 않고 첫 번째 단계(첫 번째 알려진 사실)에서 두 번째 단계(두 번째 알려진 사실)로의 이동을 분명하게 하기 위해서 두 번째 단계(문장 E)의 앞부분에 연결구("Unlike insects and vertebrates")를 사용하여 두 번째 단계를 첫 번째 단계에 연결시켰다. 이 연결구에는 핵심용어인 "insects"와 "vertebrates"가 반복되어 있으며 연결어휘인 "unlike"는 단락 1의 동물(insects, vertebrates)과 단락 2의 동물(nematodes)간의 차이를 부각시키고 있다. 이런 차이는 문장 E에 구체적으로 기술되어 있으며 그 뒤에 따라나오는 문장 F에는 중요한 이슈인 유사성이 언급되어 있다. 문장 F에 제시된 "pharynx"의 정의 역시 도움이 되는데 이는 이 정의가 "pharynx"와 "heart" 간의 중요한 유사성(rhythmic contraction)을 구체적으로 기술하고 있기 때문이다.

또 다른 작은 줄거리(G-I)가 끼어든 뒤에 두 번째 단계(알려진 사실)에서 세 번째 단계(알려지지 않은 사실)로 이동하기 위해서 세 번째 단계(문장 J)는 두 번째 단계(the functional and molecular similarities of the heart and the pharynx)를 문장의 주어로 삼아 다시 기술하고 있으며 그 뒤에 세 번째 단계를 동사와 보어군(the possibility of similar gene functions)에 담고 있다. 두 번째 단계를 다시 기술할 때는 처음 기술할 때(F) 쓰였던 것과 동일한 핵심용어가 사용되었다. 앞선 단계를 그 다음 단계를 기술하는 문장의 주어로 반복 사용하는 것은 핵심용어를 반복함으로써 연속성을 유지할 수 있는 효과적인 방법이며 특별히 작은 줄거리가 두 단계 사이에 끼어들었을 때 그러하다.

전체 줄거리의 나머지는 이제 마지막 세 문장을 따라간다(K, L, M). 두 번째 알려지지 않은 사실(K)은 연구의 중요성을 가리키고 있으며 핵심용어의 반복("suggestion")과 연결어휘("in turn")를 통해 첫 번째 알려지지 않은 사실(J)로 연결되고 있다. 질문(L)은 연결어휘("therefore")와 핵심용어의 반복("gene", "functions")을 통해 알려지지 않은 사실도 연결되고 있다. 실험적 접근방법(M)은 핵심용어가 포함된 연결어구("To test this hypothesis")와 다른 핵심용어의 반복("nkx2.5 gene", "nematode ceh-22 gene")을 통해 질문으로 연결된다.

작은 줄거리

단락 1과 2의 작은 줄거리들은 전체 줄거리에 살을 붙여주고 있다. 단락 1의 문장 B와 C는 구체적인 유전자와 이들이 심장의 발달에 미치는 영향에 관한 세부사항을 기술하고 있으며 문장 D는 B와 C가 내포하는 바를 기술하고 있다. 문장 D의 암시("a common mechanism for heart development")는 문장 K에서 제시되는 좀더 넓은 범위의 암시("a common mechanism for heart and pharynx development")를 위한 초석이 된다.

단락 1의 작은 줄거리를 이루는 문장 B와 C의 연속성을 위해서는 연속성과 관련된 모든 기법이 동원되었다: 문장 B와 C의 소주제를 알리는 연결구의 대구("In Drosophila", "in vertebrates"), 문장 A와 B-C의 소주제가 일관된 순서를 유지함, 문장 C 앞의 연결구("Likewise"), 문장 B와 C의 전반부의 대구 형식, 문장 B와 C의 후반부의 일관된 관점, 핵심용어의 반복("heart", "homeobox genes", "vertebrates", "precursors", "cardiac", "development"). (문장 B의 "Drosophila"는 문장 A에 언급된 "insect"란 범주에 속하는 특수용어이다. 이 두 핵심용어는 서로 연결되지 않았기 때문에 독자는 Drosophila가 insect라는 사실을 알고 있어야 한다). 문장 C와 D의 연속성은 다른 용어와 연결되지 않은 범주형 용어에 의해서만 유지된다("This remarkable molecular conservation").

단락 2의 작은 줄거리를 이루는 문장 G-I는 문장 F에 언급된 기능적, 분자적 유사성에 대한 세부사항을 기술하고 있다. 문장 G는 기능적 유사성을 언급하고 있고 문장 H와 I는 분자적 유사성을 언급하면서 해당 유전자에 관한 세부사항을 제공한다. 이 작은 줄거리의 연속성은 단락 2에서 사용된 것과 동일한 기법에 의해 유지되고 있다(우연히도, 단락 2에서는 핵심용어인 "pharyngeal"이 70단어 길이의 단락에서 다섯 번 사용되었다. 즉, 14 단어마다 한 번씩 사용된 꼴이다. 눈에 거슬리는가?)

주제문

전체 줄거리의 각 단계를 눈에 잘 띄는 위치에 놓고 연속성의 모든 기법을 사용한 뒤에도 주제문을 사용하면 긴 서론의 줄거리를 명쾌하게 하는데 도움이 된다.

짧은 서론에는 주제문이 없을 수도 있다. 예문 4.1의 경우 모든 문장 또는 문장의 일부는 줄거리의 각 단계를 이루고 있다. 결국 세부사항을 뒷받침하는 개별 문장이 없기 때문에 주제문도 없는 것이다. 그러나 긴 서론에는 세부사항을 뒷받침하는 개별문장이 있으며 따라서 전체 줄거리에서 뒷받침문이 뒷받침하는 문장이 주제문이 된다. 예문 4.2에서는 문장 A(B-D가 뒷받침)와 문장 F(G-I가 뒷받침)가 주제문이다.

질문은 초(超)주제문이다.

서론에서는 또한 질문을 하나의 주제문으로 바라볼 수 있다. 그러나, 질문은 한 단락의 주제문이 아니라 논문 전체의 주제문이므로 초주제문이라 부르는 것이 타당할 것이다. 그냥 주제문이 한 단락의 조망을 제시한다면 초주제문인 질문은 논문 전체의 조망을 제시한다. 그리고 한 단락의 모든 문장이 주제문과 연결된 것과 마찬가지로 논문의 모든 문장은 질문과 연결되어 있다. 질문을 정확하게 기술하는 것이 중요한 이유 중 하나가 바로 여기 있다.

글쓰기

알려지지 않은 사실

알려지지 않은 사실은 예문 4.1의 문장 B와 같이 터놓고 이야기할 때 가장 분명하다. "the site . . . has not been determined". 알려지지 않은 사실을 터놓고 기술하는 다른 방법에는 "has not been established", "is unclear", "is unknown" 등이 있다.

알려지지 않은 사실은 직접 기술하는 대신 암시할 수도 있다. 이렇게 암시하는 방법 중 한 가지는 예문 4.2의 단락 2의 문장 J와 같이 시사나 가능성을 기술하는 것이다. 기능적 및 분자적 유사성이 이들 유전자가 같은 기능을 수행할 수 있다는 사실을 시사한다고 기술함으로써 예문 4.2는 그 유전자들이 실제로 같은 기능을 수행하는지는 알려지지 않았다는 점을 암시하고 있다. 마찬가지로 어떤 가능성이 있다고 말하는 것도 그 사실이 아직 알려지지 않았다는 점을 암시하는 것이다.

때로는 서론이 알려지지 않은 사실없이 알려진 사실에서 바로 질문으로 좁혀질 때가 있다. 이런 경우에도 알려지지 않은 사실은 기술되거나 예문 4.3과 같이 최소한 암시되어야 한다.

예문 4.3: 알려진 사실, 문제점, 질문

A 알려진 사실
B 알려진 사실
C 문제점
D 해결책과 내포된 알려 시시 않은 사실
E D의 세부사항
F 질문
G 실험적 접근방법

*A*Metabolic alkalosis during exercise increases blood lactate concentrations substantially beyond the concentrations observed during exercise in the absence of metabolic alkalosis (8, 10, 16). *B*Conversely, metabolic acidosis decreases blood lactate concentrations. *C*However, for these investigations, alkali was ingested or infused, which is an artificial situation. *D*More important clinically is the effect of respiratory alkalosis, which occurs during exercise in a variety of circumstances that involve increased respiratory drive. *E*These circumstances include interstitial lung disease and congestive heart failure. *F*Therefore, in this study we asked whether respiratory alkalosis during exercise, like metabolic alkalosis during exercise, increases blood lactate concentrations more than exercise alone does. *G*We used a new biofeedback method by which ventilation, and thus arterial Pco2 and pH, can be precisely adjusted independently of metabolic rate.

예문 4.3에서는 알칼리증(alkalosis)이 인공적으로 유도되었다는 점이 선행된 연구의 문제점으로 기술되었으며 그 다음 문장에는 해법이 나와있다("using a more clinically relevant way of inducing alkalosis"). 여기에 암시된 알려지지 않은 사실은 바로 임상적으로 적절한 상황이 연구되지 않았다는 사실이다. 이렇게 암시된 알려지지 않은 사실은 질문으로 연결된다.

질문

정확성

가설검증연구에서 질문을 기술하는 가장 과학적인 방법은 흔히 사용되는 것은 아니지만 가설로써 기술하는 것이다. 질문을 가설로 기술하는 것의 장점은 질문이 정확해진다는 점이며 결과적으로 독자는 쉽게 대답을 기대할 수 있다. 예를 들어 "To test the hypothesis that alterations in chandelier neuron axon cartridges contribute to prefrontal cortex dysfunction in schizophrenia, we examined. . . ." 라고 기술한다면 그 대답은 "yes, these alterations contribute to prefrontal cortex dysfunction in schizophrenia" 또는 "no, they do not" 이 될 것이다.

질문을 질문의 형태로 기술하려면 이와 마찬가지로 정확해야 한다. 즉, 명료성을 최대한 확보하기 위해 연구된 변수를 언급하고 예문 4.1과 4.3처럼 정확한 동사와 현제 시제를 사용해야 하는 것이다("is", "increases"). 만약 동사없이 기술한다면 질문은 훨씬 불분명해진다. 만약 예문 4.3에서 다음과 같이 질문을 던진다면 "The purpose of this study was to determine the effect of respiratory alkalosis during exercise on blood lactate concentration", 독자는 대답으로 무엇을 기대해야 할 지 알 수 없다("something about the effect of respiratory alkalosis during exercise on blood lactate concentration". 정확하게 질문을 던지면 이보다 훨씬 도움이 되며 그렇게 해야 독자가 정확한 결과를 기대하게 된다("that respiratory alkalosis during exercise increases blood lactate concentrations more than exercise alone does, or that it does not).

결국 정확한 질문이 유리한 한 가지 이유는 독자가 대답이 무엇이 될 지에 관한 인상을 즉시 얻게 된다는 점이다. 또 다른 이유는 독자가 방향성을 가지고 논문을 읽을 수 있게 된다는 점이다. 그러면 실험도 더 이치에 맞게 다가오게 되고 결과와 대답도 독자의 기대에 부합하게 된다. 이렇게 되면 독자는 어림짐작할 필요가 없어진다.

필연

질문은 알려진 사실(또는 믿고 있는 사실)과 알려지지 않은 사실(또는 문제점)에 관해 앞서 기술된 내용을 필연적으로 따르는 내용이어야 한다. 따라서 질문의 주제는 알려진 사실의 주제와 동일해야 하며 질문도 알려지지 않았거나 문제점이 있는 사실에 대한 기술을 읽은 후에 기대할 수 있는 것이어야 한다.

예문 4.1을 보면 질문이 앞서 기술된 내용을 필연적으로 따르고 있는 것을 볼 수 있다. 질문은 "Which site in the vagal motor pathway to the bronchioles is most sensitive to depression by barbiturates?" 이며 이 질문은 알려지지 않은 사실("the site of this depression has not been determined")에서 분명히 유래하고 있다. 또한, 이 알려지지 않은 사실은 알려진 사실에 관한 기술("several general anesthetics, including barbiturates, depress the bronchomotor response to vagus nerve stimulation")에서 분명히 유래하고 있다.

질문이 알려진 사실과 알려지지 않은 사실에 대한 기술로부터 필연적으로 유래하고 있다는 점을 확인하려면 질문에 사용된 핵심용어를 확인하면 된다. 질문의 모든 핵심용어는 서론에서 이미 등장한 것이어야 한다. 예문 4.1의 "site"는 알려지지 않은 사실(문장 B)에 등장한 것이며 다른 핵심용어들("depression", "barbiturates", "vagal", "motor", "pathway")도 알려진 사실(문장 A)에서 어떤 형태로든 모두 등장한다.

대답을 시사하는 증거에 기초한 질문

때로는 알려지지 않은 사실이나 문제점 바로 뒤에 질문이 기술되는 것이 아니라 대신에 가능성있는 대답을 시사하는 증거가 기술되기도 한다. 이런 경우 질문은 예문 4.4와 같이 알려지지 않은 사실과 대답을 시사하는 증거 모두에서 필연적으로 유래하는 것이어야 한다.

예문 4.4: 대답을 시사하는 증거에 기초한 질문

A 알려진 사실(중요성)
B 알려진 사실
C 알려지지 않은 사실
D C를 뒷받침(가능한 요소를 반박)
E 또 다른 가능한 요소
F E를 뒷받침(시사하는 증거)
G 질문; 실험적 접근방법

[A]Since 1975 prostaglandins E_1 and E_2 (PGE_1, PGE_2) have been used to maintain the patency of the ductus arteriosus in infants who have congenital heart disease (1-6). [B]Although the fetal ductus is sensitive to the dilating action of PGE_1 and PGE_2 (7), the response of the ductus in the newborn to specific doses of these prostaglandins is variable (8). [C]The factors that regulate the responsiveness of the ductus to PGE_1 and PGE_2 are unknown. [D]One regulating factor that has been suggested is the infant' s age (8); however, this factor is unlikely because the ductus is responsive to PGE_1 and PGE_2 even after many months of therapy (9, 10). [E]Another possible regulating factor may be the degree of constriction of the ductus arteriosus. [F]Support for this factor is that the ductus no longer dilates in response to PGE_1 and PGE_2 when it is fully closed (8, 9) but does dilate when it is only partially constricted at angiography (11). [G]Therefore, we tested the hypothesis that the degree of constriction of the ductus arteriosus regulates the responsiveness of the ductus to PGE_1 and PGE_2 by doing experiments in newborn lambs.

이 서론의 경우 알려진 사실은 문장 A와 B에, 알려지지 않은 사실은 문장 C에 기술되어 있다. 문장 D는 가능성있는 대답을 기술한 뒤에 이를 배제한다. 문장 E는 이와 다른 대답을 제안하며 문장 F는 제안된 대답을 뒷받침하는 증거를 제시한다. 그리고 나서 문장 G는 알려지지 않은 사실과 대답을 시사하는 증거에 기초해 가설(질문)을 기술한다. 알려진 사실의 핵심용어("prostaglandin E1 and E2")와 알려지지 않은 사실의 핵심용어("regulate the responsiveness"), 대답을 시사하는 증거의 핵심용어("degree of constriction of the ductus arteriosus")가 모두 가설에 등장하기 때문에 우리는 이 가설이 앞서 기술된 내용에 기초하고 있다고 말할 수 있다.

두 가지 질문

두 가지 질문이 등장하는 논문의 경우에도 두 질문 모두가 앞서 기술된 내용에서 필연적으로 유래하는 것이어야 한다. 흔히 일어나는 바와 같이 두 번째 질문으로 연결되는 배경지식이 생략되면 독자는 두 번째 질문이 어디에서 유래하는지 알 수가 없다.

예문 4.5: 질문 2의 배경이 생략됨

A_1 믿어지는 사실
A_2 알려지지 않은 사실; 중요성
B 가능성 있는 치료법
C B를 뒷받침
D_1 질문 1
D_2 질문 2
E 실험적 접근방법

A_1Because stasis of blood flow may be an important cause of hepatic arterial thrombosis in liver transplant patients, A_2a prophylactic treatment that increases hepatic arterial blood flow might reduce the risk of thrombosis. *B*One possible treatment might be intravenous infusion of prostaglandin E_1. *C*This treatment is suggested by the finding that injections of prostaglandin E_1 directly into the hepatic artery increase hepatic arterial blood flow in cats (11) and dogs (12). D_1Therefore, in this study, we asked whether a more distant infusion of a low dose of prostaglandin E_1, into a systemic vein, increases hepatic arterial blood flow and D_2whether portal venous and systemic venous infusions are equally effective. *E*For this study, we delivered prostaglandin E1 as a continuous infusion into either the systemic venous or the portal venous circulation of young lambs.

이 예문에서 독자는 저자들이 왜 "portal venous and systemic venous infusions of prostaglandin E1"을 비교했는지 알 길이 없다. 교정문에서는 두 번째 질문으로 이끌어주는 배경이 추가되었다(문장 D: 다른 가능한 치료법을 설명하고 있음). 또한, 두 개의 질문이 하나의 서술문으로 압축되었다(E).

교정문: 문제 2의 배경이 추가됨.

*A*Because stasis of blood flow may be an important cause of hepatic arterial thrombosis in liver transplant patients (4), a prophylactic treatment that increases hepatic arterial blood flow might reduce the risk of thrombosis. *B*One possible treatment might be intravenous infusion of prostaglandin E_1. *C*This treatment is suggested by the finding that injections of prostaglandin E_1 directly into the hepatic artery increase hepatic arterial blood flow in cats (11) and dogs (12). *D*Another possible treatment might be portal venous infusion of prostaglandin E_1, since infusion of similar hepatic arterial vasodilators into the portal vein of cats also increases hepatic blood flow, though only one-half to one-third as effectively as the same doses injected into the hepatic artery (15). *E*Therefore, in this study, we asked whether a more distant infusion of low dose prostaglandin E_1, into a systemic vein or the portal vein, increases hepatic arterial blood flow. *F*For this study, we delivered prostaglandin E1 as a continuous infusion into either the systemic venous or the portal venous circulation of young lambs.

연결된 질문들

하나 이상의 질문을 묻는 논문의 경우 두 번째 질문은 첫 번째 질문에 대한 대답에 의해 좌우되는 경우가 많다. 이런 경우 두 번째 질문은 예문 4.6과 같이 "if so"와 같은 구문을 이용해 연결될 수 있으며 두 번째 질문으로 이끌어주는 배경지식을 추가할 필요도 없다.

예문 4.6 : 연결된 질문들

This report describes experiments designed to determine whether exogenous arachidonic acid increases the release of prostaglandin E_2 from the ductus arteriosus, and, if so, whether the exogenous arachidonic acid is the source of the prostaglandin E_2 released.

알려지지 않은 사실을 통해 제시된 질문

때로는 알려지지 않은 사실을 통해 질문이 제시되기도 하며, 이 경우 질문을 재차 기술하는 것은 불필요하다. 대신에 예문 4.7과 같이 다음 문장의 도입부에 "to answer this question"이나 "to test this hypothesis"와 같은 연결구를 사용해서 앞서 기술된 내용이 질문이라는 사실을 확인시켜 주기만 하면 된다.

예문 4.7 : 알려지지 않은 사실에 담겨있는 질문을 다음 문장에서 확인시켜줌

A 알려진 사실
B 알려진 사실
C 알려지지 않은 사실 (질문)
D 질문의 확인; 실험적 접근방법

*A*The occurrence of a thermal transition in human serum lipoproteins depends on the triglyceride-cholesteryl ester ratio and the size of the lipoprotein particle (5). *B*The triglyceride-cholesteryl ester ratio is known to correlate negatively with the peak temperature of the thermal transition of intact low density lipoprotein (3). *C*However, it is not yet known how low a triglyceride-cholesteryl ester ratio and how small a particle size are necessary for the occurrence of the thermal transition in triglyceride-rich lipoproteins from human serum. *D***To answer these questions,** we assessed the triglyceride-cholesteryl ester ratio and the particle size in two classes of triglyceride-rich lipoproteins whose ratios of triglyceride to cholesteryl ester and whose particle size are between those of low density lipoproteins and very low density lipoproteins.

이 예문의 문장 C는 두 개의 알려지지 않은 사실에 관한 것이며 여기에는 이 논문이 대답하고자 하는 질문이 완벽하게 기술되어 있다. 이어서 문장 D는 알려지지 않

은 사실에 관한 기술이 질문이라는 점을 확인시켜주는 연결구로 시작된다("To answer these questions").

그러나 예문 4.1과 같이 질문이 알려지지 않은 사실을 통해 부분적으로만 기술될 경우(문장 B) 그 다음 문장에 질문 전체가 기술되어야만 한다(문장 C). 이유는 질문이 바로 논문의 초점이 되기 때문이다. 독자가 스스로 질문을 짜맞추게 해서는 안 되며, 질문은 독자를 위해 한 문장으로 기술되어야 한다.

실험적 접근방법

질문에 대한 기술로 서론이 끝나는 경우도 많지만 때로는 그 질문에 대답하기 위한 실험적 접근방법을 독자가 아는 것이 도움이 될 때가 있으며 특별히 그런 접근방법이 새롭고, 일반적인 범주를 벗어나며 복잡할 경우, 또한 질문만으로는 어떤 실험을 하게 될 지에 대해 분명한 아이디어를 제공하지 못할 경우, 또는 연구가 체외에서, 체내에서, 전향적으로 아니면 후향적으로 진행되었는지 등등을 확인시켜줄 필요가 있을 경우에 그러하다.

일반적으로, 실험적 접근방법은 한 문장으로 간결하게 기술되며 많아야 두세 문장을 넘지 않는다. 실험적 접근방법은 예문 4.4처럼 연구한 동물을 언급하는 정도로 간결해질 수 있으나, 보통 예문 4.1과 같이 동물을 언급하는 것 이외에 변수 중 하나(독립변수 또는 종속변수)를 설명한다. 예문 4.1에서는 동물이 언급되었고(ferret) 독립변수가 설명되었으며("we stimulated this pathway . . . before and after exposure to barbiturates"), 종속변수의 수가 기술되었고("four different sites"), 실험이 체외에서 수행되었다는 점이 분명하게 밝혀졌다("in isolated rings of ferret trachea").

어떤 종류의 논문에서는 서론의 마지막 부분에서 실험 전체를 조망하는 일이 대단히 중요하며, 방법(Methods) 섹션에 "연구디자인" 서브섹션이 없으면서 대신에 결론 전체에 걸쳐서 질문에 답하기 위해 수행된 실험의 줄거리를 제시하는 논문들이 이러한 경우에 속한다(제 6 장 참조). 결론에서는 줄거리가 단락 당 한두 개의 문장으로 조각나 있기 때문에 이런 논문들의 경우 서론의 마지막 부분에 있는 실험적 접근방법을 통해서만 질문에 답하기 위해 수행된 실험에 대한 조망을 얻을 수 있다. 독자가 숲을 보기위해 실험을 조각조각 모을 필요가 있어서는 안 되며 전체 실험과정은 한 곳-서론의 마지막-에 간결하게 기술되어야 한다.

질문과 실험적 접근방법에 관한 신호

질문과 실험적 접근방법을 확인해주는 신호가 필요하며 이러한 신호는 질문이 가설의 형태로 아니면 질문의 형태로 기술되는지에 따라 또한 실험적 접근방법이 질문과 같은 문장에 기술되는지 아니면 서로 다른 문장에 기술되는지에 따라 달라진다.

질문이 가설의 형태로 기술된 경우 “가설(hypothesis)”이란 단어가 신호로 사용되어야 한다. 질문의 형태로 기술된 경우에는 다양한 형태의 신호가 사용될 수 있으며 그런 모든 다양한 형태의 신호의 핵심요소는 동사와 동사를 뒤따르는 질문형 어위이다. 흔한 예로는 “to determine whether”을 들 수 있다(여기에서는 동사가 부정사(to determine)의 형태를 띠고 있으며 질문형 어휘는 “whether”이 된다).

질문과 실험적 접근방법이 같은 문장에 있을 때는 질문에만 신호가 필요하다. 이런 경우 질문의 신호는 목적의 형태로 쓰여지며(예를 들어 “To determine whether . . .”) 그 뒤를 따라 수행된 실험이 자연스럽게 설명된다. 반면에 질문과 실험적 접근방법이 서로 다른 문장에 기술될 경우 연속성을 최대한 유지하려면 질문의 신호에 포함된 핵심용어를 실험적 접근방법의 신호에서 반복할 필요가 있다. 만약 반복할 수 있는 핵심용어가 없다면 실험적 접근방법의 등장을 알리기 위해 “For this study”를 사용할 수 있다.

질문을 알리는 데 흔히 사용되는 신호와 이와 함께 실험적 접근방법을 알리는 신호가 아래쪽에 나열되어 있다. 이 신호들을 다양하게 변화시키는 것도 가능하다.

질문을 알리는 신호	실험적 접근방법을 알리는 신호
“To test the hypothesis that . . .,	we . . .”
“We **hypothesized** that . . .”	“To test this **hypothesis**, we . . .”
“To determine whether . . .,	we . . .”
“To investigate which . . .,	we . . .”
“The **purpose** of this study was to determine whether . . .”	“For this **purpose**, we . . .”
“In this study we **asked** whether . . .”	“To answer this **question**, we . . .”
“This report describes experiments designed to determine whether . . .”	“For this study, we . . .”

대상(Material)으로서의 동물과 사람

서론에는 연구한 동물과 대상(molecule, cell line, tissue, organ)이 반드시 기술되어야 한다. 동물을 기술하는 위치는 질문의 종류에 따라 달라지며, 만약 질문이 특정 동물에 관한 것이라면 예문 4.8처럼 질문에 해당 동물을 언급해야 한다.

예문 4.8: 연구한 동물에 국한된 질문

A 알려지지 않은 사실
B 질문

동물

[A]Whether increased active transport of sodium induced by beta-adrenergic agents increases lung liquid clearance in an intact adult animal is unknown. [B]Therefore, our first objective in these studies was to determine whether beta-adrenergic agents increase lung liquid clearance in anesthetized intact adult sheep.

일반적으로 동물은 인간의 모델로서 사용되는 것이기 때문에 서론의 질문이 연구동물에 국한된 것이 아니라면 예문 4.1과 4.2, 4.5와 같이 실험적 접근방법 내에서 동물을 언급하면 된다. 새로운 실험동물을 모델로 사용한다면 그 유용성에 관해서도 언급해야 한다.

사람을 대상으로 한 연구의 경우 질문에 사람이 언급되는 경우는 많지 않으며 서론에서 사용되는 용어가 그 연구가 사람을 대상으로 한 것이라는 사실을 시사하는 경우가 보통이다. 예를 들어 예문 4.3에서는 "during exercise"(문장 A)나 "important clinically"(문장 D), "interstitial lung disease and congestive heart failure"(문장 E)와 같은 표현들이 연구가 사람을 대상으로 했다는 점을 시사하고 있다. 그러나, 명료성을 극대화하기 위해서는 연구 대상이 사람이라는 점을 질문에 언급하는 것이 좋다.

특정 인간군을 대상으로 하는 연구의 경우 예문 4.9와 같이 해당 군이 항상 질문에 기술된다.

예문 4.9 : 특정 인간군에 국한된 질문

The purpose of this study was to determine relative contributions of the inspiratory muscle groups to inspiratory pressure generation during non-rapid-eye-movement sleep in patients with occlusive sleep apnea.

질문에 대한 대답

질문에 대한 대답이 서론에 포함되어서는 안 된다. 대답이 들어가면 마무리되는 느낌이 들면서 논문을 열고 들어가는 관문이 아니라 마치 초록과 같은 인상을 준다. 독자는 초록을 통해 대답을 알고 있기 때문에 서론에 대답이 들어갈 필요는 없다.

가설을 세웠다면 논문을 쓰는 가장 올바른 방법은 가설을 서론에 기술하는 것이기 때문에 가설검증연구에서 질문 대신에 대답을 기술하는 것은 바람직하지 않다. 가설을 검증하고 있다는 사실을 숨기면 논문에 실린 과학의 초점이 흐려진다.

길이

서론은 명료성과 정보제공이란 목적을 훼손하지 않는 범위에서 가능한 짧아야 하며, 일반적으로 짧을 수록 좋다. 완벽한 정보제공을 위해 필요한 배경 정보의 양은 주요 독자층이 그 주제에 관해 얼마나 알기를 원하는지에 따라 달라진다. 전형적인 논문의 경우 250-300 단어 정도면 대개 충분하다. 만약 서론을 더 길게 쓸 필요가 있다면 500-600 단어 내로 유지하도록 하라.

주제를 리뷰해서는 안 된다. 리뷰는 리뷰 논문의 몫이다. 서론의 목적은 논문을 이해할 수 있도록 독자를 준비시키고 독자의 흥미를 유발시키는 것이다. 서론이 길어지면 흥미가 떨어지며 혼동과 오해를 일으킬 소지가 많다. 그러므로 질문에 도달하기 위해 필요한 출발점으로 독자를 이끌 만큼만 말하면 된다.

기술논문의 내용과 조직

기술논문에는 질문이나 가설이 없으며, 따라서 기술논문의 서론에 쓰이는 깔때기형 패턴은 가설검증논문의 패턴과는 차이가 있다. 알려진 사실과 알려지지 않은 사실, 질문의 순으로 이어지는 패턴과 달리 기술논문의 깔때기형 패턴에는 두 가지 단계, 즉 알려진 사실과 메시지만이 존재한다. 메시지는 논문이 보고하고 있는 발견으로서 예를 들어, 기술되고 있는 구조와 같은 것이다. 메시지와 알려진 사실과의 관계는 메시지가 알려진 사실의 연장이라던가 아니면 알려진 사실과 대조된다는 점에 있다. 예문 4.10을 살펴보자.

예문 4.10

A-E 알려진 사실

1 [A]Three classes of G protein-coupled receptors in the nose have been reported. [B]One large class, whose members are differentially expressed in cells of mammalian olfactory sensory epithelium, detects volatile odorants (1). [C]Another class, found in a subset of mammalian vomeronasal organ neurons, detects pheromones (2). [D]Recently, a third class of G protein-coupled receptors from a different group of vomeronasal organ neurons unrelated to both previously found classes has been characterized (3-5). [E]These G protein-coupled receptors, reported in mice, rats, and frogs, have large extracellular domains and resemble the metabotropic glutamate receptors and the Ca^{2+}-sensing receptor.

G 메시지

2 *F*In the course of characterizing G protein-coupled receptors in the genome of the puffer fish Fugu rubripes, we encountered members of a large family of receptors related to the Ca^{2+}-sensing receptor, which closely resemble the mammalian pheromone receptors. *G*In this paper, we report the characterization of the genes related to these Ca^{2+}-sensing receptors and show that they are composed of six types, distinguished by sequence homology and gene structure. *H*The genes occur in clusters and are expressed in the nose of the fish, making it likely that they are olfactory detectors.

이 서론의 단락 1은 알려진 사실을 기술하고 있으며("the existence of three classes of G protein-coupled receptors in the nose"), 메시지는 단락 2에 기술되어 있다("the discovery of a homolog of the third class"). 또한 이 예문에서 저자는 메시지를 기술하기에 앞서 어떻게 그러한 발견이 이루어졌는지 설명하고 있다.

방법논문(Methods paper)의 내용과 조직

"방법논문"이란 새로운 방법이나 장비, 대상(material)을 설명하는 논문을 말한다.

방법논문의 서론은 필요되는 방법이나 장비, 대상을 기술한 뒤에 이유를 제시한다. 그리고 나서 현존하는 방법이나 장비, 대상의 한두 가지 문제점이나 제한점을 기술한 뒤에 새로운 방법이나, 장비, 대상과 이들의 장점을 기술하는 것으로 끝을 맺는다. 이 때 장점은 반드시 기존의 문제점이나 제한점에 대한 해결책이 되어야 한다. 예문 4.11을 살펴보자.

예문 4.11: 방법논문의 서론

A 필요: a chamber; 이유
B 상용 가능한 chamber의 문제점
C 제작한 chamber의 문제점
D 새로운 chamber와 장점

*A*Various types of physiological research require placing animals in a metabolic chamber for exposure to gases, collection of expired air, exposure to unusual atmospheric conditions such as hypoxia or hypobaric environments (6, 9), or measurement of oxygen consumption (1, 8). *B*Although equipment for such studies is commercially available, it is usually expensive, specialized for a single function, and applicable only for short-term studies with one animal. *C*Improvising with available laboratory equipment meets with variable success and often requires constant attention and repair. D We now report a relatively inexpensive, reliable closed-circuit metabolic chamber that has proven useful for several research applications involving one or more animals housed for periods of hours or days.

이 서론에서 문장 A는 "chamber"가 필요한 이유를, 문장 B와 C는 사서 쓸 수 있는 "chamber"와 만들어 쓰는 "chamber"의 문제점을 기술하고 있으며 문장 D는 앞서 언급된 "chamber"들의 모든 문제점을 해결해주는 새로운 "chamber"를 소개하고 있다.

세부사항

동사의 시제

서론의 동사의 시제는 논문의 다른 모든 곳에서의 동사의 시제와 마찬가지로 부분적으로는 진술의 종류에, 부분적으로는 동사의 의미에 따라 달라진다. 가장 중요한 질문의 동사의 시제에는 반드시 현재시제가 사용되어야 하며 이는 질문이 어떤 사실이 일반적으로 참된 지를 묻는 것이기 때문이다. 다음에는 가설에 사용되는 적절한 동사의 시제와 동사의 사용이 나열되어 있다.

동사의 시제진술의 종류예문

Verb Tense	Statement	Example
Present	Question	"whether X **increases** Y"
	Known	"X **is** a component of Y."
Present perfect	Transition clause introducing something known	"It **has** long **been known** that . . ."
Present or present perfect	Unknown	"X is unknown." "X **has** not **been determined**."

Past or present	Signal of the question	“We **hypothesized** that ...” “he purpose of this study **was**...” “We **asked** whether...” but “his report **describes**...”
Simple past	Experimental approach, and anything else done by you or others in the past	“we **assessed**”
Hypothetical	Suggestions, possibilities	“X **may have** an effect on ...” “X **might reduce**...”

가설검증논문과 기술논문의 서론을 위한 가이드라인

줄거리를 말하라.

가설검증논문에서는 질문이 유래한 배경의 줄거리를 말하라.

알려지지 않은 사실에서 알려지지 않은 사실(또는 문제점)로 좁혀나간 뒤에 질문으로 끝을 맺으라.

질문은 앞서 기술된 문장들의 뒤를 필연적으로 따라야 하며 알려지지 않은 사실과 대단히 유사해야 한다. 두 개의 질문이 있다면 제시된 배경지식이 독자를 두 질문 모두로 이끌도록 해야한다.

줄거리를 말할 때 연속성과 주제문과 관계된 기법들을 사용하라.

연구에 대해 알려진 사실이 분명해지도록 알려지지 않은 사실을 기술하라(또는 강력하게 암시하라).

연구의 중요성을 분명하게 드러내라. 직접 기술하거나 필요하다면 암시하라.

필요하다면 질문 뒤에 실험적 접근방법을 기술하라.

질문에 대한 대답을 서론에서 기술하지 말라.

결과나 시사하는 바를 서론에 포함시키지 말라.

질문으로 이끈 핵심 연구를 반영하는 참고문헌을 인용하라.

참고문헌의 수는 최소한으로 유지하라.

질문은 질문의 형태로 또는(더 좋은 방법은) 가설의 형태로 기술하라.

질문을 통해 대답을 예상할 수 있도록 가능한 정확하게 질문을 기술하라.

질문의 동사에는 현재시제를 사용하라.

적절하다면 질문에 독립변수와 종속변수가 모두 포함되도록 하라.

문장의 앞부분에 질문이 등장한다는 신호를 사용하라.

실험적 접근방법을 명확하게 기술하라.

최소한 연구한 동물 또는 인간군을 언급하고 만약 있을 경우 "molecule, cell line, tissue or organ"을 언급하라.

필요하다면 독립변수나 종속변수 또는 모두를 설명하라.

방법 섹션에 연구디자인 서브섹션이 없는 논문의 경우 질문에 답하기 위해 수행된 실험에 관한 진체 조망을 서론의 미지막 부분에 기술하라.

연구디자인이 후향적일 경우 실험적 접근방법 또는 질문을 알리는 신호에 "retrospective"란 단어를 사용하라.

적절한 위치에서 동물에 대해 기술하라.

질문이 동물에 관한 것이면 질문에서 기술하라.

질문이 연구한 동물에 국한된 것이 아니면 실험적 접근방법에서 기술하라.

서론은 짧게 쓰라.

흥미를 북돋으라. 잠재워서는 안 된다.

기술논문의 서론에는 두 단계만이 존재한다(알려진 사실과 메시지).

알려진 사실과 메시지의 관계, 즉 그 연구의 새로운 점이 무엇인지가 분명해야 한다. 예를 들어 메시지가 알려진 사실의 연장인지 아니면 이와 반대되는지가 분명해야 한다.

연습문제 4.1: 서론

1. 다음의 각 서론에서 줄거리의 단계를 표시하라(알려진 사실, 알려지지 않은 사실, 질문, 포함되어 있다면 실험적 접근방법까지).
2. 서론을 위한 가이드라인에 기초해서 각 서론의 장점과 단점을 나열하라. 특별히 질문의 정확한 기술과 질문이 유래한 배경의 줄거리가 명료하고 논리적으로 좁혀지고 있는가에 초점을 맞추라. 또한 단락의 구조와 문장 구조, 단어의 선택을 고려하라. 제목에도 신경을 써보라.
3. 장점은 유지하면서 단점을 피할 수 있도록 서론을 교정하라.

Introduction 1

HEAT STORAGE IN RUNNING ANTELOPES:
INDEPENDENCE OF BRAIN AND BODY TEMPERATURES

1 *A*The existence of camels, oryxes, gazelles, and other ungulates in hot deserts has long fascinated physiologists. *B*Unlike rodents, these animals are too large to burrow and cannot escape the desert sun. *C*Understandably, most of the work on temperature regulation of ungulates has been concerned with heat loads from the environment (6, 8, 10, 12, 16, 17, 19, 20, 23). *D*Internal heat loads, however, may pose thermal problems as great as or greater than the sun does. *E*Tremendous amounts of heat are produced when antelopes run at high speed. *F*Gazelles and eland have been clocked at 70-80 km/h (43-50 mph). *G*Using the recently developed relationship between body size and energetic cost of locomotion (22), we can calculate that a 15-kg gazelle running at 70 km/h would be producing heat at 40 times its resting metabolic rate. *H*These high bursts of speed are usually of short duration. *I*It seemed possible that antelopes might store rather than dissipate this heat.

2 *J*his study set out to answer two simple questions: (1) Does heat storage play an important role? and (2) If heat storage is important, do these animals possess unusual physiological mechanisms for coping with high body temperatures?

장점 *단점*

Introduction 2

THE INHIBITORY EFFECT OF APOLIPOPROTEIN E4
ON NEURITE OUTGROWTH IS ASSOCIATED
WITH MICROTUBULE DEPOLYMERIZATION

1 *A*Apolipoprotein (apo) E is a 34-kDa protein component of lipoproteins that mediates their binding to the low density lipoprotein (LDL) receptor and to the LDL receptor-related protein (LRP) (1-4). *B*Apolipoprotein E is a major apolipoprotein in the nervous system, where it is thought to redistribute lipoprotein cholesterol among the neurons and their supporting cells and to maintain cholesterol homeostasis (5-7). [C]Apart from this function, apo E in the peripheral nervous system functions in the redistribution of lipids during regeneration (8-10).

2 [D]There are three common isoforms of apo E (apoE2, apoE3, and apoE4) that are the products of three alleles (ε2, ε3, and ε4) at a single gene locus on chromosome 19 (11). [E]Apolipoprotein E3, the most common isoform, has cysteine and arginine at positions 112 and 158, respectively, whereas apoE2 has cysteine at both of these positions and apoE4 has arginine at both (1, 12).

3 [F]Accumulating evidence demonstrates that the apoE4 allele (ε4) is specifically associated with sporadic and familial late-onset Alzheimer' s disease and is a major risk factor for the disease (13-16). [G]In accord with these findings, apoE immunoreactivity is associated with both the amyloid plaques and the intracellular neurofibrillary tangles seen in postmortem examinations of brains from Alzheimer' s disease patients (17, 18). [H]The mechanism by which apoE4 might contribute to Alzheimer' s disease is unknown. [I]However, our recent data demonstrating that apoE4 stunts the outgrowth of neurites from dorsal root ganglion (DRG) neurons suggest that apoE may have a direct effect on neuronal development or remodeling (19, 20). [J]In an extension of these previous studies, we have now examined the effects of the apoE isoforms on neurite outgrowth and on the cytoskeleton of Neuro-2a cells, a murine neuroblastoma cell line. [K]Apolipoprotein E4 inhibits neurite outgrowth from these cells, and this isoform-specific effect is associated with depolymerization of microtubules.

장점 단점

Introduction 3

THE SEQUENCE OF EXPOSURE TO THE STIMULI DETERMINES THE EFFECT OF ALKALOSIS ON HYPOXIA-INDUCED PULMONARY VASOCONSTRICTION IN LUNGS FROM NEWBORN RABBITS

1 [A]Alveolar hypoxia causes pulmonary vasoconstriction. [B]To determine whether alkalosis or acidosis can increase or reduce hypoxia-induced pulmonary vasoconstriction, numerous investigators have studied the effects of alkalosis and acidosis on constriction of the pulmonary circulation in response to hypoxia (1-14). [C]Only a few of these investigators have studied the effect of alkalosis on hypoxia-induced pulmonary vasoconstriction in the lungs of newborn animals (10, 13, 14). [D]The results of these studies have been variable. [E]Alkalosis has been shown either to reduce or to have no effect on constriction of the neonatal pulmonary circulation in response to alveolar hypoxia.

2 [F]Understanding the effect of alkalosis on the neonatal pulmonary circulation and on the response of the pulmonary circulation to hypoxia is important because alkalosis, produced primarily by mechanical hyperventilation, is widely used in the treatment of newborns who have the syndrome of persistent pulmonary hypertension (15, 16). [G]Mechanical hyperventilation is often clinically effective in the treatment of these infants, but it is not clear whether the improvements are due to the alkalosis resulting from the therapy. [H]If alkalosis is responsible for the clinical improvement in these infants, it is possible that some of the deleterious effects of mechanical hyperventilation could be avoided by using alternative means of inducing alkalosis. [I]A clearer understanding of the effect of alkalosis on the constriction of the neonatal pulmonary circulation in response to hypoxia would aid in the management of these patients.

3 [J]The purpose of this study was to determine whether or not alkalosis reduces constriction of the neonatal pulmonary circulation in response to hypoxia by answering the following specific questions: 1) does alkalosis reduce pulmonary vascular resistance after it has increased in response to hypoxia, 2) does alkalosis reduce the ability of the pulmonary circulation to constrict in response to subsequent hypoxia, 3) does alkalosis introduced simultaneously with hypoxia reduce constriction of the pulmonary circulation, and 4) do both respiratory and metabolic alkalosis have the same effect on the pulmonary circulation and its response to hypoxia. [K]To answer these questions, we exposed isolated perfused lungs of newborn rabbits to alkalosis and alveolar hypoxia. [L]For each pair of lungs we used one of the following three sequences of exposure to the stimuli: 1) alveolar hypoxia followed by metabolic or respiratory alkalosis, 2) metabolic or respiratory alkalosis followed by alveolar hypoxia, or 3) simultaneous alveolar hypoxia with respiratory alkalosis. [M]We found that both metabolic and respiratory alkalosis reduced pulmonary vascular resistance that was elevated in response to hypoxia; neither metabolic nor respiratory alkalosis reduced constriction of the pulmonary vasculature in response to subsequent hypoxia; and simultaneous respiratory alkalosis and hypoxia significantly reduced pulmonary vascular constriction. *N*We conclude that the sequence of exposure to the stimuli determines the effect of both respiratory and metabolic alkalosis on hypoxia-induced pulmonary vasoconstriction in isolated, perfused lungs of newborn rabbits.

장점 *단점*

제5장 대상 및 방법

역할

가설검증논문에서 대상 및 방법(방법으로만 불리기도 함) 섹션의 역할은 서론에서 제기된 질문에 답하기 위해 어떤 실험이 수행되었는지를 독자에게 알리는 것이다. 마찬가지로, 기술논문의 경우에도 방법 섹션은 서론에 기술된 메시지를 얻기 위해 수행한 실험을 말해준다. 방법논문의 경우 방법 섹션은 두 가지 역할을 수행하며 첫 번째는 새로운 방법을 상세하게 설명하는 것이고 두 번째는 새로운 방법을 검증하기 위해 수행한 실험을 소개하는 것이다. 논문의 종류에 상관없이 방법 섹션에는 훈련받은 과학자가 그 연구를 완전히 평가할 수 있거나 또는 저자가 수행한 실험을 동일하게 수행하기에 충분한 세부사항과 참고문헌이 포함되어야 한다.

줄거리

가설검증 및 기술논문

우리는 가설검증논문이나 기술논문의 줄거리의 첫 번째 단계가 서론에서 제시된다는 점을 배웠다. 이 첫 번째 단계는 논문의 종류에 따라 질문이 될 수도 있고 설명하고 있는 구조가 될 수도 있다. 어떤 경우든 간에 논문의 줄거리의 두 번째 단계는 수행한 실험을 전체적으로 조망하는 것이며, 여기에는 실험 전략과 각각의 실험을 서로 연결시킬 뿐만 아니라 질문이나 메시지에 연결시키는 실험설계가 포함된다.

실험에 대한 전체 조망이 제시되는 위치는 연구의 종류에 따라 달라진다.

연구의 종류	실험에 대한 조망의 위치	예
기술 연구	서론 마지막 부분의 실험적 접근방법	구조-기능 연구
가설검증연구 (한 실험이 다른 실험의 향방을 결정하는 경우)	서론 마지막 부분의 실험적 접근방법 (그 후 결과 섹션으로 이어진다, 6장 참조)	일부 생화학 연구

가설검증연구 (모든 실험이 미리 디자인되는 경우)	대상 및 방법 섹션의 연구디자인 서브섹션	생리학 연구 임상 연구 일부 생화학 연구

방법논문

방법논문의 경우 줄거리의 첫 번째 단계에서 새로운 대상이나 방법, 장비가 제시되며 두 번째 단계는 두 부분으로 나뉘어 진다. 1)새로운 대상이나 방법, 장비에 대한 완벽한 설명. 2)새로운 대상이나 방법, 장비가 검증된 방식에 대한 설명. 이 두 부분은 방법 섹션에서 설명된다.

이번 장에서는 가설검증논문의 방법 섹션만을 다루도록 하겠다.

내용

가설검증논문의 대상 및 방법 섹션은 본질적으로 요리책과 다를 것이 없다. 따라서, 대상 및 방법 섹션의 주요 내용은 사용한 대상 및 방법에 관한 자세한 설명이다. 부가적으로, 모든 실험이 미리 디자인된 가설검증논문에서는 대상 및 방법 섹션에 질문에 답하기 위해 수행한 실험들에 대한 전체 조망이 포함되어야 한다. 이런 조망은 연구디자인이라는 이름으로 알려져 있다.

대상 및 방법 섹션의 주요 구성요소는 다음과 같다.

대상(Materials)

· 화학제품(drugs, culture media, buffers, gases)
· 연구대상(실험 대상, 실험 동물, 사람)

방법(Methods)

필수정보

· 무엇을 했는가(연구디자인 포함)?
· 어떤 순서로?
· 어떻게?
· 왜?

부가정보(필요할 경우)
- 준비(Preparation)
- 가정(Assumptions)
- 정의(Definitions of indicators)

방법 섹션에는 참고문헌도 포함되어야 한다.

방법 섹션에는 결과가 포함되지 않으나, 질문에 답해주는 결과를 얻기 위한 계산에서 얻어진 중간 결과는 포함될 수 있다. 중간 결과는 결과라기보다는 방법에 해당하기 때문에 결과 섹션보다는 방법 섹션에 포함시키는 것이 바람직하다.

세부사항은 다음과 같다.

대상(Materials)

약품(Drugs)

약품의 경우 일반명과 생산자, 순도 및 농도를 표시하라. 만약 용액의 형태라면 용매의 종류와 pH, 온도, 주입된 총량, 주입 속도를 필요한 경우 표시하라. 체중 1kg 당 투여된 용량과 주입 기간을 기술하라. 약품을 "organ bath" 나 "organ reservoir" 에 사용했다면 농도를 계산하라.

배양액과 완충액(Culture Media, Buffers)

배양액과 완충액의 경우 구성요소와 각각의 농도를 기술하라. 또한 필요한 경우 온도와 부피, pH를 기술하라.

기체(Gases)

기체의 경우 구성요소와 각각의 농도를 기술하라. 또한 필요한 경우 유속을 기술하라.

실험 대상

분자나 세포주(cell line), 조직 등을 사용했다면 이를 상술하라.

동물

동물의 경우 종(species)과 체중을 기술하고 변종(strain)과 성별, 나이가 중요하다면 함께 기술하라. 진정과 마취에 관한 세부사항을 제공하라(사용된 진정제나 마취제, 용량, 투여경로, 투여방법(일회, 반복적, 지속적), 마취의 깊이와 평가방법). 마취제가 사용되지 않았다면 이유를 기술하라. 소속 기관의 해당 위원회의 승인을 받은 연구라는 점을 기술하라.

사람(Human subjects)

사람이 대상인 경우 나이와 성별, 인종, 키, 체중, 건강 또는 질병 상태, 구체적인 내외과적 치료에 대해 충분한 정보를 제공해서 여러분의 데이터를 자신의 데이터와 비교하고 싶을 수 있는 연구가나 아니면 여러분의 발견을 자신의 환자에게 적용할 수 있을지 알기 원하는 임상의사에게 도움이 되도록 해야 한다. 이런 정보의 상당 부분은 표의 형태로 제시될 수 있으며 결과 섹션이 아닌 방법 섹션에서 제시되어야 한다. 어떻게 실험 대상이 선정되었는지 기술하라. 소속 기관의 해당 위원회의 승인을 받은 연구라는 점을 기술하라.

방법(Methods)

무엇을 했는가?

연구디자인. 생리학 연구와 임상 연구, 일부 생화학 연구와 같이 모든 실험이 미리 디자인되는 가설검증연구의 경우 방법 섹션 내의 "연구디자인(Study Design)"이라는 개별 서브섹션에서 실험의 전체 조망이 제시되어야 한다(연구디자인은 "Protocol"이나 "Experimental Protocol", "Experimental", "Experimental Design" 등으로도 불린다). "Protocol" 하면 대부분의 독자들이 요리책을 연상하기 때문에 좋은 제목이 아니며 요리책은 질문에 답하기 위해 수행된 실험들의 전체 조망을 제시하는 것과는 방향이 전혀 다르다).

연구디자인에는 다음과 같은 정보가 포함되어야 한다.

- **질문** (특별히 하나 이상의 질문을 던지는 논문에서)
- **독립변수(들)** (=개입)
- **종속변수(들)** (=측정된 변수)
- **모든 대조상태(controls)**
  - Baseline
  - Control series(=sham experiments, =placebo)
  - Other

또한 연구디자인에서는 다음 사항들이 분명해야 한다.

- **각 실험이 어떻게 구성되었는지**
- **순서**

- 개입 순서
- 측정 순서
- 실험 순서

· 기간

- 개입 기간
- 측정 기간
- 실험 기간

· 샘플 규모(n) (방법 섹션에서 Animals, Subjects, Data Analysis와 같은 다른 서브섹션에 기술되지 않았을 경우)

예문 5.1은 생리학 논문의 연구디자인 서브섹션이 실려있다.

예문 5.1 연구디자인

A 질문, n, 기다린 기간
B 기다리는 기간을 둔 이유
C 대조상태(control)
C, D 독립변수
E-H 측정
E 종속변수
F 독립변수
G 대조상태 변수
H postinfusion data가 없는 이유

1 [A]To determine whether increases in fetal breathing movements cause sustained increases in pulmonary artery blood flow, we studied the six fetal sheep ≥ 6 days postoperatively (gestation age, 129-138 days). [B]This waiting period allowed fetal breathing movements and pulmonary artery blood flow to return to normal after the stress of surgery. [C]Immediately after a control period of ≥ 60 min [109 ± 36 (SD) min], we rapidly infused meclofenamate (19.1 mg) into a jugular vein over 10 min followed by a constant infusion of meclofenamate (1.15 mg/h) for 240 min to induce increases in fetal breathing movements. [D]In all six fetal sheep, we started the meclofenamate infusion during high-voltage slow-wave electrocortical activity, when no fetal breathing movements were present. [E]During both the control period and the meclofenamate infusion, we continuously recorded phasic and mean blood flows through the left pulmonary artery in the fetal sheep. [F]We also continuously recorded tracheal pressure as an indicator of fetal breathing movements, amniotic pressure as a zero reference point, and electrocortical activity. [G]In addition, to ensure that the fetus was in stable condition, we continuously recorded heart rate and systemic and pulmonary artery blood pressures, and we sampled arterial blood every 30 min for determination of pH and blood gas tensions. [H]The effects of meclofenamate on the fetal sheep continued for several hours after discontinuation of the infusion, so we did not collect postinfusion data.

I-L 측정의 정확성에 대한 확인(또 다른 대조상태)

2 [I]After completion of the experiment, the ewe and fetus were killed with separate injections of barbiturate. [J]At postmortem cxamination, each fetus was carefully weighed and examined for proper placement of the electromagnetic flow transducer and catheters and patency of the left pulmonary artery. [K]In addition, the flow transducer and the tracheal and vascular catheters were confirmed to be in proper position in all fetuses. [L]There was no fibrosis or constriction of the pulmonary artery present at the postmortem examination for any fetal sheep.

이 연구디자인에는 필요한 모든 정보가 포함되어 있다.

질문(A)
독립변수(C, D, F)
종속변수(E, H)
대조상태(C, E-G, J-L)

이 연구디자인은 또한

one experiment = one fetal sheep이라는 점을 분명히 했으며,
측정 순서를 제시했고(거의 동시에; 일부는 매 30분마다)(E-G),
개입과 측정 기간을 제시했으며(C, E-G)
샘플 규모를 다시 기술하고 있다(A, D).

연구디자인 대 실험적 접근방법. 서론의 마지막 부분에 실험적 접근방법이 있을 뿐만 아니라 방법 섹션에도 연구디자인 서브섹션이 있는 논문의 경우 연구디자인과 실험적 접근방법에 다소 중첩되는 부분이 생기기 마련이다. 이렇게 교집합을 이루는 부분은 서론에서 방법 섹션으로 흐르는 줄거리를 명쾌하게 만드는 데 도움이 된다.

실험적 접근방법은 간결한 경우가 많다(연구한 동물을 언급하는 정도(제 4 장, 예문 4.4), 또는 하나의 유전자를 다른 유전자로 대치하는 것과 같은 실험의 종류를 언급하는 것(예문 4.2), 또는 새로운 바이오피드백 방법과 같은 특별한 기술을 언급하는 것(예문 4.3)). 이런 경우 연구디자인과 실험적 접근방법 간에 중첩되는 부분은 미미한 수준에 지나지 않는다. 어떤 경우에는 실험적 접근방법에서 실험에 대해 좀더 자세하게 조망하면서 독립변수나 종속변수, 독립변수의 대조상태(controls) 등에 관한 내용이 포함되는데, 이렇게 되면 연구디자인과 실험적 접근방법 간의 교집합이 커진다. 그러나 연구디자인에는 실험적 접근방법에 포함되지 않는 구체적인 세부사항(예를 들어 시간과 용량)이 포함되기 때문에 연구디자인은 가장 상세하게 쓰여진 실험적 접근방법보다도 항상 훨씬 광범위한 내용을 담게 된다. 그러므로, 모든 실험이 미리 디자

인되는 가설검증논문에서는 방법 섹션에 연구디자인 서브섹션이 반드시 요구되며, 그래야 독자는 질문에 답하기 위해 저자가 사용한 전략을 완벽하게 이해할 수 있다.

"주제문"으로서의 연구디자인. 연구디자인은 질문에 답하기 위해 수행된 실험에 관한 전체 조망을 제시하며 그 뒤에는 실험이 정확하게 어떻게 수행되었는지를 말해주는, 일종의 요리책과 같은 내용이 뒤따르기 때문에 연구디자인 서브섹션을 대상 및 방법 섹션의 여러 서브섹션에 대한 주제문으로 간주해도 무방하다. 모든 주제문이 그렇듯이 연구디자인도 가능한 간결해야 하며 그래야 전체적 조망이 분명하게 부각된다.

요리책: 어떻게 실험을 수행하였는가

방법 및 장비. 방법이나 장비를 설명하는데 필요한 정보의 양은 그 방법이나 장비가 얼마나 잘 알려져있는가에 따라 달라진다.

잘 알려진 방법이나 장비라면 설명할 필요가 없으며 예문 5.2와 같이 참고문헌만 제시하면 된다.

예문 5.2 잘 알려진 방법

In these samples, lipids were extracted (Bligh and Dyer, 1959) for phosphorus determination (Bartlett, 1959) and for thin-layer chromatography (Poorthuis et al., 1976).

잘 알려지지 않은 방법이나 장비의 경우에는 예문 5.3과 같이 핵심적인 특징들을 기술하고 참고문헌을 제시하라.

예문 5.3 잘 알려지지 않은 방법

Lamellar bodies were isolated according to a previously reported procedure (Baritussio et al., 1981). This procedure separates lamellar bodies into two populations that have different densities: light lamellar bodies, which are collected between 0.33 and 0.45 M sucrose, and dense lamellar bodies, which are collected between 0.45 and 0.58 M sucrose.

마찬가지로 어떤 방법이나 장비를 개량했다면 참고문헌을 제시하는 것 외에 개량한 것의 근본적인 특성을 기술하라. 또한 예문 5.4에서처럼 독자에게 도움이 된다면 개량한 목적까지 기술할 필요가 있다.

예문 5.4 개량한 방법

In lamellar bodies and other fractions obtained from the density gradient procedure, the amount of protein was determined (Lowry et al., 1951) using 1% sodium dodecyl sulfate (Eastman Kodak, Rochester NY) to reduce interference by lipids (Lees and Paxman, 1972).

예문 5.4에서는 "1% sodium dodecyl sulfate의 사용"이 개량된 내용이며 개량한 목적은 "지질의 간섭 작용을 감소시키는" 것이었다.

만약 개량된 내용이 사소한 것이라면 구태여 언급할 필요는 없다.

새로운 방법이나 장비의 경우에는 완벽하게 설명해서 독자들이 평가하거나 또는 완벽하게 이해한 상태에서 해당 방법이나 장비를 사용할 수 있도록 해야 한다.

데이터 분석. 측정 방법(Methods of Measurement)란이나 계산(Calculation), 데이터 분석(Analysis of Data)란에서 어떤 계산 경로를 통해 변수(예를 들어 폐혈관저항)의 값을 구하였는지를 기술하라.

데이터를 어떻게 종합했는지 기술하고 이 때 독자들에게 데이터의 규모(통계학자들이 경향의 척도라 부르는)와 변이성(variability)에 관한 정보를 제공하라. 데이터의 규모와 변이성을 요약하기 위해 제공하는 정보는 데이터가 정규분포를 따르는지 아니면 비정규분포를 따르는지에 따라 달라진다.

데이터가 정규분포를 따르는 것처럼 보이면(또는 적어도 평균값을 가운데 두고 대칭적인 분포를 보이면) 평균값과 표준편차를 가지고 데이터를 요약할 수 있다. 이 때 평균값은 데이터의 전체적인 규모를 설명해주고 표준편차는 샘플의 변이성의 척도가 된다. 흔히 평균값과 평균값의 표준오차(표준표차를 샘플 규모의 제곱근으로 나눈 값)를 가지고 데이터를 요약하기도 하는데, 이렇게 평균값과 평균값의 표준오차를 가지고 데이터를 요약하는 것은 두 가지 점에서 바람직하지 않다. 첫 번째 이유는 평균값의 표준오차가 샘플의 변이성의 척도가 되지 못한다는 점이다(즉, 모집단의 변이성의 예측치가 되지 못한다). 평균값의 표준오차는 참 평균값(즉, 모집단의 평균)의 예측치의 불확실성을 계량화하는 값에 지나지 않는다. 평균값의 표준오차를 이용해 데이터를 요약해서는 안되는 또 하나의 이유는 상당수의 독자가 평균값의 표준오차와 표준편차의 차이를 알지 못한다는 점에 있다. 이런 독자들은 평균값의 표준오차를 보면 이 값이 샘플의 변이성을 반영하는 것으로 잘못 해석한다. 이러한 오해의 소지를 없애기 위해서라도 평균값과 표준편차(샘플의 변이성을 나타내는)를 이용해 데이터를 요약하는 것이 가장 명확하다.

데이터가 비정규분포를 따를 때는(즉, 평균값보다 높은 수치들이 더 많거나 아니면 그 반대일 경우) 평균값과 표준편차를 가지고 데이터를 정확하게 요약할 수 없으며 이런 경우 중앙값과 사분위수범위(즉 제3사분위와 제4사분위 사이의 거리)를 사용해야 한다.

통계학적 분석에 관해서는 사용한 통계학적 검정 방법을 기술하고 잘 알려지지 않은 검정 방법일 경우 사용한 방법이 기술된 논문이나 책을 참고문헌에 제시해야 한다. Student t-검정이나 카이 제곱 검정, ANOVA, 선형 회귀, 상관 검정, 그 외에도 윌콕슨 검정과 같이 널리 사용되는 비모수검정법에 대해서는 별도의 참고문헌을 제시하지 않아도 좋다.

가장 간단한 형태의 통계학적 방법을 적용할 때(예를 들어 t-검정) 컴퓨터 프로그램을 이용해 데이터를 분석했다면 사용한 프로그램은 물론이고(프로그램 버전 등) 디폴트 값을 변경해 사용한 선택사항에 대해 기술해야 한다. 그리고, 참고문헌을 제시하라.

사용한 통계학적 검정법이 어떤 수치를 서로 비교하고 있는지 기술하라.

각각 비교하기 위해 분석된 샘플의 크기(n)가 연구디자인에 분명하게 명기되어 있지 않다면 데이터 분석란에서 샘플의 크기를 기술하라.

차이가 통계학적으로 유의미하다고 받아들이는 p 값에 대해 기술하라. 또한, 그림(Figure)이나 표(Table)의 각주나 결과(Results) 섹션과 같이 p 값이 각각에 해당되는 데이터와 연관되어 있을 경우에는 구체적인 p 값을 해당되는 란에 제시해야 한다.

가설을 받아들일지, 기각할지를 결정하려면 p 값만으로는 충분하지 못하며, 이는 나타난 차이가 통계학적으로는 유의미할지 몰라도 생물학적으로나 임상적으로 중요하지 않을 수 있기 때문이다. 예를 들어, 어떤 치료는 효과가 좋아서가 아니라 샘플 규모가 크기 때문에 통계학적으로 유의미한 차이를 보일 수도 있다. 따라서, 95% 신뢰구간을 계산함으로써 차이의 크기를 데이터 샘플의 변이도에 비교해 판단하는 것이 유용한 경우가 많다(참고문헌에 제시된 Glantz와 Gardner and Altman 참조).

예문 5.5 데이터 분석의 예

Data are summarized as mean ± SD.[1] To analyze the data statistically, we performed a one-way analysis of variance[2] for repeated measurements of the same variable.[3] We then used Dunnett' s multiple range t test (10)[4] to determine which means were significantly different from the mean of the control periods.[3] We considered differences significant at $P < 0.05$.[5]

1. 데이터가 요약된 방식
2. 사용된 통계학적 검정방법(잘 알려진 방법이므로 참고문헌이 필요없다)
3. 서로 비교된 수치
4. 사용된 통계학적 검정방법(잘 알려지지 않았으므로 참고문헌이 필요함)
5. 차이가 통계학적으로 유의미하다고 간주되는 P 값

준비(Preparation). 준비란 실험을 수행하기에 앞서 필요한 절차로 구성되어 있다. 예를 들어 생리학 실험에서는 마취와 도관 삽입이 준비에 포함되는 경우가 많다. 예문 5.16과 연습문제 5.1, 5.2를 참조하라.

가정(Assumptions). 만약 실험 디자인이 어떤 가정에 기초하고 있다면 그에 대해 기술하고 그 가정이 정당하다고 믿는 근거를 제시하라. 가정과 관련한 근거가 길어질 경우 고찰(Discussion)에 기술할 수도 있다(7장의 연습문제 7.10 참조).

지표(Indicator). 만약 어떤 변수의 지표를 평가했다면 그 지표가 어떤 변수의 지표인지를 분명히 하라. 예를 들어 "We infused blood into the superior and inferior venae cavae at about 25ml/kg over 2 min until mean left atrial pressure, our indicator of preload, increased by about 100%." 라고 한다면 방법(Methods) 섹션의 나머지 부분에서도 "preload" 가 아닌 "mean left atrial pressure" 에 관해 말해야 한다. 서론에서 지표가 무엇에 관한 것인지 밝혔다면 다시 방법 섹션에서 이를 확인할 필요는 없다.

왜 실험을 수행했는가: 목적과 이유

저자가 특정 실험을 수행한 이유가 독자에게 언제나 명백하게 드러나는 것은 아니기 때문에 서론에서 제기한 질문과의 연관성이 분명하지 않은 실험의 경우 그 목적이나 이유를 기술해야 한다.

목적은 보통 다음과 같이 시작된다.

- 부정사(to + 동사)(예문 5.6)
- 전치사구("For" 로 시작한 뒤에 동사에서 만들어졌거나 행동을 내포하고 있는 명사로 끝나는)(예문 5.7)

예문 5.6

The material was eluted in 5 mM Tris HCl/100 mM NaCl, pH 7.40, <u>to separate collagenase-resistant fragments from intact surfactant protein A</u>.

예문 5.7

For primary culture, the cells were resuspended in Dulbecco' s modified Eagle' s medium containing 10% (vol/vol) fetal bovine serum and gentamicin (50 μg/ml).

이유는 예문 5.8과 같이 "because" 로 시작되는 경우가 많다.

예문 5.8

Bovine serum albumin (0.1%, fraction V) was included in the binding medium **because** albumin reduced adherence of surfactant protein A to microcentrifuge tubes and tissue culture plastic ware but did not alter the binding of surfactant protein A to lung cells.

때로는 "because" 가 생략되기도 한다.

예문 5.9

Radiolabeled surfactant protein A was used within 2-3 weeks after the iodination; storage for longer periods of time reduced binding of protein to cells.

이와 비슷하게 앞에서 제시된 예문 5.1에서도 하나의 이유가 별도의 문장(문장 B)에 주어진 뒤에 또 다른 이유는 문장 앞에 "because" 를 사용해 제시하기 보다는 결과를 기술하는 두 번째 절 바로 앞에서 "so" 를 이용해 제시되고 있다(문장 H).

조직(Organization)

전반적 조직

대상 및 방법 섹션의 자연스러운 짜임새는 시간적 순서를 따른다. 또한 대상 및 방법 섹션은 여러 가지 다른 종류의 정보를 제시하는 긴 섹션이기 때문에 정보의 종류에 따라 몇 가지 서브섹션으로 나뉘어진다. 서브섹션 역시 시간적 순서를 따르며 각 서브섹션에는 고유의 소제목이 주어진다. 모든 실험이 미리 디자인되는 가설검증논문의 경우 다음과 같은 소제목들이 공통적으로 사용된다.

모든 실험이 미리 디자인되는 가설검증논문의 방법 섹션에 사용되는 공통 소제목

Animal Studies	Clinical Studies
Materials	Study Subjects
Animals	Inclusion Criteria
Preparation	Exclusion Criteria
Study Design	Study Design
Interventions	Interventions
Methods of Measurement	Methods of Measurement
Calculations	Calculations
Analysis of Data	Analysis of Data

어떤 동물 연구나 임상 연구의 경우 위에 제시된 방법 섹션의 일부 서브섹션이 필요하지 않을 수도 있으며 따라서 해당 서브섹션과 소제목은 생략된다. 예를 들어 별도의 서브섹션을 할애할 만한 세부사항이 없을 경우 "Materials"와 "Animals" 서브섹션을 생략하고 대신에 해당 내용을 "Methods of Measurement"와 "Surgical Preparation"에 각각 포함시킬 수 있다.

준비에 해당되는 내용(도관의 외과적 삽입과 같은)이 없을 경우 준비(Preparation) 서브섹션과 해당 소제목을 생략할 수 있다. 마찬가지로 "Interventions" 서브섹션도 연구디자인에 소개된 것 이상으로 자세하게 기술할 필요가 없다면 생략할 수 있다. 때로는 "Inclusion Criteria"와 "Exclusion Criteria"가 하나의 서브섹션으로 묶여지기도 하고 둘다 내용이 간결할 경우에는 "Study Subjects" 서브섹션에 포함되기도 한다.

한 실험의 결과가 다음 실험의 디자인을 결정하는 가설검증논문의 경우 서브섹션의 소제목이 좀더 구체적으로 기술되며 구체적 대상이나 다루어진 변수, 구체적인 실험 절차 등이 언급된다. 두 가지 예가 다음에 나와있다.

한 실험의 결과가 다음 실험의 디자인을 결정하는
가설검증논문의 방법 섹션에 등장하는 구체적인 소제목들

One Paper	Another Paper
Media and Growth Conditions	Trypanosomes
Plasmid Constructions	Stable Transformation
Yeast Strains	DNA Constructs
Plasmid Rescue and DNA	Transfection
Sequnece Analysis	T.brucei Relapse Experiments
Frameshift Rate Determination	In Vivo Relapses
	In Vitro Relapses
	DNA, RNA, and Protein Analyses
	Genomic DNA
	DNA Probes
	RNA Blots
	Protein Blots

연구디자인(Study Design)과 측정방법(Methods of Measurement) 간의 중첩

동물 연구와 임상 연구의 방법 섹션에서는 연구디자인 서브섹션에서 독립변수와 종속변수가 언급된다. 한편 종속변수를 측정한 방법에 관한 세부사항은 별도의 서브섹션(Methods of Measurement)에서 설명되며 결과적으로 종속변수는 방법 섹션 내에서 항상 두 번 언급된다: 즉, 한 번은 연구디자인 서브섹션에서 개괄적으로, 다른 한 번은 측정방법에서 자세히. 종속변수는 두 번 언급되기는 하지만 언급되는 내용에는 차이가 있다. 연구디자인에서는 해당 종속변수들이 측정되었다는 점이 언급되고, 측정방법에서는 해당 종속변수들이 어떻게 측정되었는지가 언급된다(이와 마찬가지로 "Interventions" 도 필요하다면 두 번 언급될 수 있다). 이렇게 같은 내용이 중첩되는 것은 한 단락의 주제문과 뒷받침문에서 핵심용어가 반복되면서 줄거리를 이어나가는 것과 다를 바 없다.

서브섹션 내의 조직

방법(Methods) 섹션 내의 각 서브섹션 내에서도 주제를 시간 순으로 또는 가장 중요한 것에서 중요하지 않은 것의 순으로 조직할 필요가 있다. 준비(Preparation) 서브섹션의 경우 시간적 순서가 가장 바람직하며, 다른 서브섹션의 경우 정보의 종류에 따라 조직이 달라질 수 있다. 독립변수와 종속변수 모두 실험 방법을 설명해야 할 경우 독립변수의 실험 방법을 먼저 설명하라(시간적 순서에 따라). 모든 변수를 동시에 측정했다면 우선 서론에 제기된 질문에 답이 되는 종속변수에 관한 방법을 기술한 뒤에 다른 종속변수에 대한 방법을 기술하는 것이 좋다(가장 중요한 것에서 중요하지 않은 것 순으로).

구성을 알리는 방법

방법 섹션의 주제들은 소제목이나 주제문 또는 연결구나 연결절을 이용해 알릴 수 있다.

소주제

소주제는 서브섹션의 주제를 알리는 데 사용되며 서브섹션은 하나 또는 하나 이상의 단락을 포함할 수 있다.

예문 5.10 단락의 주제를 알리는 소주제

Gel Filtration. After centrifugation at 100,000 × g for 20 min, soluble beef liver extracts were subjected to gel filtration on a Superose 12 column (Pharmacia) equilibrated in 20 mM MOPS (pH 7.2), 50 mM KCl, 2 mM MgCl2, 1 mM PMSF, and 10% glycerol. When indicated, the extract (200 μl at 23 mg of protein/ml) was preincubated with 1 mM ATP at 30°C for 15 min, followed by incubation with 10 U/ml apyrase on ice for 15 min and centrifugation as above.

주제문

주제문은 단락의 주제를 알리는데 사용될 수 있으며 특별히 서브섹션이 하나 이상의 단락으로 이루어져 있을 때 그러하다(예문 5.11).

예문 5.11 단락의 주제를 알리는 주제문

The effects of intra-arterial pressure gradients on steady-state circumflex pressure-flow relations derived during long diastoles were examined in five dogs. To obtain each pressure-flow point, we first set the mean circumflex pressure to the desired level and then arrested the heart by turning off the pacemaker. The pressure and flow rate were measured after a steady state was reached, usually within 2-3 s. In these experiments, one pressure-flow relation was derived in the absence of intra-arterial pressure gradients and the other in the presence of a gradient, when mean left main coronary arterial pressure was held constant at 100 mmHg.

"As follows"는 예문 5.11의 주제문의 마지막에 첨가될 수 있다. 그러나 하나 이상의 단락에 사용할 경우 지루하게 느낄 수 있으므로 조심해서 사용해야 한다.

연결구 및 연결절

대상 및 방법 섹션에서는 단락의 주제를 알리기 위해 목적을 기술하는 연결구나 연결절을 사용할 수 있다. 연결구나 연결절은 단락의 첫 문장 앞에 위치하며 문장의 뒷 부분은 실험의 첫 번째 단계를 설명한다. 단락의 나머지 문장은 그 다음 단계들을 기술한다. 예문 5.12를 보자.

예문 5.12 단락의 주제를 알리는 연결구

To prepare the enzyme solution, the cells were first incubated in lipoprotein-deficient serum for 48 h. Then, after being washed with phosphate-buffered saline three times, the cells were harvested, suspended in 3 ml of phosphate-buffered saline, and homogenized in a glass-glass homogenizer by hand. The homogenate was centrifuged at 700 × g for 10 min and the resultant supernatant was used as the enzyme solution.

단락의 주제를 알리기 위해 이러한 신호를 사용하지 않는 경우도 있으며 이런 경우에는 주어와 동사를 통해 주제가 분명하게 드러난다. 예를 들어 "Dogs were anesthetized"라고 시작되는 준비(Preparation) 서브섹션의 단락에서는 단락의 주제가 "anesthesia"가 된다.

각 부분 간의 관계

연구디자인을 질문에 연관시키라. 연구디자인이 질문과 연관되어 있다는 사실을 확인시키기 위해 연구디자인을 설명하기에 앞서 질문을 다시 기술하라. 질문은 주제문이나 연결구를 통해 다시 기술될 수 있다(예문 5.14).

예문 5.13 질문을 다시 기술하고 있는 연구디자인의 주제문

The effect of high-frequency ventilation on the discharge of the three known types of pulmonary receptors was ascertained as follows. After a single afferent nerve fiber from a slowly adapting pulmonary stretch receptor, a rapidly adapting pulmonary receptor, or a pulmonary C-fiber was identified, recordings were made for 1-2 min during normal controlled ventilation with the Harvard ventilator. The dog was then ventilated with the high-frequency ventilator and afferent nerve activity was recorded sequentially at three mean airway pressures—low, intermediate, and high (approximately 0.5, 1.0, and 1.5 kPa, respectively)—until a steady state was reached, usually 1-2 min.

예문 5.14 질문을 다시 기술하고 있는 연구디자인의 연결구

To determine the effect of beta-adrenergic agonists on clearance of liquid and protein from the lungs, we instilled into one lower lobe either serum alone (six sheep), serum mixed with terbutaline (10^{-5} M, Geigy, Summit NJ) (six sheep), or serum mixed with epinephrine (5.5×10^{-6} M, Am Quinine, Shirley NY) (six sheep), and then measured the variables described in the general protocol.

하나 이상의 질문이 있을 경우 각 연구디자인의 앞 머리에 해당 질문을 다시 기술함으로써 어떤 연구디자인이 어떤 질문과 연관되는지 독자들이 알 수 있도록 해야 한다. 질문을 다시 기술할 때는 본래 질문에 사용된 것과 동일한 핵심용어와 동일한 동사, 동일한 관점을 사용해야 한다는 점에 주의해야 하며 이렇게 할 때 질문이 서론에서 제기된 것과 동일한 질문이라는 사실을 독자가 쉽게 인식할 수 있다.

방법(Methods)을 결과(Results)와 연관시키라. 결과 섹션의 각 결과에 해당되는 방법이 방법 섹션에 있어야 한다.

길이

방법 섹션의 길이는 어떤 실험이, 어떻게 수행되었는지를 완전하고 정확하게 기술하기에 충분해야 한다. 그러나, 한 편으로는 가능한 가장 적은 수의 단어가 사용되어야 하며 불필요한 내용이 들어가서는 안 된다. 여기에서 불필요한 내용이란 논문이 실릴 저널의 독자라면 알고 있으리라 생각되는 내용을 말한다.

세부사항

동물

실험에 사용된 동물을 독자들이 확실하게 알수 있도록 "animal"이라는 일반적인 용어가 아닌 동물의 이름을 사용해야 한다(예를 들어 개나 고양이).

동사의 시제

예를들어 " we measured"나 "catheters were inserted"와 같이 방법 섹션에는 과거 시제가 사용된다(위의 예문들을 살펴보라).

그러나 논문에 제시된 데이터를 설명할 때는 현재시제를 사용해야 하며 이는 이런 종류의 정보는 여전히 참이기 때문이다. 예를 들면 다음과 같다. "Data are summarized as mean±SD."

샘플의 크기

샘플의 크기가 다양할 경우(예를 들어 한 그룹 내에 여러 서브그룹이 있을 경우) 방법 섹션에 걸쳐서 이 모든 샘플의 합이 일치해야 한다는 점에 주의해야 한다. 예를 들어 방법 섹션이 39 마리의 토끼를 가지고 실험을 수행했다는 말로 시작한 뒤에 나중에는 25 마리의 토끼는 A라는 약으로 처리되고 13 마리 토끼는 B라는 약으로 처리되었다고 하면 독자는 그렇다면 한 마리의 토끼는 약으로 처리되지 않았을까라는 의문을 갖게 된다. 또는 방법 섹션에서 11 마리의 토끼를 준비했다고 말한 뒤에 5 마리는 첫 번째 실험에 사용되었고4 마리 토끼는 두 번째 실험에, 그리고 6 마리의 토끼는 세 번째 실험에 사용되었다고 한다면 독자는 총 15 마리 중 4 마리는 왜 준비되지 않았을까라는 의문을 갖게 된다. 만약 저자의 의도가 11 마리 중 5 마리는 첫 번째 실험에 사용되었고 11 마리 중 4 마리는 두 번째 실험에, 11 마리 중 6 마리는 세 번째 시험에 사용 되었다고 말하는 것이었다면 그냥 "4"가 아니라 "4 out of 11"이라고 기술해야 한다.

마찬가지로 인간을 대상으로 한 연구에서도 실험군의 숫자가 서로 어떻게 연결되는지를 분명히 해야 한다. 예를 들어 100명을 인터뷰한 뒤에 20명을 배제시켰다면 연구에 포함된 총인원은 100명이 아니라 80명이 된다. 그리고 이 80명 중에서 30명이 어떤 연구에 사용되었다면 이 30명이 80명과 별도의 그룹이 아니라 80명의 일부라는 점을 다음과 같이 명시해야 한다. "In 30 of the 80 subjects, we tested..." 또는

"Of the 80 subjects were used, 30 were given..." 이와는 별도의 30명이 다른 연구에 사용되었다는 점을 알리려면 다음과 같이 쓰면 된다. "In 30 other subjects, we tested..." 또는 "Thirty other subjects were given..."

괄호 안의 정보

방법 섹션에서는 문장에서 문장으로 이어지는 흐름이 끊어지지 않도록 세부사항을 괄호 안에 넣는 경우가 많으며 동물이나 인간 실험군의 무게, 농도, 용량, 생산자, 모델번호 등이 흔한 예에 속한다. 다음 예문을 보자. "Horse red blood cells(Colorado Serum Company, Boulder) were washed three times in 7ml of 0.9% NaCl before use to remove preservatives." 위에 제시된 예문 5.14도 참조하라. 세부사항이 명사 앞에 쓰여질 경우에는 괄호가 사용되지 않는다. 다음 두 표현을 비교해 보라. "10mg nitroglycerin"과 "nitroglycerin(10mg)".

정확한 어휘 선택

수행한 실험을 정확하게 가리키는 동사를 사용하라: "measured", "calculated", "estimated". 다음 예문을 보자. "We measured heart rate and ventricular pressure and calculated maximal positive dP/dt." 만약 측정된 값과 개선된 값을 함께 논하고 싶다면 이 두 가지를 모두 포함하는 단어, 예를 들어 "determined"를 사용하라. 다음 예문을 보자. "We determined heart rate, ventricular pressure, and maximal positive dP/dt."

다음 용어들을 혼용해서는 안 된다:

Study: 어떤 현상이나 발달, 질문에 대한 지속적이고 체계적인 조사

Experiment: 가설의 타당성을 조사하기 위한 시험(대상이 인간일 경우에는 study라고 부른다)

Series: 서로 연관된 두 개 이상의 일련의 실험

Group: 동일하게 처리되었거나 유사한 특성을 지니는 일군의 실험동물 또는 인간.

하나의 논문은 하나의 study에 해당하지만 예문 5.15와 같이 study에는 많은 experiments와 series of experiments, groups of animals or subjects에 관한 보고가 담겨있다.

예문 5.15

In this study, the experiments were organized into two series. In the first series, we measured the loss of 9-μm-diameter microspheres from the lungs; in the second series, we measured the loss of 9-μm-diameter microspheres from the left ventricular myocardium. Each series of experiments was performed on two groups of dogs, one group anesthetized with Innovar-Vet and a 75:25 mixture of nitrous oxide and oxygen and the other group anesthetized with halothane.

관점

방법 섹션의 관점은 실험의 관점이 될 수도, 실험자의 관점이 될 수도 있다.

실험의 관점: Blood samples were drawn.
실험자의 관점: We drew blood samples.

실험의 관점이 아닌 실험자의 관점을 채택한다면 "we"로 끝나는 문장이 많아질 것이다. 그러나 "we"로 시작하는 문장이 많아지면 보기가 좋지 않기 때문에 그런 관점을 채택할 경우 "we"의 사용을 최소한 줄이고 대신에 문장의 도입부에 변화를 주어야 한다. "we"를 최소한으로 유지하려면 한 가지 실험 절차의 모든 단계를 한 문장에 집어넣어야 한다,

We **dehydrated** the pellets, **cleared** them with propylene oxide, and **embedded** small pieces of each pellet in blocks of Spurr' s resin.

"we"가 눈에 거슬리지 않게 하려면 문장의 앞 부분에 변화를 주면 된다. 시간을 가리키는 연결어휘나 연결구를 이용해보자.

After 30 s, we centrifuged the samples.
Then we centrifuged the suspension as before.

어떤 문장은 목적으로 시작해도 좋다.

To prepare isolated surface layers for electron microscopy, we resuspended the 0.1-ml pellets of packed, washed surface layers in 0.2-0.3 ml of buffer, and pipetted this concentrated suspension into a 35-mm-diameter plastic culture dish partially filled with hardened epoxy resin that had been coated with polylysine.

이유로 시작할 수도 있다.

Because these surface layers did not stick well to polylysine, we processed them as small pellets.

실험의 첫 단계와 연결되는 구로 시작할 수도 있다.

After fixing the surface layers for 0.5-2 h, we rinsed them three times in glycine-free buffer and then post-fixed them in 1% OsO_4 in glycine-free buffer for 0.5-1 h.

방법 섹션에서 관점을 다루는 법

가장 단순하게 기술하려면 방법 섹션 전체를 하나의 관점으로 기술하면 된다. 실험의 관점을 선택하면 주제가 문장의 주어가 되는 장점이 있기 때문에 중요한 주제(방법, 변수 등)를 강조할 수 있다. 반면에 이 관점을 사용하면 대부분의 문장이 수동태가 되는 단점이 있으며 그렇게 되면 문장이 무미건조해진다. 그러나 독자가 방법 섹션을 읽는 목적은 정확한 정보를 얻는 것이기 때문에 무미건조함에서 오는 단점보다는 주제를 문장의 주어로 삼는 데서 오는 장점이 일반적으로 더 크다. 따라서 실험의 관점에서 방법 섹션을 써 나가는 것이 방어에 유리한 선택이라 할 수 있다. 반대로, 실험자의 관점을 사용하면("we") 능동태가 동반되기 때문에 논문에 훨씬 생기가 감돌며 물론, 그렇게 되면 주제를 문장의 주어로 삼는 것은 포기해야 한다. "we"를 사용하는 것은 저자를 제외한 다른 사람(예를 들어 테크니션)이 실제로 실험을 수행하였을 경우에도 적절하지 않다. 또한 "we"는 주의 깊게 다루어지지 않으면 분위기를 산만하게 만든다. 그렇지만, "we"를 잘 다룰 수만 있다면 실험자의 관점에서 방법 섹션을 기술하는 것도 나쁘지 않은 선택이며 두 가지 관점이 모두 유용하게 쓰일 수 있기 때문에 본인이 스스로 편안하게 느끼는 관점을 채택하면 된다.

좀더 세련되게 쓰려면 일부 서브섹션에서는 실험의 관점을, 다른 서브섹션에서는 실험자의 관점을 사용할 수도 있다. 예를 들어 예문 5.1의 첫 번째 단락과 같이 연구디자인 서브섹션에서 "we"를 사용할 수도 있고 반면에 예문 5.4의 측정방법 서브섹션에서처럼 "we"를 사용하지 않을 수도 있다. 이 방법의 장점은 한 가지 관점으로는 서술하기 어려운 서브섹션을 다른 서브섹션과 다르게 기술할 수 있다는 점이다.

이보다 더 세련되게 서술하려면 주어진 서브섹션을 위해 한 가지 관점을 채택한 뒤에 구체적이고 분명한 이유가 있을 경우 서브섹션 내의 일부 문장들을 다른 관점에서 서술할 수도 있다. 예를 들어 예문 5.16과 같이 줄거리의 진행과 관계된 문장에서는 실험자의 관점을 사용하고 줄거리의 진행과 관계 없는 문장에서는 실험의 관점을 사용할 수도 있다. 이렇게 하면 글의 흐름이 부드럽고 명료해 진다.

그러나 한 단락 내에서 특별한 이유 없이 두 가지 관점을 넘나드는 일은 반드시 피해야 한다.

예문 5.16 방법 섹션에서 관점을 다루는 법

*A*Five mongrel dogs, weighing 17.1 to 27.2 kg, were anesthetized with sodium pentobarbital (Nembutal, Abbott Laboratories, 25 mg/kg, i.v.), intubated, and ventilated with a positive pressure respirator (Model 607, Harvard Apparatus Co., Millis, MA). *B*To maintain anesthesia during surgery and during the experiment, we gave additional doses of sodium pentobarbital (0.5-1.0 mg · kg-1 · h-1). *C*We performed a thoracotomy through the fourth left intercostal space. *D*Through a 1- to 2-cm incision in the pericardium, we inserted a multiple-side-hole polyvinyl catheter and a 2 × 3 cm flat silastic balloon, which we placed at the level of the mid-left ventricle when the dog was supine. *E*The catheter and the balloon were used to measure pericardial pressure. *F*The catheter was also used to inject fluid into the pericardial cavity. *G*We sutured the incision in the pericardium watertight and placed a second flat balloon at the level of the first balloon on the outside of the pericardium in order to measure pleural pressure. *H*We led all three tubes through the thoracotomy incision. *I*Then we inserted a chest tube through a separate incision and advanced it behind the sternum about 20 cm towards the diaphragm. *J*We sutured both incisions and connected the chest tube to a suction line to remove the air from the chest.

이 단락은 다음의 두 곳을 제외하고는 실험자의 관점으로 쓰여 졌다: 첫 문장("we"로 시작하는 것을 피하기 위해), catheter와 balloon의 목적을 설명하는 두 문장(E, F). 이 두 문장은 단락의 다른 문장들과는 달리 줄거리를 진행시키지 않는다. 저자는 모든 문장이 "we"로 시작되는 것을 막기 위해 노력하고 있다: 열 문장 중에서 세 문장은 명사로 시작하고 있으며(밑줄쳐진), 네 문장은 "we"로 시작한다. 나머지 세 문장에서는 "we"로 시작하는 것을 피하고 있다(밑줄친 이탤릭체). 이 단락에서는 "we"를 아예 사용하지 않을 수도 있었지만 그렇게 했다면 지금 같이 활기찬 느낌은 없을 것이다.

측정의 단위

반드시 국제단위체계(SI units)를 사용해야 한다. 국제단위체계와 약어는 CBE Style Manual과 같은 참고도서나 Young이 Annals of Internal Medicine(1987)에 기고한 글 등을 참고하면 된다.

대상 및 방법 섹션을 위한 가이드라인

역할

훈련받은 과학자가 연구를 평가하거나 반복하기에 충분한 세부사항과 참고문헌을 제공하는 것.

줄거리

모든 실험이 미리 디자인되는 가설검증논문에서 방법 섹션의 연구디자인 서브섹션은 논문 줄거리의 두 번째 단계, 즉 질문에 대답하기 위해 수행한 실험에 대한 개요를 제공한다.

내용

대상(Materials)

화학제품(drugs, culture media, buffers, gases)
실험 대상(분자, 세포주, 조직)
실험 동물 또는 인간 피험자

방법(Methods)

실험의 개요

기술연구의 경우, 실험의 개요는 서론의 마지막 부분에 나오는 실험적 접근방법에서 제공된다.
하나의 실험이 다음 실험을 결정하는 가설검증연구에서는 실험의 개요가 서론의 마지막 부분에 나오는 실험적 접근방법에서 제공된 뒤, 개요에 나온 각 단계들이 결과 섹션을 관통하며 지나간다.
모든 실험이 미리 디자인되는 가설검증연구에서는 실험의 개요가 방법 섹션의 연구디자인 서브섹션에서 제공된다.

연구디자인(모든 실험이 미리 디자인되는 가설검증연구의 경우)
구성요소:
질문
독립변수
종속변수
모든 대조상태(controls)
주안점:
하나의 실험의 구성요소가 무엇인지
조작의
측정의순서
실험의
조작의
측정의 기간
실험의
샘플 규모(방법 섹션의 다른 곳에서 기술되지 않은 경우)
연구디자인을 방법 섹션을 위한 일종의 주제문으로 간주할 수도 있다.
요리책(모든 종류의 연구에 해당)
요리책에는 다음과 같은 주제가 포함된다:
방법과 장비
데이터 분석
준비(Preparation)
가정(Assumptions)
지표(Indicators)
또한, 논문이 제기한 질문과의 관계가 분명하지 않은 절차의 경우 목적과 이유가 반드시 포함되어야 한다.

조직(Organization)

전체적인 조직

방법 섹션은 연대기 순으로 조직하라.

모든 실험이 미리 디자인되는 가설검증논문의 서브섹션에는 공통 소제목을 사용하라.

모든 실험이 미리 디자인되는 가설검증논문의 방법 섹션에 사용되는 공통 소제목

Animal Studies	Clinical Studies
Materials	Study Subjects
Animals	Inclusion Criteria
Preparation	Exclusion Criteria
Study Design	Study Design
Interventions	Interventions
Methods of Measurement	Methods of Measurement
Calculations	Calculations
Analysis of Data	Analysis of Data

하나의 실험이 다음 실험을 결정하는 가설검증논문의 서브섹션에는 구체적인 소제목을 사용해야 하며 구체적인 대상(material)이나 변수, 구체적인 실험 절차를 소제목으로 사용할 수 있다.

서브섹션 내에서는
- 연대기 순으로 조직하던가 아니면
- 중요한 순으로 조직하라.

조직을 알리는 신호
- 소제목
- 주제문
- 연결구나 연결절

길이

수행한 실험을 설명하기에 충분해야 하지만 불필요한 어구나 성가실 만큼 자세한 내용을 포함시켜서는 안된다.

세부사항

방법 섹션 전체에 걸쳐서 연구한 동물의 이름(예를 들어, 개나 고양이)을 사용하라. "animal"과 같은 일반용어를 사용해서는 안된다.

방법은 과거시제로 기술하라.

"In 4 of the 11 rabbits"나 "In 30 other subjects"와 같이 샘플 규모 간의 관계를 분명하게 밝히라.

"measured"와 "calculated", "estimated"를 구분하라. 이들 중 두세 개를 함께 설명할 필요가 있을 때는 "determined"를 사용하라.

"study"와 "experiment", "series"와 "group"을 구분하라.

본인이 선호하는 관점에 따라 주어를 사용하라.

주제에 초점을 맞추려면, 주제를 주어로 삼으라.

글을 생생하게 만들고 싶다면, "we"를 주어로 삼으라.

국제단위체계(SI 단위)를 사용하라.

연습문제 5.1: 명쾌하게 쓴 방법 섹션

1. 방법 섹션의 왼쪽 여백에 각 단락의 주제를 기입하라.
2. 연구디자인 서브섹션은 질문에 대답하기 위해 수행한 실험을 설명하는 단락이다. 이 단락 옆에 "실험"이라고 표시하라.
3. "실험"이라고 표시한 연구디자인 서브섹션에서
   a. 질문과 실험적 접근방법 모두에서 독립변수를 찾으라.
   b. 질문과 실험적 접근방법 모두에서 종속변수를 찾으라.
   c. 모든 대조상태(controls)를 찾으라.
   다음의 질문에 대답하라.
   d. 하나의 실험의 구성요소가 무엇인가?
   e. 실험의 순서가 분명한가?
   f. 실험은 얼마나 오래 지속되었는가?
   g. 샘플 규모(n)는 어느 정도인가?

4. 이 방법 섹션에서, 단락의 주제를 알리는 각 기법의 예를 하나씩 찾으라.
   a. 주제문
   b. 연결구

5. 이 방법 섹션에서 연속성을 유지하기 위한 각 기법의 예를 하나씩 찾으라.
   a. 핵심용어의 반복
   b. 연결어휘나 연결구, 연결절
   c. 일관적인 순서
   d. 일관적인 관점
   e. 대구 형식
   f. 단락 내의 소주제를 알리는 신호

6. 이 방법 섹션에서, 중요한 순으로 조직된 서브섹션의 예를 하나 찾으시오.

대조상태(Controls)의 몇 가지 예:

Baseline: 조작이 가해지기 전체 측정된 변수

Sham(control series): 조작이 가해지지 않았다는 점 외에는 동일한 실험. 예를 들어, 약물 운반체는 주입되었지만, 약물은 주입되지 않았다.

Blocking: 조작을 특수하게 막는 물질(blocker)이 존재하는 가운데서 실험이 반복되는 경우.

Verification: 잠재적인 중첩변수(confounding variable)를 시험할 때.

이 논문이 제기한 질문은 다음과 같다: “Does stimulation of pulmonary C-fibers reflexively evoke increased secretion from tracheal submucosal glands?” 이 질문에 답하기 위해, 저자는 capsacin 주입을 통해 pulmonary C-fibers를 자극한 개의 기관 분절(segments of trachea)을 가지고 실험했으며, 다음에는 tracheal submucosal glands의 분비물이 측정되었다.

주제

연속성의 기법

MATERIALS AND METHODS

Preparation

1 *A*Nine dogs (14-25 kg) were anesthetized with thiopental sodium (25 mg/kg i.v.) followed by chlor-alose (80 mg/kg i.v.). *B*Supplemental doses of chloralose (10 mg/kg i.v.) were given hourly to maintain anesthesia. *C*The dogs were paralyzed with decamethonium bromide (0.1 mg/kg) 10 min before measurements of tracheal secretion.

2 *D*The trachea was cannulated low in the neck, and the lungs were ventilated with 50% oxygen in air by a Harvard respirator (model 613), whose expiratory outlet was placed under 3-5 cm of water. *E*Percent CO_2 in the respired gas was monitored by a Beckman LB-1 gas analyzer, and end-expiratory CO_2 concentration was kept at about 5% by adjusting the ventilatory rate. *F*Arterial blood samples were withdrawn periodically, and their Po_2, Pco_2, and pH were determined by a blood gas/pH analyzer (Corning 175). *G*Sodium bicarbonate (0.33 meq/ml) was infused i.v. (1-3 ml/min) when necessary to minimize a base deficit in the blood.

3 *H*The chest was opened in the midsternal line and a catheter was inserted into the left atrium via the left atrial appendage. *I*Catheters were also inserted into the right atrium via the right jugular vein and into the abdominal aorta via a femoral artery.

4 *J*A segment of the trachea (4-5 cm) immediately caudal to the larynx was incised ventrally in the midline and transversely across both ends of the midline incision. *K*The dorsal wall was left intact. *L*Each midline cut edge was retracted laterally by nylon threads to expose the mucosal surface. *M*The threads were attached to a stationary bar on one side and to a force-displacement transducer (Grass FT03) on the other. *N*The segment was stretched to a baseline tension of 100-125 g.

Study Design

5 *O*To determine whether stimulation of pulmonary C-fibers reflexively evokes increased secretion from tracheal submucosal glands, we stimulated pulmonary C-fiber endings in each of the 9 dogs by injecting capsaicin (10-20 μg/kg) into the right atrium. [P]Capsaicin was taken from stock solutions prepared as described elsewhere (4). [Q]At 10-s intervals for 60 s before and 60 s after each injection, we measured secretions from tracheal submucosal glands. [R]As a control, in the same 9 dogs we measured secretion in response to injection of vehicle (0.5-1.0 ml) into the right atrium. [S]Injections were separated by resting periods of about 30 min.

6 [T]Although capsaicin selectively stimulates pulmonary C-fibers from within the pulmonary circulation, it is likely to stimulate other afferent pathways, including bronchial C-fibers, once it passes into the systemic circulation (2, 5). [U]To verify that secretion in our experiments was not caused by systemic effects of capsaicin, we next measured secretion after injecting capsaicin (10-20 μg/kg) into the left atrium and again, 30 min later, into the right atrium of all 9 dogs.

7 [V]Finally, to verify that stimulation of pulmonary C-fibers was responsible for the secretions, we measured secretion in response to capsaicin (10-20 μg/kg into the right atrium) in the 9 dogs before and after blocking conduction in both of the cervical vagus nerves, which carry the pulmonary C-fibers. [W]We blocked conduction either by cooling the nerves to 0°C as described elsewhere (8) (4 dogs) or by cutting the nerves (5 dogs). [X]Before the first blocking experiment on each dog, we cut the recurrent and pararecurrent nerves so that the tracheal segment received its motor supply solely from the superior laryngeal nerves (14). [Y]Consequently, when we cooled or cut the midcervical vagus nerves during an experiment, we could be certain that the changes in the tracheal responses were caused by interruption of the afferent vagal C-fibers.

8 [Z]As a further check on the effects of stimulating (and blocking) pulmonary C-fibers, in each of these experiments we also measured heart rate, mean arterial pressure, and isometric smooth muscle tension of the tracheal segment, which are known to be altered reflexively by stimulation of pulmonary C-fibers (3).

Methods of Measurement

9 *AA*The rate of secretion from submucosal gland ducts was assessed by counting hillocks of mucus per unit time as described elsewhere (8). *BB*Briefly, immediately before each measurement, the mucosal surface was gently dried and sprayed with tantalum. *CC*The tantalum layer prevented the normal ciliary dispersion of secretions from the openings of the gland ducts, so the accumulated secretions elevated the tantalum layer to form hillocks. *DD*Hillocks with a diameter of at least 0.2 mm were counted in a 1.2 cm^2 field of mucosa. *EE*To facilitate counting, the mucosa of the retracted segment was viewed through a dissecting microscope, and its image was projected by a television camera (Sony AVC 1400) onto a television screen together with the output from a time-signal generator (3M Datavision DT-1). *FF*The image and the time signal were recorded by a videotape recorder (Sony VO-2600) for subsequent playback and measurement of the rate of hillock formation.

10 *GG*Heart rate, mean arterial pressure, and isometric smooth muscle tension of the tracheal segment were recorded continuously throughout each experiment by a Grass polygraph. *HH*Heart rate was measured by a cardiotachometer triggered by an electrocardiogram (lead II). *II*Arterial pressure was measured by a Statham P25Db strain gauge connected to the catheter placed in a femoral artery. *JJ*Isometric smooth muscle tension in the segment was measured by a Grass FT03 force displacement transducer attached to the lateral edge of the retracted segment, as described elsewhere (1, 14).

Statistical Analysis

11 *KK*Data are reported as mean ± SD. *LL*To determine if there were significant differences in secretion before and after stimulation within each experiment, or significant differences in secretion between experiments, we performed two-way repeated-measures analysis of variance. *MM*When we found a significant difference between experiments, we performed the Student-Newman-Keuls test to identify pairwise differences. *NN*We considered differences significant at $P < 0.05$.

연습문제 5.2: 방법 섹션의 내용과 조직

1. 이 방법 섹션의 각 서브섹션에 대해 적절한 소제목을 목록으로 작성한 뒤, 순서를 바로 잡으라.
2. 적어도 다음 중 하나의 서브섹션을 교정하라:
   a. 연구디자인
      교정문에서,
      i. 우선 개요를 제시한 뒤 세부사항을 제시하라. 반복을 피하라.
      ii. 개요에 독립변수와 종속변수를 모두 포함시키라.
      iii. 연구디자인에 모든 대조상태(controls)를 포함시키라.
      iv. 분명하지 않은 절차의 목적을 밝히라.
      v. 샘플 규모(n)를 밝히라.
      vi. 다른 곳에 속해야 한다고 생각되는 정보를 생략하라. 해당 정보가 어디로 가야하고 왜 그런지를 설명하라.
   b. 계산
      교정문에서,
      i. 질문의 종속변수(production of prostaglandin E2)가 계산된 방법을 밝히라.
      ii. 가장 바람직한 조직 방법을 찾으라.
      iii. 분명하지 않은 절차를 밝히라.
      iv. 다른 곳에 속해야 한다고 생각되는 정보를 생략하라. 해당 정보가 어디로 가야하고 왜 그런지를 설명하라.

참고:

시간과 흥미가 있다면, 방법 섹션 전체를 고쳐 쓰라.

더 도전해 보고 싶다면 교정할 때 “we”를 사용하라. 이 때 “we”가 문장의 앞머리에 오지 않도록 노력하라.

이 논문이 제기하는 한 가지 질문은 다음과 같다: “Does exogenous arachidonic acid increase prostaglandin E_2 production in the ductus arteriosus?”

다음에 나와있는 예문은 이 질문과 관련된 방법 섹션의 일부다. 연구디자인을 보여주는 다이어그램은 다음과 같다:

Experiment

buffer	AA	\ \	AA + indo
90 min	90 min	30 min	90 min

Sham Control

buffer	buffer	\ \	buffer
90 min	90 min	30 min	90 min

MATERIALS AND METHODS

주제

Preparation of Ductus Arteriosus Rings

1 [A]After the pregnant ewes were given spinal anesthetics, breed-dated fetal lambs between 122 and 145 days of gestational age (term is 150 days) were delivered by cesarean section and exsanguinated. [B]he ductus arteriosus was removed from the lamb, dissected free of adventitial tissue, and divided into 1-mm-thick rings. [C]The rings were placed in glass vials containing 4 ml of buffer (50 mM Tris HCl, pH 7.39, containing 127 mM NaCl, 5 mM KCl, 2.5 mM $CaCl_2$, 1.3 mM $MgCl_2 \cdot 6H_2O$, and 6 mM glucose) at 37°C. [D]The preparation was allowed to stabilize for 45 min before experiments were begun.

Arachidonic Acid-induced Prostaglandin E2 Production

2 [E]To determine whether exogenous arachidonic acid increases prostaglandin E2 production, eight rings of ductus arteriosus were placed in fresh buffer and incubated at 37°C for 90 min. [F]After this, the buffer solution was collected for measurement of baseline prostaglandin E_2 production. [G]Next, the rings were placed in fresh buffer containing 0.2 μg/ml arachidonic acid (Sigma) (0.67 μM) and incubated for 90 min. [H]The buffer was then collected for measurement of prostaglandin E2 and the rings were washed with fresh buffer for 30 min. [I]Finally, the rings were placed in fresh buffer containing 0.2 μg/ml arachidonic acid and 2 μg/ml indomethacin (Sigma) (5.6 μM) and incubated for 90 min. [J]After this incubation, the buffer solution was collected again for measurement of prostaglandin E_2. [K]The rings of ductus arteriosus were blotted dry and weighed (wet weight). [L]The mean weight was 22.1 ± 8.3 (SD) mg tissue per experiment.

3 *M*Recovery of prostaglandin E_2 from the buffer solution was calculated and prostaglandin E_2 content was measured as follows. *N*So that percent recovery could be calculated, 3H-prostaglandin E_2 (6000 dpm, 130 Ci/mmol; New England Nuclear) was first mixed with the buffer solution from each incubation. *O*The solutions were then acidified to pH 3.5 with 1 N citric acid. *P*The prostaglandins were extracted with a mixture of cyclohexane and ethyl acetate (1:1) and purified in silicic acid microcolumns (4). *Q*Recovery was calculated by measuring radioactivity after extraction and comparing it to radioactivity measured before extraction. *R*Prostaglandin E_2 content was measured by radioimmunoassay (4) using a specific rabbit antiserum against an albumin-conjugated prostaglandin E_2 preparation. *S*Recovery of prostaglandin E_2 ranged from 50 to 70%. *T*Prostaglandin E_2 production is reported as pg/mg wet weight per 90 min incubation.

4 *U*In a control series of experiments, we measured prostaglandin E_2 production at the same 90-min intervals with the rings incubated in fresh buffer bubbled with oxygen.

5 *V*Stock solutions of indomethacin (16 mg/ml) and arachidonic acid (0.33 mg/ml) were prepared in ethanol each day. *W*The maximum concentration of ethanol in the incubation medium had no effect on prostaglandin E_2 production.

6 *X*Data are summarized as mean ± SD. *Y*To determine whether prostaglandin E_2 production differed among the three treatments, we analyzed the data with a single-factor repeated-measures analysis of variance. *Z*Then, to determine which treatment groups were different from the others, we conducted multiple comparisons with the Student-Newman-Keuls test. *AA*We considered differences significant at $P < 0.05$.

제6장 결과

역할

결과 섹션의 역할은 대상 및 방법 섹션에서 설명된 실험의 결과를 기술하는 것이다. 또한 결과 섹션은 결과를 뒷받침하는 데이터를 제공하는 그림과 표로 독자를 이끄는 역할을 한다.

줄거리

결과 섹션은 두 종류의 가설검증연구에서 여러 가지 방식으로 줄거리를 이어 나간다. 모든 실험이 미리 디자인되는 가설검증연구의 경우, 결과 섹션은 줄거리의 세 번째 단계, 즉 결과를 기술한다. 한 실험의 결과가 다음 실험을 결정하는 가설검증연구의 경우, 결과 섹션은 줄거리의 두 번째 및 세 번째 단계 즉 수행된 실험과 발견한 결과를 기술한다. 따라서 이 두 종류의 가설검증연구의 경우 줄거리의 두 번째 단계가 논문의 서로 다른 섹션에 등장하게 된다.

	논문의 섹션	
줄거리의 단계	모든 실험이 미리 디자인되는 경우	한 실험이 다음 실험을 결정하는 경우
질문	서론	서론
수행한 실험	**방법(연구디자인 서브섹션)**	**결과**
발견한 결과	결과	결과
대답	고찰	고찰

기술 연구(descriptive studies)나 방법논문의 결과 섹션은 모든 실험이 미리 디자인되는 가설검증연구의 결과 섹션과 유사하다. 기술 연구의 경우, 결과 섹션은 특정 구조를 기술하기 위해 수행한 실험의 결과를 기술한다. 마찬가지로 방법논문의 경우, 결과 섹션은 새로운 방법이 얼마나 잘 작동하는지 평가 받기 위해 수행한 실험의 결과를 기술하며, 새로운 방법 자체는 방법 섹션에 기술된다.

이번 장에서는 두 가지 종류의 가설검증연구의 결과 섹션을 다루게 될 것이다.

내용

결과 섹션에 포함되는 요소

결과 섹션의 가장 주된 정보는 결과이지만, 그렇다고 실험이나 관찰을 통해 얻은 모든 결과를 보고할 필요는 없으며 결과 섹션에서는 서론에서 제기된 질문에 적합한 결과만을 보고하면 된다. 또한 결과가 가설을 뒷받침하는지 그렇지 않은지가 포함되어야 하며 실험군과 대조군의 결과가 모두 포함되어야 한다.

결과를 제시하는 것 외에도 결과 섹션에는 약간의 데이터가 포함될 수 있지만 대부분의 데이터, 특별히 가장 중요한 데이터는 쉽게 이해할 수 있는 그림이나 표로 제시되어야 한다.

일반적으로 결과 섹션에는 다른 사람의 결과와 비교하는 것과 같이 참고문헌이 필요한 진술이 담겨 있지 않다. 그러나 짧은 비교(한 두 문장의)가 고찰에 잘 들어맞지 않을 경우 결과 섹션에 포함시켜도 무방하다.

한 실험의 결과가 다음 실험을 결정하는 가설검증연구의 경우, 결과 섹션의 질문과 연구디자인(수행된 실험의 개요), 그리고 필요하다면 실험의 배경과 목적, 이유 등도 포함될 수 있다. 뒤에 나오는 조직(Organization) 파트를 참조하라.

결과 및 데이터

결과는 데이터와 다르다. 데이터는 실험과 관찰에서 얻어진 사실이며 수치로 표현되는 경우가 많다. 데이터의 형태는 측정된 그대로이거나(예를 들어, 실험 중에 측정된 phospholipid의 농도) 요약된 형태(예를 들어, 평균이나 표준편차), 또는 변형된 형태(예를 들어, 퍼센트)로 나타날 수 있다. 결과(Results)란 데이터를 해석하는 일반적인 진술을 의미한다(요컨대, "Propranolol given during normal ventilation decreased phospholipids concentrations").

데이터만으로는 부족하며 반드시 결과(데이터의 의미)가 기술되어야 한다. 좋은 예로 예문 6.1에서 두 문장으로 된 데이터를 읽고 독자들은 어떤 생각을 하겠는가?

예문 6.1 결과가 없는 데이터

In the 20 control subjects, the mean resting blood pressure was 85 ± 5 (SD) mmHg. In comparison, in the 30 tennis players, the mean resting blood pressure was 94 ± 3 mmHg.

데이터가 서로 유사한가 아니면 다른가? 무엇이 핵심인가? 결과 섹션의 목적은 논점을 분명하게 하는데 있다. 논점을 분명하게 하려면 교정문 A처럼 결과를 먼저 진술한 뒤에 데이터를 제시하거나 아니면(더 좋은 방법은) 그림이나 표를 사용해야 한다.

교정문 A 결과의 기술

The mean resting blood pressure was higher in the 30 tennis players than in the 20 control subjects [94 ± 3 (SD) vs. 85 ± 5 mmHg, P 〈 0.02].

교정문 A에서는 논점이 분명하다: "was higher". 이 문장은 이제 결과를 기술하고 있으며 데이터는 결과 뒤의 괄호 안에 주어졌다(통계적 유의성에 관한 P 값은 차이가 우연히 일어날 가능성이 낮다는 사실에 대한 증거로 제시되었다). 그러나 대부분의 경우, 데이터는 텍스트의 형태보다는 예문 6.7과 같이 그림이나 표로 제시되어야 한다.

또한 단순히 "was less than" 이나 "was greater than", "decreased", "increased" 라고 말할 수도 있지만 교정문 B와 같이 차이의 규모에 대한 전반적인 개념을 제시하거나 또는 퍼센트를 사용해서 변화를 나타낼 수도 있다.

교정문 B 규모에 대한 전반적인 개념

The mean resting blood pressure was 10% higher in the 30 tennis players than in the 20 control subjects [94 ± 3 (SD) vs. 85 ± 5 mmHg, P 〈 0.02].

이 진술은("was 10% higher") 데이터만을 제시하는 것(94±3 vs. 85±5mmHg) 보다 차이의 규모에 더욱 단순하고 명쾌한 개념을 제시한다.

지표와 변수

어떤 변수의 지표를 평가했다면 결과 섹션에서 그 지표의 결과를 기술해야 한다.

예를 들어 기관지 수축의 지표로 기도 저항을 평가했다면 기도 저항에 관한 결과를 제시해야 한다.

데이터의 정확성과 일관성

데이터는 정확해야 하며 내부적으로 일관성이 있어야 한다. 예를 들어 어떤 수치가 결과와 고찰 모두에 등장하거나 결과와 그림/표에 등장한다면 그 값은 양쪽에서 일치해야 한다.

통계적 분석

통계학적으로 분석된 정규분포 데이터의 경우, 평균값과 평균값으로부터 변이성을 가늠하게 해주는 통계량(예를 들어, 표준편차나 사변위수범위)과 더불어 구체적인 통계학적 방법을 명기해야 한다. 또한 샘플의 규모(n)와 통계학적 유의도 테스트를 위한 확률값도 제시하도록 하라(예문 6.1의 교정문을 보라).

통계학적으로 분석된 비정규분포 데이터의 경우 중앙값과 사변위수범위(즉, 일사변위수와 삼사변위수의 차이)를 보고하면 된다.

통계학적 검증 결과를 보고할 때는 독자들이 결과의 생물학적, 임상적 중요성을 더 잘 판단할 수 있도록 P 값 외에 95% 신뢰구간을 보고하는 것이 도움이 될 때가 많다(Glanz, Gardener and Altman 참조).

조직(Organization)

결과 섹션은 보통 시간적 순서에 따라, 즉 실험이 수행된 순서에 따라 짜여지게 된다.

모든 실험이 미리 디자인되는 연구

모든 실험이 미리 디자인되는 연구의 경우 방법 섹션에 연구디자인이 포함되며 따라서 결과 섹션에서는 단순히 한 단락마다 한 가지 주제를 기술하기만 하면 된다. 결과는 시간적 순서를 따르거나 가장 중요한 것에서 중요하지 않은 순으로 기술하면 된다. 가장 중요한 순으로 기술할 경우에는 질문에 대한 대답이 되는 결과를 결과 섹션의 앞부분에 놓거나 첫 단락과 연속되는 단락들의 앞 부분에 놓으면 된다. 다음 예문(6.2)에서는 변수들이 동시에 측정되었으며 따라서 결과 섹션은 가장 중요한 것에서 중요하지 않은 것 순으로 기술되어 있다.

예문 6.2 모든 실험이 미리 디자인된 가설검증연구에서 발췌된 결과 섹션

질문: Whether pulmonary hypertension is progressive in patients with systemic lupus erythematosus.

연구디자인: To answer this question, the authors performed a complete Doppler echocardiographic examination in each of 28 patients and 20 control subjects and compared the results with those from a similar study done 5 years earlier. The variable used as an indicator of pulmonary hypertension was pulmonary artery pressure. In addition, pulmonary vascular resistance was measured as the possible cause of the increase in pulmonary artery pressure.

Results

1 ***Pulmonary Artery Pressure.*** [A]The prevalence of pulmonary hypertension in the systemic lupus erythematosus patients increased from 14% (5 of 36 patients) in the first study to 43% (12 of 28 patients) in the second study, done 5 years later. [B]Similarly, our indicator of pulmonary hypertension, mean systolic pulmonary artery pressure, increased from a mean of 23.4 mmHg in the first study to a mean of 27.5 mmHg in the second study (Fig. 1). [C]In the second study, mean systolic pulmonary artery pressure was higher in the lupus patients than in the controls (27.5 vs. 22.5 mmHg, p 〈 0.005). [D]Right atrial pressure, estimated from observation of the vena cava, was normal in all 28 lupus patients and all 20 controls.

2 [E]Of the 5 patients who had pulmonary hypertension at the first study, 2 had died at the time of the second study, 1 had persistent pulmonary hypertension, and 2 had normalized systolic pulmonary artery pressure. [F]Of the 12 patients who had pulmonary hypertension at the second study, 11 had had normal pulmonary artery pressure at the first study. [G]The mean increase in pulmonary artery systolic pressure for these 11 patients was 9.4 mmHg.

3 ***Pulmonary Vascular Resistance.*** [H]Pulmonary vascular resistance also increased in the lupus patients, from a mean of 5.1 mmHg/L/min in the first study to a mean of 7.1 mmHg/L/min in the second study (Fig. 2). [I]In the second study, mean pulmonary vascular resistance was higher in the lupus patients than in the controls (7.1 vs. 5.6, p 〈 0.005). [J]Additionally, in the 12 patients with pulmonary hypertension at the second study, pulmonary vascular resistance was higher than in the 15 patients who had normal pulmonary artery pressures (Table III). [K]Of the two patients whose pulmonary artery pressure normalized from the first to the second study, one had no change in cardiac output and a decrease in total pulmonary vascular resistance (from 6.0 to 3.9 mmHg/L/min), and the other had a decrease of 2.3 L/min in cardiac output.

모든 실험이 미리 디자인된 이 결과 섹션은 가장 중요한 것에서 중요하지 않은 것 순으로 짜여져 있으며 따라서 질문에 담겨 있는 종속변수의 지표가 먼저 등장하고(단락 1, 2) 다음에 다른 종속변수가 등장한다(단락 3).

마찬가지로 각 서브섹션 내에서도 결과는 가장 중요한 것에서 중요하지 않은 것 순으로 기술되고 있다. 우선 변수에 관한 결과가 나오고(문장 A, B, H), 다음에 뒷받침하는 세부사항(C, D; I, J)과 각 환자의 세부사항(E-G; K)이 나온다.

한 실험이 다음 실험을 결정하는 연구

한 실험이 다음 실험을 결정하는 연구의 경우, 결과 섹션은 네 부분이 반복되는 패턴으로 짜여지며 이상적인 경우 패턴의 반복은 각각 별도의 단락에서 이루어지게 된다. 필요한 경우 질문이 제기된 배경과 수행한 실험의 목적과 이유가 포함될 수도 있다. 네 부분으로 이루어진 패턴은 다음과 같다.

· 질문
· 실험의 개요
· 결과
· 질문에 대한 대답

결과 섹션의 첫 번째 단락에 나오는 질문은 서론에서 제시된 질문이며 이어지는 단락들의 질문은 서론의 질문에 대답하기 위한 단계로 제기된 질문들이다.

결과 섹션의 첫 번째 단락부터 마지막 단락에 이르는 실험들에 관한 전체적인 개요가 바로 연구디자인이다.

각 결과 뒤에 기술된 대답은 다음 질문으로 이어지며 따라서 또 하나의 네 부분이 반복되는 패턴이 시작된다(다음 단락에서). 결과 섹션의 마지막 부분에 나오는 대답은 서론에서 제기된 질문에 대한 대답이다.

이렇게 네 부분으로 이루어진 패턴은 논문 전체를 관통하는 줄거리의 축약판이라 할 수 있다.

예문 6.3에서는 이렇게 네 부분으로 이루어진 패턴이 반복되는 것을 볼 수 있다.

예문 6.3 한 실험의 결과가 다음 실험을 결정하는 가설검증연구에서 발췌된 결과 섹션

질문: Whether the nematode gene ceh-22 and the vertebrate gene nkx2.5 perform similar functions.

실험적 접근방법: Examination of the ability of the zebrafish nkx2.5 gene to substitute for the nematode ceh-22 gene in transgenic Caenorhabditis elegans.

Results

1
A 질문; 실험
B-E 이유
F 실험
G 결과
H 대답

1 ***Zebrafish nkx2.5 Can Activate myo-2 Expression When Expressed in C. elegans Body Wall Muscle.*** *A*To determine whether zebrafish nkx2.5 can function similarly to ceh-22, we expressed nkx2.5 in C. elegans body wall muscle and examined expression of the endogenous myo-2 gene by antibody staining. *B*The rationale for this approach was as follows. *C*In wild-type C. elegans, ceh-22 is expressed exclusively in pharyngeal muscle, where it activates expression of the pharyngeal muscle-specific myosin heavy chain gene myo-2 (14). *D*However, ectopic expression of ceh-22 in body wall muscle can activate expression of myo-2 (15). *E*Because myo-2 is normally never expressed in body wall muscle, this ectopic expression assay provides a sensitive test for ceh-22 function. *F*We generated two transgenic lines expressing an nkx2.5 cDNA under the control of the unc-54 body wall muscle-specific promoter. *G*In both lines, we detected myo-2 expression in the body wall muscles (Fig. 1A and B). *H*These results show that nkx. 2.5 can function like cch-22 to induce myo-2 expression.

2
I 질문;
J 실험
K-L 이유

2 *I*We next asked whether Nkx2.5 directly interacts with the same sequences recognized by CEH-22. *J*To answer this question, we examined expression of a reporter gene under the control of multimerized CEH-22 binding sites. *K*CEH-22 binds a region within the myo-2 enhancer termed the B subelement (14). *L*In wild-type animals, a lacZ reporter under control of a synthetic enhancer

M 실험; 결과
N 목적; 대조 실험
O 대조 실험
P 대답

consisting of four copies of a 28-bp B sub-element oligonucleotide is expressed specifically in pharyngeal muscle; only occasional expression is observed outside the pharynx (Table 1; ref. 14). *M*In a transgenic strain bearing the unc-54::nkx2.5 expression construct, we found a significant increase in the number of animals expressing β-galactosidase in body wall muscle (from 2.5 to 16.5%)(Table 1; Fig. 1C). *N*To rule out the possibility that Nkx2.5 was indirectly increasing expression of myo-2 or the B sub-element reporter by activating ectopic expression of the ceh-22 gene, we examined expression of a ceh-22::lacZ fusion in animals bearing the unc-54:nkx2.5 transgene. *O*Expression of β-galactosidase was limited to pharyngeal muscle (Table 1), a pattern identical to that observed in wild-type animals (14). *P*Thus, Nkx2.5, like CEH-22, activates transcription by interacting directly with the B sub-element of the myo-2 enhancer.

3
Q-R 배경
S 실험

3 *nkx2.5 Can Substitute for ceh-22 During Normal Pharyngeal Development.* *Q*In addition to its role in myo-2 activation, CEH-22 likely regulates other genes required for pharyngeal development. *R*Indeed, a ceh-22 mutant exhibits profound contractile and morphological defects in the pharynx, despite expressing myo-2 nearly as well as wild type (15). *S*To examine the extent to which Nkx2.5 and CEH-22 are functionally equivalent, we asked if expression of nkx2.5 in pharyngeal muscle can rescue a ceh-22 mutant. (etc.)

This segment from a Results section in which the result of one experiment determined the next experiment follows the four-part pattern: question, experiment, results, answer. Each repeat of the pattern (that is, each paragraph) moves the story line forward by adding more evidence that Zebrafish nkx2.5 can function like vertebrate ceh-22.

In addition, within each paragraph, other information is included to make the story line clear: in paragraphs 1 and 2, reasons for the design of the experiment; in paragraph 2 the purpose of the control experiment; in paragraph 3, background leading to the next question.

강조

결과 섹션에서는 결과가 강조되어야 한다. 한 실험의 결과가 다음 실험을 결정하는 연구와 모든 실험이 미리 디자인되는 연구의 결과 섹션에서는 강조를 위해 매우 상이한 기법들이 사용된다.

한 실험이 다음 실험을 결정하는 연구

한 실험이 다음 실험을 결정하는 연구의 결과 섹션에서는 결과가 언제나 한 단락의 중간에 등장하며 이는 3장에서 공부한 바와 같이 눈에 가장 띠지 않는 위치다. 결과를 강조하려면 문장의 도입부에 다음과 같은 신호를 사용할 수 있다: "We found", "We observed", "We detected".

예문 6.3에서는 저자가 이런 신호들을 사용하고 있지만 문장의 도입부에서 사용한 것이 아니기 때문에 신호가 뚜렷하지 않다: "In both lines, we detected myo-2 expression..." (문장 G); "In a transgenic strain bearing the unc54::nkx2.5 expression construct, we found a significant increase in the number of animals expressing β galactosidase..." (문장 M).

모든 실험이 미리 디자인되는 연구

모든 실험이 미리 디자인되는 연구의 결과 섹션에서는 중요한 결과를 강조하기 위해 몇 가지 기법을 사용할 수 있으며 3장에서 공부한 바와 같이 이러한 기법에는 생략과 압축, 중요하지 않은 정보의 종속화, 중요한 위치에 중요한 정보를 위치시키는 것 등이 포함된다. 또한 세부사항을 제공하기 전에 주제문을 이용해 전체 개요를 제시할 수 있다.

데이터는 생략하고 결과는 압축하라

대부분의 데이터는 그림이나 표에 포함된다. 많은 데이터가 텍스트로 제시되면 결과를 압도할 수 있기 때문에 결과 섹션에서는 데이터가 최소한으로 유지되어야 하며 그림이나 표에 제시된 데이터는 텍스트에서 생략되어야 한다. 물론 한두 가지 대단히 중요한 수치는 강조를 위해 텍스트에서 반복될 수 있다. 또한 그림이나 표에 들어가기 어려운 간단한 이차 데이터는 결과 뒤의 괄호 안에 텍스트 형태로 제시할 수 있다.

결과는 압축해서 불필요한 반복을 피해야 한다. 예를 들어 몇 가지 변수에 대한 결과가 동일하다면 변수마다 계속해서 결과를 반복해서는 안 되며 대신에 모든 변수에 대한 결과를 한 번에 기술해야 한다.

예문 6.4 결과를 압도하는 데이터

Group 1: Serial Development of Alveolar Hypoxia Followed by Alkalosis. The pulmonary artery pressure increased to 65 ± 21 (SD) % above baseline during hypoxia but then decreased to 37 ± 16% above baseline when alkali was infused into the lungs of 12 rabbits. Similarly, the pulmonary artery pressure increased to 41 ± 17% above baseline during hypoxia but then decreased to 21 ± 13% above baseline when PI_{CO_2} was decreased (Fig. 2). Thus, both metabolic and respiratory alkalosis decreased the pulmonary vascular resistance after it had increased in response to hypoxia.

Group 2: Serial Development of Alkalosis Followed by Alveolar Hypoxia. The baseline pulmonary artery pressure decreased from 9.4 ± 1.8 to 8.4 ± 1.5 cm H2O when $NaHCO_3$was infused and from 9.0 ± 2.1 to 7.9 ± 1.5 cm H_2O when PI_{CO_2} was decreased in the lungs of 20 rabbits. The pulmonary artery response to alveolar hypoxia at a pH of 7.35-7.42 was no different from the response to alveolar hypoxia at a pH of 7.50-7.65 (Fig. 3). These results were the same regardless of whether alkalosis was induced by decreasing PI_{CO_2} or by infusing $NaHCO_3$ (Fig. 3). Thus, although both metabolic and respiratory alkalosis decreased baseline pulmonary resistance, they did not decrease constriction of the pulmonary artery in response to subsequent alveolar hypoxia.

Group 3: Simultaneous Development of Alkalosis and Alveolar Hypoxia. The pulmonary artery response to alveolar hypoxia was significantly lower at a pH of 7.50-7.65 than at a pH of 7.35-7.42 in the lungs of 8 rabbits (Fig. 4). Thus, simultaneous alveolar hypoxia and respiratory alkalosis decreased constriction of the pulmonary artery.

이 예문에서는 각 단락의 마지막 문장만 결과를 보고하고 있다. 앞에 나오는 문장들은 그림에 제시된 데이터를 복구하는 것이므로 기초적인 결과와 데이터를 다음 한 문장을 제외하고는 생략할 수 있다. 교정문 A와 같이 이런 데이터들은 괄호 안에 넣어져야 한다.

교정문 A

When metabolic or respiratory alkalosis was induced after hypoxia (12 rabbits), pulmonary artery constriction in response to hypoxia was reduced (Fig. 2). In contrast, when metabolic or respiratory alkalosis was induced before hypoxia (20 rabbits), pulmonary artery constriction in response to hypoxia was not reduced (Fig. 3). However, baseline pulmonary arterial pressure decreased [from 9.4 ± 1.8 to 8.4 ± 1.5 (SD) cm H_2O for metabolic alkalosis and from 9.0 ± 2.1 to 7.0 ± 1.5 cm H2O for respiratory alkalosis]. When respiratory alkalosis and hypoxia were induced simultaneously (8 rabbits), pulmonary artery constriction in response to hypoxia was again reduced (Fig. 4).

교정문에서는 결과가 두드러진다. 그러나 교정문 B와 같이 반복을 피하고 비슷한 결과를 묶어서 보고한다면 전체적으로 더 명료해질 것이다(교정문 B와 같이 하려면 그림에서 metabolic alkalosis와 respiratory alkalosis가 확인되어야 한다).

교정문 B

Pulmonary artery constriction in the rabbits was reduced when alkalosis was induced either after (Fig. 2) or during (Fig. 4) hypoxia, but not when alkalosis was induced before hypoxia (Fig. 3). Baseline pulmonary artery pressure was altered only when alkalosis was induced before hypoxia, decreasing from 9.4 ± 1.8 to 8.4 ± 1.5 (SD) cm H_2O for metabolic alkalosis and from 9.0 ± 2.1 to 7.0 ± 1.5 cm H2O for respiratory alkalosis.

그림의 범례와 표의 제목

그림의 범례와 표의 제목을 주제문으로 사용해서는 안 된다. 결과를 제시한 뒤에 그림과 표를 인용하는 것이 좋으며(괄호 안에) 특별히 그림이나 표에 합당한 첫 번째 결과가 나온 뒤에 그렇게 하는 것이 바람직하다.

예문 6.5 그림의 범례를 주제문으로 사용한 경우(바람직하지 않다)

A summary of renal function data is presented in Fig. 2. Continuous positive airway pressure (7.5 cm H_2O) in newborn goats decreased urine flow, sodium excretion, and the glomerular filtration rate.

첫 문장이 사실상 그림의 범례다: Fig.2. Renal function data. 주제문을 더 강력하게 만들려면 그림의 범례를 생략하고 결과를 기술해야 한다. 그리고 결과를 기술하는 문장 뒤의 괄호 안에 그림을 인용하라.

교정문

Continuous positive airway pressure (7.5 cm H_2O) in newborn goats decreased urine flow, sodium excretion, and the glomerular filtration rate (Fig. 2).

결과가 그림의 범례나 표의 제목보다 더 강력한 주제문이 되는 이유는 하나의 결과가 하나의 메시지를 담고 있기 때문이다. 예문 6.5의 첫 문장은 단지 단락의 주제, 즉 renal function data 만을 가리키고 있다. 반면에 두 번째 문장에는 메시지가 담겨 있으며(renal variables decreased) 독자들이 알기 원하는 내용이 바로 이 것이다. 따라서 이 문장이 더 강력한 위치인 첫 문장에 위치해야 독자들이 더 쉽게 찾을 수 있게 될 것이다. 중요한 문장이 단락의 중간에 묻혀서는 안 된다.

더욱이 한 문장을 통째로 사용해서 독자의 관심을 그림으로 돌리게 하는 것은 소모적이며 그림은 교정문에서처럼 결과를 진술하는 문장 뒤의 괄호 안에 인용하기만 하면 된다.

마지막으로, 결과는 그림이나 표를 보도록 독자를 준비시키는 일에 있어서 그림의 범례나 표의 제목보다 훨씬 강력한 도구이다. 결과를 읽으면 그림이나 표에 대한 기대감이 생기지만 그림의 범례나 표의 주제는 그렇지 못하다. 그림의 범례를 읽고 난 뒤에도 독자는 그림에서 어떤 메시지를 기대해야 할 지 알 수가 없다. 반대로 결과를 읽은 독자는 어떤 메시지가 등장할지 정확히 알고 있기 때문에 그 메시지를 찾아 나설 필요없이 단지 동의하거나 반기를 들기만 하면 된다. 예를 들어 위에 제시된 예문 6.5를 읽은 뒤에 독자는 단지 renal function data 만을 기대하게 되지만 교정문을 읽은 독자는 구체적인 결과, 즉 세 가지 변수 모두가 감소한 결과를 기대하게 된다. 그림을 볼 때 무엇을 기대해야 할 지 분명히 아는 것은 그렇지 않은 것에 비해 훨씬 효과적이다.

부수적인 대조상태(Controls)의 결과

대조상태의 결과를 먼저 설명해야 될 경우도 종종 있으며 예를 들어 baseline이 안정적이라는 점이 먼저 확립될 필요가 있다. 그렇지 않을 경우에는 baseline과 대조상태 모두에 대한 결과가 가능한 시점에 따라서 실험결과와 함께 또는 실험결과가 나온 뒤에 기술하면 된다. 예를 들어 예문 6.6과 같이 baseline 데이터는 실험결과를 설명하는 문장에 포함될 수 있다.

예문 6.6 baseline 데이터가 포함된 실험결과

During the acute period of lipid infusion, lung lymph flow increased from 2.44 ± 0.32 (mean ± SD) to 4.00 ± 0.72 ml/h (P 〈 0.05).

이 예문에서는 2.44±0.32 ml/h가 baseline 수치이며 만약 이 수치를 더 부각시키고 싶으면 "increased from a baseline value of 2.44..." 라고 쓰면 된다.

마찬가지로 대조상태에 관한 결과도 예문 6.7과 같이 실험결과와 대조상태의 결과를 비교하는 형태로 통합될 수 있다.

예문 6.7 대조상태의 결과가 포함된 실험결과

When either terbutaline or epinephrine was instilled along with serum into the air spaces, the excess lung water was significantly less than when serum alone was instilled (Fig. 1).

이 예문에서는 대조상태가 "when serum alone was instilled" 라고 설명되어 있으며 대조상태에 관한 데이터가 실험 데이터와 함께 그림에 제시되어 있다.

물론 대조상태의 결과는 실험결과 후에 보고되는 경우도 많다.

Baseline이나 대조상태의 데이터가 그림이나 표에 제시된다면 이를 다시 텍스트 형태로 보고할 필요는 없다.

부수적인 방법

모든 실험이 미리 디자인되는 연구의 결과 섹션에서는 방법에 관한 기술을 주제문으로 사용해서는 안 되며 결과 섹션의 주제문은 결과를 기술해야 한다. 예문 6.8의 첫 문장(주제문)은 방법을, 두 번째 문장이 결과를 기술하고 있다.

예문 6.8 방법이 주제문인 경우(바람직하지 않음)

In three of the cats in the second series, the inhibitory effect of 1 μg isoproterenol was examined when baseline tension was induced exclusively by either cholinergic neurotransmission, exogenous acetylcholine, or exogenous 5-hydroxytryptamine. Injection of 1 μg isoproterenol evoked a differential inhibitory response, relaxation being greater when tension was induced by cholinergic neurotransmission or exogenous 5-hydroxytryptamine than by exogenous acetylcholine (Fig. 5).

예문 6.8에서는 방법과 관련된 모든 세부사항이 두 번째 문장에 등장하기 때문에 (고양이의 숫자를 제외한) 첫 문장이 사실 불필요하다. 따라서, 단락을 더욱 인상깊게 시작하려면 첫 문장을 생략하고 고양이의 숫자를 두 번째 문장에 포함시키는 것이 좋다. 이렇게 되면 단락에 방법이 포함되기는 하지만 결과가 부각되게 된다.

교정문

Injection of 1 μg of isoproterenol into three cats evoked a differential inhibitory response, relaxation being greater when tension was induced by cholinergic neurotransmission or exogenous 5-hydroxytryptamine than by exogenous acetylcholine (Fig. 5).

결과를 기술하는 문장에 방법을 포함시킬 때는 문장 구조와 관련된 적어도 두 가지 기법이 사용 가능하다. 하나는 예문 6.8의 교정문과 같이 방법이 문장의 주어가 되게 하는 것이며 다른 한 가지는 예문 6.9C나 6.9D와 같이 결과를 주절에 두고 방법을 연결구나 연결절에 기술하는 것이다.

예문 6.9 결과 섹션에 방법에 관한 기술을 포함시키는 것

A. 방법을 주제문으로(바람직하지 않음).

We **administered** propranolol during normal ventilation. This beta-blocker **decreased** phospholipid (Fig. 1).

B. 방법은 주어에 부가적으로 설명하고 결과는 동사 + 목적어에.

방법; 결과

Propranolol administered during normal ventilation **decreased** phospholipid (Fig. 1).

C. 방법은 연결구에, 결과는 주어 + 동사에.

방법; 결과

After administration of propranolol during normal ventilation, phospholipid **decreased** (Fig. 1).

D. 방법은 연결절에, 결과는 주절에.

방법; 결과

When propranolol was administered during normal ventilation, phospholipid **decreased** (Fig. 1).

결과 섹션에서는 주동사(위의 예문에서 굵은 글씨)가 방법이 아닌 결과를 설명해야 한다는 점이 핵심이며, 따라서 예문 6.9A의 첫 문장과 같이 방법만을 기술하는 문장은 피해야 한다. 특히 주제문에서는 반드시 주동사가 결과를 기술하도록 해야 한다.

중요한 결과를 먼저 제시하라(가장 강력한 위치에)

앞의 네 개의 예문이 보여주는 바와 같이 모든 실험이 미리 디자인되는 연구의 결과 섹션에서는 그림의 범례나 표의 제목, 대조상태의 결과, 방법을 종속시킴으로써 중요한 결과를 가장 강력한 위치인 단락의 도입부에 놓을 수 있다. 중요한 결과가 단락의 도입부에 나오고 덜 중요한 세부사항이 중요한 결과 다음에 나온다면 독자가 해야할 일이 훨씬 쉬워진다. 예문 6.2는 중요한 결과를 먼저 제시하는데 따르는 효과를 잘 보여준다(이 경우에는 각 서브섹션의 도입부에 제시됨).

주제문을 이용해 전체적인 조망을 제시하라

중요한 정보를 먼저 제시하고 덜 중요한 세부사항을 나중에 제시하면 예문 6.10의 문장 A와 같이 결과를 주제문으로 삼을 수 있게 된다.

예문 6.10 결과가 먼저 나오고(=주제문), 뒷받침하는 세부사항이 나중에 나옴

A 주제문(결과)
B, C 뒷받침하는 세부사항 (데이터)

*A*Two different patterns of phospholipid distribution were obtained depending on the bile samples. *B*The first pattern, which was the one most frequently observed, had a main peak of phospholipids in the range of 106 daltons and a shoulder in the range of 5×10^5 daltons. *C*The second pattern had a main peak of phospholipids in the range of 5×10^5 daltons and a shoulder in the range of 10^6 daltons.

마지막 문장에서도 두 패턴이 어떻게 다른지를 설명하기 위해 동일한 전략이 사용되었다는 점에 주목하라(즉, 메시지를 먼저 전달하고 그 다음에 세부사항을 제시했다).

교정문

*A*Two different patterns of phospholipid distribution were obtained depending on the bile samples. *B*The first pattern, which was the one most frequently observed, had a main peak of phospholipids in the range of 10^6 daltons and a shoulder in the range of 5×10^5 daltons. *C*The second pattern was the reverse, having a main peak of phospholipids in the range of 5×10^5 daltons and a shoulder in the range of 10^6 daltons.

기본 개념은 독자들이 메시지를 놓치지 않도록 하는 것이다. 다시 말해서, 독자가 무언가를 알게 되기를 원한다면(이 예문에서는 "the second pattern is the reverse of the first pattern") 그 내용을 기술하고, 독자가 생각해내도록 해서는 안 된다.

요약하자면, 중요한 결과를 강조하는 주된 방법에는 결과 섹션의 텍스트에서 데이터를 생략하는 것과 결과를 압축하는 방법이 있다. 또한, 결과를 단락의 도입부(가장 강력한 위치)에 두고, 결과를 주제문으로 사용하며, 거기에 덜 중요한 정보(그림의 범례, 표의 제목, 대조상태의 결과, 방법에 관한 기술)를 종속시키는 것도 중요한 결과를 부각시키는데 도움이 된다.

길이

많은 저자가 결과 섹션을 논문의 심장부로 생각하기 때문에 결과적으로 논문 전체를 결과 섹션에 집어넣으려고 하지만(방법, 그림의 범례, 표의 제목, 결과, 데이터, 문헌 비교 등 사실상 서론을 제외한 모든 것), 이런 욕망은 자제되어야 한다. 결과 섹션은 독자들이 나무가 아닌 숲을 볼 수 있도록 가능한 간결하고 명쾌하게 쓰여져야 한다.

세부사항

사람과 동물, 대상

실험에 사용된 사람이나 동물, 대상(조직, 세포주 등)은 결과 섹션에서 적어도 한 번은 언급해야 하며 가급적 첫 문장에서 언급하는 것이 좋다.

사람이 대상일 경우

개별 대상을 언급해야 할 경우 연구 대상의 머리글자를 사용해서는 안 되며 그냥 A, B, C 와 같이 명명하면 된다. 만약 26명이 넘으면 알파벳 대신 아라비아 숫자를 사용하라(1,2,3...).

동사의 시제

가설검증연구의 결과와 방법논문에서 새로운 방법을 시험한 결과에는 과거시제가 사용되며 이는 이들이 과거에 일어난 개별적 사건이기 때문이다. 다음 예문을 보자. "Pulmonary artery constriction was reduced". "Imidazole inhibited the increase in pulmonary arterial pressure induced by lipid infusion."

기술연구의 결과는 현재시제로 보고되며 이는 어떤 사실을 기술하는 것은 여전히 참이기 때문이다. 다음 예문을 보자. "In most tissues, the leptin receptor mRNA appears as a single band slightly larger than 5 kb." "Type III and IV receptor genes have extra introns in the extracellular domain."

비교

결과를 비교할 때는 "compared with"가 아닌 "than"을 사용해야 하며 특별히 다음과 같이 모호한 기술은 피해야 한다. "X was increased compared with Y." 이런 표현보다는 "X was greater than Y", 또는 "X increased more than Y", "X increased but Y was unchanged"와 같은 표현을 사용하라(2장의 "대구되는 개념에는 대구법을 사용하라" 참조).

정확한 어휘 선택

다음 예문에서 가능성과 사실의 차이를 눈여겨보라.

예문 6.11 Ability vs. Actuality

가능성: We <u>could not demonstrate</u> high-affinity, low-capacity DHE binding sites in heart particulates prepared from three adult sheep.

사실: <u>There were no</u> high-affinity, low-capacity DHE binding sites in heart particulates prepared from three adult sheep.

"Could not demonstrate"라는 말에는 binding sites가 거기에 있었을 수도 있지만 테크닉이 민감하지 않아서 찾을 수 없었다는 뉘앙스가 담겨있으며 반면에 "There were no"에는 binding sites가 존재하지 않는다는 의미가 담겨있다. 저자는 자신이 가능성과 사실 중 어느 것을 말하고 있는지 알아야 하며 거기에 맞게 동사를 선택해야 한다.

"did not increase" 와 "failed to increase" 간의 차이를 가늠해보라. "failed" 에는 수치가 증가할 것이라는 기대가 담겨있지만 "did not" 에는 그러한 기대가 담겨있지 않다. 일반적으로는 결과를 보고할 때는 중립적인 기술 방법인 "did not increase" 를 사용해야 한다.

규모를 정성적인 어휘를 이용해 기술하는 것은 정확하지 못하며 따라서 독립적으로 사용될 경우 아무런 가치가 없다. 예를 들어, "Heart rate increased markedly" 에서 "markedly" 가 의미하는 바가 무엇인가? 증가폭이 컸다는 점을 확신시키려면 데이터가 필요하다. "markedly" 와 같은 정성적 어휘를 사용하려면 그림이나 표를 인용하거나 데이터를 텍스트 형태(가급적 퍼센트의 형태)로 보고함으로써 정량화시켜야 한다. 사실, 가장 좋은 전략은 결과 섹션에서 정성적인 어휘를 아예 쓰지 않는 것이다. 정성적 어휘는 고찰(Discussion)에서 변화나 차이의 규모를 강조할 필요가 있을 때를 대비해 아껴두라.

"Significant" 는 "statistically significant" 의 약어이며 따라서 더 이상 "markedly" 의 동의어로 쓰이지 않는다. 예를 들어, "Heart rate increased significantly" 라고 말하면 독자는 그 진술을 뒷받침하는 통계학적 세부사항을 기대하게 된다.

통계학적 세부사항

통계는 데이터와 어울리며 대부분의 데이터는 그림이나 표의 형태로 제시되어야 한다. 따라서 대부분의 통계학적 세부사항도 그림과 표에 있어야 마땅하다. 데이터가 텍스트에 포함될 경우에는 그에 수반되는 통계학적 사항도 다음과 같이 표시되어야 한다.

예문 6.12 평균값과 표준편차
48.7±1.3(표준편차)ml

예문 6.13에는 통계학적으로 비교된 데이터를 표기하는 표준적 방법이 소개되어 있다.

예문 6.13 비교와 관련된 통계학적 세부사항

Blood flow was redistributed more toward the right ventricle than toward the left ventricle [26.3 ± 2.9 (SD) vs. 19.5 ± 1.5% in 6 lambs, P 〈 0.01].

다섯 가지 종류의 통계학적 정보가 제시되었다는 점에 유의하라: 평균값("26.3"과 "19.5%"), 표준편차("2.9"와 "1.5%"), 통계량의 확인(SD; 표준편차), 샘플의 규모(n)("in 6 lambs), 유의도의 확률값("P〈0.01"). 일반적으로 저자는 이 다섯 가지 통계학적 정보를 모두 제시해야 한다. 그러나 하나의 통계량(예를 들어, 표준편차)과 하나의 샘플 규모(n)가 모든 데이터에 적용될 경우 해당 통계량과 샘플 규모를 예문 6.13과 같이 데이터를 처음 제시할 때 표시한 뒤에 예문 6.14와 같이 해당되는 내용을 다음부터는 생략할 수 있다.

예문 6.14 표준편차와 샘플 규모(n)의 생략

Blood flow was redistributed more toward the right ventricle than toward the left ventricle (26.3 ±2.9 vs. 19.5 ± 1.5%, P 〈 0.01).

통계량과 샘플의 규모는 방법 섹션에서도 다음과 같이 언급되어야 한다. "Data are expressed as mean±SD.", "The study protocol was performed on the remaining 6 lambs."

추가적으로 신뢰구간을 표시하고자 한다면 예문 6.13을 다음과 같이 쓸 수도 있다.

예문 6.15 신뢰구간의 추가

Blood flow was redistributed more toward the right ventricle than toward the left ventricle [26.3 ± 2.9 (SD) vs. 19.5 ± 1.5% in 6 lambs; 95% confidence interval for the difference = 3.8-9.8%, P 〈 0.01].

예문 6.13과 같이 P 값을 데이터 뒤에 제시할 때는 통계학적으로 유의한 차이(예를 들어, P〈0.01)와 유의하지 않은 차이(예를 들어, P〉0.75) 모두에 대한 실제 P 값을 사용해야 한다. 그냥 "P〉0.05 또는 P=NS"라고 표기하는 것은 도움이 되지 않는다. 정확한 값을 제공해야 독자가 데이터를 정확하게 해석할 수 있다. 예를 들어 P 값이 0.75인 경우는 통계학적으로 유의미한 차이가 없다는 것을 강력하게 시사하지만 P 값이 0.06이라면 이야기가 달라진다. 널리 알려진 신조와는 반대로 P = 0.05는 엄격한 경계선이 못 된다.

마지막으로, 샘플의 규모가 "n=6"의 형태로 쓰여지지 않았다는 점에 주의하라. "n=6"는 명쾌한 표현이 아니다. 여섯 마리의 양이란 뜻인가? 아니면 한 마리의 양에 여섯 번의 실험을 했다는 뜻인가? 아니면 네 마리의 양에 여섯 번의 실험? 따라서, 샘플의 규모를 기술할 때는 샘플의 규모(이 경우 6)뿐만 아니라 샘플이 무엇인지를(이 경우 양) 기술해야 한다.

결과 섹션을 위한 가이드라인

역할

대상 및 방법에 설명된 실험의 결과를 기술하고, 뒷받침하는 데이터를 제시하는 그림이나 표를 인용하는 것.

줄거리

모든 실험이 미리 디자인되는 가설검증연구와 기타 기술논문 및 방법논문의 경우, 결과 섹션은 줄거리의 세 번째 단계, 즉 결과를 제시한다.

하나의 실험이 다음 실험을 결정하는 가설검증논문의 경우, 결과 섹션은 줄거리의 두 번째 및 세 번째 단계를 모두 기술한다: 즉, 수행한 실험과 발견한 결과.

내용

질문에 적합한 결과만을 보고하라.

가설을 뒷받침하던 그렇지 않던 결과에 포함시켜야 한다.

대조상태(control)의 결과나 데이터를 포함시키라.

텍스트에는 데이터를 최대한 적게 포함시켜야 한다. 대부분의 데이터, 특별히 중요한 데이터는 그림과 표를 통해 제시하라.

데이터는 결과 대신 제시하는 것이 아니라 데이터가 뒷받침하는 결과를 기술한 뒤에 제시해야 한다.

실제 데이터를 인용하기 보다는 퍼센트 변화나 차이의 퍼센트를 보고함으로써 반응이나 차이의 규모에 대한 분명한 개념을 제시해야 한다.

어떤 변수의 지표를 평가했다면, 해당 지표의 결과를 설명하라.

데이터가 정확하고 내부적으로 일관성이 있는지 확인하라.

정규분포 데이터를 통계 분석할 때는 평균값과 평균값의 변이성을 평가할 수 있는 통계량(예를 들어, 표준편차)을 보고하고 보고하는 통계량에 대해 자세히 설명하라. 또한, 샘플 규모(n)와 통계학적 유의도 검정을 위한 확률값을 제공하라. 비정규분포 데이터를 통계 분석할 때는 중앙값과 사분위수범위를 보고하라.

조직(Organization)

모든 실험이 미리 디자인되는 가설검증연구에서는 결과 섹션을 연대기 순 또는 중요도 순으로 조직하라. 중요도 순으로 조직할 때는 질문에 대한 대답이 되는 결과를 결과 섹션의 앞부분에 두거나 첫 단락의 앞 부분 및 연속되는 단락에 두어야 한다.

하나의 실험이 다음 실험을 결정하는 가설검증연구의 결과 섹션은 네 부분이 반복되는 패턴으로 조직된다: 질문, 실험의 개요, 결과, 질문에 대한 대답. 필요하다면 질문이 제기된 이유를 지적하는 배경 정보와 왜 해당 실험이 수행되었는지를 설명하는 목적과 이유가 포함될 수 있다.

강조

· 결과 섹션에서는 결과를 강조하라.
· 하나의 실험이 다음 실험을 결정하는 가설검증연구의 결과 섹션에서는 결과를 기술하는 단락의 첫 문장의 앞부분에 "We found" 라는 신호를 사용해서 결과를 강조하라.
· 모든 실험이 미리 디자인되는 가설검증연구의 결과 섹션에는 다음과 같이 결과를 강조하라.
  · 텍스트에서 데이터를 생략하라.
  · 결과를 압축해서 불필요한 반복을 피하라.
  · 그림 범례와 표의 제목을 생략하고 대신에 결과를 기술하는 문장 뒤의 괄호 안에 그림과 표를 인용하라.
  · 방법을 문장의 주어로 삼거나, 연결구 또는 연결절에 둠으로써 종속화시키라.
  · 중요한 결과를 앞에 두라.
  · 주제문을 통해 개요를 제시하라.

길이

독자가 나무가 아닌 숲을 볼 수 있도록 결과 섹션을 간결하고 분명하게 유지하라.

세부사항

연구 피험자나 동물, 대상(material)을 결과 섹션에서 적어도 한 번 언급해야 하며, 가능한 첫 문장에서 하는 것이 좋다.

인간 피험자를 지칭할 때는 A, B, C 등을 사용하고 26명이 넘으면 1, 2, 3 등을 사용하라.

가설검증연구의 결과와 방법논문에서 새로운 방법을 시험한 내용은 과거시제로 보고하라. 기술논문의 결과는 현재시제로 보고하라.

결과를 비교할 때 "compared with" 를 사용하지 말라. 특별히, "X was increased compared with Y" 와 같이 모호한 비교는 피해야 한다.

"could not" 과 "did not", "did not" 과 "failed to" 를 구분해야 한다.

"markedly" 와 같이 정성적인 용어를 정량화시키라.

"significant" 와 "significantly" 는 통계학적 유의성을 나타낼 때 사용하라.

평균값과 표준편차는 "48.7±1.3(SD)ml" 의 형태로 기술하라. 평균값과 평균값의 표준오차에도 유사한 형태를 사용하라.

통계학적 비교를 할 때 단일 통계량(예를 들어, 표준편차)과 단일 샘플 규모(n)가 모든 데이터에 적용되며 방법 섹션에서 분명하게 확인할 수 있다면, 데이터를 제공할 때마다 이러한 세부사항을 반복하지 말라. 처음에만 언급하면 된다.

확률값이 그림이나 표에 제시되어 있다면 이를 텍스트에서 반복하지 말라.

통계학적으로 유의한 차이와 유의하지 않은 차이 모두에 실제 P 값을 제공하라.

"n"을 사용하지 말라. 샘플 규모 뿐만 아니라 샘플이 무엇인지도 구체적으로 밝히라(예를 들어, "in 16 rabbits").

연습문제 6.1: 결과

1. 단락 1이나 단락 6을 교정하라.

   이 임상연구에는 두 종류의 식단(단백질 및 혼합)이 있지만 피험자는 한 그룹밖에 없다. 피험자들은 한 식단을 21일 동안 유지했고 그 뒤에 다른 식단을 21일 동안 유지했다.

   단락 1은 242단어다. 이를 75단어 미만으로 압축하라.

   다섯 가지 변수 중 어느 것도 생략해서는 안된다.

   결과를 어떻게 설명해야 할 지 결정하라 - 전체 시간적 흐름에 따라서, 아니면 마지막 날, 아니면 양쪽 모두.

   중요한 점: 모든 데이터가 포함되도록 Figure 1을 교정하라.

   단락 6은 두 식단을 대조하고 있지만 대조가 분명하지 않다.

   교정할 때, 하나의 짧은 문장(주제문)을 통해 대조하라.

   세부사항은 뒷받침문을 통해 제공하라.

   단락 6에 쓰여진 내용보다 Figure 5의 데이터에 기초해 교정하는 것이 쉬울 수도 있다.

   참고: "Supine"이란 등을 대고 누워있는 자세를 말한다.

2. 결과 섹션의 작문 원칙과 단락 구조에 관한 원칙(3장)을 고려해볼 때 이 결과 섹션에서 가장 바람직한 단락은 무엇이고 왜 그런가?

이 논문의 질문은 다음과 같다: "Are nitrogen and sodium balance and sympathetic nervous activity (assessed by measuring blood pressure and norepinephrine concentration after postural changes) improved when obese subjects eat a pure protein diet rather than a mixed carbohydrate and protein diet?" 일곱 명의 피험자는 각 식단을 21일 동안 시행하였다.

Results

1 *Substrate and Hormone Levels*

*A*Figure 1 shows the mean serum and urinary ketone acids and changes in the plasma concentration of insulin in subjects receiving the two diets. *B*Blood

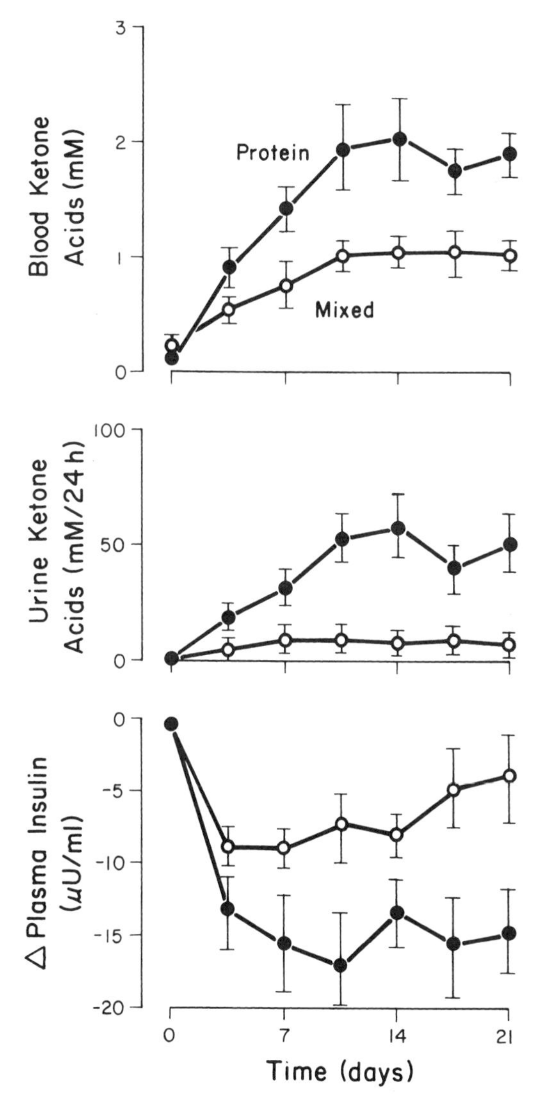

그림 1. Blood ketone acids, urine ketone acids, and changes in plasma insulin during ingestion of a 400-kcal protein diet and a 400-kcal mixed diet (50% protein and 50% carbohydrate).

ketone acids during the pure protein diet reached a plateau at a level twice that reached after the carbohydrate-containing diet. [C]Total blood ketone acids on Day 21 were 1.94 ± 0.23 mmol on the protein diet and 1.08 ± 0.12 mmol on the mixed diet (P 〈 0.001). [D]Daily urinary excretion of ketone acid increased by Day 21 to 50.9 ± 12.5 mmol per 24 hours for the protein diet and 10.2 ± 2.9 mmol per 24 hours for the mixed diet (P 〈 0.02). [E]Plasma insulin, which had a basal level of 32 ± 6 μU per milliliter (32 ± 6 × 10–2 IU per liter) with the protein diet and 29 ± 5 μU per milliliter (29 ± 5 × 10–2 IU per liter) with the mixed diet, had a threefold greater decline when carbohydrate was eliminated [–14 ± 5 μU per milliliter (–14 ± 5 × 10–2 IU per liter)] on Day 21 (P 〈 0.05). [F]There were no significant changes in the plasma concentration of glucagon with either diet. [G]Mean plasma glucose was significantly greater on Day 21 of the mixed diet [76 ± 2 mg per deciliter (4.2 ± 0.11 mmol)] than it was after the protein diet [71 ± 2 mg per deciliter (3.9 ± 0.11 mmol)] (P 〈 0.005).

2 ***Nitrogen Balance***

[H]Figure 2 shows the average daily nitrogen balance for each diet regimen. [I]Mean daily nitrogen balance in subjects receiving the mixed diet, –2.6 ± 0.4 g per day, was not significantly different from that observed after the pure protein diet, –2.1 ± 0.9 g per day. [J]With both diet regimens, nitrogen balance was more negative during the first week (–4.6 ± 0.3 g per day on the mixed diet and –4.9 ± 0.5 g per day on the pure protein diet) than during the last week (–1.6 ± 0.3 g per day on the mixed diet and –1.0 ± 0.6 g per day on the pure protein diet). [K]However, the responses were not significantly different with the two diets during the first or last week (P 〉 0.1). [L]To determine whether protein diets result in better nitrogen balance if given for more prolonged periods, one subject was given each diet for a 51/2 week period. [M]As shown in Figure 3, daily nitrogen balance during the mixed diet was similar to that observed during the pure protein diet. [N]Although the protein diet resulted initially in a greater negative nitrogen balance, beyond two to three weeks the net nitrogen losses were comparable, and they became zero after four to five weeks of each diet regimen.

3 ***Sodium and Other Mineral Balances***

[O]Figure 4 compares the total cumulative sodium balance observed for each subject during the mixed-diet and protein-diet periods. [P]The mean cumulative sodium loss during protein consumption, –382 ± 117 mmol, was significantly greater than that observed with the mixed diet, –25 ± 105 mmol (P 〈 0.02). [Q]In contrast, there were no significant differences in other mineral balances between the two diets (protein diet vs. mixed diet: potassium, 21 ± 51 mmol vs. 13 ± 33 mmol; calcium, −159.5 ± 9.5 mmol vs. −136 ± 9 mmol; magnesium, −14 ± 3.5 mmol vs. −7 ± 2.5 mmol; phosphorus, −145 ± 50 mmol vs. −127 ± 26 mmol).

4 *Weight Loss*

*R*Total weight loss resulting from a pure protein diet, 10.2 ± 1.0 kg, was 20% greater than that seen after the mixed diet, 8.0 ± 0.8 kg (P 〈 0.02). *S*However, the calculated weight loss attributable to fluid losses with the protein diet, 2.5 ± 0.8 kg, was significantly greater than that with the mixed diet, 0.2 ± 0.7 kg (P 〈 0.02). *T*Consequently, the estimated nonfluid weight loss with the protein diet, 7.7 ± 0.2 kg, was no different from that with the mixed diet, 7.8 ± 0.1 kg.

5 *Blood Pressure*

*U*Blood-pressure values measured with the patient supine did not change significantly from control (prediet) levels with either the pure protein diet (119 ± 5 / 72 ± 4 vs. 114 ± 2 / 69 ± 2 mmHg) or the mixed diet (114 ± 3 / 71 ± 3 vs. 114 ± 2 / 69 ± 3). *V*However, with the pure protein diet the mean maximal fall in systolic blood pressure after standing, 28 ± 3 mmHg, was significantly greater than that with the mixed diet, 18 ± 3 mmHg (P 〈 0.02). *W*The exaggerated postural decline in systolic blood pressure during pure protein consumption was accompanied by an increase in adverse symptoms as determined from the

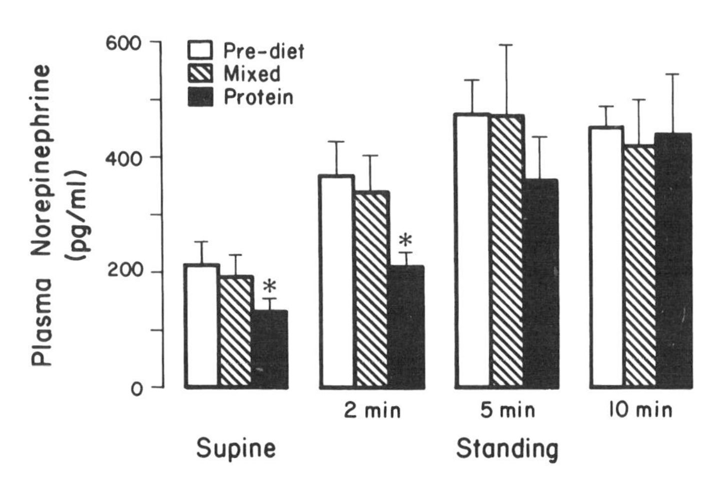

그림 5. Plasma norepinephrine levels in the basal, supine state and after 2, 5, and 10 minutes of standing in obese subjects in the prediet (control) study and after 21 days of the mixed diet and the protein diet. The plasma norepinephrine levels measured with the patient supine and standing were virtually identical in the prediet (control) study performed before each of the two test diets and are consequently combined in this figure. * P 〈 0.05 as compared with the prediet values (paired t-test).

daily questionnaire. [X]Although only one of the seven subjects reported symptoms of postural hypotension while receiving the mixed diet, all seven subjects noted such symptoms while on the pure protein diet.

6 *Plasma Norepinephrine*

[Y]The plasma levels of norepinephrine before and after each diet, measured with the subject supine and standing, are illustrated in Figure 5. [Z]The rise in plasma norepinephrine in response to standing with the hypocaloric mixed diet was no different from that observed before initiation of diet therapy. [AA]In contrast, the norepinephrine levels measured with the subject supine and after the subject had stood for 2 minutes were significantly lower after the protein diet than before the initiation of diet therapy. [BB]However, after subjects had stood for 5 and 10 minutes, the rise in plasma norepinephrine was comparable to that observed in the prediet period.

연습문제 6.2: 결과

이 생화학 연구에서는 일련의 일곱 가지 실험이 수행되었으며, 각 실험은 선행된 실험의 결과에 의해 결정되었다. 각 실험(또는 일군의 실험)과 결과는 하나의 단락에 설명되어 있으며, 따라서 각 단락은 네 부분으로 이루어진 패턴을 따라야 한다: 질문, 실험, 결과, 대답.

이 결과 섹션의 문제점은 줄거리가 분명하지 않으며, 결과 섹션이 진행될 수록 단락 간의 연속성이 약해진다는 점에 있다. 단락 1과 2 사이의 연속성은 그래도 괜찮지만, 2와 3 사이는 약하고 3과 4 사이는 더욱 약하며, 4와 5 사이에는 아무런 연속성이 존재하지 않는다.

연속성이 훼손된 이유는 각 단락에 질문이 없거나(또는 부정확하게 기술되었거나) 대답이 없거나 아니면 두 가지 모두에 해당되기 때문이다. 또한, 때로는 배경 정보나 목적, 이유가 빠져있다.

단락 1-5에 강한 연속성을 부여함으로써 줄거리를 명확하게 만들라.

1. 교정할 때 단락의 앞부분에 빠진 정보(질문, 배경 정보, 목적, 이유)와, 단락의 뒷부분에 빠진 대답을 보충해서 결과 섹션 전체에 걸쳐서 줄거리가 분명해지도록 하라.
   - 연속성을 위해서는 보통 핵심용어의 반복이 필요하다는 점을 염두에 두라.
   - 논문의 질문(아래에 제시된)에도 주의하라. 각 단락의 질문과 대답은 논문의 질문과 연결되어야 한다.

2. 또한, 단락 1의 앞부분에 빠진 질문과 실험을 첨가하라.

질문: "Are the signal transduction mechanisms for activation of phopholipase C by the potent mitogens thrombin and PDGF in vascular smooth muscle cells different from each other?"

PDGF = platelet-derived growth factor.
Thrombin is an enzyme in shed blood that converts fibrinogen to fibrin.
Mitogen = a category term for thrombin and PDGF.
IP_3, IP_2, and IP are products of the enzymatic reaction catalyzed by phospholipase C.

Results

1 *A*Thrombin (1 U/ml) rapidly increased production of IP_3, IP_2, and IP in a sequential manner. *B*The increases in IP_3 and IP_2 were transient, reaching a peak at 30 and 60 s, respectively, and declining to near prestimulatory values within 5 min (Fig. 1). *C*In marked contrast to thrombin, PDGF (7.5 nM) caused a sustained increase in all three metabolites for 6 min of stimulation. *D*Consistent with the time course for IP_3 production, thrombin caused a transient increase in intracellular [Ca^{2+}], whereas PDGF caused a sustained increase (Fig. 2). *E*The different time courses of the increases induced by thrombin and by PDGF raise the possibility that the signal transduction mechanisms for these two mitogens might be different.

2 *F*To study the signal transduction mechanism for the two mitogens, we used pertussis toxin, which modifies the function of some G proteins. *G*Pertussis toxin significantly blunted the thrombin-induced increases in IP_3 (Fig. 1) and intracellular [Ca^{2+}] (Fig. 2), indicating a role for a G protein in thrombin-induced cellular responses. *H*In contrast, pertussis toxin did not affect the PDGF-induced increases in either IP_3 (Fig. 1) or intracellular [Ca^{2+}] (Fig. 2).

3 *I*To ask whether the pertussis toxin-insensitive mechanism for PDGF also involves a G protein, we examined the effect of GTPgS, a stable GTP analog, on IP_3 release in saponin-permeabilized vascular smooth muscle cells. *J*GTPgS has been shown to potentiate many G protein-mediated responses by direct activation of the G protein (15-17). *K*We found that in permeabilized vascular smooth muscle cells, GTPγS increased IP_3 release synergistically with both thrombin and PDGF (Fig. 3). [L]Thus, like thrombin, PDGF requires a G protein for activation of phospholipase C.

4 [M]Because guanosine 5′-O-(2-thiodiphosphate) (GDPbS) attenuates G protein-mediated cellular responses by competing with GTP for binding (18), we tested GDPbS. [N]In support of the notion that a G protein is involved in the signal transduction for PDGF, GDPβS blunted PDGF induced IP_3 release in permeabilized cells (Fig. 4). [O]Thus, whereas thrombin uses a pertussis toxin-sensitive G protein as a signal transducer to activate phospholipase C in vascular smooth muscle cells, PDGF appears to use a pertussis toxin-insensitive G protein.

5 [P]Next we tested the protein kinase C stimulator, phorbol 12-myristate 13-acetate (PMA), which blunts G protein-mediated activation of phospholipase C in some systems (19). [Q]We found that in vascular smooth muscle cells PMA strongly inhibited thrombin-induced, but not PDGF-induced, IP_3 release (Fig. 5). [R]PMA did not affect basal release of IP_3 (200 vs. 215 cpm/dish). [S]Consistent with its effect on IP_3 release, PMA blunted thrombin-induced, but not PDGF-induced, Ca2+ mobilization (Fig. 6). [T]This effect of PMA requires functional protein kinase C, since PMA did not inhibit thrombin-induced Ca2+ mobilization in cells that were made deficient in protein kinase C activity (data not shown).

6 [U]Since PMA has been suggested to act on several targets, including the binding of a hormone to its receptor, we performed receptor-binding studies using 125I-thrombin to see if thrombin receptors are the target of PMA. [V]Acute PMA treatment did not affect either the dissociation constant (KD) for thrombin or the maximal binding (Bmax) for thrombin (Fig. 7). wThus, PMA must act by interfering [W]ith one or more events distal to the binding of thrombin to its receptor.

7 [X]Another possible target for PMA action is the G protein itself. [Y]To investigate this possibility, we examined the effect of PMA on GTPgS-induced inositol phosphate release. [Z]GTPgS caused a progressive release of inositol phosphate, which was inhibited by 55% by PMA treatment (Fig. 8), suggesting that PMA inhibits thrombin-induced cellular responses by affecting the function of the G protein directly.

제7장 고찰

기능

고찰의 주요 기능은 서론에서 제기된 질문에 답하는 것이며 다른 중요한 기능에는 결과가 회답을 어떻게 뒷받침하는지, 그리고 대답이 주제와 관련해 현존하는 지식과 어떻게 일맥상통하는지를 설명하는 일이 포함된다.

줄거리

줄거리의 마지막 단계는 고찰의 도입부에서 시작된다. 가설검증논문에서 줄거리의 마지막 단계는 질문에 대답하는 것이다(가설이 참인지 거짓인지). 기술논문(descriptive paper)의 경우, 줄거리의 마지막 단계는 메시지(예를 들어, 유사된 구조의 주요 특징)와 메시지가 의미하는 바(구조의 기능)를 다시 기술하는 것이다. 방법논문(methods paper)의 경우, 줄거리의 마지막 단계는 새로운 방법과 그 방법의 장단점 및 응용에 관해 다시 기술하는 것이다. 이번 장에서는 가설검증논문의 고찰 섹션에 초점을 맞출 것이다.

내용

가설검증논문의 고찰 섹션에는 서론에서 제기된 질문에 대한 대답과 이에 대한 뒷받침, 설명, 대답에 대한 방어가 포함된다. 또한, 대답을 뒷받침하지 않는 결과에 대한 설명이나, 수행한 실험의 참신성에 대한 언급, 예기치 못했던 발견이나 방법의 한계에 대한 설명, 연구디자인이나 수립했던 가정의 부족한 점, 연구의 중요성에 관한 언급 등이 포함될 수 있다.

질문-대답의 연결

동일한 핵심용어와 동일한 동사(적합한 경우), 동일한 관점을 사용해서 질문을 제기하는 것과 동일한 방식으로 질문에 대답해야 한다. 동사는 현재시제이어야 하며 이는 대답이 실험군이 추출된 전체 모집단에도 참이어야 되기 때문이다. 예를 들어, "Does sympathetic stimulation increase norepinephrine synthesis in rat superior cervical ganglia in vivo?" 라는 질문을 제기했다면, 대답은 "This study shows that sympathetic stimulation increases norepinephrine synthesis in rat superior cervical ganlia in vivo" 나 "This study shows that sympathetic stimulation does not increases norepinephrine synthesis in rat superior cervical ganlia in vivo" 가 되어야 할 것이다. 핵심용어나 동사, 관점을 바꾸면 대답을 인식하기가 더 어려워 진다.

대답과 관련된 신호

대답을 기술하기 전에 신호를 보냄으로써 독자들에게 대답이 등장한다는 사실을 미리 알려야 한다. 아래에 대답과 관련된 몇 가지 신호가 나열되어 있다. 대답과 관련된 신호에 사용되는 동사의 시제는 문장의 주어에 따라 달라진다. 주어가 "study" 나 "results" 라면 신호에 사용되는 동사는 현재시제이어야 한다. 주어가 "we" 일 경우 신호에 사용되는 동사는 동사의 종류에 따라 현재나 현재 완료, 과거시제로 표현될 수 있다.

신호동사의 시제

Signal	Verb Tense
"his study shows that"	present
"Our results indicate that"	present
"In this study, we provide evidence that"	present
"In this study, we have shown that"	present perfect
"In this study, we have found that"	present perfect
"In this study, we found that"	past

대답이 적용되는 실험군이나 동물

대답은 해당되는 실험군으로 제한되어야 한다. 인간을 대상으로 한 연구의 대답을 기술할 때는 연구한 샘플에서 얻은 결과를 그 샘플이 유래한 실험군으로 일반화시켜야 한다. 예를 들어 "Respiratory distress syndrome" 이 있는 미숙아를 연구했다면 연구의 대답이 이 질환을 가진 모든 미숙아에게 적용될 것이다. 그러나 그 대답은 이 질환을 가진 만삭아나 다른 질환이 있는 미숙아에게는 적용되지 못할 수 있으며 따라서 "Respiratory distress syndrome이 있는 미숙아"라는 점이 반드시 대답에 포함되어야 한다. 동물을 대상으로 한 실험의 경우 제기한 질문에 따라 대답이 동물에 적용될 수도 또는 사람의 일부 혹은 전체에 적용될 수도 있다. 대답이 연구한 동물에만 국한된다면 예문 7.2와 같이 대답에 동물을 포함시켜야 하며, 대답이 연구한 동물에만 국한되지 않는다면 예문 7.11과 같이 대답을 알리는 신호에 동물의 이름을 넣거나 아니면 결과로 이어지는 연결부나 결과를 기술할 때 언급해야 한다.

대답을 뒷받침하기

때로는 질문에 대한 대답이 간결하고 단순한 경우가 많다(단순히 주요 결과를 기술하는 것). 예를 들어 질문이 "to determine surface tension within alveoli at total lung capacity"라면, 대답은 "In this study we found that, at 37℃, alveolar surface tension at total lung capacity is 29.7±5.6(SD)mN/m."이 될 것이다. 이런 경우에는 결과를 뒷받침할 필요가 없다. 하지만 저자들은 결과를 출판된 다른 수치들과 비교함으로써 자신들의 대답을 방어했다(예문 7.5 참조).

결과를 기술함으로써 대답을 뒷받침하기

보통은 결과가 대답이 되지 않는다. 대답은 직접적이든 간접적이든 결과에 기초해 일반화시킨 사실을 말한다. 따라서 대답이 정당하다는 사실을 독자에게 확신시키려면 대답을 기술한 뒤에 적절한 결과를 기술할 필요가 있다. 또한 구체적인 데이터를 보는 것이 독자에게 도움이 될 경우 그림이나 표를 인용하는 것도 좋다. 독자가 결과를 모두 암기하고 있거나 혹은 대답을 뒷받침하는 결과를 찾기 위해 결과 섹션 전체와 그림, 표를 샅샅이 조사하리라고는 기대하지 말라. 고찰의 목적은 독자를 위해 줄거리를 하나로 엮는 것이다.

대답에서 결과로의 이행

결과를 대답에 연결해 주는 고리를 찾는 일은 쉽지 않으며, 대단히 긴 문장을 수반하는 "because" 대신에 사용할 만한 특별한 연결어구는 없는 듯 하다. 따라서, 저자는 연결구나 연결절을 창작해내거나 주제문을 사용해야 한다. 다음 몇 가지 예를 살펴보자.

대답에서 결과로의 이행

연결구	종류	예문
"In our experiments"	연결구	7.14
"The evidence is that"	연결절	7.20
"Evidence that(answer) is that"	연결절	7.1
"We found that" *	연결절	고찰 1 연습문제 7.1
"(Answer) has been demonstrated in two ways."	주제문	7.2

* "we found that" 만 대답을 알리는 신호에 해당하지 않는다.

예문 7.1과 7.2는 결과를 대답과 연결시키는 두 가지 방법을 보여준다. 예문 7.1에서는 연결절이 사용되었고 7.2에서는 주제문과 연결어휘가 사용되었다.

예문 7.1 결과를 대답과 연결시키는 연결절

The experiments presented here show that cloned human tumor necrosis factor α inhibits the expression of MYC in the human promyelocytic leukemic cell line HL-60 selectively and that it does so by decreasing the rate of synthesis of MYC mRNA. Evidence that the inhibition of MYC gene expression is selective is that expression of mRNA for reference proteins HLA-A, -B, and -C was not inhibited. In fact, transcription of HLA-A, -B, and -C mRNA was slightly increased (Fig. 5). Evidence that the rate of synthesis of MYC mRNA decreases is that the half-life of degradation of MYC mRNA remained unchanged in cells treated with cloned human tumor necrosis factor α (Fig. 4) and that in nuclear "run on" assays, cloned human tumor necrosis factor α decreased the rate of MYC gene expression.

이 예문에서는 두 개의 대답이 주제문에 기술되었으며 이를 뒷받침하는 결과가 주제문과 동일한 핵심용어를 사용해 연결절에서 소개되고 있다. 예문 7.20의 문장 D에서도 연결절을 통해 결과와 대답을 연결시키는 예를 찾아볼 수 있다.

예문 7.2 결과와 대답을 연결시키는 주제문

The hemodynamic data obtained in this study indicate that in the open-chest living dog a waterfall effect occurs in the large pulmonary veins where they exit from the surface of the lungs. Its presence has been demonstrated in two ways. First, the finding that upstream intrapulmonary venous pressures were influenced by changes in downstream extrapulmonary venous pressure at high but not at low downstream pressures is consistent with the concept of a pulmonary venous waterfall effect between the two measuring sites. Second, we found that, under conditions of physiological flow, when the downstream pressure of the pulmonary veins was zero, there was a short segment where the vein was leaving the lung in which intravascular pressure changed sharply from a positive upstream to zero downstream pressure.

이 예문에서는 주제문과 연결어휘가 결과를 대답에 연결시키고 있다

자신의 업적과 다른 사람의 업적에 대한 인정

다른 사람의 결과가 자신의 대답을 뒷받침한다면 그 결과를 언급하고 적절한 참고문헌을 제시하라. 자신의 업적과 다른 사람의 업적을 과대평가하거나 과소평가해서는 안 된다. 다른 사람의 업적이 자신의 논점을 매듭지워준다면 그렇게 말하라. 반대로 자신의 연구가 여러 갈래로 헝클어진 가닥들을 모아주는 잃어버린 고리라면 그렇다고 말하라. 너무 겸손할 필요도, 너무 자만할 필요도 없다. 예문 7.3은 자신의 업적과 다른 사람의 업적을 적절하게 인정하는 한 예를 보여준다.

예문 7.3 자신의 업적과 다른 사람의 업적에 대한 인정

By using whole mounts stained histochemically for acetylcholinesterase, we have reconstructed an overall picture of the architecture of the nerves and ganglia of the ferret trachea. This reconstruction, which incorporates and confirms the separate observations of previous investigators (6, 9, 11, 14, 24), includes several new observations that provide a more complete understanding of the tracheal innervation.

이 예문에서 고찰의 첫 문장은 대답을 기술하고 있으며 두 번째 문장은 다른 사람의 업적을 인정하는 것과 동시에 저자가 기여한 바를 분명하게 언급하고 있다.

대답에 관한 설명

대답을 기술하고 이를 결과로 뒷받침하는 것 외에 대답을 설명해야 할 필요가 있을 수도 있다. 예를 들어, 왜 그 대답이 합리적이며 또는 그 대답이 이미 출판된 개념

들과 어떻게 부합하는가? 예문 7.4의 두 번째 및 세 번째 단락에는 대답이 이미 출판된 개념들과 어떻게 부합하는가에 대한 설명이 예시되어 있다.

예문 7.4 대답에 관한 설명

1 In this study, we have found a second example of clustering for two members of the large collagen gene family and have demonstrated physical linkage between genes that have the same function—encoding both chains of a single collagen type. Specifically, we have conclusively localized the human α2 type IV collagen gene to the distal long arm of chromosome 13 by two independent methods. Hybridization to DNA from rodent-human hybrids with different deletions of chromosome 13 assigned the α2(IV) locus to the segment 13q22→terminus. Mapping by the chromosomal in situ technique allowed more refined sublocalization to the distal q33→q34 region. This region also contains the α1(IV) locus (30), as shown diagrammatically in Fig. 5.

2 These results thus lend further credence to our earlier suggestion that one might expect to find clustering of several collagen members and dispersion of others in a fashion analogous to the globin pattern (36). In that pattern, two separate multigene clusters containing the α and β globin genes are present on chromosomes 16 and 11, respectively (43-45). At both loci, the genes are tightly linked and contiguous.

3 The arrangement of the collagen genes that we report here is also reminiscent of the histones, since clusters of different histone genes map to at least three human chromosomes (46). For the histone gene family, we previously hypothesized that an ancestral site existed that gave rise to the present clusters distributed among multiple chromosomes by means of mechanisms involving recombination (36). A similar situation now emerges for the collagen gene family.

이 예문의 첫번째 단락은 질문에 대한 대답을 기술하고 그 대답을 결과로 뒷받침하고 있으며 그 다음 두 단락은 대답("clustering of collagen genes")이 이미 출판된 개념("clustering of globin genes and of histone genes")들에 어떻게 부합하는지를 설명하고 있다.

대답에 대한 방어

제기한 질문에 대해 다른 가능한 대답들이 제기되었거나 쉽게 다른 대답을 상상할 수 있다면 왜 저자의 대답이 다른 대답보다 만족스러운지를 설명해야 한다. 대답을 방어할 때는 저자의 대답이 왜 만족스러우며, 다른 대답은 왜 그렇지 않은지를 모두 설명해야 한다. 즉, 저자는 자신의 대답을 지지하면서 동시에 다른 가능성을 반박해야 하는 것이다. 한편으로는 지지하고 한편으로는 반박함으로써 저자는 자신의 대답에 설득력을 부여할 수 있다. 예문 7.5에는 대답을 지지하고 반박함으로써 방어하는 법이 예시되어 있다.

예문 7.5 대답에 대한 방어

In this study, we found that, at 37°C, alveolar surface tension at total lung capacity is 29.7 ± 5.6 (SD) mN/m. We believe that this value, which we determined by a direct technique, is accurate because it is close to the known equilibrium surface tension of about 25 mN/m for extracts containing pulmonary surfactant (10, 11). However, higher surface tensions have been suggested by other investigators, who did surface balance studies of lung extracts. Their values range from 31 to 50 mN/m (7, 8, 12). But deducing values for alveolar surface tension from lung extracts in surface balances is uncertain, because the actual concentration of surface-active agents at the alveolar surface is not known (5, 13). We suspect that the concentration of surface-active agents in lung extracts as usually assessed in surface balances might be lower than those in alveoli at total lung capacity and that if higher concentrations were used, surface tension values deduced from surface balance studies might be closer to equilibrium values.

이 예문의 첫 번째 문장은 저자의 대답("a surface tension value obtained by a direct technique")을 기술하고 두 번째 문장은 그 대답을 "the known value at equilibrium"과 비교함으로써 방어하고 있다. 여기까지는 지지-반박 논증의 "지지"에 해당하며 단락의 나머지 부분은 "반박"에 해당하는 논증이다. 이 부분에서는 사용된 방법으로 동일한 양을 측정한 것이 아닐 수 있으므로 다른 대답들은 정확하지 않을 수 있다고 반박하고 있다. 이런 지지와 반박 논증을 모두 수긍한다면 저자의 대답을 기꺼이 받아들이게 될 것이다.

모순되는 결과의 설명

필요에 따라 대답을 기술하고 뒷받침하며 설명하고 방어하는 일 외에 대답을 뒷받침하지 않는 결과를 언급하고 최대한 설명해야 한다. 예문 7.6의 마지막 세 문장("However, ...")에는 모순되는 결과에 대한 그런 설명이 예시되어 있다.

예문 7.6 모순되는 결과의 설명

The main finding of the present study is that β-adrenergic blockade does not impair performance of maximal or submaximal exercise at high altitude. As expected, treatment with the β-blocker propranolol substantially decreased heart rate at high altitude. However, contrary to our hypothesis, propranolol-treated subjects were able to maintain levels of oxygen uptake during maximal and submaximal exercise as great as those in placebo-treated subjects. This finding cannot be attributed to increased arterial oxygen saturation or hemoglobin concentration, since values for propranolol-treated subjects were no different from those for placebo-treated subjects. Rather, it appears that oxygen uptake was maintained by increasing stroke volume.

이 예문에서 세 번째 문장은 질문에 대한 대답과 상충하는 발견을 기술하고 있으며 네 번째 문장은 두 가지 가능한 설명을 배제하고 다섯 번째 문장은 또 하나의 가능한 설명을 제한하고 있다.

참신성의 확립

연구의 참신성은 서론에서 알려지지 않은 사실을 기술할 때 확립되어야 한다. 독자에게 연구의 참신성을 상기시키고 싶다면 고찰의 첫 두 문장으로 이루어진 예문 7.7과 같이 자신의 논점을 이미 알려진 사실과 대조시키는 것도 한 가지 방법이 될 수 있다.

예문 7.7 참신성의 확립

Partial cDNA clones have been reported for mouse (38-40), rat (41, 42), and human (24) β-glucuronidase. In this study, we report the complete sequence of the full-length cDNA for human β-glucuronidase.

이 예문에서는 첫 문장의 "partial"과 두 번째 문장의 "full-length" 사이의 대조를 통해 참신성이 부각되고 있다.

연구의 우선 순위를 주장하는 것은 피하는 것이 좋다("This is the first report of..."). 영어 혹은 다른 언어를 사용하는 나라의 문헌에서 동일한 또는 매우 유사한 연구가 보고되었을 가능성은 언제나 존재한다. 꼭 우선 순위를 주장하고자 한다면 조심스럽게 언급해야 한다. 예를 들면 다음과 같이 말할 수 있다. "To our knowledge, this is the first report of..."

괴리의 설명

질문에 대한 저자의 대답과 일치하고 그 대답을 뒷받침하는 연구가 있는가 하면 정반대로 저자에 대답과 상반되는 연구가 있다. 저자는 이러한 괴리를 최대한 설명할 필요가 있다. 예문 7.8에는 이러한 괴리에 대한 설명이 예시되어 있다.

예문 7.8 괴리의 설명

Apparent discrepancies between our human growth hormone values and those of earlier studies may be due to differences in study design. In our study, all subjects worked at the same relative intensity (60% $\dot{V}O_{2max}$), which meant different absolute work loads because of the subjects' different levels of cardiorespiratory endurance and body fatness. Moreover, the intensity was constant for 60 min. Earlier studies that reported lower training responses differed from this study design in one of three ways: controls and trained subjects were working at the same absolute work loads or relative intensity was not defined (12, 22, 27); the protocol was continuous and had progressive increases in work load, so intensity and duration were not separated (1, 12, 29); or resting human growth hormone values were higher in the pretraining than in the post-training protocol (12).

예기치 못한 발견의 설명

예기치 못한 발견은 사소한 것에서 대단히 흥미로운 것까지 다양할 수 있다. 어떤 경우에는 이 예기치 못한 발견이 너무나 흥미로운 나머지 처음 제기된 질문을 뛰어넘어 논문의 주인이 되기도 한다. 예기치 못한 발견을 기술할 때는 예문 7.9와 같이 단락의 도입부에 그 발견이 예상되지 않았던(또는 놀라운) 것이라는 점을 기술하고 나서 최대한 그 발견을 설명해야 한다.

예문 7.9 예기치 못한 발견의 설명

A surprising finding was that in dogs treated with isoproterenol, oxygen extraction ratios during severe hypoxia were low. The ratios we found were less than 50%, whereas ratios in untreated dogs range from 80 to 90% (4). We suggest two possible explanations of why extraction of oxygen from skeletal muscle was not further increased to minimize the oxygen deficit in the isoproterenol-treated dogs. First, blood flow may have been directed through thoroughfare, nonnutritive channels during β-adrenergic stimulation rather than through nutritive channels, thereby decreasing the ability of the tissue to take up oxygen. Second, some metabolic autoregulatory stimulus may have dictated the amount of oxygen used during hypoxia so that when blood flow was increased, oxygen extraction was decreased in proportion to decreased metabolic needs. If these explanations are correct, they imply that the oxygen deficit is linked not only to oxygen delivery but also to some tissue signal originating at the cellular level.

방법의 한계와 연구디자인 및 가설의 타당성의 결함

방법에 한계가 있거나, 연구디자인에 결함이 있거나 아니면 연구가 어떤 가정에 기초한 경우 한계와 결함, 가정을 기술하고 그러한 한계와 결함, 가정이 왜 받아들여질 수 있는 것이지 설명해야 한다. 이에 대한 설명이 간결하다면(한두 문장) 방법 섹션에서 기술될 수도 있다. 설명이 이보다 길거나(한두 단락) 그런 한계와 결함, 가정이 연구 결과에 심각한 영향을 미칠 수 있다면 여기에 관한 설명은 고찰에 포함되어야 한다. 또한 가능하다면 방법상의 한계와 연구디자인의 결함, 가정의 타당성은 줄거리에 끼워넣어져야 한다(예문 7.19와 예문 7.1, 고찰 1 참조). 예문 7.10에는 가정의 타당성에 대한 설명이 예시되어 있다.

예문 7.10 가정의 타당성에 대한 예시

One assumption we made for the measurement of the pulmonary capillary filtration coefficient (Kf) was that isolating the lungs did not injure pulmonary vessels. This is a reasonable assumption, because we minimized lung ischemia by removing the lungs rapidly (within 5 min). In addition, the baseline Kf values in our study are low and agree with other reported Kf values (33). Finally, we have found that lungs isolated and perfused in a similar manner are stable for 3 h (unpublished observation).

이 예문에서 저자는 우선 무엇이 가정인지를 기술한 뒤에 그 가정이 타당한 세 가지 이유를 제시하고 있다.

중요성의 확립

연구의 중요성은 참신성 때문에 분명해지는 경우가 많다. 예를 들어 질병의 원인이 밝혀지지 않았다면 그 원인을 새로이 밝히는 것은 중요한 일이다. 마찬가지로 기초 연구에서도 참신성은 중요성을 증명하는 충분한 증거가 된다. 그러나, 중요성은 확립될 필요가 있으며 이 작업은 서론(4장)이나 고찰에서 이루어질 수 있다. 고찰에서는 연구의 응용 범위나 대답이 갖는 의미를 기술하거나 대답에 기초한 제안이나 의견을 기술함으로써 중요성을 확립할 수 있다. 응용이나 제안, 의미나 의견은 고찰을 맺는 도구로 사용되는 경우가 많다(다음의 "고찰을 끝맺는 법" 참조).

조직(Organization)

고찰이 산만하지 않게 잘 짜여지기를 바란다면 고찰을 쓰는 것을 옛날 이야기를 하는 것처럼 생각하되 그 이야기의 초점을 서론에서 제기한 질문에 맞추라. 이야기를 하려면 이야기를 이루는 세 가지 표준적 구조를 고찰에 부여해야 한다(시작, 중간, 결말).

고찰의 시작(첫 단락 ~)은 질문에 대한 대답을 기술하고 그 대답을 결과로 뒷받침해야 한다. 이야기에 초점을 질문에 맞출 수 있는 가장 좋은 방법은 질문으로 이야기를 시작하는 것이다.

고찰의 중간에서는 과학이 정한 논리적 순서를 따라 또는 대답과 관련해 중요한 순서를 따라 주제들이 짜여진다.

고찰의 결말(마지막 단락)은 질문에 대한 대답을 다시 기술하거나 연구의 중요성을 부각시킴으로써 결론을 내려야 한다.

다음의 가이드라인은 고찰에서 이야기를 전개하는 방법을 설명하고 있으며 여기에서 가장 중요한 점은 질문에 대한 대답을 고찰의 도입부에 기술하는 것과 주제문을 사용해서 각 단락의 도입부에 주제나 메시지를 기술하는 것, 그리고 각 단락을 선행한 단락과 연결시키는 것이다.

고찰을 시작하는 법: 질문에 답하라

질문에 대한 대답으로 고찰을 시작한 뒤에 곧바로 그 대답을 뒷받침하라. 질문에 대한 대답으로 시작하는 이유는 고찰의 도입부가 중요한 위치이며 따라서 가장 중요한 개념에 사용되어야 하기 때문이다. 고찰에서 가장 중요한 개념은 바로 질문에 대한 대답이며 대답이 가장 중요한 이유는 서론에서 제기된 질문과 방법 섹션에 기술된 내용, 질문에 답하기 위해 수행한 실험의 결과 등이 만들어 낸 기대를 대답이 충족시켜 주기 때문이다. 그러므로 질문에 대한 대답은 논문의 최정점이며 따라서 고찰에서 가장 돋보이는 위치인 도입부를 차지할 자격이 있다.

대답은 고찰의 첫 문장(가장 강력한 위치)에 기술되거나 아니면 질문을 다시 기술하거나 간결하게 문맥을 제공하는 문장 뒤에 제시될 수 있다.

연구가 두 가지 질문을 포함하고 있다면 첫 문장에 양쪽에 해당하는 대답이 주어질 수 있으며 아니면 첫 번째 단락과 두 번째 단락의 도입부에 각각이 별개의 문장으로 제시될 수 있다. 두 대답이 한 문장에 주어질 경우 "and that" (예문 7.12)을 이용해 두 번째 대답의 등장을 알리라. 대답이 서로 다른 문장에 주어질 경우 각각 다른 신호를 사용하라. 예를 들면 다음과 같다. "This study shows that(첫 번째 대답)…", "We also found that(두 번째 대답)…"

두 개 이상의 질문이 있는 경우는 드물다. 만약 세 개 이상의 질문이 있을 경우 질문을 분할하거나 아니면 실험적 접근방법을 상세하게 기술하라(연습문제 4.1, 서론 3 참조).

고찰을 시작하는 방법들의 예

질문에 대한 대답을 기술하라. 고찰을 시작하는 가장 명확한 방법은 질문에 대한 대답을 기술하는 것이다.

연구가 한 가지 질문을 던지고 있다면 그 질문에 대한 대답으로 고찰을 시작하고 대답에 앞서 신호를 보내라. 적절하다면 신호 또는 대답에 동물을 언급하라. 대답이 제기한 질문에 적합한 대답이 되도록 주의하라.

예문 7.11 한 가지 대답

This study in newborn goats demonstrates that <u>continuous positive airway pressure (7.5 cm H_2O) **can impair** renal function in newborns</u>.

이 예문에서는 대답에 대한 신호(이탤릭체)로 문장이 시작되며 대답(밑줄)으로 문장이 끝난다. 대답이 동물에만 국한된 것이 아니기 때문에 동물(newborn goat)은 신호에서 언급되었다. 대답은 서론에서 제기된 질문에 부합한다: "The purpose of this study was to further define the effects of continuous positive airway pressure on renal function in newborns." 동일한 핵심용어(continuous positive airway pressure, renal function, newborns)가 사용되었으며 관점도 같다(cause to effect).

연구에서 두 가지 질문을 다뤘다면 예문 7.12와 같이 두 질문에 모두 대답함으로써 고찰을 시작하거나 첫 단락의 도입부에서는 한 가지 질문에만 대답하고 다른 질문은 뒤에 나오는 단락의 도입부, 가급적 두 번째 단락의 도입부에서 대답할 수도 있다. 이 때 두 대답의 중간에 제시되어야 하는 유일한 정보는 첫 번째 대답을 뒷받침하는 결과이다. 각각의 대답 앞에 신호를 두어야 한다. 서론에서 질문이 제기된 순서와 동일한 순서로 대답해야 한다.

예문 7.12 두 개의 대답

Our experiments show that cigarette-smoke-induced bronchoconstriction is much more severe than previously reported and that this bronchoconstriction **is mediated** principally by extravagal mechanisms.

이 문장은 서론에서 제기된 질문 모두에 대답하고 있으며 두 개의 대답 모두에 해당하는 신호로 시작되고("Our experiments show that") 나중에는 "and that"을 사용하여 두 번째 대답을 알리고 있다. 연구된 대상이 사람이기 때문에 동물은 언급되지 않았다. 서론에서 제기된 질문은 "to determine the severity of cigarette-smoke-induced bronchoconstriction.... To determine the mechanism of cigarette-smoke-induced bronchoconstriction."이다. 대답이 동일한 핵심용어(밑줄)를 사용하고 있기 때문에 제기된 질문에 답하고 있다는 점이 분명해진다.

질문을 다시 기술한 뒤에 대답을 기술하라. 대답으로 고찰을 시작하지 않고 대답 전에 질문을 한 문장으로 다시 기술할 수 있다. 대답만으로 시작하지 않고 대답에 앞서 질문을 다시 기술하면 갑자기 돌출한 것 같은 느낌을 덜 준다. 고찰에서 질문을 다시 기술할 때는 질문과 대답에 동일한 핵심용어와 동사(적절한 경우), 동일한 관점이 사용되도록 주의해야 한다. 또한, 고찰에 기술된 질문이 서론에서 제기된 질문과 일치하도록 하라.

예문 7.13 질문과 대답

The question addressed by the present study was whether the chemical stimuli hypercapnia and hypoxia affect the magnitude of the abdominal expiratory neural activity in the absence of any changes in proprioceptive afferent activity from the lungs and chest and abdominal walls. The main finding of the study is that progressive hyperoxic hypercapnia and isocapnic hypoxia both **increase** abdominal expiratory neural activity while concurrently decreasing expiratory duration. For hypercapnia, the increases in the variables related to the magnitude of the abdominal neurogram and arterial Pco_2 were linear, whereas for hypoxia the increases were hyperbolic.

이 예문에서는 질문과 대답에 동일한 핵심용어와 관점(원인에서 결과)이 사용되었으며 고찰에서 다시 기술된 질문이 서론에서 제기된 질문과 일치하고 있다: "The aim of the present study was to determine whether hypercapnia and hypoxia affect the magnitude of the abdominal expiratory neural activity in the absence of any changes in proprioceptive afferent activity from the lungs and chest and abdominal walls." 대답을 뒷받침하는 결과는 대답이 기술된 직후에 제시되고 있으며 핵심용어가 반복사용된 연결구들이 이를 알리고 있다: "For hypercapnia, ... for hypoxia..."

고찰의 도입부에서 질문을 다시 기술할 때는 곧바로 대답으로 직행해야 하며 실험적 접근방법을 장황하게 리뷰하는 등의 일은 피해야 한다. 실험적 접근방법을 기술하려면 간결하게 하라. 대답이 지체될수록 독자가 대답을 찾는 일이 어려워진다. 고찰에서는 대답이 가장 중요한 정보이기 때문에 대답은 가장 눈에 띄는 장소, 즉 고찰의 도입부에 등장해야 한다. 예문 7.14에서는 대답이 세 번째, 네 번째 문장까지 지체되고 있으며 이 정도가 기다릴 수 있는 최대 한계일 것이다.

예문 7.14 질문, 그리고 지체된 대답

What makes an initiator tRNA an initiator and not an elongator? In an attempt to answer this question, we removed from E. coli $tRNA_2^{fMet}$ two of the features common to all prokaryotic initiator tRNAs, isolated and characterized the mutant tRNAs, and studied their function in protein synthesis in vitro. We found that what makes an initiator tRNA an initiator is not the T-1 mutation, because this mutation had no effect on protein synthesis (Fig. 1). Rather the $\substack{GGG \\ CCC}$ sequence conserved in the anticodon stem of both prokaryotic and eukaryotic initiator tRNAs is important for initiation. In our experiments, as one, two, and all three of the G · C base pairs were altered to those found in E. coli elongator methionine tRNA, the activity of the mutant tRNAs in protein synthesis initiation decreased progressively, a mutant with all three G · C base pairs altered being the least active (Fig. 3). The effect of the mutation was at the step of initiator tRNA binding to the ribosomal P site (Table 2).

이 예문에서는 첫 문장이 질문을 다시 기술하고 두 번째 문장이 질문에 대답하기 위한 실험적 접근방법에 대해 기술하고 있다. 세 번째 문장은 대답을 알리는 신호로 시작한 뒤에 저자가 배척한 대답을 기술하고 있고, 배척된 대답은 질문과 대구를 이루고 있으며 동일한 핵심용어와 동사가 사용되었다. 세 번째 문장은 그 대답을 배척한 이유로 끝맺어지고, 네 번째 문장은 저자가 받아들인 대답을 기술하고 있다. 실험적 접근방법에 관한 문장이 질문과 배척한 대답 사이에 들어가 있기 때문에 배척한 대답을 미리 알리고 거기에 대구를 사용하는 일은 대단히 중요하다. 네 번째 문장에서 관점과 동사가 바뀌긴 하지만 배척된 대답이 기술된 세 번째 문장과 네 번째 문장이 대조를 이룬다는 점을 "rather"이 알려주기 때문에 네 번째 문장이 대답이라는 점이 분명하게 드러난다. 이 단락의 마지막 두 문장에는 대답을 뒷받침하는 결과가 제시되고 있으며 결과를 알리는 신호는 "In our experiments"이다.

간결하게 문맥을 제시한 뒤에 대답을 기술하라. 간결하게 문맥을 제시하는 것은 고찰의 도입부가 돌발적으로 시작되는 것을 피하는 또 하나의 방법이다. 제시된 문맥은 서론에서 언급한 논점을 정확하게 다시 기술해야 하며 무엇보다 간결해야 한다. 예문 7.15처럼 한 문장이나 많아야 두 문장이면 충분하다.

예문 7.15 문맥과 대답

Previous investigators suggested that drainage of liquid from the lungs of fetal rabbits begins at birth (1, 2) and is inhibited by cesarean section (2). Our results show that drainage of fetal lung liquid in rabbits begins before birth and depends on the experience of labor, not on the mode of delivery.

예문 7.15의 첫 문장은 문맥을 제시하고 있으며 두 번째 문장은 질문에 대한 대답을 기술하고 있다. 첫 번째 대답은 문맥의 첫 부분과 밀접하게 대구를 이루고 있기 때문에 앞서 제안된 사실과 이 연구가 담고 있는 메시지 간의 차이를 쉽게 알아볼 수 있다.

질문을 다시 기술하고 문맥을 제공하는 일은 단순히 질문에 대한 대답을 기술하는 것에 비해 고찰의 도입부를 훨씬 정교하게 시작하는 것이기는 하지만 대개 고찰을 시작하는 가장 좋은 방법은 단순한 방법, 즉 대답을 기술하는 것이다. 대답이 고찰의 도입부에 기술되어야 독자가 가장 찾기 쉬우며 따라서 가장 큰 효과를 갖는다.

고찰의 도입부에서 하지 말아야 할 일

제 2의 서론으로 고찰을 시작하지 말라. 고찰을 어떻게 시작하면 좋을지 모르거나 고찰의 도입부에서 대답을 기술하는 일이 민망스러울 때 제 2의 서론을 쓰는 저자가 많다. 제 2의 서론은 생산적이지 못하며 강력한 위치를 이미 제공한 정보에 헐값으로 넘기는 것과 같다. 제 2의 서론이 본래의 서론을 확장하는 것이라면 이것은 완전히 불필요하다. 논문의 도입부에서 확장된 서론을 읽을 필요가 없다면 이제 질문에 대한 답을 기다리는 시점에서 왜 그것을 읽어야 하는가? 제 2의 서론이 본래 서론과 다르다면 그것은 다음과 같이 독자를 혼동시키고 잘못된 길로 이끌 수 있다: 본래 서론은 이 논문에 대한 그릇된 접근방법을 담고 있었는가?

고찰은 서론으로 돌아가는 장소가 아니다. 고찰의 도입부에서는 예문 7.14와 같이 질문을 다시 기술하거나 예문 7.15와 같이 한 문장으로 배경을 제공할 수 있으며 그것이 전부다. 고찰에 이른 독자는 대답을 맞을 준비가 되어있다. 그러니 대답을 제공하라. 그 다음에 저자가 포함시키기 원하는 기타 정보들이 어떻게 그 대답에 부합하는지를 설명하라.

고찰의 도입부를 결과의 요약으로 시작하지 말라. 결과를 요약하는 곳은 결과 섹션이지 고찰이 아니다. 결과 섹션이 상당히 길어져서 그 요약을 고찰의 도입부에 집어넣고 싶다면 대신에 결과를 요약해서 결과 섹션을 간결하게 만들면 된다.

고찰의 도입부를 부가적인 정보로 시작하지 말라. 부가적인 정보는 고찰의 후반부, 즉 질문에 대한 대답이 기술된 후에 제공해야 한다.

예문 7.16 이차적인 정보로 시작하기(바람직하지 않음)

The small but significant loss of plasma volume during the last 10 min of the normoxic rest period is difficult to explain.

서론에서 제기된 질문은 "to determine if the efflux in plasma volume during hypoxic submaximal and maximal exercise in the supine posture can exceed the maximum 15-22% reported for normoxic conditions."였다. 이 질문을 통해 독자는 고찰의 도입부에서 "the efflux in plasma volume can exceed 22% in hypoxic subjects during exercise"의 가부에 관한 진술을 기대하게 된다. 그러나 이 예문에서는 대신에 예기치 못한 사소한 발견(loss of plasma volume in normoxic subjects at rest)이 언급되고 있으며 독자는 여기에서 길을 잃게 된다.

예문 7.17 이차적인 정보로 시작하기(바람직하지 않음)

The results of the endurance time for the sustained isometric exercise at different contraction levels were consistent with previous reports (4, 25).

이 고찰은 질문에 대한 대답으로 시작하기 않고 이차적인 중요성(결과의 일부를 이미 출판된 결과와 비교)에 관한 정보로 시작하고 있다(본래 질문은 "to determine the endurance time during exercise consisting of sustained isometric contractions, intermittent isometric contractions, and dynamic contractions"이다). 고찰의 도입부를 이차적인 정보에 내주는 것은 부끄러운 일이다. 이차적인 정보는 질문에 대한 대답이 기술된 뒤에 고찰의 중간에 기술되어야 한다.

고찰을 전개하는 법: 주제문을 고리로 연결하라

주제를 엮는 법

질문에 대답한 뒤에 등장하는 고민은 어떻게 고찰을 전개할 것인가의 문제다. 어떤 주제 앞에 다른 주제를 배치해야 하는 과학적 논리가 있다면 그 논리를 따르라. 만약 그렇지 않다면 중요한 순서대로 배열하는 것이 좋다. 중요성은 질문에 대한 대답과의 상관성에 의해 결정된다. 예를 들어, 대답을 뒷받침하고, 설명하고, 방어하는 내용은 대개 다른 주제보다 앞에 나오는 것이 정상이다.

두 개 이상의 단락이 대답에 대해 동일한 관계를 가지는 경우도 적지 않은데(예를 들어, 대답을 뒷받침하는 단락), 이럴 때는 이런 단락들을 고찰의 한 서브섹션으로 묶어야 한다. 결국 고찰은 일련의 서브섹션으로 이루어지며 각 서브섹션은 하나 또는 그 이상의 단락으로 구성된다. 과학적 논리나 중요성에 따라 주제가 조직되는 것과 마찬가지로 각 서브섹션 내의 단락들도 과학적 논리나 중요성에 따라 조직되어야 한다.

중요성이란 다소 주관적이고 상대적인 개념이기 때문에 논문의 공동저자들이 같은 주제를 다른 방식으로 엮을 수도 있으며 동일한 저자라 하더라도 나중에는, 예를 들어 새로 출판된 논문의 내용에 따라 주제를 다른 방식으로 엮을 수 있다.

전체 줄거리를 말하는 법

주제와 단락을 과학적으로 논리적인 순서나 중요성에 따라 엮는 것만으로는 충분하지 못하다. 더 나아가서 저자는 독자에게 그렇게 엮은 배경이 무엇인지를 말해주어야 한다: 왜 두 번째 주제가 두 번째에 와야 하며, 세 번째 주제가 세 번째에 등장하는가? 결국, 단락의 주제문은 단락의 주제나 메시지만을 전달하는 것이 아니라 선행한 단락과 자신이 속한 단락과의 관계(따라서 질문에 대한 대답과의 관계)를 함께 전달하는 것이다. 다시 말하면, 각 단락에 해당하는 줄거리를 말하는 것만으로 그쳐서는 안 되며 주제문을 이용해 고찰의 전체 줄거리를 엮어나가야 하는 것이다.

주제문을 이용해 고찰의 전체 줄거리를 엮는 데는 두 가지 방법이 있다. 한 가지는 도입부에서 개요를 제시하는 것이며(개요 기법), 다른 한 가지는 한 번에 하나씩 제시하는 방법이다(단계별 기법). 개요 기법에서는 저자가 각 서브섹션의 도입부에서 주제문을 이용해 해당 서브섹션의 주제나 메시지를 선포한 뒤에 서브섹션 내 각 단락의 도입부에 연결어구와 주제문을 모두 사용해서 한 단락에서 다음 단락으로 진행하게 되며, 결과적으로 독자는 다음 단락에서 무엇을 기대하게 될 지를 미리 알 수 있다. 단계별 기법은 이와 사뭇 다르다. 저자는 단락의 도입부에서 주제문을 이용해 줄거리의 한 단계에 관해 말하고 다음 단락의 도입부에서는 다른 주제문이 다음 단계에 관해 말하는 식으로 진행되며 단락은 핵심용어의 반복을 통해 서로 연결된다. 이 기법을 사용하면 독자는 무엇을 기대해야 할 지 미리 알 수 없지만 한 번에 한 단계씩 저자와 생각의 보조를 맞추게 된다.

개요 기법의 장점은 고찰의 줄거리를 쉽게 따라갈 수 있다는 점이며 단계별 기법의 장점은 줄거리가 펼쳐지는 동안 마치 그 곳에 있는 것과 같은 기분을 주기 때문에 논문이 흥미로와진다는 점이다. 그러나, 목적을 달성하려면 단계별 기법을 능숙하게 다루어야 하며 특별히 핵심용어를 분명하게 반복해서 독자가 줄거리를 놓치지 않도록 해야 한다.

주제문을 이용해 전체 줄거리를 말하는 것

앞에서 말한 바와 같이 두 가지 방식으로 고찰을 전개해나가는 과정에서는 지금까지 살펴본 여러 종류의 주제문을 여러 조직 단계에서 사용하는 일이 필요하다.

개요 기법에서 주제문을 사용하는 것. 개요 기법에서는 주제문이 두 단계, 즉 서브섹션과 단락 수준에서 사용된다. 서브섹션의 주제문은 서브섹션의 주제나 메시지를 전달하며 동시에 고찰의 전체 짜임새를 보여준다: 서브섹션 I은 주제 X에 관한 것이다. 서브섹션 내에서 줄거리의 각 단계를 연결시키려면 각 단락의 도입부에 연결형 주제문을 사용해야 한다. 연결형 주제문이란 문장의 앞 부분에 연결어휘나, 연결구, 연결절을 가지고 있는 주제문을 말한다. 예문 7.18에는 서브섹션의 주제문과 연결형 주제문이 예시되어 있다.

예문 7.18 서브섹션의 주제문과 연결형 주제문

1 [A]Several hemodynamic effects of chromonar could shift the diastolic pressure-dimension curve acutely. [B]*One* is an increase in heart rate, which could shift the diastolic pressure-dimension curve to the left by either of two mechanisms. (etc.)
2 [C]A *second* hemodynamic effect, afterload, can also shift the diastolic pressure-dimension curve acutely. (etc.)
3 [D]A *third* effect that can acutely shift the pressure-dimension curve to the left is ischemia. (etc.)
4 [E]The *final* hemodynamic effect that can shift the pressure-dimension curve acutely is change in temperature. (etc.)

이 예문에서 서브섹션의 주제문(문장 A)은 이어지는 네 개의 단락의 주제를 전달하고 있으며 단락의 주제문(문장 B~E)에는 각 문장의 앞부분에 연결어휘가 포함되어 있다: "One", "A second", "A third", "The final". 따라서, 이 네 문장은 연결형 주제문이다.

고찰의 서브섹션 내에서 줄거리를 전개하는 법. 고찰의 서브섹션 내에서 줄거리를 전개하려면 첫 단락의 주제문에 비해 나중에 나오는 단락들의 주제문에서 더 강력한 연결고리를 만들 필요가 있으며 그렇게 하는 데는 두 가지 방법이 있다. 첫 번째 방법은 예문 7.18과 같이 서브섹션의 주제문에 나오는 핵심용어를 반복하는 것이고 다른 한 가지는 예문 7.19의 단락 5와 같이 연결어휘 대신 연결구나 연결절을 사용하는 것이다.

예문 7.18의 첫 단락의 주제문에서는 단 하나의 연결어휘("One")만이 사용되고 있으며 서브섹션의 주제문에 뒤이어 단락의 주제문이 즉시 등장하기 때문에 이렇게 간결한 연결어휘만으로도 줄거리를 전개하는데 아무 어려움이 없다. 반면에 단락 2-4는 서브섹션의 주제문과 거리가 멀기 때문에 강한 연결고리가 필요하며 따라서, 단락 2-4의 주제문(문장 C-E)에서는 연결어휘(C, "A second"; D,"A third"; E, "The final") 외에 몇 가지 핵심용어가 반복되고 있다. 핵심용어를 반복함으로써 연결형 주제문은 독자에게 줄거리가 무엇에 관한 것인지를 계속해서 주지시키고 있는 것이다. 연결어휘의 역할은 독자가 줄거리의 어디 쯤에 와있는지 가리켜주는 것이다.

고찰의 서브섹션 사이에서 줄거리를 전개하는 법. 고찰의 서브섹션 내에서 줄거리를 전개시키는 것 외에도 고찰의 전체 줄거리가 서브섹션 사이에서 진행되도록 해야 하며 이렇게 하기 위해서는 새로운 서브섹션의 주제문의 앞머리에 연결구나 연결절을 사용해야 한다. 연결구나 연결절에서는 핵심용어를 반복 사용할 수 있기 때문에 연결어휘보다 튼튼한 고리를 만들 수 있다. 또한, 연결구나 절은 다음 서브섹션의 주제나 메시지를 기술하기에 앞서 앞 서브섹션의 주제나 메시지를 요약할 수도 있다. 예문 7.19에서는 단락 5의 연결구가 방법의 한계에 관한 서브섹션(단락 1-4)을 방법의 장점에 대한 서브섹션(단락 5)에 연결시키고 있다. 사용된 연결구는 앞 서브섹션의 주제(limitations)를 요약하고 있으며 문장의 나머지는 다음 서브섹션의 메시지(advantages)를 전달하고 있다.

예문 7.19 서브섹션의 주제문과 연결구가 있는 연결형 주제문

1 [A]The imprecision we detected in the precursor-product relationship could have arisen from limitations of the method. [B]*One* limitation is experimental variability. (etc.)

2 [C]*Another* limitation of our method is contamination of materials. (etc.)

3 [D]*A third* limitation of our method is that recovery of materials is incomplete. (etc.)

4 [E]*A fourth* limitation of our method is that the assumptions used for defining compartments may not be justified. (etc.)

5 [F]*Despite these limitations*, our method of data analysis has advantages over those previously used to calculate surfactant turnover times. [G]Unlike the method of Zilversmit et al. (8), it uses the specific activity-time data and readily reveals departures from ideal precursor-product relationships. [H]Unlike curve-peeling methods, it accounts for continued input of tracer and avoids the up to 200-fold overestimation of turnover time caused by neglecting continued tracer input.

이 예문의 단락 1의 첫 문장(문장 A)은 단락 1-4가 속한 서브섹션의 주제문이다. 단락 1-4의 단락 주제문은 각각 연결어휘("One", "Another", "A third", "A fourth")를 사용해서 줄거리의 현재 위치를 알려주고 있다. 서브섹션의 주제문과 거리가 먼 단락 2-4의 주제문은 독자에게 줄거리의 주제가 무엇인지를 계속해서 주지시키기 위해 단락 1의 주제문보다 훨씬 많은 핵심용어를 반복하고 있다("limitation of our method" vs. "limitation").

단락 5는 새로운 서브섹션으로 시작하며 단락 5의 주제문은 단락 1-4의 주제문에 비해 훨씬 강력한 연결형 주제문이다. 이 주제문은 단락 1-4의 주제를 요약하는 연결구("Despite these limitations")로 시작한 뒤 단락 5의 메시지를 기술하고 있다("our method of data analysis has advantages over those previously used to calculate surfactant turnover times"). 이런 연결형 주제문은 고찰에서 줄거리의 주요 교차점을 표시해줌으로써 전체 줄거리를 전개시켜 나간다. 연결어휘("nevertheless")만을 사용했거나 더 나쁜 예로 아예 연결어구를 사용하지 않았다면 고찰의 줄거리를 따라가기가 어려워졌을 것이다(예문 7.19에 "Despite these limitations" 위치에 "nevertheless"를 넣거나 아예 연결어구를 생략하고 읽어보라).

한층 더 나아가서 서브섹션의 주제문(문장 A)과 더불어 단락 5의 앞부분에 있는 연결형 주제문도 고찰의 전체 줄거리를 말해주고 있으며 이 두 주제문을 통해 독자는 전체 줄거리에 다음과 같은 두 단계가 있다는 점을 알 수 있다: A. "The imprecision we detected in the precursor-product relationship could have arisen from limitations of the method." F. "Despite these limitations, our method of data analysis has advantages over those previously used to calculate surfactant turnover times." Limitation과 관련된 단계는 네 개의 단락으로 이루어진 서브섹션에서 다루어지고 다섯 개의 주제문을 가지고 있다: 서브섹션의 주제문, 단락 1-4 각각의 단락 주제문. 반면에 advantages에 관한 단계는 한 단락으로 이루어진 서브섹션에서 다루어지고 있다.

마지막으로 방법의 한계에 대한 설명이 고찰의 줄거리 속에 함께 엮어져 들어갔다는 점에 주목해야 한다. 방법의 한계는 "the imprecision in the precursor-product relationship"의 가능한 이유로 제시되었다.

연결구 주제문보다 훨씬 강력한 연결고리는 바로 연결절 주제문이다. 연결절 주제문은 연결구 주제문과 동일한 방식으로 기능하지만 동사를 포함하고 있기 때문에 훨씬 강력하다. 예문 7.20의 단락 2의 앞부분에 연결절이 예시되어 있다.

예문 7.20 서브섹션의 주제문과 연결절이 사용된 연결형 주제문

1 *A*This study in rats shows that **perfusion** and **ventilation** of transplanted lungs are decreased independently by the reimplantation response. *B*Perfusion is decreased by stenosis of the pulmonary artery anastomoses and by hilar stripping of the lung. *C*Stenosis of the pulmonary artery appears to be more important. *D*The evidence is that stenosis of the anastomosis of the pulmonary artery resulted in very low perfusion of the lung immediately after it was transplanted (Fig. 2). *E*This finding is in accordance with results of studies in dog lung transplants which showed that stenosis of vascular anastomoses increases vascular resistance of the transplanted lung (23, 24), which would decrease perfusion. *F*Hilar stripping of the lung also decreased perfusion, but this effect was only mild and transient (Fig. 2). *G*In the literature some authors concluded from reimplantation studies in dogs that hilar stripping of the lung causes permanently abnormal values of pulmonary vascular resistance and perfusion (25). *H*However, our results clearly support the conclusion of other authors that it is not hilar stripping (26, 27) but rather imperfect vascular anastomoses (23, 24, 28) that permanently decrease perfusion in the transplanted lung. *I*It is not clear how hilar stripping induces the transient decrease in perfusion. *J*Blood vessels might be compressed by perivascular edema, which was present for some days after hilar stripping. *K*However, this does not appear to be a satisfactory explanation of the perfusion decrease because the edema resolved rapidly, but the perfusion remained decreased for two weeks.

2 *L**Whereas* **perfusion** *is decreased by stenosis of the pulmonary artery anastomoses and by hilar stripping*, **ventilation** of the transplanted left lung is decreased for some days after transplantation because of interstitial and alveolar edema resulting from transplantation ischemia and from hilar stripping. *M*Edema was observed in the bronchus during transplantation (Table IV), in histologic sections (Fig. 6A), and on chest radiograms (Fig. 4A). *N*The increased density of transplanted lungs on chest radiograms is the most common phenomenon of the reimplantation response described in primates (9, 29) and dogs (8, 20, 30). *O*Our conclusion that edema results from transplantation ischemia is clear from our finding that edema formation increased proportionally to the duration of transplantation ischemia (Fig. 3, Table IV), confirming previous findings in dogs (30). *P*However, pulmonary edema also developed in the absence of ischemia of the lung after hilar stripping (Figs. 3 and 5). *Q*Although the extent of the edema was mostly less than that caused by transplantation ischemia, its histological pattern was the same. *R*So it seems likely that pulmonary edema is caused by hilar stripping injury of the lung and is aggravated by ischemia. *S*This interpretation is in accordance with previous findings from our laboratory which showed that bilateral hilar stripping, when combined with ischemia of the lung for at least one hour, decreased arterial oxygen tension (27).

이 예문에서는 단락 2의 앞부분에 연결절 주제문이 사용되었으며 연결절(이탤릭체)은 첫번째 단락의 메시지를 요약하고 있다. 주제문(이탤릭체가 아닌)은 두 번째 단락의 메시지를 기술하고 있으며 연결절 주제문은 우리가 줄거리의 어디 쯤에 있는지를 상기시켜 준다. 강력한 연결절(문장 L, 이탤릭체) 없이 주제문만을 사용했다면 선행한 단락에 등장한 많은 세부사항("나무") 때문에 독자는 숲을 놓치게 되었을게다. 연결절(문장 L, 이탤릭체) 없이 이 두 단락을 읽어 보라.

그러므로 연결구나 연결절은 고찰의 전체 줄거리의 주요 교차점에서 특별히 유용하다. 또한 이런 연결어구는 예문 7.20과 같이 줄거리가 끊겼을 때나 줄거리를 자칫 놓치게 할 수 있는 많은 세부사항이 포함된 긴 단락이 등장한 뒤에 독자를 다시 전체 줄거리로 되돌려 보내는 일에 도움이 된다. 연결구와 연결절 주제문에 대한 다른 예문을 보려면 연습문제 7.1을 참조하라.

단계별 기법에 사용되는 주제문. 고찰을 전개하기 위한 단계별 기법에서는 서브섹션 주제문과 단락 주제문이 모두 사용되는 개요 기법과는 달리 단락 주제문 만이 사용된다. 단계별 기법에 사용되는 주제문에는 연결어구가 포함되지 않으며 대신 단락과 단락 간의 연속성을 확보하기 위해 핵심용어 주제문이 사용된다. 핵심용어 주제문에서는 각 주제문이 앞 단락에서 선택된 한 가지 핵심용어를 반복하면서 그 핵심용어에 관해 새로운 논점을 만들어낸다. 예문 7.21에서는 단락 2-5의 앞부분에 핵심용어 주제문이 사용되었다(3장의 예문 3.1에는 이 고찰의 서론에 해당하는 단락이 나와있다).

예문 7.21 핵심용어 주제문

1 [A]The present picture of the thick filament assembly in catch muscles of molluscs derives from the notion of a common plan for all myosin filaments (20). [B]Squire (21) proposed the first detailed packing models for such structures using a scheme of overlapping myosin molecules. [C]In his models, the overlapping myosin molecules make up planar ribbons (about 35 Å thick) that wrap into cylinders. [D]The filament diameters would be directly related to the number of molecules around the circumference. [E]The core could be hollow or could contain paramyosin. [F]The basic assumption in this model is that identical myosin molecules are equivalently related and specifically bonded in various thick filament arrays. [G]Wray (22) has recently developed related models involving the formation of myosin cables or ropes (about 40 Å in diameter) consisting of about three overlapping molecules twisted together, which are then grouped to form tubes of various diameters. [H]In both types of model, thick filaments of different diameters—found in different animals—would be built on the same basic plan. *I*In both types of model also, myosin-myosin interactions dictate assembly of the filament, and it is not possible in either type of model for the myosin heads arrayed at the surface to be in contact also with the paramyosin core.

2 *J*I suggest that the thick filaments of catch muscles might be **constructed** in a different way: myosin could form a surface layer, or **lattice**, only one molecule thick. *K*Paramyosin-myosin interactions rather than myosin-myosin interactions would control both the assembly of the filament and the state of the myosin at the surface. *L*This notion extends a picture we derived some 10 years ago from inspection of filament sizes and protein composition (5, 16). *M*Our preliminary measurements of both red and white portions of the adductors of clam muscles indicated that the "rod portion of myosin would be at least sufficient to cover the paramyosin surface completely" (5). *N*We then stated, "It is possible that there is a relatively constant surface area per myosin molecule in all paramyosin-containing muscles" (5). *O*In fact, our conclusion was based on a happy combination of incorrect biochemistry and wrong arithmetic. *P*ince that time further measurements of protein composition show even higher proportions of paramyosin in these catch muscles (7, 8). *Q*In contrast, most other types of muscle have higher proportions of myosin. *R*The important point, which appears to have been overlooked, is that the surface area per myosin molecule is relatively constant but different for two main classes of thick filament—those with and without very large paramyosin cores. *S*Only for thick filaments with large paramyosin cores might the surface layer be a lattice only one molecule thick.

3 *T*How might this **lattice** be **organized?** *U*It is an interesting fact that although the length of paramyosin is about 1275 Å, this molecule assembles into fibers with a "gap-overlap" arrangement having an axial repeat of 725 Å (23). *V*A simple staggering of small groups (or subfilaments) of paramyosin molecules arranged with this specific gap-overlap packing generates the characteristic "checkerboard" array of nodes seen in the core of catch muscle thick filaments by electron microscopy. (etc.)

4 *W*In principle a variety of schemes might be advanced that relate these **organizational** notions to recent biochemical and pharmacological studies of the catch mechanism. *X*A plausible picture can be developed based on the work of Achazi (19), who has suggested that a serotonin-stimulated increase in cAMP

(28–30) mediates the dephosphorylation of paramyosin (see also ref. 31). *Y*One might picture that. ...(etc.)

5 *Z*<u>Some predictions arise from these speculations</u>. *AA*For example, ...(etc.)

이 예문에서는 단락 2의 첫 문장이 핵심용어 주제문이다. 이 문장은 단락 1의 문장 B에서 "structures"라는 핵심용어를 선택한 뒤 새로운 종류의 structure를 제시하고 있다(단락 1의 핵심용어인 "structure"는 단락 2에서 "constructed"라는 동사로 반복되고 있다). 마찬가지로 단락 3의 주제문은 단락 2의 문장 J에서 제안된 "lattice"라는 핵심용어를 선택한 뒤 새로운 주제("how the lattice might be organized")를 소개하고 있다. 단락 3에서 가능한 "organization of the lattice"가 설명된 뒤 단락 4는 단락 3에서 선택된 "organized"라는 핵심용어가 들어있는 핵심용어 주제문으로 시작해서 "organization of the lattice"를 생화학적 및 약리학적 연구에 연결시키고 있다. 그 다음 "organization of the lattice"를 다른 연구에 연결시키는 계획에 관한 추측에 대한 설명이 제시되고(단락 4) 단락 5는 그 추측에 기초한 예측을 담고 있는 핵심용어 주제문으로 시작된다. 비록 "Speculation(추측)"이라는 단어가 단락 4에 등장하지는 않지만 단락 4의 앞부분에 나오는 "might be advanced"나 "A plausible picture can be developed"와 같은 표현을 통해 추측이라는 점을 분명히 알 수 있다. 결국, 이 고찰은 전체가 핵심용어 주제문을 이용해 전개되고 있다.

질문이 주제문이 되는 경우. 단락 3의 주제문이 질문이라는 점에 주목하라. 질문을 주제문으로 사용하는 것은 흥미로운 다양성을 안겨다 주지만 과도하게 사용해서는 안 된다. 고찰에서는 보통 하나의 질문만을 주제문으로 사용하는 것으로 충분하다. 두 개 이상의 질문을 주제문으로 사용하면 갑자기 뭔가 수상쩍고 부자연스러우며 호소력도 없다. 질문을 전혀 주제문으로 사용하지 않더라도 문제될 것은 없다.

연결어구 + 핵심용어 주제문. 예문 7.18과 7.19, 7.20을 돌이켜 보면 줄거리를 전개하기 위해 주제문의 앞부분에 연결어구와 핵심용어의 반복이 함께 사용된 경우가 많다는 사실을 알 수 있다. 예문 7.18에서는 연결어휘와 서브섹션의 주제문에서 유래한 핵심용어가 주제문 C, D, E에서 함께 사용되었다. 예문 7.19에서는 주제문 B,C,D,E에서 연결어휘와 핵심용어의 반복이 함께 사용되었다. 연결구 주제문인 문장 F에서는 서브섹션의 주제문에서 유래한 핵심용어("limitations")가 연결구에서 반복되고 있다. 마찬가지로 예문 7.20에서는 단락 2의 앞부분에서 연결절 주제문이 핵심용어인 "perfusion", "ventilation", "transplanted", "lung", "decreased"를 반복하고 있다. 사실상 연결구나 연결절은 거의 예외없이 핵심용어를 반복하게 된다. 따라서, 가장 강력하게 줄거리를 전개하는 주제문은 연결형 주제문과 핵심용어 주제문을 결합시킨 것이다.

주제문의 연결. 서브섹션의 주제문과 연결형 주제문 및 핵심용어 주제문은 줄거리를 전개시키기 위해 고찰의 매 단락의 앞부분에 사용되며 서로 꼬리에 꼬리를 물고 연결된다. 따라서, 독자는 매 단락의 처음 한두 문장 만을 읽고도 고찰에 나오는 전체 줄거리의 개요를 읽을 수 있어야 한다. 반대로 각 주제문이 연결어구나 핵심용어를 사용하지 않고 자신이 속한 단락의 주제만을 다룬다면 고찰은 마치 줄로 연결하지 않은 염주알처럼 독립적인 주제문의 나열이 될 것이고 그 결과 나무는 있되 숲이 없는 형국이 된다. 예문 7.20과 7.21에서는 주제문이 꼬리에 꼬리를 물고 연결되었기 때문에 줄거리의 개요가 분명하다.

예문 7.20의 개요

주제의 개요	주제문의 종류
I. The factors that decrease perfusion and ventilation during the reimplantation response (paras. 1 and 2)	I. 서브섹션의 주제문(문장 A)
A. Factors that decrease perfusion (para. 1)	A. 단락 주제문 (핵심용어 주제문)(문장 B)
1. Stenosis of vascular anastomoses —most important (sentence C)	
2. Hilar stripping—less important (sentence F)	
B. Factor that decreases ventilation: interstitial and alveolar edema (para. 2)	B. 단락 주제문 (연결절 주제문)(주제문 L)
1. From transplantation ischemia (sentence O)	
2. From hilar stripping (sentence P)	

예문 7.20의 개요에서 단락 1의 논점을 요약하기 위해 주요 교차점(B)에서 연결절 주제문이 사용되었으며 그 다음에 단락 2의 논점을 기술하고 있다는 점에 주목하라.

예문 7.21의 개요

I. Picture of the thick filament assembly (paras. 1 and 2)
  A. Past−planar ribbons (para. 1)
  B. Proposed−lattice (para. 2)
II. Organization of the lattice (para. 3)
III. Speculative relation of the lattice organization to biochemical and pharmacological studies (para. 4)
IV. Predictions based on the speculative relation (para. 5)

예문 7.21에서는 줄거리의 새로운 단계마다 핵심용어 주제문이 사용되었으며 각 핵심용어 주제문에서는 앞 단락의 핵심용어가 반복되고 그 핵심용어에 대한 새로운 논점이 만들어졌다. 따라서, 독자는 단락 1의 문장 A와 B를 읽고 나머지 단락(2-5)의 첫 문장을 각각 읽은 뒤에 고찰의 전체 줄거리를 파악할 수 있다. 예문 7.21은 단계별 기법으로 전개되기 때문에 개요 기법이 사용된 예문 7.20에 비해 구성이 덜 복잡하다는 점을 눈여겨 볼 필요가 있다. 고찰에서 어떤 기법을 사용하든지 간에 고찰의 전체 줄거리의 개요가 분명하게 드러나야 한다는 점에 주의해야 한다.

줄거리에 맞지 않는 주제

거의 모든 고찰에서 줄거리에 맞지 않는 주제를 포함시켜야 할 필요성이 대두된다. 예를 들어, 예기치 못한 발견이나 괴리에 대한 설명은 줄거리에 끼워 맞추기가 쉽지 않은 경우가 많다. 이런 경우 최선의 방법은 별도의 단락을 쓰되 그 단락의 주제문이 그 단락을 선행한 단락과 연결시켜주는 연결어구나 핵심용어를 포함하지 않도록 하는 것이다. 연습문제 7.1의 고찰 1의 단락 8에는 저자가 줄거리에 편입시키지 못한 단락이 예시되어 있다.

줄거리에 맞지 않는 또 다른 종류의 주제에는 중심 주제와 연관된 부가적 주제가 있으며 앞서 나온 예문 7.20의 문장 I-K에서 그런 예를 찾아볼 수 있다. 이 문장들은 줄거리에 중요하지 않은 부가적인 정보("how hilar stripping induces transient decreases in perfusion")를 추가하고 있다. 이 문장들을 생략한다면 줄거리는 단락 1에서 2로 더 부드럽게 진행되겠지만 저자는 다른 연구가들이 불필요한 시행 착오를 피하는 데 그 정보가 도움이 될 것이라고 생각했기 때문에 이를 포함시키기 원했다.

이렇게 부가적인 주제를 포함시키는 최선의 방법은 무엇인가? 이 부가적인 정보가 서브섹션의 주제문("perfusion and ventilation of transplanted lungs are decreased independently by the reimplantation response")에서 선포된 줄거리에 기여하는 바가 없기 때문에 별도의 단락을 사용하는 것은 좋지 않다. 또한, 별도의 단락을 사용한다면 고찰의 줄거리를 파악하기 위해 모든 단락의 첫 한두 문장(문장 A,B,I,L)을 읽는 독자는 사실상 줄거리에 기여하는 바가 없는 단계(문장 I)와 맞닥뜨리게 될 것이다. 문장 B와 L은 문장 A를 뒷받침하는 대구적인 개념을 전달하며 I는 이 줄거리를 단절시킨다. 이를 해결하는 방법은 부가 주제문을 이용하여 새로운 부가 주제를 도입하고 이를 적절한 단락에 편입시키는 것이다(예문 7.20에서는 문장 I-K가 단락 1에 편입된 부가 주제이며 문장 I는 부가 주제문이다). 부가 주제가 여전히 줄거리를 단절시키기는 하지만 별도의 단락에 있는 것 보다는 훨씬 눈에 띠지 않을 뿐아니라 파괴적인 효과도 덜하다.

결론적으로, 고찰의 전체 줄거리에 맞지 않는 주제를 다룰 때의 목표는 가능한 각 단락의 앞부분에 위치한 주제문의 연결 고리를 보존하는 것이며 이는 다름아니라 주제문들의 연결 고리가 전체 줄거리를 말해주기 때문이다.

고찰을 끝내는 법: 주장하라

고찰은 그냥 멈추어서는 안 되며 반드시 단정적이고 명확한 결말에 이르러야 한다.

고찰을 끝내는 두 가지 표준적인 방법에는 질문에 대한 대답을 다시 기술하는 것과 연구의 응용과 추천, 내포, 추측 등을 기술함으로써 연구의 중요성을 부각시키는 방법이 있다. 물론 두 가지를 동시에 할 수도 있다. 이런 결말의 방법은 아래에서 설명되고 예시되어 있다.

추가적인 연구가 더 필요할 것이라는 진술은 그리 강한 결말이 못된다. 앞으로 연구되어야 할 분야를 기술하는 것보다는 저자가 기여한 지식이 무엇인지를 가리키는 것이 결말을 더욱 힘있게 마치는 방법이다. 어떤 저자는 향후 연구에 대한 진술을 자신의 영역을 확보하는 일에 이용하기도 한다("We plan to study...", "We are now doing experiments to determine..."). 이런 종류의 진술은 예의를 벗어나는 것이며 또한 예기치 못한 상황 때문에 그 실험을 마무리하지 못할 수도 있기 때문에 바람직하지 않다.

질문에 대한 대답을 다시 기술하는 것

고찰을 끝내는 가장 명쾌한 방법은 질문에 대한 대답을 다시 기술하는 것이다. 하나 이상의 질문이 있는 논문의 경우 이런 종류의 결말을 "a summary of conclusions"라고 부르기도 한다. 이런 종류의 결말은 질문에 대한 대답이 고찰의 첫 단락에 모두 제시되지 않고 대신에 연속된 여러 단락에 나누어서 제시된 경우 특별히 유용하다.

대답을 다시 기술할 때는 반드시 두 가지 신호가 선행되어야 하며 이 때 첫 번째는 결말에 관한 신호, 두 번째는 대답에 관한 신호가 되어야 한다. 예를 들면 다음과 같다. "In summary, we have shown that..." 또는 "In conclusion, this study shows that..."

예문 7.22 대답을 다시 기술하는 것

In summary, we have shown that the biphasic inspiratory and expiratory airflow pattern of resting adult horses is brought about by the coordinated action of its respiratory pump muscles. Combined with a stiff chest wall, the resting neuromuscular strategy of the horse allows it to breathe around, rather than from, the relaxed volume of the respiratory system and thus to minimize the total elastic work of breathing.

이 예문에서는 첫 문장의 앞부분이 먼저 결말에 대한 신호("In summary")를 보낸 뒤에 대답에 대한 신호가 등장한다("we have shown that"). 그리고 단락의 나머지는 대답을 기술하고 있다. 대답을 기술하는 동사가 현재시제라는 점에 주목하라("is brought about", "allows").

고찰의 결말로 대답을 다시 기술할 때는 고찰의 마지막에 나오는 대답이 앞부분에 나온 대답과 일치하도록 하는 것이 대단히 중요하다. 만약 이 두 대답이 달라진다면 독자는 저자가 무엇을 믿는지를 어떻게 알 수 있겠는가? 연습문제 7.1의 고찰 1에는 고찰의 앞부분과 마지막에 나오는 대답을 일치시키는 것이 예시되어 있다.

연구의 중요성을 부각시키기 위해 응용과 추천, 내포 및 추측을 기술하는 것

응용(Application)과 추천(Recommendation), 내포(Implication) 및 추측(Speculation)은 연속선상에 있다고 봐도 좋다. 응용은 가장 확실하고, 추천은 이보다는 불확실하며, 내포는 이보다 더, 추측은 가장 불확실한 범주에 속한다. 응용이란 대답이 적용될 수 있는 용례를 말하며(예문 7.23), 추천이란 대답에 기초해 구체적인 행동을 조언하는(예를 들어, 어떤 기법 대신 다른 기법의 사용을 추천하는) 기술을 의미한다(예문 7.24). 내포는 대답에서 이끌어 나올 수 있는 논리적 단계이다. 그러나 비록 대답은 데이터에 기초하기 때문에 믿을 수 있다고 하더라도 내포는 이를 뒷받침하는 데이터도 없고 아무런 실험도 수행된 바 없기 때문에 순전히 가설에 지나지 않는다. 환자의 치료와 관련한 임상적 내포(clinical implication)도 이러한 류에 속한다(예문 7.25 및 7.27). 추측은 내포와 유사하지만 훨씬 더 모호하다. 내포는 논리적으로 다음 단계에 해당하지만 추측은 상상 속의 비약에 가깝다. 그럼에도 불구하고 합리적인 추측은 예를 들어, 개념 간의 관계를 제안하는 일 등에 유용할 수 있기 때문에 정당한 근거가 있다면 반드시 고찰에 포함되어야 한다. 예문 7.26과 7.28을 참조하라.

추천과 내포, 추측에는 신호가 필요하지만 응용에는 필요하지 않다. 추천을 신호할 때는 "recommend"를, 내포에는 "suggest"나 "imply"를, 추측에는 "speculate"을 사용하라.

또한, 문장 내에서 적당한 조동사를 사용해야 한다. 응용에서는 "can"이나 "will"과 같이 확실성이 내포된 조동사를, 추천에서는 "should"나 "must" 같은 조동사를 사용해야 하며 내포나 추측에서는 "may inhibit"이나 "might prevent"와 같이 신중한 동사를 사용하거나 "probably reflects"와 같이 신중한 부사를 첨가해야 한다.

결말	신호	조동사
Application	(none)	can, will
Recommendation	recommend	should
Implication	suggest, imply	may, might*
Speculation	speculate	may, might*

*또는 "probably"와 같은 부사를 사용하라.

예문 7.23 응용(Application)

Isolation of the genes for catabolism and the primary gene(s) for synthesis of l-3-O-methyl-scyllo-inosamine reported here provides a tool that can be used to analyze the mechanism by which the bacterial genes are involved in the synthesis of this compound in the nodule and to analyze the function of this compound in Rhizobium.

이 예문에서는 문장의 주제("Isolation of the genes...")가 대답이며 "reported here"은 그것이 대답이라는 점을 독자에게 상기시켜 준다. 그리고, 문장의 나머지는 대답의 중요성을 부각시키는 두 가지 응용법을 제시하고 있다. 응용에 사용된 동사인 "provides"와 "can be used"는 확실성을 내포하고 있다.

예문 7.24 추천(Recommendation)

In conclusion, in this study of patients with retroperitoneal sarcoma, we found that presentation status, high histologic grade, unresectable primary tumor, and positive gross margins are strongly associated with death from the tumor.

Patients with primary disease or a first local recurrence approached with curative intent should undergo aggressive attempts at complete surgical resection. These attempts should include a liberal en bloc resection policy to obtain negative margins. Incomplete resection should be undertaken only for symptom relief.

From Lewis JJ, Leung D, Woodruff JM, Brennan MF. Retroperitoneal soft-tissue sarcoma: analysis of 500 patients treated and followed at a single institution. Ann Surg 1998; 228(3):355–365. With permission.

이 예문의 첫 문장은 대답을 다시 기술하고 있으며 마지막 세 문장은 추천에 관한 것이다. 각 추천에 사용된 동사는 "should..."이며 저자는 추천의 등장을 알리기 위해 "Patients with primary disease...." 앞에 "We recommend that"을 첨가할 수도 있다(또 다른 예를 보려면 연습문제 7.1의 고찰 1의 마지막 문장을 보라).

예문 7.25 내포(Implication)

Our findings in dogs, together with findings from studies of human coronary arteries (2, 3, 21, 22, 31), suggest that H1 blockers may antagonize histamine-mediated vasoconstriction and vasospasm in patients with atherosclerotic coronary artery disease and thus may have therapeutic value. Conversely, H2 blockers may permit unopposed H1-mediated vasoconstriction of epicardial arteries and may also limit vasodilation and thus may not have therapeutic value.

이 예문에서는 내포가 기초한 발견이 첫 문장의 앞 부분에 언급되어 있다. 내포의 등장은 "suggest"라는 단어를 통해 신호되고 있으며 내포의 기술에 사용된 동사는 최소한의 확실성 만을 담고 있는 것이다("may antagonize", "may have", "may permit", "may limit", "may not have").

예문 7.26 추측(Speculation)

The chromosomal pattern encountered for the type IV genes leads us to speculate that if additional type IV collagen chains exist (49), the corresponding genes will also be clustered in the 13q33→q34 region. Interestingly, the B1 and B2 laminin genes, which are coordinately regulated with α1(IV) and α2(IV), have been shown to be tightly linked on mouse chromosome 1 (50). The physical proximity of these coding units probably reflects the mechanism of their genetic evolution and may influence their exclusive expression in basement membranes.

이 예문에서는 첫 문장의 주어("The chromosomal pattern encountered for the type IV genes")가 대답에 해당하며 "encountered"는 독자에게 이것이 대답이라는 사실을 상기시킨다. "leads us to speculate that"은 추측의 등장을 알려주며 그 뒷부분에 추측이 기술되어 있다. 추측에 사용된 동사("will be clustered")는 확실성을 담고 있지만 선행하고 있는 "if"가 이를 완충시키고 있다. 마지막 문장에는 다른 저자들이 보고한 관련 대답(두 번째 문장)에 기초한 다른 두 가지 추측이 제시되어 있으며 여기에 사용된 동사는 최소한의 확실성을 반영하고 있다("probably reflects", "may influence").

이렇게 표준적인 결말들을 조합해서 사용할 수도 있으며 일반적으로는 먼저 대답이 다시 기술되고 응용이나 추천, 내포, 추측이 뒤따른다.

예문 7.27 대답 + 내포

In summary, our results indicate that expansion of plasma volume by 400 ml in untrained men increases stroke volume during exercise by 11% but that further expansion of plasma volume has no apparent hemodynamic benefit. These findings imply that in untrained men, the measurement of stroke volume during upright exercise when blood volume is normal may not provide an adequate measure of intrinsic myocardial function. It appears that about one-half of the difference in stroke volume normally observed between untrained and highly endurance-trained men during upright exercise is due to suboptimal blood volume in the untrained men.

이 예문에서는 첫 번째 문장이 대답을 다시 기술하고 있으며 두 번째 문장은 발견한 바의 임상적 내포(clinical implication)를 기술하고 있다. 그리고 세 번째 문장은 두 번째 장에서 언급된 "inadequacy"를 정량화하고 있다. "These findings imply that"이 내포의 등장을 알리고 있으며 내포에는 신중한 의미를 담은 동사가 사용되었다("may not provide", "appears").

예문 7.28 대답 + 추측

In summary, we have shown that the transforming activity of mutated ras is associated with two vertebrate cellular systems thought to be regulated by G proteins, namely phospholipases A2/C and adenylate cyclase. In both cases the enzyme activity was reduced in cells expressing mutated ras at high levels. Since phospholipase and adenylate cyclase activities were also reduced in cells expressing c-ras at high levels, we believe that c-ras may normally help modulate systems that are regulated by G proteins and that ras transformation may result from a concerted aberration or guanine-nucleotide-regulated systems.

이 예문에서는 첫 번째 문장이 대답을 기술하고 두 번째 문장이 이를 뒷받침하는 증거를 기술하며 마지막 문장은 두 가지 추측을 제시하고 있다. "we believe that"은 추측의 등장을 알리며 추측에는 신중한 의미를 담은 동사가 사용되었다("may help", "may result").

이 예문들이 보여주는 바와 같이 대답을 다시 기술하거나 또는 응용이나 추천, 내포, 추측을 통해 연구의 중요성을 부각시키는 것은 고찰이 단정적이며 명확한 결말에 이르렀다는 느낌을 준다.

길이

고찰 섹션의 길이는 질문에 대한 대답을 충분하고 명쾌하게 기술하고 뒷받침하며 설명하고 방어할 수 있으며 동시에 다른 중요하고 직접적으로 연관된 주제를 다루기에 충분해야 한다. 그러나, 메시지를 흐리거나 압도하지 않기 위해서는 가능한 짧은 것이 좋다. 즉, 잡음이 많아지면 메시지가 흐려지는 것이다. 잡음을 줄이고 따라서 고찰을 간결하게 유지하려면 불필요한 말의 사용이나 불필요한 세부사항의 첨가, 부가적 주제의 편입을 피해야 한다.

소제목(Subheadings)

고찰에서는 소제목이 불필요하지만, 서너 개의 서브섹션이 있는 긴 고찰에서 각 서브섹션이 별도의 중요한 주제를 다루고 있다면 서브섹션의 시작을 알리기 위해 소제목이 사용될 수도 있다.

소제목을 사용하기로 결정했다면 소제목이 주제문을 대신할 수 없다는 점을 염두에 두어야 한다. 우선 처음부터 끝까지 고찰을 쓰면서 단락 주제문을 사용하여 해당 단락이 앞 단락과 어떻게 연결되어 있는지를 보여주고 서브섹션의 주제문을 사용하여 해당 서브섹션이 선행한 서브섹션과 어떻게 연결되어 있는지 보여주라. 그리고 나서 각 서브섹션의 앞에 간결한 소제목을 첨가하면 된다(예문 7.29).

예문 7.29 소제목

Discussion

Effects of α-Adrenoceptor Stimulation

The most important new conclusion of this study is that α-adrenoceptor stimulation by phenylephrine leads to an increase in the responsiveness of the myocardial contractile apparatus to Ca^{2+}. (etc.)

Effects of β-Adrenoceptor Stimulation

The results of our experiments on the inotropic effects of β-adrenoceptor stimulation by isoproterenol are not open to such unambiguous interpretation as are the results of the experiments with phenylephrine. (etc.)

Relation Between the Effects of α- and β-Adrenoceptor Stimulation

A significant difference between the inotropic effects of α- and β-adrenoceptor stimulation is that the maximum response to β-adrenoceptor stimulation appears to be determined by saturation of the contractile apparatus with Ca^{2+}, whereas the maximum response to α-adrenoceptor stimulation usually is not. (etc.)

이 예문에서는 첫 번째 서브섹션의 앞부분에 있는 서브섹션 주제문이 첫 번째 질문에 대한 대답을 기술하고 있다. 두 번째 주요 서브섹션의 앞부분에 있는 서브섹션 주제문은 두 번째 주제와 첫 번째 주제의 관계를 기술하고 있으며 따라서 두 주제 간의 줄거리의 흐름을 확립하고 있다. 마지막으로 세 번째 서브섹션의 앞부분에 있는 주제문은 앞에 나온 두 개의 서브섹션의 메시지 간의 관계를 보여주는 메시지를 기술하고 있다. 결국, 각 서브섹션과 선행한 서브섹션과의 관계가 서브섹션의 주제문을 통해 전달되고 있다.

각 서브섹션의 주제는 소제목을 통해서도 시각적으로 전달되고 있으나 소제목을 생략하더라도 고찰의 전체 줄거리는 명쾌하게 유지된다는 점에 주목해야 한다. 그러므로, 고찰에서는 주제문만 잘 다루어지면 소제목은 불필요하지만 소제목을 사용하면 부가적으로 시각적 효과를 얻게 된다. 주제문을 잘 다루지 못할 경우 소제목이 구원투수가 될 수는 없으며, 소제목은 중요한 주제가 무엇인지를 보여주지만 메시지는 동사에 담겨 전달되기 때문에 주제문이 약하거나 없을 경우 독자는 메시지가 무엇인지, 전체 줄거리가 무엇인지 알 수 없게 된다. 소제목은 동사를 포함하지 않으며 텍스트의 일부로 받아들여지지도 않는다. 소제목을 고찰에 사용하려면 주제문 대신 사용하는 것이 아니라 주제문에 부가적으로 사용해야 한다는 점을 명심해야 한다.

고찰 섹션을 위한 가이드라인

역할

주된 역할: 서론에서 제기된 질문에 대답하는 것.

다른 중요한 역할:

- 결과가 대답을 어떻게 뒷받침하는지 설명.
- 대답이 현존하는 지식과 어떻게 일맥상통하는지 설명.

내용

질문에 대한 대답을 기술하라.

- 질문한 그대로 각 질문에 대답하라(동일한 핵심용어와 관점, 적절하다면 동일한 동사를 사용해서).
- 대답을 적절한 실험군이나 동물로 제한하라.

대답을 뒷받침하라.

- 자신의 결과와 적절하다면 다른 사람의 결과를 모두 이용하라.
- 도움이 된다면 그림과 표를 인용하라.
- 다른 사람의 결과에 대한 적절한 참고문헌을 인용하라.

왜 대답이 타당한지와 필요하다면 대답이 출판된 개념들과 어떻게 일맥상통하는지 설명하라.

- 필요할 경우 지지-부정 논증을 통해 대답을 방어하라.
- 대답을 뒷받침하지 않는 결과를 최대한 설명하라.
- 필요하다면 대답의 참신성을 확립하라.
- 출판된 결과와의 괴리를 설명하라.
- 예기치 못한 발견을 설명하라.
- 방법의 한계와 연구디자인의 결함을 기술하고 설명하라.

방법이 기초한 가정의 타당성을 설명하라.

필요하다면 대답의 중요성을 기술하라.

조직(Organization)

고찰에는 시작과 중간, 결말이 있어야 한다.

고찰의 시작에서는 질문에 대답하고 필요하다면 이를 뒷받침하고 설명하고 방어하라.

대답 전에 다음과 같은 사항이 선행되어야 한다.

신호(필요하다면)(예를 들어, "This study shows that...")

질문을 다시 기술하는 것(선택적).

짧은 문맥(선택적).

대답이 동물이나 실험군에 국한된 것이라면 대답에서 동물이나 연구 실험군에 대해 기술하고, 만약 대답이 일반적인 것이라면 대답을 알리는 신호나 뒷받침하는 결과로 이행되는 부분에서 이를 기술하라.

연결구나 연결절, 주제문을 사용하여 뒷받침하는 결과를 대답에 연결시키라.

고찰의 중간에서는 과학적 논리에 의한 순서나, 대답과 관련한 중요도 순으로 주제를 조직해야 한다.

중요도 순으로 대답을 우선 뒷받침하고 설명하고, 방어하라.

다음에 대답을 뒷받침하지 않는 결과와, 다른 결과와의 괴리, 예기치 못한 발견, 방법의 한계, 연구디자인의 결함, 가정의 타당성을 설명하라.

대답의 중요성은 마지막에 기술하라.

연관된 단락은 같은 서브섹션으로 묶고, 각 서브섹션 내의 단락은 과학적 논리나 중요도 순으로 조직하라.

두 가지 수준에서 줄거리를 전개하라: 개요 기법이나 단계별 기법을 사용해서 각 단락 내의 개별 줄거리와 고찰 섹션의 전체적 줄거리를 전개하라.

개요 기법의 경우 각 서브섹션의 앞부분에 서브섹션 주제문을, 각 단락의 앞부분에 연결 주제문을 사용하라.

단계별 기법의 경우 각 단락의 앞부분에 핵심용어 주제문(선행 단락의 핵심용어를 반복하는)을 사용하라.

각 단락의 주제문만을 읽어도 전체 줄거리의 개요가 분명하게 드러나도록 하라.

줄거리에 들어맞지 않는 논점의 경우

연결어구나 핵심용어가 없는 평범한 단락 주제문을 사용해서 해당 논점을 별도의 단락에 기술하거나,

부주제문을 사용해서 해당 논점을 적당한 단락에 편입시키라.

고찰의 결말에서는 주장하는 것으로 끝을 내야 한다.

한 가지 방법은 질문에 대한 대답을 다시 기술하는 것이다. 이 때 질문 앞에는 끝을 알리는 신호("In conclusion",이나 "In summary")와 대답을 알리는 신호(예를 들어, "this study shows that" 이나 "our results indicate that")가 선행되어야 한다.

다른 한 가지 방법은 다음과 같은 내용을 기술함으로써 연구의 중요성을 지적하는 것이다.

대답의 응용(application).
대답에 기초한 추천(recommendation).
대답이 내포하는 바(implication).
대답에 기초한 추측(speculation).

세 번째 방법은 우선 대답을 다시 기술한 뒤에 연구의 중요성을 지적하는 것이다.

길이

고찰의 길이는 질문에 대한 대답을 기술하고 뒷받침하고 설명하고 방어하며, 기타 필요한 정보를 제시하는데 필요한 이상으로 길어져서는 안 된다.

연습문제 7.1: 고찰의 줄거리 따라가기

고찰 1 또는 2를 평가하라.

1. 고찰의 앞부분에서 다음을 찾으라.
   · 질문에 대한 대답을 알리는 신호
   · 대답을 기술한 내용
   · 대답을 뒷받침하는 결과로의 이행부
   · 대답을 뒷받침하는 결과의 기술
   · 연구한 동물의 위치:
   ______대답에, ______대답을 알리는 신호에, ______뒷받침하는 결과에.
2. 대답이 질문에 대한 답이 되고 있는가? ____예, ____아니오, ____약간. 설명하라.

3. 고찰의 중간에서,
   · 줄거리가 명쾌한가? ____예, ____아니오, ____약간. 설명하라.

· 각 단락의 모든 주제문을 찾으라.
· 각 단락의 첫 문장에서 해당 단락을 선행 단락과 연결시켜주는 모든 연결어휘와 핵심용어를 찾으라.

4. 마지막 단락에서 다음을 찾으라.
   고찰이 결말을 알리는 신호
   · 결말의 종류:
   _____대답을 다시 기술, _____중요성을 지적, _____둘 다.
5. 고찰의 결말의 대답이 시작부의 대답과 일치하는가?
   _____예, _____아니오, _____약간. 설명하라.

Discussion 1

Question: To determine whether increasing heart rate rather than decreasing afterload, increasing preload, or increasing contractility is the most effective method of increasing cardiac output in young lambs.

Discussion

1 [A]Contrary to our expectation, this study shows that increasing contractility, not increasing heart rate, is the most effective method of increasing cardiac output in young lambs. [B]Decreasing afterload and increasing preload, as expected, are also not effective. [C]We found that increasing contractility by infusing isoproterenol while heart rate was fixed increased cardiac output by 37% in the younger lambs (5-13 days) and by 62% in the older lambs (15-36 days). [D]In contrast, increasing heart rate above baseline did not significantly increase cardiac output in the younger lambs (4%) and increased cardiac output only moderately in the older lambs (11%). [E]Decreasing afterload by infusing nitroprusside at a fixed heart rate had the same effects as increasing heart rate did (2 and 11%). [F]Increasing preload by infusing blood or 0.9% NaCl increased cardiac output moderately (by 20 and 16%, though the 16% increase was not statistically significant).

2 [G]The reason we had not expected increasing contractility to increase cardiac output substantially is that in newborns contractility is nearly maximal so that the infant can survive independently of the mother. [H]Nevertheless, the increases in cardiac output resulting from increasing contractility, though small by adult standards (37 and 62% vs. about 800%), were much greater than the increases resulting from increasing heart rate, decreasing afterload, and increasing preload.

3 [I]The reason for the unexpectedly small effect of increasing heart rate is uncertain. [J]One possibility is that it was due to the pacing rate. [K]Although the baseline pacing rate we used, 200 beats/min, approximates the resting heart rate of 1- to 2-week-old lambs, it is faster than the resting heart rate of 170 beats/min of 3- to 4-week-old lambs. [L]Therefore, one could argue that if the baseline pacing rate had been lower, larger increases in cardiac output could have been attained by increasing heart rate above baseline. [M]However, our data show that the maximal percentage increase in cardiac output that would have been attained if 170 beats/min had been used as a baseline pacing rate would have been only 17.5% in the younger lambs and 21.0% in the older lambs. [N]These increases are far less than those we found after increasing contractility (37 and 62%, respectively). [O]Therefore, the small effect that increasing heart rate had on increasing cardiac output is probably not due to the pacing rate we used.

4 [P]Another possibility is that the method we used for controlling heart rate—ventricular pacing—may have caused smaller increases in cardiac output than would result from sequential atrioventricular pacing. [Q]Indeed, it is well known that atrial systole plays an important role in determining effective ventricular stroke volume (9). [R]However, it is unlikely that increases in cardiac output resulting from sequential atrioventricular pacing would have been greater than those resulting from increasing contractility by infusing isoproterenol because at the heart rate at which we were pacing, atrial contributions to cardiac output are minimal (6). [S]Thus, heart rate appears to be less important than contractility for increasing cardiac output in young lambs. [T]Nevertheless, heart rate is important for maintaining cardiac output, since we found that decreasing heart rate below baseline greatly decreased cardiac output.

5 [U]Although we had not expected decreasing afterload to cause large increases in cardiac output, the increases were not merely small but minimal. [V]These minimal increases may relate to the fact that nitroprusside not only decreases afterload but also decreases preload by venodilation. [W]Thus, if the initial preload is not optimal for the afterload, decreasing preload will decrease cardiac output. [X]As a result, the increase in cardiac output induced by decreasing afterload will be counteracted by the decrease in cardiac output induced by decreasing a suboptimal preload. [Y]This mismatch between afterload and preload (10), which has been described for failing hearts (10, 11), may also be occurring in the hearts of our lambs. [Z]If so, this mismatch may be the reason that decreasing afterload by infusing nitroprusside in young lambs does not cause large increases in cardiac output within the range of preloads seen in our lambs.

6 *AA*The last method of increasing cardiac output that we tested, increasing preload by infusing blood or 0.9% NaCl, yielded a smaller percentage increase in cardiac output than previously reported (1). *BB*The reasons for the smaller percentage increase are partly that we infused smaller volumes and partly that the baseline preloads were somewhat higher in our lambs because of ventricular pacing. *CC*Since the preloads of the lambs in our study were higher than normal, the percentage increase attainable by increasing preload was less. *DD*It is possible, therefore, that larger increases in cardiac output are attainable by infusing larger amounts of fluid into young lambs that have normal atrioventricular node conduction.

7 *EE*Another reason for our smaller percentage increases in cardiac output after increasing preload could be that our indicator of preload was inaccurate. *FF*The indicator we used, mean left atrial pressure, may not be a sensitive indicator of preload in the presence of atrioventricular blockade. *GG*To obtain a more accurate assessment of preload, we measured left ventricular end-diastolic pressure in two lambs. *HH*However, left ventricular end-diastolic pressure was difficult to interpret because of wide variations in pressure at the same heart rate. *II*These variations resulted either from alterations in the temporal relationship between atrial and ventricular contractions or from movement of the ventricular septum into the left ventricle during right ventricular pacing. *JJ*Therefore, we used mean left atrial pressure to measure preload. *KK*We believe that although mean left atrial pressure may not reflect rapid variations in preload in the presence of atrioventricular blockade, it accurately measures general preload state and changes in preload state.

8 *LL*In contrast to previous reports, we found that isoproterenol did not consistently have hypotensive effects. *MM*Mean aortic pressure decreased in the younger lambs during isoproterenol infusion (Fig. 4A), as it did in previous studies (11−13). *NN*However, mean aortic pressure increased in the older lambs, and systolic aortic pressure increased in both groups of lambs during isoproterenol infusion. *OO*These increases are in contrast to previous reports of decreases in mean and systolic aortic pressures during isoproterenol infusion (12,14). *PP*Since the major difference between our study and these other studies was that the heart rate was fixed in our lambs, it is possible that some of the hypotensive effects of isoproterenol are due to its strong effects on heart rate.

9 *QQ*In summary, this study shows that increasing contractility, and not increasing heart rate, is the most effective method of increasing cardiac output in young lambs. *RR*Although the increase in cardiac output in response to increasing contractility is less in younger than in older lambs, it is still greater than that attainable by changes in heart rate, afterload, or preload. *SS*Nevertheless, increasing cardiac output is of limited benefit to the newborn—much less than its benefit to the adult. *TT*Therefore, when treating the stressed newborn, the clinician must not only attempt to increase cardiac output in order to increase oxygen supply, but must aggressively attempt to minimize oxygen demand.

Discussion 2

Question: To determine whether the β3(118—131) sequence of the β3 subunit of integrin αIIbβ3 binds ligand and also binds cation.

Discussion

1 *A*When platelets are activated by agonists such as ADP or epinephrine, integrin $\alpha_{IIb}\beta_3$ undergoes conformational changes to become competent to bind fibrinogen and other ligands (35, 37). *B*In this study, we provide functional evidence that the β_3(118—131) sequence of the β_3 subunit of integrin $\alpha_{IIb}\beta_3$ binds the ligand fibronogen and that it also binds cation. *C*Cation binding is surprising because it occurs even though β_3(118—131), which partially conforms to an EF hand-like motif that binds Ca^{2+} in many proteins (3, 54), lacks the usual Gly [but in β_3(118—131), it is Met-126] at the midposition and glu [but in β_3(118—131), it is Ser—130] as the last oxygenated coordination site.

2 *D*Three independent lines of investigation provide functional evidence that the β_3(118—131) sequence of $\alpha_{IIb}\beta_3$ binds the ligand fibrinogen. *E*First, monoclonal antibody (MAb) 454, which is directed against β_3(118—131), blocked platelet aggregation and platelet adhesion to fibrinogen, two functional responses that depend upon binding of fibrinogen to $\alpha_{IIb}\beta_3$. *F*MAb 454 also blocked binding of fibrinogen to purified $\alpha_{IIb}\beta_3$. *G*Second, the blocking effects of the β_3(118—128) peptide recapitulated those of the MAb. *H*Specifically, this peptide blocked platelet aggregation and platelet adhesion to fibrinogen and blocked the binding of fibrinogen to purified $\alpha_{IIb}\beta_3$. *I*Third, mass spectroscopy demonstrated that a complex formed between the $β_3$(118−131) peptide and RGD ligand peptides. *J*The specificity of this complexing was indicated by the precise stoichiometry, 1:1, with which the complex formed, by the saturation of complex formation as a function of increasing RGD peptide concentration, and by the failure of numerous other peptides to complex with $β_3$(118−131). *K*However, this complexing, though specific, may not be selective. *L*$β_3$(118−131) may also form complexes with the fibrinogen γ chain dodecapeptide. *M*Although our mass spectroscopy experiments did not detect complexes of this γ chain dodecapeptide with $β_3$(118−131), this lack of detection does not necessarily mean that these complexes do not occur. *N*The reason these complexes were not detected may be that the affinity between the γ chain dodecapeptide and $β_3$(118−131) is low. *O*Alternatively, specific environmental requirements may have reduced the stability of the complexes or may have prevented detection of the complexes, or both. *P*Thus, our data indicate that $β_3$(118−131) binds ligand specifically but not that $β_3$(118−131) has selective specificity for the RGD ligand peptide.

3 *Q*In addition to our finding that $β_3$(118−131) binds ligand, two independent approaches provide clear evidence that $β_3$(118−131) binds cation. *R*One approach, fluorescence energy transfer from proximal Trp and Tyr residues, showed that $β_3$(118−131) bound Tb^{3+}. *S*This binding was inhibited by Ca^{2+}, Mg^{2+}, and Mn^{2+}, indicating the divalent cation binding capabilities of $β_3$(118−131). *T*CAM mutant $β_3$(118−131), in which Asp-119 is replaced by Tyr, bound Tb^{3+} to a much lesser degree than did wild-type $β_3$(118−131). *U*This finding stresses the importance of the amino-terminal coordination site, Asp-119, for cation binding function. *V*The other approach showing that $β_3$(118−131) binds cation, mass spectroscopy, also demonstrated formation of a complex between $β_3$(118−131) and Tb^{3+}. *W*However, unlike the fluorescence data, which showed a dramatic difference (> fourfold) in the binding of Tb^{3+} to $β_3$(118−131) and to CAM mutant $β_3$(118−131), mass spectroscopy showed only a 1.5-fold difference. *X*Nevertheless, both approaches demonstrate cation binding by $β_3$(118−131) and the importance of Asp-119 in providing one of the coordination sites for Tb^{3+} binding.

4 *Y*Our finding that the $β_3$(118−131) sequence of the $β_3$ subunit of integrin $α_{IIb}β_3$ binds not only ligand but also cation suggests a new model for the mechanism of ligand binding to integrins. *Z*The model, which we call the

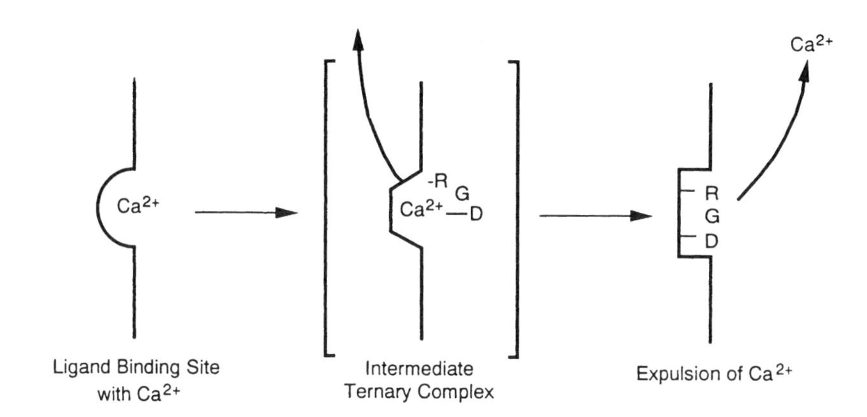

그림 1. Cation displacement model of ligand binding to $\alpha_{IIb}\beta_3$. The model depicts three steps in the ligand-binding mechanism of integrin $\alpha_{IIb}\beta_3$ In the first step, cation (Ca^{2+}) is bound to a specific sequence in the integrin. In the second step, an intermediate complex is formed in which ligand, cation, and specific sequences within the receptor interact. It is envisioned that ligand (in this case, RGD) interacts with specific sequences in the peptide, specifically β_3(118−131), as well as provides the cation coordination site. This complex may be unstable, and in the third step, cation may be displaced from the receptor. This destabilization with expulsion of cation may occur at two sites in the receptor, accounting for the displacement of Mn^{2+} from $\alpha_{IIb}\beta_3$ by ligand.

"cation displacement model," proposes that, as a first step, cation is bound to a ligand binding site on the integrin receptor (Fig. 7). *AA*Next, an unstable ternary intermediate complex is formed between the receptor, the cation, and the ligand. *BB*Eventually, as the complex between the ligand and the receptor stabilizes, the cation is displaced from this complex, leaving the ligand bound to the receptor. *CC*The most likely reason that cations are transiently bound to the receptor is to present the ligand-binding sites within the receptor in a conformation that can capture a ligand. *DD*After a ligand is captured, the cation is no longer required at the ligand-binding site and can be displaced by the ligand. *EE*In this model, the stability of the ternary intermediate complex may vary depending upon the particular integrin, the particular cation, and the particular ligand involved. *FF*For integrin $\alpha_{IIb}\beta_3$, evidence that the ternary intermediate complex that forms is unstable is our finding that RGD ligands displaced cation from β_3(118−131). *GG*This finding also indicates that ligand and cation binding to β_3(118−131) are mutually exclusive. *HH*Strong support for the instability of this ternary intermediate complex is that ligand-induced binding site (LIBS) epitopes within $\alpha_{IIb}\beta_3$ are exposed both when ligand binds to the receptor and when cations from the receptor are chelated in the absence of ligand (13, 17). *II*Thus, in our cation displacement model, the ligand-binding site within the Integrin may be viewed as a reactive center, in which the cation, ligand, and specific ligand-binding sites within the receptor form an unstable ternary intermediate complex.

5 *JJ*The displacement of cations that we propose in our model of ligand binding to integrins may actually occur at two ligand-binding sites in the receptor. *KK*The possibility of displacement at two sites is indicated by our equilibrium gel filtration experiments, which detected the displacement of approximately two cations (Mn^{2+}) from intact $\alpha_{IIb}\beta_3$ after addition of either macromolecular or peptide ligands. *LL*Our data are consistent with β_3(118−131) being one of these sites. *MM*It is tempting to speculate that αIIb(296−306) may be the second site. *NN*The reason is that, in many ways, α_{IIb}(296−306) is similar to β_3(118−131). *OO*Like β_3(118−131), α_{IIb}(296−306) contains the second EF hand-like motif found within αIIb, and like β_3(118−131) peptides, peptides from within αIIb(296−306) inhibit ligand binding by the receptor (11, 53). *PP*In addition, direct comparison suggests that β_3(118−131) and α_{IIb}(296−306) are similarly potent in inhibiting ligand occupancy on the receptor. *QQ*Finally, both β3(118−131) and α_{IIb}(296−306) are highly conserved among the integrin β and α subunits (9, 10). *RR*Thus, β_3(118−131) and α_{IIb}(296−306) could both be ligand-binding sites. *SS*Because several such binding sites may be necessary to achieve high-affinity ligand binding (38), it is possible that β_3(118−131) and α_{IIb}(296−306) may contribute ligand binding, cation binding, or both to integrin function. *TT*If so, conformational linkage between these two cation-binding sites, such as observed for many EF hand-like Ca^{2+}-binding loops (51), may explain why two cations are displaced by a single ligand-binding event. *UU*However, an alternative possibility, that two RGD ligand peptides can bind per receptor, cannot be entirely excluded. *VV*Steiner et al. (50) detected only one RGD-binding site on $\alpha_{IIb}\beta_3$, but their study used a relatively minor subpopulation of isolated receptors.

6 *WW*An important prediction of our cation displacement model is that divalent cations could drive the ligand-binding event in reverse, thereby suppressing an integrin' s ligand-binding function. *XX*In fact, there is evidence that this suppression does occur. *YY*Specific divalent cations can interfere with the ligand-binding function of $\alpha_L\beta_2$ (8, 55) $\alpha_2\beta_1$ (20, 49), and $\alpha_V\beta_3$ (25). *ZZ*Our finding that divalent cations and ligands can compete for the same site on an integrin provides a structural basis for these observations. *AAA*This model may also have implications for integrin activation (18). *BBB*Specifically, activation of integrin may involve conformational changes in the integrin that favor ligand-receptor complexes rather than ternary complexes or cation-receptor complexes. *CCC*Finally, an in vivo consequence of our cation displacement model may relate to bone resorption. *DDD*Integrin $\alpha_V\beta_3$ is the receptor on osteoclasts essential for adhesion to the bone surface (7, 28). *EEE*Liberation of Ca^{2+} from mineralized bone could dissociate αvβ3 from its bone ligands, compromising the integrity of osteoclast adhesion.

From SE D' Souza, TA Haas, RS Piotrowicz, V Byers-Ward, DE McGrath, HR Soule, C Cierniewski, EF Plow, JW Smith. Ligand and cation binding are dual functions of a discrete segment of the integrin β_3 subunit: cation displacement is involved in ligand binding. Cell 1994 Nov. 18;79(4):659-667. With permission.

연습문제 7.2: 고찰의 메시지와 줄거리

다음의 두 고찰에서는 질문에 대한 대답이 명쾌하게 기술되지 않았다. 또한, 단락에서 단락으로 이어지는 줄거리를 따라가기가 어렵다.

고찰 1이나 고찰 2를 교정하라.

고찰 1

이 고찰을 교정하라.

1. 고찰의 시작부에서,
   - a. 단락 1-3을 생략하라.
   - b. 질문에 대한 대답을 기술하라.
     - · 각 대답에 현재시제를 사용하라.
     - · 대답이 질문에 답하고 있는지 확인하라.
   - c. 대답을 기술한 뒤에 뒷받침하라.
     - · 대답 2에 대한 결과는 대답 1도 뒷받침한다. 각 대답에 대해 별도의 단락을 할애할 지, 두 대답 모두에 대해 한 다락을 할애할 지 결정하라.
     - · 또한, 단락 내에서 결과를 어떻게 조직할지 결정하라.
     - · 결과에 대해서는 주제를 주어로 삼으라.
     - · 문장 Y를 그대로 둔다면, 대신 연구가 다른 연구를 확인하는 것이 아니라 참신하게 느껴지도록 교정하라.

2. 고찰의 중간
   - a. 단락을 대답과 가장 가깝게 연관된 것에서 시작해서 논리적 순서로 조직하라.
   - b. 고찰 중간의 각 단락
     - · 다음을 모두 충족시키는 주제문을 쓰라.
       - · 단락의 주제나 메시지를 기술하며,
       - · 단락을 선행하는 단락에 연결하는.
     - · 단락 내의 줄거리를 개선할 수 있다면 그렇게 하라.
       - · 단락 4에서는
         - · 문장 Q-T를 압축하라.
         - · 단락 4가 단락 6 다음에 올 때만 "steal" 이란 용어를 사용하라.
       - · 단락 6에서는
         - · 문장 Z의 명사 연결구를 풀어 쓰라.

· 문장 AA에서 "this" 뒤에 명사를 첨가하라.
· 할 수 있다면 다른 점도 개선하라.
· 이 분야를 잘 알고 있다면 단락 7을 교정하라.

3. 고찰의 결말
  a. 결말에 있는 대답이 고찰의 시작부에 있는 대답과 동일하다는 점을 인식할 수 있는지 확인하라.
  b. 결말을 하나의 간결하고, 적절한 단락으로 압축하라.

참고:

이 연구는 1982년에 출판된 것이다. 이 연구가 수행되었을 당시에는 "range-gated Doppler technique"이 새로운 기법이었다(최신 기법이어서 극소수의 곳에서만 이 기법이 사용되었다).

이 논문은 "cerebral blood flow"에 관한 논문이다. 고찰 전체에 걸쳐서, 특별히 결말 부분에서는 "cerebral blood flow"에 초점을 맞추도록 하라.
시간이 부족하다면, 첫 단락 및 마지막 단락만을 교정하고 단락 4와 6의 주제문을 작문하라.

이 논문의 서론과 결과에 관한 한 문장이 아래에 주어져 있다.
서론에 제기된 두 개의 질문에 밑줄이 그어져 있다.

RETROGRADE CEREBRAL BLOOD FLOW IN PRETERM INFANTS WITH A LARGE SHUNT THROUGH A PATENT DUCTUS ARTERIOSUS

Introduction

Preterm infants who have a large shunt through a patent ductus arteriosus (PDA) have retrograde flow of blood from the descending aorta through the ductus arteriosus into the pulmonary circulation during diastole. This retrograde blood flow may impair circulation to the bowel and cause necrotizing enterocolitis (4, 5). Recently, a similar but less severe finding—decreased flow velocity—was demonstrated in the anterior cerebral arteries of infants who have a large ductal shunt (6). If retrograde flow also occurs in the cerebral arteries of these infants, cerebral ischemia or intraventricular hemorrhage could result. In

질문 1

질문 2

order to determine if diastolic blood flow can be retrograde in the cerebral arteries of preterm infants who have a large shunt through a patent ductus arteriosus and to determine how alterations in cerebral blood flow are related to alterations in aortic blood flow, we examined the cerebral arteries and the aorta of preterm infants with a patent ductus arteriosus using a range-gated, pulsed-Doppler ultrasound system.

Results

The Doppler recordings from the cerebral arteries of the seven infants with a large PDA showed retrograde diastolic blood flow in three infants, no diastolic blood flow in one infant, and greatly decreased diastolic blood flow in three infants (Fig. 4).

Discussion

1 *A*Patients with a large shunt through a PDA have retrograde flow of blood from the descending aorta through the ductus arteriosus into the pulmonary circulation during diastole. *B*This retrograde diastolic flow pattern was demonstrated on electromagnetic flowmeter curves obtained by Spencer and Denison (9) in 1963 from the descending thoracic aorta of a child at surgery for a PDA and by Rudolph and colleagues (10) in 1964 in dogs in which a prosthetic aortopulmonary shunt had been placed. *C*Subsequently, Cassels (11) recorded numerous electromagnetic flowmeter curves from patients during surgery for a PDA and showed that marked retrograde diastolic flow in the descending thoracic aorta occurred only in patients with a large left-to-right shunt. *D*The angiographic studies of Spach and co-workers (5) showed that most of the diastolic left-to-right shunt through the PDA is from the descending aorta and may result in a steal of blood during diastole from the abdominal organs. *E*These investigators suggested that diastolic steal might have a relationship to the development of necrotizing enterocolitis in infants with a large PDA.

2 *F*Several investigators have used the noninvasive technique of Doppler ultrasonography to examine patients with a PDA (12-14). **1** *G*Using continuous-wave Doppler ultrasonography, Serwer and colleagues (4) showed retrograde diastolic flow in the descending aorta in infants with a large shunt through a PDA. *H*Retrograde diastolic flow disappeared after ductal ligation.

3 [I]Recently, Perlman and colleagues (6) used a continuous-wave velocitometer to record velocity-time profiles in the anterior cerebral arteries of preterm infants with a PDA. [J]These investigators showed that there was a marked decrease in diastolic flow velocity in the cerebral arteries in infants with a large shunt through a PDA. [K]In addition, the decrease in diastolic flow velocity seemed to parallel decreases in the diastolic blood pressure. [L]These findings suggest that changes in cerebral blood flow reflect changes in aortic blood flow.

4 [M]There are important differences between our study and the study of Perlman and associates (6). [N]In addition to decreased diastolic flow, we observed absent and retrograde diastolic flow in the cerebral arteries of infants with a large shunt through a PDA. [O]There are several factors that might explain the more severe alterations in cerebral blood flow observed in our infants. [P]First, the infants in our series may have had a larger left-to-right ductal shunt and, therefore, greater amounts of diastolic steal from the cerebral arteries than the infants in Perlman' s series. [Q]Second, whereas Perlman used a continuous-wave Doppler velocitometer, we recorded the cerebral artery Doppler signals with a range-gated pulsed-Doppler system, which allowed us to examine the signals arising only from the vessel within the sample volume. [R]The velocity-time profile obtained with the continuous-wave Doppler system may contain contributions from several vessels. [S]Also, most continuous-wave Doppler systems use a zero-crossing detector to convert the spectrum of Doppler frequency shifts to an analog signal. [T]The zero-crossing detector method of analysis has limitations, which include loss of low-frequency signals, loss of signals during rapid changes in the direction of blood flow, and analysis of noise on the zero-amplitude line as a frequency (15, 16).

5 [U]Changes in the cerebral blood flow patterns closely paralleled changes in aortic blood flow patterns in the infants in our study. [V]All control infants and all infants with a small shunt through the PDA had significant forward flow in the cerebral arteries throughout diastole and no retrograde diastolic flow in the descending aorta. [W]All infants with a large ductal shunt had retrograde diastolic flow in the descending aorta and markedly decreased or retrograde diastolic flow in the cerebral arteries. [X]After closure of the PDA, all of these infants had significant forward diastolic flow in the cerebral arteries and no evidence of retrograde diastolic flow in the descending aorta. [Y]These findings support the observation that cerebral blood flow is directly related to aortic blood flow in sick preterm infants (6, 17).

6 *Z*In the presence of a large ductal shunt, the low resistance pulmonary vascular bed communicates with the higher resistance systemic vascular bed. *AA*This results in a steal of blood from the aorta during diastole and a concomitant decrease in diastolic blood pressure (5). *BB*As the diastolic blood pressure falls, diastolic flow in the cerebral arteries decreases and eventually reverses, resulting in diastolic steal from the cerebral circulation. *CC*The failure of the cerebral circulation to decrease resistance and maintain diastolic forward flow is probably due to maximum vasodilation or impaired autoregulation, which are believed to occur in sick preterm infants (6, 17, 28).

7 *DD*The forward diastolic flow in the transverse aorta proximal to the ductus arteriosus disappeared after PDA closure. *EE*We believe that this forward diastolic flow reflects diastolic flow from the carotid and subclavian arteries toward the PDA. *FF*Electromagnetic flowmeter curves recorded by Cassels (11) and by Rudolph et al. (10) and angiographic studies by Spach et al. (5) indicate that forward flow does occur during diastole in the aortic arch proximal to a large aortopulmonary shunt. *GG*In Doppler tracings taken from the ascending aorta just above the aortic valve, we were unable to show any differences between control infants and infants with a large PDA. *HH*Thus, if diastolic steal also occurs from the coronary arteries toward the pulmonary artery, the volume of blood flow was too small to be detected by our technique.

8 *II*In conclusion, we found decreased, absent, and retrograde blood flow in the cerebral arteries during diastole in preterm infants with a large shunt through a PDA. *JJ*Our cerebral Doppler tracings suggest that a large ductal shunt leads to diastolic steal of blood from the cerebral circulation and to cerebral ischemia. *KK*Recent studies have shown a direct correlation between cerebral ischemia and brain cell structural damage and necrosis (19, 20). *LL*Although it has been suggested that the incidence of intraventricular hemorrhage is increased in preterm infants with a PDA, it remains to be seen if cerebral ischemia is an important factor in this relationship. *MM*In this regard, further studies are necessary to determine the effect on cerebral blood flow of such common medical interventions as fluid restriction. *NN*Also, wide fluctuations in cerebral blood flow patterns in infants with a large ductal shunt may predispose these infants to hemorrhagic brain injury. *OO*Further studies are also necessary to determine if there is a difference in cerebral blood flow after abrupt closure of the ductus arteriosus by surgical ligation or more gradual closure of the ductus arteriosus with indomethacin.

9 *PP*Range-gated pulsed Doppler echocardiography is a safe, noninvasive method for assessing the patency of the ductus arteriosus as well as the alterations in cerebral and systemic blood flow that accompany this abnormality. *QQ*This study shows that a large shunt through a PDA results in significant diastolic steal of blood from the cerebral arteries as well as from the descending aorta. *RR*This altered perfusion may predispose infants with a large ductal shunt to systemic complications such as necrotizing enterocolitis and to cerebral complications such as ischemia or hemorrhagic brain injury.

고찰 2

1. 여백에
   a. 각 질문에 대한 답을 표시하라.
   b. 각 단락의 주제를 표시하라.
   c. 어떤 논리로 조직되었는지 표시하라(왜 단락 2가 단락 1 뒤에 오는가 등).

2. 고찰을 다음과 같이 교정하라.
   a. 단락 1에서는 대답이 질문에 대한 답이 되도록 교정하라.
   b. 필요한 곳에 뒷받침하는 결과를 다시 쓰라(아래의 결과 섹션 참조).
   c. 단락 2-5에서는 단락에서 단락으로 줄거리가 이어지도록 주제문을 작문하라. 주제문은 다음 조건을 모두 충족시켜야 한다.
      · 단락의 주제나 메시지를 기술하며,
      · 단락을 선행하는 단락에 연결하는.
        단락 2에서는 한 가지 가능한 주제문에 "independent" (단락 2, 문장 U)와 그 반의어("interdependent"), "pacemaker" (초록의 문장 G)를 편입시킬 수 있을 것이다.
        단락 3에서는 주제문이 "interdependence" 와 "circadian clock" 의 기전을 연결시킬 수 있다.
        단락 5에서는 주제문이 "interdependence" 와 "entrainment", "mper1 as the pacemaker" 를 연결시킬 수 있다.
   d. 각 단락 내에서 줄거리가 분명해지도록 하라. 필요하다면 연결어구를 사용하라.

참고:

이런 모든 단락에 대해 주제문을 작문할 수 없다면 할 수 있을 만큼만 하라. 마찬가지로, 모든 단락에서 줄거리를 분명하게 할 수 없다면 최대한 시도해보면 된다. 단락 두 개를 엉성하게 교정하는 것보다는 하나를 제대로 하는 것이 낫다.

초록과 서론의 끝부분, 결과 섹션의 일부가 다음에 주어져 있다

서론에서는 두 개의 질문에 밑줄이 그어져 있다.

Abstract

[A]A mouse gene, mper1, having all the properties expected of a circadian clock gene, was reported recently. [B]This gene is expressed in a circadian pattern in the suprachiasmatic nucleus (SCN). [C]mper1 maintains this pattern of circadian expression in constant darkness and can be entrained to a new light/dark cycle. [D]Here we report the isolation of a second mammalian gene, mper2, which also has these properties and greater homology to Drosophila period. [E]Expression of mper1 and mper2 is overlapping but asynchronous by 4 h. [F]mper1, unlike period and mper2, is expressed rapidly after exposure to light at CT22. [G]It appears that mper1 is the pacemaker component which responds to light and thus mediates photic entrainment.

Introduction (end)

[H]Here we report the isolation of the mouse homolog of the PER-like human gene KIAA0347 and demonstrate high sequence homology with the mper protein. [I]Therefore, we have named this gene mper2 and the first described mper gene mper1. [J]To discover whether mper 2 is a circadian clock gene, we subjected mice to various light/dark cycle conditions and analyzed their brains for mper2 gene expression. [K]These experiments revealed diurnal expression of mper2 in the SCN, the ability of this gene to be expressed in a free-running manner, and its ability to be entrained by an external light cue. [L]Similar findings were reported for mper1 (refs), but the peaks of expression of mper1 and mper2 differed by about 4 h. [M]The striking response of these genes to environmental light in an entrainment experiment raised the possibility that expression of the mper genes is light inducible, as has been reported for frequency, the pacemaker gene of Neurospora crassa (ref). [N]We found that in the retinorecipient region of the SCN, mper1 but not mper2 is rapidly induced by a pulse of light at CT22. *O*Thus, mper1 may not only be a circadian gene but also a target of the light-activated input pathway of the circadian machinery.

Results (excerpts)

*P*To examine whether mper genes are turned on by a light pulse, mice were exposed to a 15-min light pulse at CT22, which falls into the subjective night period. *Q*Mice were killed at 7, 15, 30, 60, and 120 min, where t = 0 is the onset of light.

*R*mper1 expression was initiated toward the end of the light pulse and became very strong by 30 min. *S*mper1 transcripts were initially confined to the ventrolateral region of the SCN, but later mper1 mRNA was found throughout the SCN (Figs. 4 and 7, 120-min time point).

*T*mper2 responded differently to a light pulse than did mper1. *U*Unlike mper1, there was no increase in transcription during the 2-h period of observation (Fig. 7, last column). *V*Examination of a specimen 4 h after the light pulse (CT2) did not reveal significant mper2 expression (same level of expression as CT24 control mice).

Discussion

1 *A*In many instances, several vertebrate homologs have been found for each Drosophila gene involved in signal transduction. *B*Recent work has identified a mouse gene encoding a putative circadian protein named either m-rigui (40) or mper (42). *C*Here we call it mper1. *D*In addition, a human cDNA sequence (KIAA0347) that encodes a protein with significant homology to the Drosophila Period protein has been reported (29). *E*In a recent study (40), we noted that KIAA0347 encodes a protein homologous to human PER1. *F*The function of KIAA0347 was not known, which prompted us to search for the corresponding mouse homolog. *G*A RT-PCR strategy was used to isolate this mouse homolog, which we have designated mper2. *H*Here we show that mper2 is expressed in a circadian pattern in the suprachiasmatic nucleus (SCN), maintains expression under free-running conditions (constant darkness), and can be synchronized to the cycle of an external light source (entrainment). *I*These are hallmarks of a circadian gene. *J*Expression of mper1 and mper2 in the SCN is overlapping but not synchronous. [K]mper1 transcripts culminate approximately 4 h prior to that of mper2. [L]We further show that the SCN of animals exposed to a pulse of light begins transcription of mper1 within 7–15 min. [M]At CT22, mper2 is not directly light inducible and thus behaves more like the Drosophila per gene, which is not inducible by light (20, 44).

2 [N]The in situ hybridization analyses of the SCN of animals kept in a 12-h light/12-h dark cycle, constant darkness, or under entrainment conditions show that mper1 is maximally expressed at ZT/CT6, whereas mper2 lags behind by approximately 4 h. [O]However, mper2 is expressed at ZT/CT6, and thus the neurons of the SCN may contain transcripts from both genes. [P]Assuming that the temporal expression pattern of the corresponding proteins mirrors that of the transcripts, our data raise the possibility that mper1 and mper2 proteins interact directly. [Q]The mper proteins have highly homologous PAS domains (61% identity), and others have provided evidence that such PAS domains mediate the interaction between different PAS-domain-containing proteins and also the interaction with other transacting factors (19, 25, 43). [R]It is thus possible that mper 1 and 2 form heterodimers with each other and with other proteins such as clock. [S]Clock transcripts are widely expressed in the brain including the SCN (22). [T]Several tissues, like skeletal muscle, express mper1 and not mper2. [U]In these tissues, mper1 may function independently of mper2, possibly in conjunction with other PAS domain-containing proteins.

3 [V]The response of the mammalian circadian clock to light is complex and little understood. [W]The activation of photoreceptors in the retina generates signals that are transduced to the SCN through the retinohypothalamic tract (RHT) (reviewed by Moore, 27). [X]In the retinorecipient area of the SCN, the region into which the RHT projects (18, 21, 28), this results in glutamate release, evoking calcium influx, which may activate the nitric oxide signaling cascade (11, 17, 36). [Y]The molecular targets of this signal transduction process are one or more proteins of the circadian clock. [Z]The properties of the per gene products qualify them as putative circadian clock components, and, as such, they are potential targets of the signal mediated through the RHT. [AA]We found that mper1 is induced by a pulse of light within 15 min after turning on the light source. [BB]Induction of mper1 by light initially occurs in a small number of ventrally located cells, and by 30 min, mper1 transcripts are found in a broader but still ventral region of the SCN. *CC*This is the retinorecipient area (18, 21, 28), also characterized by the expression of several neuropeptides (reviewed in Card and Moore, 7). *DD*Between 60 and 120 min, more dorsal neurons also initiate mper1 transcription. *EE*This broadening of expression eventually leads to uniform expression encompassing the whole SCN.

4 *FF*The induction of mper1 by a pulse of light provided at CT22 occurs rapidly. *GG*Transcriptional activation of immediate early genes such as c-fos and junB responds slightly faster, but on a similar time scale (24, this study). *HH*However, unlike mper1, none of these immediate early genes shows a circadian expression pattern. *II*At the time of initiation of mper1 expression around ZT4 (42), c-fos is not inducible by light (24). *JJ*frequency (frq), a circadian clock gene in Neurospora crassa, is turned on by light after 5 min and achieves maximal induction by 15 min (9), a time scale similar to that seen with mper1. *KK*A difference between frq and mper1 is that the message levels of frq begin to decline after 15 min and are close to background levels by 2 h (10).

5 *LL*This and a previous study (40) show that the expression of mper1 and mper2 is entrainable by light. *MM*The molecular basis of entrainment may involve mper1, because this gene is rapidly light inducible and encodes a putative transcription factor. *NN*A possible model is that light evokes a signal in the retina, which is transduced through the RHT to the ventral portion of the SCN, the region where mper1 is first transcribed. *OO*This sets up a positive autoregulatory loop of mper1 expression. *PP*This initial expression establishes a condition in which light is no longer required to maintain mper1 expression. *QQ*Our data show that mper1 expression continues hours after the light pulse is terminated. *RR*mper1 would then activate the mper2 gene, which is not itself light inducible. *SS*The 4-h time delay between mper1 and mper2 expression could be explained by the requirement of a threshold concentration of mper1 protein to turn on mper2.

6 *TT*What could be the benefit of having both mper1 and mper2 genes? *UU*These two genes are clearly not redundant: they are maximally expressed at different times of the circadian cycle, they differ with regard to their response to light, and there are marked differences in the tissue expression profile. *VV*Thus, these two genes must have different regulatory regions, a diversity that would allow response to a broader spectrum of input cues or perhaps interaction with different downstream components. WWThe mper1 regulatory region may respond primarily to light, while the regulatory region of mper2 could respond to hormonal or other signals. XXThus, diverse input signals could result in the biosynthesis of two similar proteins that, due to their relatedness, can drive the same signaling pathways.

From Albrecht U, Sun ZS, Eichele G, Lee, CC. A differential response of two putative mammalian circadian regulators, *mper1* and *mper2*, to light. *Cell* 1997 Dec 26;91: 1055-1064. With permission.

제3단원
뒷받침하는 정보

지금까지 우리는 생의학 논문의 텍스트만을 살펴보았으나, 이제부터는 두 종류의 중요한 뒷받침하는 정보를 다루게 된다. 첫 번째로는 텍스트에 담긴 진술을 예시하고 그에 대한 증거를 제시하는 그림과 표를 다룰 것이며 그 다음에는 텍스트에 담긴 진술을 뒷받침하는 출판물에 관한 참고문헌이 다루어진다.

제8장 그림과 표

제 2 단원인 "생의학 연구논문의 텍스트"에서 우리는 명쾌한 줄거리를 끌어내기 위해 텍스트의 각 섹션을 기술하는 방법에 대해 공부했다. 그러나, 논문의 텍스트를 읽지 않고 단지 그 일부만을 읽는 독자들도 적지 않다. 이런 독자는 텍스트 대신 그림과 표만을 보기 때문에 그림과 표를 명확하게 제시해서 논문의 줄거리를 알 수 있도록 하는 일이 중요하다.

명확한 그림과 표는 세심한 디자인과 그림에 대한 정확한 설명 및 표에 관한 정확한 제목과 각주에 따른 산물이다. 그림과 표는 정보를 전달하는 시각적 도구이며 따라서 강력한 시각적 효과를 지니고 있기 때문에 세심한 디자인은 대단히 중요하다. 또한 정확한 범례(legend)와 제목, 각주 역시 그림과 표의 주제를 명확하게 드러내는데 중요하다.

그림과 표가 논문의 줄거리를 반영하도록 하려면 그림과 표를 디자인할 때 이들이 텍스트에 명확하게 연결되도록 명확한 순서를 구축하는 것이 중요하다.

제 8 장은 명확한 그림과 표를 디자인하고 그림에 정확한 범례를, 표에 정확한 제목과 각주를 달며 그림과 표가 줄거리를 반영하도록 디자인하는 방법에 관한 가이드라인이다.

그림

과학연구논문에서 그림은 서론과 고찰에서도 사용될 수 있지만 주로 방법과 결과 섹션에서 사용된다. 방법 섹션에서 그림의 주된 목적은 방법을 명확하게 또는 상세하게 설명하는 것이다. 예를 들어, 그림은 장비나 해부학적 관계를 보이는 데 사용될 수 있다. 결과 섹션에서 그림의 주된 목적은 결과를 뒷받침하는 증거를 제시하는 것이며, 그림은 일차적 증거(예를 들어, electron micrograph)나 수치적 데이터(그래프의 형태)를 제시할 수 있다.

손그림과 다이어그램(Drawings and Diagrams)

손그림(Drawing)은 해부도나 장비 및 기타 구체적인 사물을 보여주며, 다이어그램은 순서도와 같은 개념을 보여준다. 손그림과 다이어그램은 실제적일 수도, 모식

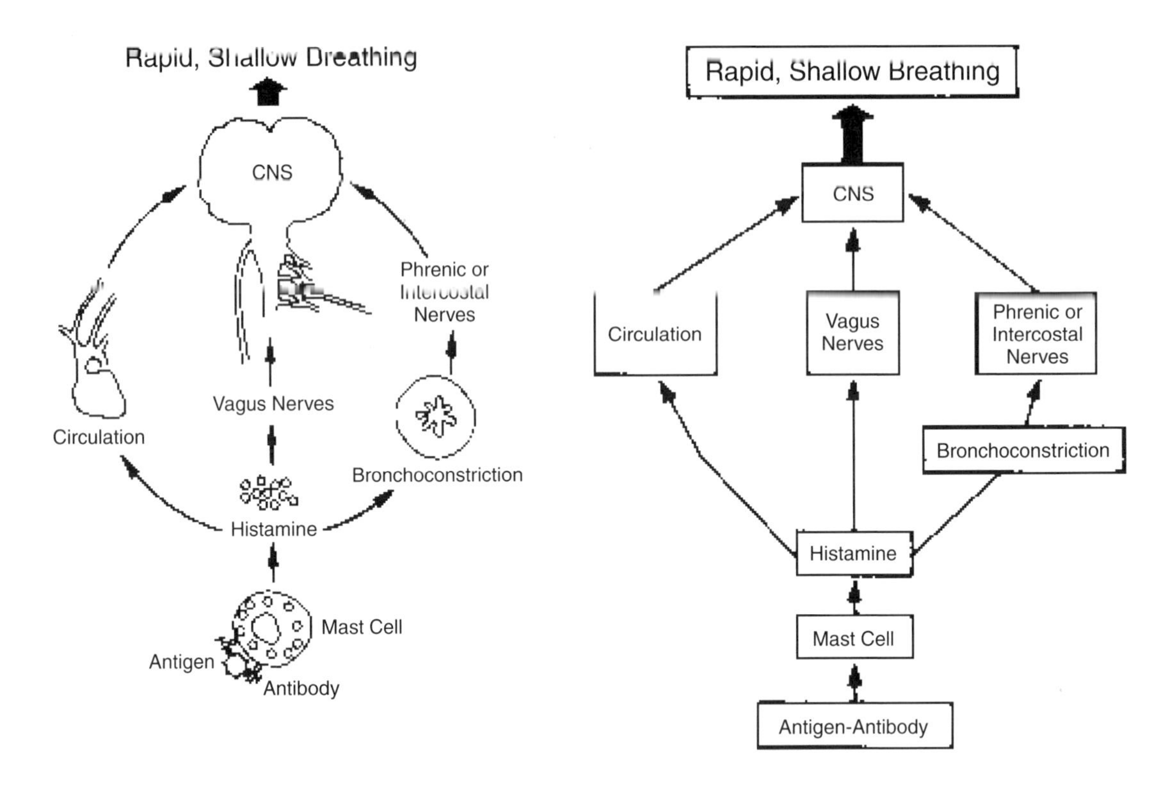

그림 1. 실제적으로(왼쪽), 모식적으로(오른쪽) 그려진 다이어그램. 모식적으로 그려진 다이어그램이 더 단순하지만, 실제적으로 그려진 다이어그램이 일부 독자에게는 더욱 강력하게 다가갈 수 있다. 그림에는 흰 바탕에 검은 색 선이 사용되었으며 표식에는 중간 크기의 산스세리프체로 대문자와 소문자가 너무 밀집되지 않게 사용되었다.

적일 수도 있다(Fig. 1).

동물과 장비의 경우, 사진보다는 손그림이 선호되며, 이는 손그림에서는 불필요한 세부사항을 제거하고 중요한 특징을 강조할 수 있기 때문이다(Fig. 2).

손그림과 다이어그램은 흰 바탕에 검은 색으로 그려져야 하며 단순해야 한다. 표식은 알아볼 수 있을 만큼 커야하지만 시선을 압도할 만큼 커서는 안 된다. 표식에 사용되는 글자로는 중간 크기의 산스세리프(sans serif)체의 대문자와 소문자를 너무 밀집되지 않게 사용해야 한다(Fig. 1).

일차적 증거

일차적 증거에는 환자나 조직, 방사선 사진, 현미경 사진, 실험 기록(예를 들어, 전기영동사진, 크로마토그라피 결과, 분광 광도계 곡선) 등이 포함된다.

가지고 있는 데이터의 종류가 그런 것이라면(예를 들어, 전자 현미경 사진, 전기영동사진) 일차적 증거를 보여주라. 또한, 적절한 경우 가지고 있는 데이터의 질을 부

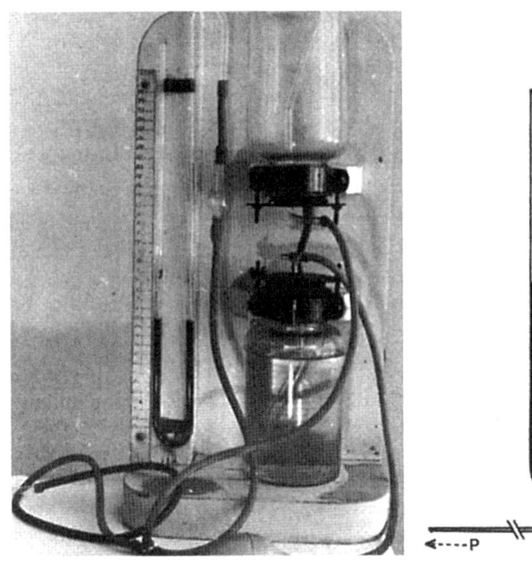

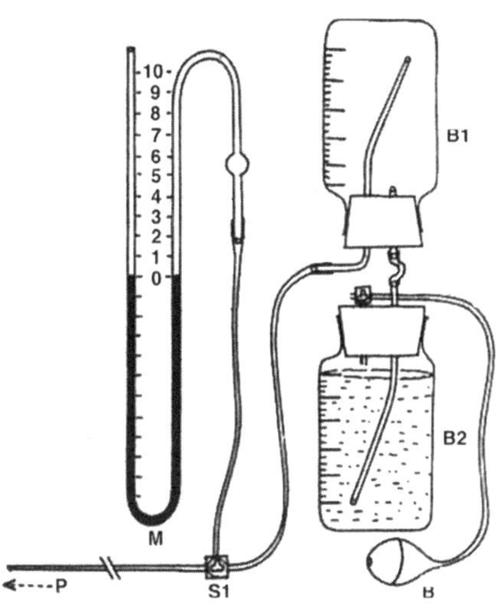

그림 2. 흉막내압을 측정하는 장비의 사진(왼쪽)과 손그림(오른쪽). 사진보다 손그림이 장비를 더 명확하고 단순하게 보여준다.

각시키기 위해 일차적 증거를 제시하라. 예를 들어, 다양한 압력에 관한 연구의 경우 요약된 데이터를 그래프에 제시하는 것 외에 대표적인 압력계 기록을 보여주는 것이 좋다. 출판용으로는 최고 품질의 기록을 선택하라.

어떤 종류의 일차적 증거(예를 들어, 환자의 사진, 방사선 사진, 현미경 사진, 전기영동사진)는 반색조, 즉 검은색과 흰색 뿐만 아니라 회색톤이 들어가기도 한다(Figs. 3-5). 반색조 그림의 경우에는 사진이 흐릿하지 않도록 해야 한다.

환자 사진

환자 사진은 사진을 찍기 전에 환자에게 서면 동의를 얻은 경우에만 사용할 수 있다. 환자를 알아볼 수 없도록 가능한 안면의 특징적인 부위를 가려야 하며, 환자를 지칭할 필요가 있을 때는 환자의 머리글자 대신 A,B,C 등을 사용하라.

현미경 사진(Micrographs)

명도. 사진은 광택인화해야 하며 관심있는 특징이 두드러지도록 명암을 조절하라.

크기. 현미경 사진의 크기는 중요한 특징을 분명하게 드러내기에 충분해야 하며 (Fig. 3, 4), 중요한 특징이 공간을 대부분 차지해야 한다. 관심있는 특징 이외의 공간은 현미경 사진이 어떤 문맥 속에 있는지를 알 수 있을 정도면 충분하다.

적당한 크기의 현미경 사진을 얻으려면 관심있는 특징이 사진의 공간을 거의 모두

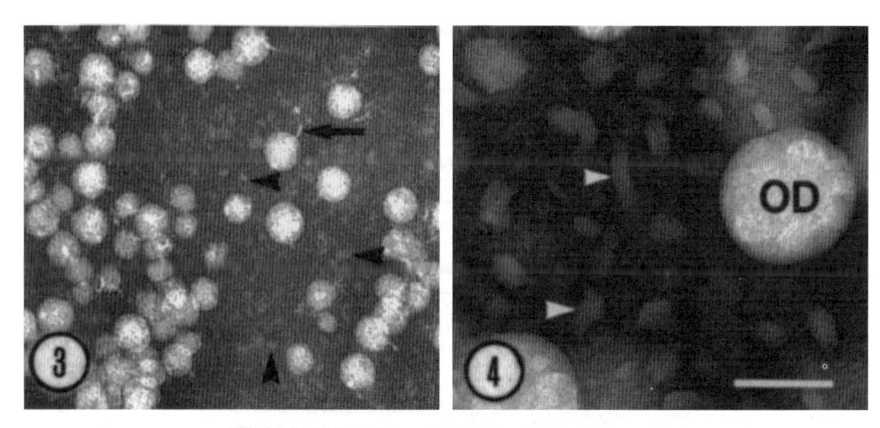

그림 3, 4. 잘 준비된 전자현미경 사진. 그림 3은 sodium decyl sulfate로 음성염색된 저밀도 지단백을 보여준다. 화살표(arrow)는 디스크 모양의 구조를, 화살촉(arrowhead)은 작은 입자들을 가리킨다. 그림 4는 엘라스타아제(elastase)로 분해한 뒤의 모습을 보여준다. 화살촉은 불규칙한 모양의 구조물들을 가리키고 있다. OD는 "oil droplet"을 가리킨다. 우하방에 위치한 척도 막대는 75nm를 나타낸다. 이 두 현미경 사진에서는 크고 분명한 구조 뿐만 아니라 작고 미묘한 특징까지 잘 볼 수 있다.

차지하는지, 그 사진이 논문의 한 단 혹은 페이지를 채울 지를 고려해서 출력할 사진의 크기를 정해야 한다. 그런 다음 적절한 크기로 사진을 출력하고 단이나 페이지에 맞게 다듬으면 된다. 사진은 논문에 실릴 크기 그대로 제출해야 하며 더 커서는 안 된다.

표식(Label). 현미경 사진에 쓰이는 표식에는 화살표와 삼각형, 문자와 숫자, *와 같은 기호가 있다.

표식의 수는 독자에 따라 달라진다. 일반적인 독자의 경우 더 많은 표식이 필요하며(예를 들어, 일반 잡지나 혹은 생리학 잡지에 현미경 사진이 실릴 경우), 전문 잡지의 경우 더 적게 필요하다.

표식은 현미경 사진을 덮고 주의를 빼앗기 때문에 가능한 수가 적고 간결해야 하며 쉽게 눈에 띌 정도의 크기이면 족하다(Figs. 3,4). 표식은 그림의 범례에서 정의하면 된다.

배율을 나타내려면 우하방 코너에 척도 막대(scale bar)를 배치할 수 있다(Fig.4). 척도 막대는 가는, 수평의 선으로서 끝부분에 가로지르는 선이 없어서 길이를 분명하게 알 수 있다(가로지르는 선이 있을 경우, 가로지르는 선의 안쪽까지의 길이와 바깥쪽까지의 길이에 관해 혼란이 있다). 그림의 범례에서는 글을 통해 그 막대가 반영하는 길이를 확인시켜주면 된다(예를 들어, "Scale bar = 75mm). 전문적인 독자의 경우에는 사진에 막대로 표시하기 보다는 그림의 범례에 숫자를 통해(예를 들어, "x32,000") 배율을 제시할 수도 있다.

판(Plates). 텍스트에서 함께 설명되는 현미경 사진들은 판 위에 모아서 제시할 수도 있으며, 이렇게 사진을 그룹으로 묶으면 서로 비교하기가 좋고 공간을 절약할 수 있다. 사진을 판 위에 배열하는 가장 좋은 방법은 페이지의 맨 위 혹은 맨 아래를 가로지르거나 한 단을 내려가는, 또는 한 페이지를 채우는 방식으로 배열하는 것이다. 판 위에 배열된 사진은 길이나 넓이 또는 두 가지가 모두 같아야 하며 그래야 사진 주위에 흰색 여백이 남지 않는다. 사진을 판 위에 올릴 때는 사진 주위에 균일하게 가는(1-2mm) 흰색 선을 남기도록 하라(Figs. 3, 4). 흰색 여백을 많이 남기면 사진에서 시선을 빼앗는 한 편 사진의 회색톤과 혼동되기 때문에 바람직하지 않다.

사진을 판에 올릴 때에는 가열 압착해야 한다.

모든 사진의 배율이 같을 때는 척도 막대(scale bar)가 하나만 있어도 충분하다 (Fig. 3, 4).

번호. 여러 현미경 사진이 하나의 판에 모아져 있을 때는 각 사진에 별도의 번호를 부여하는 것이 일반적이다. 번호는 좌하방에 배열한다(이와 반대로, 여러 개의 그래프가 하나의 그림을 구성할 때는 전체에 하나의 번호가 부여되며 그 속의 개별 그래프는 대문자 또는 간결한 표식을 통해 구별된다(Fig. 12 참조).

번호는 모든 사진에서 동일한 스타일로 유지되어야 하며(Figs. 3, 4), 어떤 번호는 검은색이고 어떤 번호는 흰색이어서는 안 된다. 번호를 부여하는 가장 간단하고 분명한 방법은 검은색 외곽선이 있는 흰색 원 안에 검은 글씨로 번호를 부여하는 것이다. 이런 종류의 번호는 배경색에 상관없이(검은색, 흰색, 회색) 눈에 잘 띈다.

전기영동사진(Gel Electrophoretograms)

전기영동사진은 반색조의 그림이므로 가능한 분명하고 명확하게 보이도록 해야 한다(Fig. 5).

사진의 위나 아래쪽을 가로지르면서 대문자나 표식을 첨가하여 각 겔(gel)의 성분을 밝혀야 한다(Fig. 5). 또한 측면에 표식을 이용하여 중요한 밴드(band)를 동정할 필요가 있다. 지시선을 사용하여 표식과 밴드를 연결하라. 표식이나 대문자가 데이터를 압도해서는 안 된다.

다원기록기의 기록(Polygraph Recordings)

다원기록기의 기록은 모눈종이 위에 검은 선으로 나타난다. 모눈종이의 격자선이 불필요할 경우 사진기의 필터를 이용해 제거할 수 있다. 격자선을 제거하려면 기록지의 격자선과 색깔이 다른 잉크를 이용해 기록하면 된다.

격자선을 제거한 뒤에는 수직 눈금과 수평 눈금 또는 수평 눈금의 척도(예를 들어, 온도면 ℃, 시간이면 minutes)를 부여한다(Fig. 6). 부여한 눈금과 눈금 척도가 정확

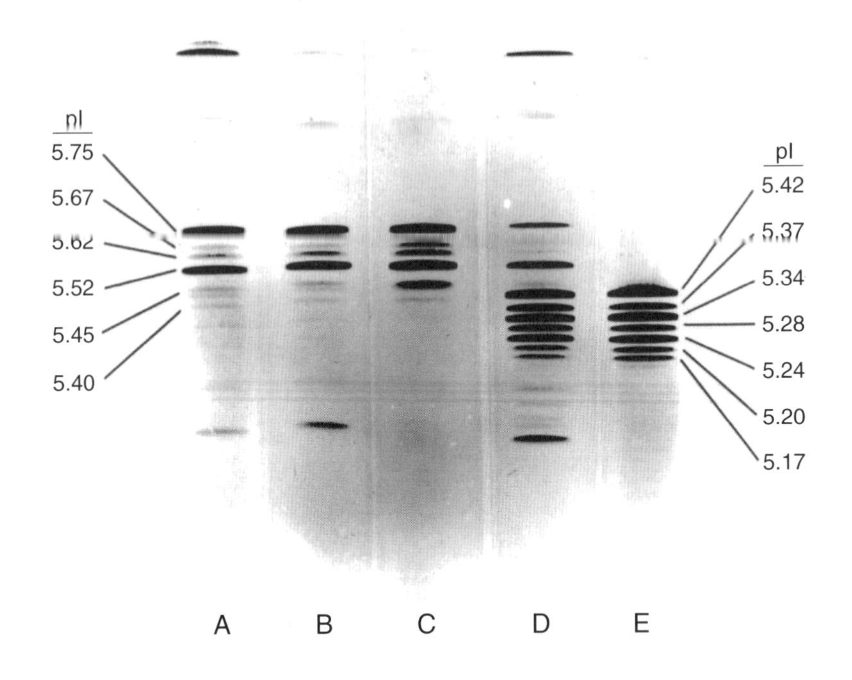

그림 5. 잘 준비된 겔 전기영동사진. 등전점에 따른 분획(밴드)이 분명하다. 사진의 밑부분에 대문자로 각 겔을 표시했고 중요한 분획은 사진의 측면을 이용해 표시했다. 지시선이 각 표식과 해당 분획을 연결해주고 있다. 표식이 데이터를 압도하지 않는다.

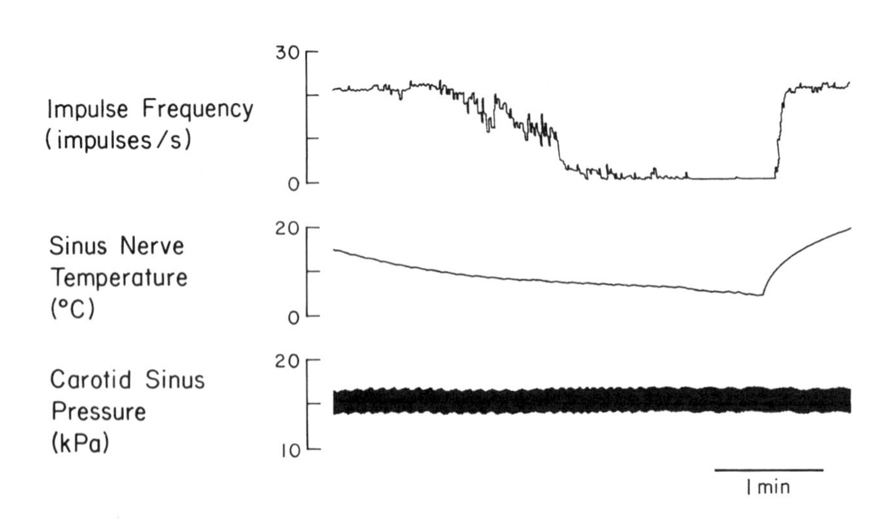

그림 6. 잘 준비된 다원기록기의 기록. 격자선이 제거되고 수직 눈금과 수평 시간 척도가 추가되었다. Y 축의 표식은 좌측에 배열되어 있으며 수직 눈금 척도란을 침범하지 않고 있다.

한지 반드시 확인하라.

각 축에는 해당 변수의 이름을 기재하고 괄호 안에 단위를 기입하라(Fig. 6). 변수의 이름에는 대문자와 소문자를, 단위는 SI 단위를 사용하라. 각 눈금 척도에는 해당 척도가 반영하는 단위를 표시해야 한다.

수평축의 제목은 좌측에 배열되어야 하며 눈금의 숫자가 있는 곳까지 뻗어나와서는 안 된다(Fig. 6). 눈금 숫자는 축의 제목에 쓰인 대문자보다 약간 작으면 되고, 눈금 숫자와 축의 두께는 제목에 사용된 글자의 두께보다 가늘어야 한다. 제목이 데이터를 압도해서는 안 된다.

그래프

보유한 데이터의 종류에 적합한 종류의 그래프를 사용하도록 하라. 다음에는 흔히 사용되는 그래프 유형이 설명되어 있다.

선그래프(Line Graphs)

선그래프는 X-Y축 그래프에 곡선이나, 점 또는 두 가지를 모두 이용하여 무게나 부피, 압력, 시간, 농도와 같은 변수 중 두 가지 변수 간의 관계를 보여준다. 관습적으로 독립변수는 X축에, 종속변수는 Y축에 놓인다. 축의 척도가 선형적이라면 그래프도 그렇게 보여야 한다. 즉, 축이 교차하는 지점으로부터 눈금과 눈금 숫자가 동일한 간격으로 배치되어야 한다(Fig. 7).

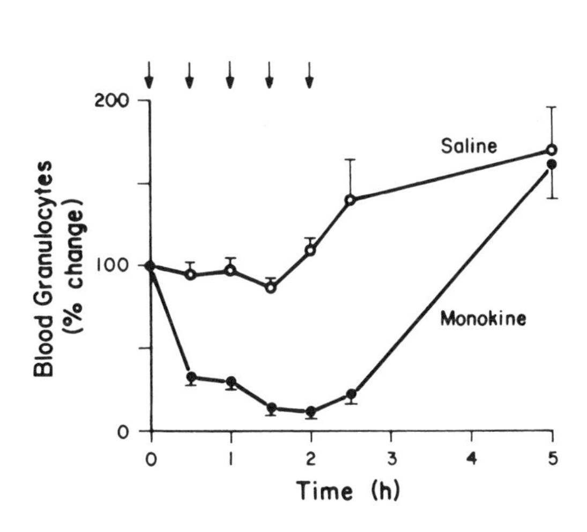

그림 7. 선그래프. 눈금과 척도가 동일한 간격으로 배열된 것을 통해 알 수 있듯이X, Y 축의 척도가 선형이다. 각 곡선에는 개별 표식이 부여되어 있다. 화살표는 saline이나 monokine이 주입된 시간을 가리킨다.

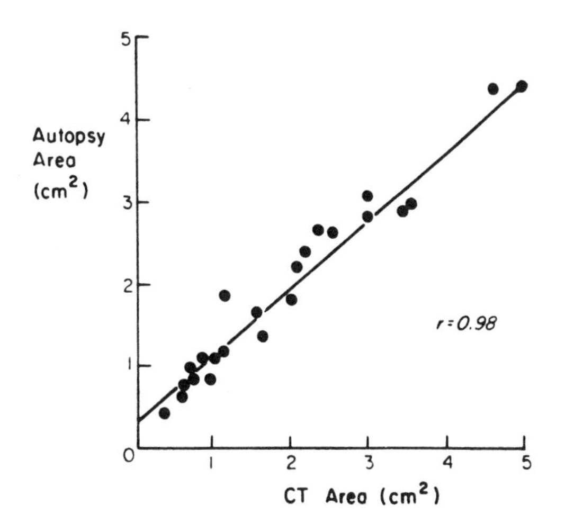

그림 8. 산점도. 개별 데이터가 점으로 표시되어 있으며 회귀선은 선형 상관관계를 보여준다. 상관계수(r)는 상관관계가 강력하다는 점을 보여준다.

산점도(Scattergrams)

산점도는 X-Y축 그래프에 각각의 데이터를 점으로 표시한 뒤 수학적 함수를 적용시켜 두 변수 간의 상관관계를 보여준다. 예를 들어, 일직선의 회귀선은 선형 상관을 나타낸다(Fig. 8).

막대그래프(Bar Graphs)

막대그래프는 불연속 변수(예를 들어, 박테리아의 종류)나 상대척도 변수(예를 들어, 낮은 등급에서 높은 등급으로 평가한 치료에 대한 반응) 그룹 간의 양이나 빈도를 비교할 때 사용되는 일차원 그래프이다. 막대그래프는 수평일 수도(Fig. 8), 수직일 수도 있으며(Fig. 10), 막대 간의 차이가 왜곡되는 것을 막기 위해 반드시 원점(0)을 포함하고 있어야 한다. 막대의 너비는 모두 같아야 하며 막대 사이의 공간의 너비와 같거나 더 넓어야 한다. 막대 사이의 공간의 너비는 막대의 수와 너비에 따라 달라진다. 막대의 기저면에는 아무런 눈금도 없어야 하며 기준선도 그릴 필요가 없다(기준선은 축이 아니다).

개별값 막대그래프(Individual-Value Bar Graphs)

개별값 막대그래프는 수직 막대그래프의 변종으로서 개별 데이터값이 평균값과 함께(Fig. 11) 또는 평균값 대신(Fig. 12) 제시된다. 짝자료(paired data)의 경우 선을 그어서 변화의 방향을 나타낼 수 있다(Fig. 12). 어느 값에서 하나 이상의 데이터가 존재할 경우, 각 데이터는 수평으로 배열된다(Fig. 11).

히스토그램(Histogram)

히스토그램은 일련의 연속적인 직사각형을 통해 단일도수분포(single frequency distribution)를 보여주는 이차원 그래프를 말한다(Fig. 13). 직사각형의 너비는 모두 동일해야 하며 그래야 직사각형의 높이가(면적이 아니라) 해당 군의 빈도를 반영하게 된다. 각 직사각형에는 Fig. 13처럼 외곽선을 그릴 수도 있고, 아니면 분포의 형태를 강조하기 위해 생략할 수도 있다.

도수다각형(Frequency Polygons)

도수다각형은 두 개 이상의 중첩되는 도수분포(Fig. 14) 또는 단일도수분포를 보여주기 위해 점으로 표시된 데이터값을 선으로 연결해 나타내는 이차원 그래프를 말한다. 데이터값은 각 군의 중앙에 점으로 표시되며 점을 연결하는 선은 기준선(baseline)까지 확장되어 분포를 완성시킨다.

이런 종류의 그림에 대해 더 자세히 알고 싶다면 "Illustrating Science: Standards

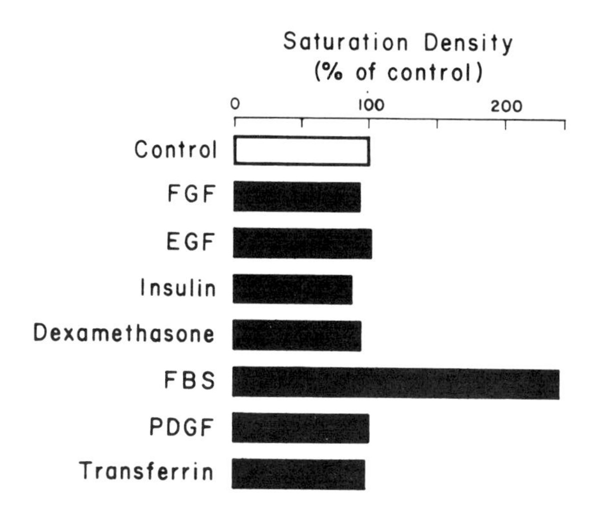

그림 9. 수평 막대그래프. 각 막대는 개별 처치를 나타낸다. 축은 원점을 포함하고 있으며 기준선은 그리지 않았다. 막대는 모두 동일한 너비를 지니고 있으며 막대의 너비가 막대 사이공간의 너비보다 넓다.

그림 10. 수직 막대그래프. 두 조건하에서(saline, monokine) 두 변수(125I, 99mTc)의 비율을 보여주고 있다. 변수와 조건은 막대 아래의 표식을 통해 확인할 수 있다.

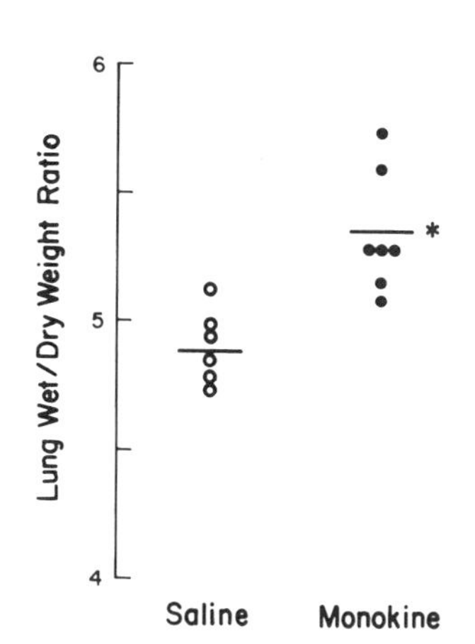

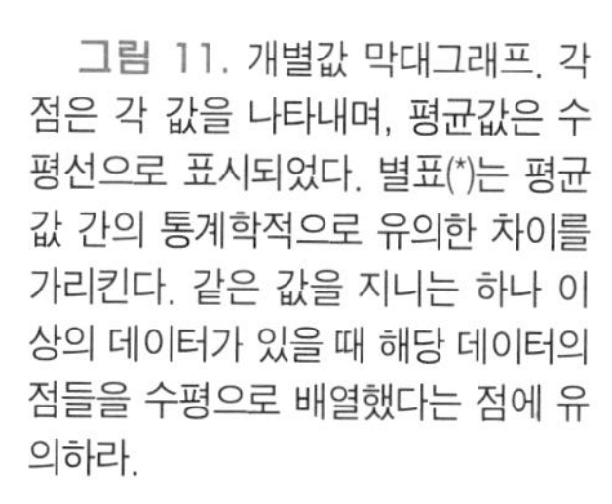

그림 11. 개별값 막대그래프. 각 점은 각 값을 나타내며, 평균값은 수평선으로 표시되었다. 별표(*)는 평균값 간의 통계학적으로 유의한 차이를 가리킨다. 같은 값을 지니는 하나 이상의 데이터가 있을 때 해당 데이터의 점들을 수평으로 배열했다는 점에 유의하라.

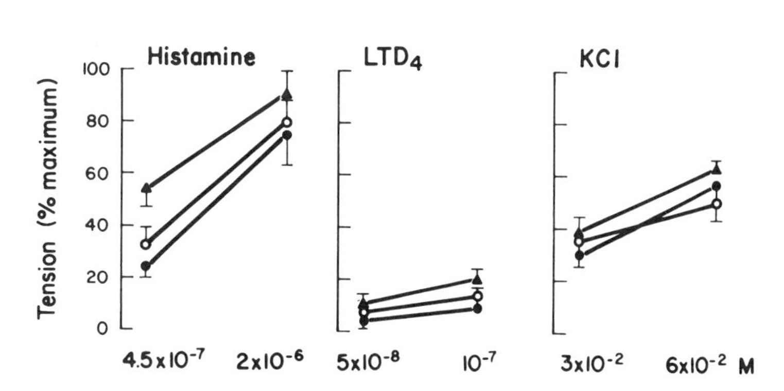

그림 12. 개별값 막대그래프에서 각 점을 지시선으로 연결함으로써 변화의 방향을 보여주고 있다. 이 합성 그림에서는 각 그래프의 우상방에 짤막한 표식이 부여되어 있으며, 이런 표식에 그래프에서 가장 큰 글자가 사용되었다.

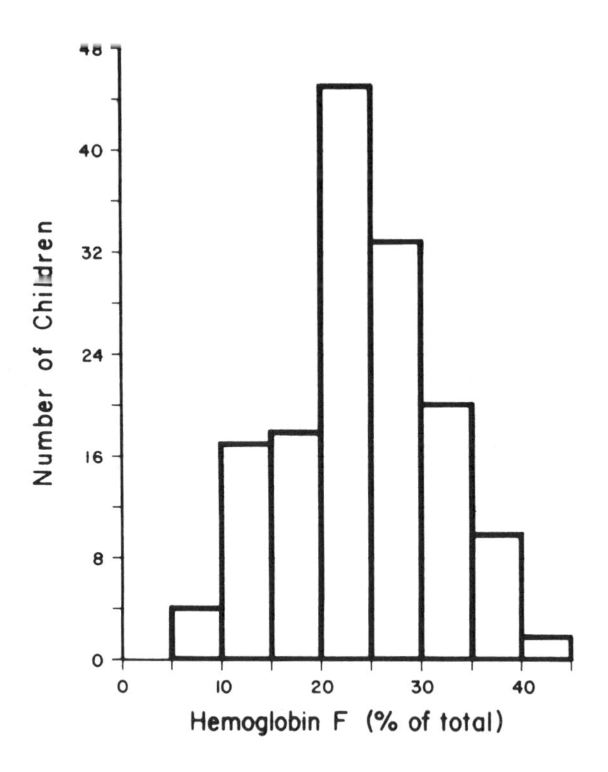

그림 13. 단일도수분포를 보이는 히스토그램. 모든 직사각형의 너비가 동일하기 때문에 각 직사각형의 높이가 해당 군의 빈도를 나타낸다. 히스토그램의 면적은 도수분포를 반영한다.

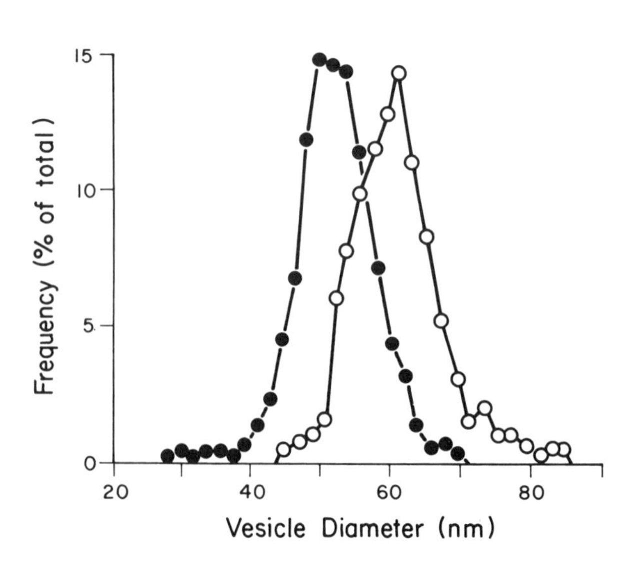

그림 14. 서로 중첩되는 도수 분포를 보이는 두 개의 도수다각형.

for Publication, Chapter 4, Graphs and Maps"를 참조하라. 언급된 종류 및 다른 종류의 그림에 대한 자세한 정보를 얻으려면 "Briscoe, Preparing Scientific Illustrations"를 참조하라.

그림에 대한 일반적인 가이드라인

가독성

일단 읽기 쉬워야 한다. 글자의 크기는 그래프를 논문의 열의 너비에 맞게 축소한 후에도 읽는데 어려움이 없어야 한다. 복사기를 이용해서 그림을 출판용 크기로 축소시킨 다음 가독성을 확인해보라. 출판용 그래프에 삽입되는 가장 작은 글자의 크기도 최소한 높이가 1.5mm는 되어야 한다. 기호도 쉽게 눈에 들어올 만큼 커야 하며 형태도 분별하기 쉬워야 한다(가장 쉽게 구분할 수 있는 기호는 ●와 ○이다. 세 개나 네 개의 기호가 필요할 때는 ○, ●, △, ▲을 사용하라. 다섯 개나 여섯 개가 필요하면 □, ■를 첨가하면 된다. 사각형은 원에서 먼 위치에 배열해야 한다). 그래프가 어수선하게 보여서는 안 된다. 예를 들어, 곡선의 제목이나, 기호를 첨가할 위치가 없으면 그림의 범례(figure legend)에서 곡선을 정의하면 된다.

강조

각 그림에서는 서로 다른 명도의 선을 사용해서 중요한 정보(데이터)를 강조해야 한다. 예를 들어, 선그래프에서는 가장 진한 선을 곡선에 사용하고, 축에 들어가는 글자에는 이보다 덜 진한 선을, 축 및 눈금과 오차 막대(error bar), 기호, 곡선 제목에는 가장 옅은 선을 사용해야 한다(Fig. 7).

논점

각 그림이 분명한 논점을 보여주도록 하라. 예를 들어, 감소는 감소하는 것처럼 보여야 한다. Fig. 7에서는 논점("the monokine injection decreased the numbers of circulating granulocytes in rabbits for 2.5 hours)을 분명하게 알 수 있다.

그림의 범례(Figure Legends)

그림의 범례는 출판된 논문에서 그림의 아래나 옆에 삽입되는 설명을 말한다. 범례는 텍스트를 참고하지 않아도 그림을 이해할 수 있게 도와준다.

범례는 보통 네 부분으로 이루어진다: 1. 간결한 제목, 2. 실험에 관한 세부사항, 3. 기호, 선 및 막대의 패턴, 범례 이전에 정의되지 않은 약어의 정의, 4. 그래프의 경우, 통계학적 정보.

어떤 저널은 이러한 형식을 따르지 않는 경우도 있다. 예를 들어, 일부 저널은 제목만을 요구하며, 어떤 저널은 실험에 관한 세부사항 전체를 논문의 방법 섹션이 아닌 그림의 범례에 포함시키도록 요구한다. 저널에서 명확한 지침을 제공한다면 이를 따르도록 하라.

제목

제목은 범례의 첫 번째 아이템이며 그림 위에 표시되는 것이 아니다. 제목은 그림의 특정 주제 또는 논점을 확인시켜준다. 제목은 간결해야 하며 그래프나 논문의 텍스트에서 사용된 것과 동일한 핵심용어를 사용해야 한다. 제목에 약어가 포함되어서는 안 된다. 제목에 포함되는 세부사항의 정도는 그림의 종류에 따라 달라진다.

손그림과 다이어그램, 일차적 증거의 제목. 손그림과 다이어그램, 일차적 증거의 경우 제목에서 그림의 종류와(필요하다면) 구체적인 장비와 개념, 그림이 보여주는 생물학적 시료를 밝혀야 한다(예문 8.1, 8.2).

예문 8.1 손그림의 제목

Fig. 1. Apparatus used for measuring intrapleural pressure.

손그림에 대한 이 제목에서는 구체적인 장비만을 밝히고 있다.

예문 8.2 다이어그램의 제목

Fig. 1. Schematic diagram of the relationship of the return cycle during resetting of ventricular tachycardia to the absence or presence of electrocardiographic fusion.

이 제목에서는 "schematic diagram"이 그림의 종류를 밝히고 있으며, 나머지 어구는 다이어그램이 나타내는 개념을 언급하고 있다.

예문 8.3과 같이 관심있는 구체적인 특징이 제목에 포함될 수도 있다.

예문 8.3 일차적 증거의 제목

Fig. 1. Bright-field light micrograph of a segment of a bacterial filament showing intracellular sulfur inclusions.

이 제목에서는 "bright-field light micrograph"가 그림의 종류를 밝히고 있으며 나머지 어구는 그림이 보여주는 생물학적 시료(a segment of a bacterial filament)와 시료의 중요한 특징(intracellular sulfur inclusions)에 대해 언급하고 있다.

그래프의 제목. 조작을 가한 뒤에 변수를 측정하거나 관찰하는 실험의 결과를 보여주는 그래프의 경우 표준적인 제목의 형태는 다음과 같다.

Effect of X on Y in Z

여기에서 X는 독립변수, Y는 종속변수이며 Z는 연구에 사용된 동물이나 실험군, 대상을 말한다(예문 8.4). 사람을 대상으로 한 연구의 경우 데이터가 특정 실험군에 관한 것이 아니라면 "humans"란 용어를 제목에서 생략하는 경우가 많다.

예문 8.4 Effect of X on Y in Z

Fig. 1. Effect of increasing concentrations of doxorubicin (X) on release of histamine and lactate dehydrogenase (Y) from dog mastocytoma cells (Z).

또 다른 방법으로 종속변수를 제목의 앞부분에 둘 수도 있다. 이 경우 제목은 다음과 같은 형식을 띠게 된다.

Y in response to X in Z
Y during X in Z

예문 8.5 Y in response to X in Z

Fig. 1. Release of ^{14}C-labeled lipid and lactate dehydrogenase (Y) in response to increasing concentrations of the ionophore A23187 (X) in alveolar type II cells from rats (Z).

예문 8.6 Y during X in Z

Fig. 1. Mean arterial pressure (Y) before, during, and after stimulation of the (X)

Z
carotid nerve in young and old piglets.

독립변수가 없는 실험의 데이터에 관한 그래프의 경우, 제목은 종속변수(Y)로 시작한 뒤에 동물이나 대상 또는 두 가지 모두(Z)로 끝난다.

Y in Z.

예문 8.7 Y in Z

Y Z
Fig. 1. Endocytosis of fluorescent ligands.

때로는 그림의 종류가 그래프의 제목, 특별히 도수분포를 보여주는 히스토그램이나 도수다각형(frequency polygon) 및 Scatchard plot과 같은 특별한 종류의 그래프의 제목에 기술되는 경우가 있다(예문 8.10).

논점을 기술하는 제목. 일반적으로 제목은 그래프의 주제만을 기술할 뿐이지만, 그래프가 나타내려는 단일하고 분명한 논점이 있다면 그 논점을 제목에 기술할 수도 있다. 예를 들어, 다음과 같이 논점(inhibition)을 기술하는 것이

Fig. 1. Inhibition of Y by X in Z

다음과 같이 주제(effect)만을 말하는 것보다 훨씬 유용하다.

Fig. 1. Effect of X on Y in Z

예문 8.8 논점을 기술하는 제목

Fig. 1. Inhibition of antiviral response in MDA-MB-231 (human breast carcinoma) cells by oxyphenbutazone.

예문 8.9 논점을 기술하는 제목

Fig. 1. Elevation of acute-phase reactants after a single 3-hour exposure to ultraviolet radiation.

과부하가 걸린 제목. 지나친 세부사항으로 제목에 과부하가 걸리면 안 된다. 세부사항은 범례의 다른 부분에서 제시하라.

약어가 사용된 제목. 제목에 약어를 사용해서는 안 된다. 그럴 경우 독자는 약어의 의미를 찾기 위해 논문의 텍스트를 조사해야 한다.

합성 그림의 제목. Figs. 1, 2, 12와 같이 여러 그림이 합성되어 있는 그림의 경우 전체 그림에 제목을 부여한 뒤에 개별 그림을 밝혀야 한다. 제목은 합성 그림 속의 각 부분이 나타내고 있는 공통 주제를 반영함으로써 해당 그림들이 왜 하나로 묶였는지를 독자가 이해할 수 있도록 해야 한다. 개별 그림은 예문 8.10과 같이 제목 내에서 언급하거나 예문 8.11과 같이 별도의 소제목에서 언급하면 된다.

예문 8.10 제목에서 개별 그림의 주제를 언급한 경우

Fig. 1. Representative Scatchard plots of the dose-response of $[^{125}I]$ T_3-binding to lung nuclei from (A) adult and (B) 28-day-old fetal rabbits.

이 예문의 경우, 제목 내에서 "(A) adult", "(B) 28-day-old" 라는 단어를 통해 합성 그림 내의 개별 그림의 주제를 확인할 수 있다. 제목의 나머지 부분은 두 그래프 모두에서 보여주고 있는 주제에 대해 언급하고 있다.

예문 8.11 소제목을 사용해 개별 그림의 주제를 언급한 경우

Fig. 1. Representative coronary angiograms in a patient with organic stable obstruction without thrombus. Insets show the electrocardiogram (lead V_4) obtained during each angiographic assessment. A. The initial appearance of the left coronary arteries during chest pain. Note the eccentric segmental narrowing (arrow) in the proximal left anterior descending coronary artery and the delayed distal filling. B. The unchanged appearance of the coronary arteries after a 60-min infusion of urokinase (960,000 U). C. The unchanged appearance of the coronary arteries 4 weeks after the initial angiograms.

이 예문의 제목은 합성 그림 내의 세 부분이 공통으로 보여주고 있는 주제를 기술하고 있으며 각 부분의 주제는 별도의 소제목(밑줄친)을 통해 언급되고 있다. 소제목 B와 C가 논점을 기술하고 있다는 점에 주목하라("unchanged appearance").

실험에 관한 세부사항

세부사항은 독자가 그림을 이해하기에 충분할 만큼만 제공하면 되며, 필요하지 않

다면 쓰지 않아도 무방하다. 그래프의 범례의 경우에는 제공된 정보를 축의 제목에서 단순히 되풀이해서는 안 된다. 실험에 관한 세부사항은 문장으로 제시하라.

예문 8.12 제목 뒤에 문장으로 제시된 실험에 관한 세부사항

Fig. 1. Nuclear T3 binding capacity in rabbit lung during prenatal and postnatal development. Dose-response experiments were done with isolated nuclei (50-120 μg of DNA) under optimal conditions, data were analyzed by Scatchard analysis, and results were corrected for released receptor.

"For details, see Methods"와 같은 표현은 불필요하다.

정의

기호나 선 및 막대의 패턴, 그림의 범례 전에 정의되지 않은 약어에 관한 정의는 실험에 관한 세부사항 이후에 제시되어야 한다.

기호나 선 패턴을 정의할 때는 기호나 선 패턴을 범례에 그려야 한다. 예를 들어, 시각적 효과가 없는 "open circles, control"보다는 "○, control"이라고 적어야 한다. 기호는 하나여야 하며, 선으로 연결된 두 개의 기호를 사용해서는 안 된다. 막대 패턴을 정의할 때는 범례에 설명된 패턴이 그래프의 패턴과 일치하도록 주의하라. 예를 들어, 막대 패턴이 ▧라면 범례의 패턴도 반드시 ▧어야 하며 ▨여서는 안 된다.

같은 기호나 선 및 막대 패턴, 약어가 하나 이상의 그림에서 사용될 경우 이들이 등장하는 첫 그림의 범례에서만 정의하고, 그 다음 범례부터는 첫 그림의 범례를 인용하면 된다.

예문 8.13 정의의 반복을 피하는 법

Fig. 3. Autoregulation of coronary blood flow during balloon pumping. Abbreviations as in Fig. 1.

통계학적 정보

그래프의 통계학적 정보에 관한 설명에는 다음과 같은 사항이 반드시 포함되어야 한다: 1. 점이나 막대로 표시된 데이터가 개별 데이터인지, 평균 혹은 중앙값인지, 2. 오차 막대(error bar)가 표준편차와 표준오차, 신뢰도 또는 신뢰구간 중 어느 것을 반영하는지, 3. 샘플의 크기(n).

예문 8.14 요약된 데이터에 관한 통계학적 세부사항

Fig. 1. Nuclear T_3-binding capacity in rabbit lung during prenatal and postnatal development. Dose-response experiments were done with isolated nuclei (50－120 μg of DNA) under optimal conditions, data were analyzed by Scatchard analysis, and results were corrected for released receptor. Values are means ± SD for 8 samples, except 28-day-old prenatal = 34 samples.

"n=12"라고 쓰는 것은 좋지 않다. 그 보다는 "12 samples", "12 measurements", "12 dogs"라고 쓰는 편이 훨씬 명확하다. 다음 예문에서 "n=12"가 도대체 무슨 뜻인가? "Fig. 1. Results of glucose absorption in milligrams (means±SD) obtained by the segmental-perfusion technique (n=12)." 열두 명의 환자인가? 아니면 한 명의 환자에서 채취된 열두 개의 샘플? 네 명의 환자에게서 채취된 열두 개의 샘플?

통계학적 방법을 통해 분석된 막대그래프의 경우 어떤 값들이 통계분석되었으며 유의수준(예를 들어, P 값)이 얼마인지를 기술하라. 또한, 사용된 통계학적 분석방법을 언급하는 것도 도움이 된다. 예문 8.15와 8.16에는 비교된 값이 무언인지 기술하고 P 값을 확인하는 두 가지 방법이 소개되어 있다.

예문 8.15 통계학적으로 유의한 차이

Fig. 2. Effect of dopamine on the major determinants of left-ventricular circumferential end-systolic wall stress. *, ** significantly different from control, *P 〈 0.05, **P 〈 0.01, by ANOVA.

이 범례에서는, 제목 뒤에 통계 분석에 관한 설명이 뒤따르고 있다. 우선은 비교된 값이 기술되고 있고("significantly different from control") 다음에는 P 값이 제시된 후에 마지막으로 사용된 통계학적 방법이 언급되어 있다.

"vs. control"을 사용하면 동일한 통계학적 정보를 더 간결하게 제시할 수 있다.

예문 8.16 통계학적으로 유의한 차이: 더 간결하게

Fig. 2. Effect of dopamine on the major determinants of left-ventricular circumferential end-systolic wall stress. *P 〈 0.05, **P 〈 0.01 vs. control by ANOVA.

기타 정보

그림의 범례의 표준적인 요소 외에도 범례에는 특이하거나 흥미로운 특징을 지적하는 내용이 포함될 수 있다.

예문 8.17 특이한 점

Fig. 6. Effects of hyperthermia (43° C) on immune cytolysis by cytotoxic lymphocytes and on survival of P815 mastocytoma cells. The curves were plotted from the data in Figs. 3 and 5.

이 범례의 마지막 문장은 독자의 주의를 해당 그림과 앞에 나온 그림들과의 관계로 돌리고 있다.

예문 8.18 흥미로운 특징

Fig. 1. End-diastolic angiographic appearance of (A) the right ventricle in the dog placed in the right lateral decubitus position (35-mm frame) and (B) the left ventricle of the same dog. Note how the anterior border of the left ventricular cavity approaches the anterior border of the heart, which has been retouched for clarity.

이 범례의 마지막 문장은 특별히 흥미로운 특징을 지적하고 있으며 동시에 사진을 수정한 사실로 독자의 주의를 돌리고 있다. 그림을 설명할 때는 현재시제 ("approaches the anterior border")를 사용한 다는 점에 주목하라.

결과의 지적

결과를 언급하면 결과 섹션의 내용을 되풀이하는 것이 되기 때문에 보통 그림의 범례에서는 결과를 제시하지 않는다. 그러나, 결과를 지적할 수는 있다. 그래프에서 결과를 지적하려면, 그래프의 논점(즉, 그래프가 보여주는 결과)을 제목에 포함시키면 된다(예문 8.8과 8.9의 경우: "Inhibition of antiviral response...", "Elevation of acute-phase reactants..."). 일차적 증거를 나타내는 그림의 결과를 지적하려면 다음과 같이 그림의 특징을 부각시키라. "Note..." (예문 8.11, 8.18) 또는 "...showing..." (예문 8.3).

그림의 재판

이미 출판된 그림을 재판할 때는 먼저 저작권자(보통은 출판사)의 허가를 얻어야 하며, 이것은 법적인 요구사항이다. 또한 저자(본인이 저자가 아니라면)의 허락도 얻어야 하는데, 이것은 통상적인 의례에 속한다. 허가에 관한 표준적인 서식은 출판사에서 구할 수 있다.

논문에서는 그림의 범례에 참고문헌을 인용하고 그림을 재판할 수 있는 허가를 얻었다고 기술함으로써 자료의 제공처와 출판사의 권리를 완전히 인정해야 한다. 권리를 인정하는 두 가지 방법이 예문 8.19와 8.20에 제시되어 있다. 만약 저작권자가 다른 방식을 요구한다면 그 방식을 따르라. 권리에 관한 기술은 항상 그림의 범례의 가장 마지막에 등장하며, 참고문헌은 텍스트 마지막의 참고문헌 목록에 포함되어야 한다.

예문 8.19 재판된 그림의 권리

From Fraser et al. (1975), with permission.

예문 8.20 재판된 그림의 권리

From ref. 7, with permission from the American Review of Respiratory Disease.

출판된 그림의 전부를 사용하건 일부를 사용하건 또는 이를 수정해서 사용하건 간에 반드시 허가를 얻어야 한다. 수정해서 사용할 경우 권리에 대해 예문 8.21과 같이 언급할 수 있다.

예문 8.21 수정된 그림의 권리

Redrawn from Fraser et al. (1975); reproduced with permission.

표(Tables)

과학연구논문에서 표는 보통 두 가지 목적으로 사용된다: 1. 방법과 관련된 배경 정보의 제공(예를 들어, 연구에 포함된 환자의 특징, Table 1) 2. 결과를 뒷받침하는 데이터의 제공(Table 2-5). 반대로 데이터를 제공하는 표는 두 가지 목적을 지니고 있다: 1. 연구에 포함된 모든 피험체와 동물, 대상의 개별 데이터 제공과, 2. 논점 제시. 한편, 표의 장점은 다른 목적으로 데이터를 분석하거나 다른 유사한 표와 논문의 표를 비교하는 연구가들이 저자가 발견하지 못한 경향이나 관계를 볼 수 있다는 점이다.

표 1. Clinical Characteristics Of The Infants

Infant	Sex	Birth Weight (g)	Gestational Age (wk)	Age at Study (wk)	Post-conceptual Age (wk)	Diagnosis
1	F	1,080	30	7	37	Mild RDS,[a] apnea
2	F	1,710	34	51 $\frac{1}{2}$	391 $\frac{1}{2}$	RDS, apne[a]
3	F	1,980	35	7	42	Severe RDS, ventilator, aborted SIDS[b]
4	M	2,240	37	21 $\frac{1}{2}$	391 $\frac{1}{2}$	Aborted SIDS
5	F	2,330	37	14	51	Aborted SIDS[c]
6	M	2,520	32	4	36	Severe RDS, apnea
7	F	2,810	40	7	47	Aborted SIDS
8	F	3,300	37	5	42	Severe RDS, ventilator, aborted SIDS

[a]RDS = respiratory distress syndrome.
[b]SIDS = sudden infant death syndrome.
[c]History from parents only.

표 1은 이 연구에서 방법과 관련된 배경 정보, 즉 "clinical characteristics of the infants"에 대한 정보를 제공한다. 이 표에서는 제목에 사용된 핵심용어들이 열의 표제단어들과 연결되고 있다: 제목의 "infants"가 첫 번째 열의 표제단어인 "infant"에 사용되었으며, 제목의 "clinical characteristics"는 다른 모든 열의 표제단어들의 범주형 용어이다. 세 개의 수평선이 사용되었다: 열의 표제단어 위, 아래로 하나씩, 그리고 데이터 밑에 하나.

표 2. Effect of hormones on saturation of phosphatidylcholine in explants of human fetal lungs, assessed by two methods

Hormone	Number of explants	Saturated phosphatidylcholine (% of total phosphatidylcholine)		a/b
		a) By Pi	b) By cpm	
Control	8	27.4±2.3	17.8±2.3	1.57±0.17
T_3	6	30.4±5.4	20.2±4.7	1.44±0.22
Dexamethasone	9	33.8±3.9*	28.9±2.7*	1.17±0.09*
T_3 + dexamethasone	8	32.6±3.7*	27.6±0.6*	1.19±0.11*

Explants (19−23 weeks of gestation) were exposed to 2 nM T_3, 10 nM dexamethasone, or both for 6 days. Phosphatidylcholine was isolated by thin-layer chromatography and was treated with OsO_4. Saturated phosphatidycholine and unsaturated phosphatidylcholine were separated by thin-layer chromatography and were quantitated by Pi assay or by counts per minute [^{3}H]choline incorporated. Values are the mean ±SD.

*P 〈 0.01 vs. control.

표 2는 두 가지 논점을 제시하는 데이터를 보여준다: 하나는 dexamethasone이 단독 또는 T3와 함께 체외배양한 인간 태아 폐에서 phsphatidylcholine의 포화도를 증가시킨다는 것이며 다른 하나는 Pi assay로 평가된 값이 [3H]choline의 편입(incorporation)으로 평가된 값보다 크다는 점이다. 이 표의 제목은 "Effect of X on Y in Z"의 형식을 따른다. 독립변수는 왼쪽 첫 열에, 종속변수는 오른쪽의 마지막 세 열에, 샘플 규모(체외배양물의 수)는 독립변수와 종속변수 사이에 배치되었다. 한 열(column)을 두 개의 범주로 나누기 위해 부표제단어("By Pi", "By cpm")가 사용되었다. 대조상태(control)에 관한 데이터가 가장 먼저 제시되었으며(맨 위의 행), 아래로 읽어 나가면 경향을 알 수 있다. 열 간, 또는 행 간의 비교가 가능하다. 표 전체에 적용되는 각주가 한 단락으로 쓰여졌으며 기호가 사용되지 않았다. 통계학적으로 유의한 차이를 설명하는 각주는 별도의 단락에 쓰여졌으며 기호가 사용되었다. 이 각주는 P 값만을 설명하는 것이 아니라 어떤 값들이 서로 비교되었는지도 설명하고 있다.

목적이 무엇이든, 모든 표는 동일한 구성요소를 지니고 있으며 같은 방식으로 배열된다. 표는 시각적 매개체이기 때문에 최대한의 시각적 효과를 위해 말끔하게 배열하는 것이 중요하며, 그렇게 해야 독자가 특정 데이터와 표의 핵심을 쉽게 발견할 수 있다.

표에는 다음과 같은 네 가지 주요 구성요소가 있다: 제목, 열의 표제단어, 본문, 각주.

제목(Title)

표의 제목은 그림의 제목과 마찬가지로 표의 주제 또는 논점을 기술하며, 간결해야 한다. 제목에 포함되는 세부사항의 정도는 표의 종류에 따라 달라진다.

표 3. Hemodynamic variables during various conditions of ventilation with normoxic and hypoxic gases in newborn lambs

Ventilation condition	Mean pulmonary arterial pressure (mmHg)	Pulmonary vascular resistance (mmHg/ liter/min/kg)	Mean systemic arterial pressure (mmHg)	Heart rate (beats/min)	Cardiac output (liter/min/kg)
Normoxic					
Control	22.3±4.4	52.7±14.4	74.1±11.2	206.3±43.9	0.38±0.08
Respiratory alkalosis	18.6±4.2*	48.1±13.2	75.0±13.6	217.0±44.0	0.34±0.06
Hypoxic					
Control	40.1±7.6	111.7±86.6	87.8±13.3	241.1±45.7	0.39±0.12
Respiratory alkalosis	26.7±5.9†	76.9±51.1†	76.7±8.5†	260.2±39.1	0.33±0.10
Metabolic alkalosis	26.8±4.7†	74.8±39.1†	75.3±12.8†	245.0±50.8	0.37±0.14
Hypocapnia	43.7±7.1†	172.1±78.3†	87.1±7.0	239.4±31.7	0.24±0.08†

Data are means±SD for 8 normoxic and 9 hypoxic lambs.
*P 〈 0.05 vs. normoxic control by t-test.
†P 〈 0.05 vs. hypoxic control by ANOVA.

표 3은 mean arterial pressure와 pulmonary vascular resistance의 변화가 가리키는 바와 같이 respiratory 및 metabolic alkalosis 모두가 hypoxia-induced pulmonary vasoconstriction을 감소시키지만 반대로 hypocapnia는 이를 증가시킨다는 점을 보여주고 있다. 이러한 논점은 다음과 같이 제목에 기술될 수도 있다: "Reduction of hypoxia-induced pulmonary vasoconstriction by respiratory and metabolic alkalosis but not by hypocapnia in newborn lambs." 본래의 제목은 주제만을 기술하고 있다. 이 표에서는 독립변수가 왼쪽 첫 번째 열에, 종속변수가 나머지 열에 배치되어 있다. 각주가 많아지는 것을 피하기 위해 열의 표제단어에는 약어를 쓰지 않았다. 첫 번째 열을 비롯한 모든 열에 표제단어가 있다는 점에 주목하라. 독립변수는 normoxic 및 hypoxic, 두 그룹으로 나뉘어 진다. 각 그룹을 시각적으로 보여주기 위해 그룹의 이름이 첫 번째 열의 가장 왼쪽에 배치되었으며 ventilation condition은 각 그룹 이름 밑에 들여쓰기가 되어있다. 데이터는 소수점과 에 맞추어 정렬되어 있어서 비교하기가 용이하다. 각 열을 따라 내려가면서 경향성이 두드러지기 때문에 표준편차는 평균값의 오른쪽에 배열되었다. 각 변수의 모든 값에 같은 소수점 자리가 사용되었고 평균값과 동일한 소수점 자리가 표준편차에도 사용되었다. 샘플 규모(n)는 데이터를 meansSD로 확인시켜주는 각주에 기술되어 있다.

배경 정보를 제공하는 표의 경우, 제목은 표의 본문에 나열된 정보의 주제(즉, 변수들)와 설명된 동물이나 실험군, 대상에 대해 기술해야 한다. 형식은 다음과 같다.

Y in Z 또는 Y of Z

예를 들어, 앞에 나온 Table 1의 제목인 "Clinical Characteristics of the Infants" 에서는 "clinical characteristics"가 주제(Y)가 되고 "the infants"(즉, "the infants in the

표 3A. Hemodynamic variables during various conditions of ventilation with normoxic and hypoxic gases in newborn lambs

Ventilation condition	Mean pulmonary arterial pressure (mmHg)	Pulmonary vascular resistance (mmHg/ liter/min/kg)	Mean systemic arterial pressure (mmHg)	Heart rate (beats/min)	Cardiac output (liter/min/kg)
Normoxic					
Control	22.3	52.7	74.1	206.3	0.38
	(4.4)	(14.4)	(11.2)	(43.9)	(0.08)
Respiratory	18.6*	48.1	75.0	217.0	0.34
alkalosis	(4.2)	(13.2)	(13.6)	(44.0)	(0.06)
Hypoxic					
Control	40.1	111.7	87.8	241.1	0.39
	(7.6)	(86.6)	(13.3)	(45.7)	(0.12)
Respiratory	26.7†	76.9†	76.7†	260.2	0.33
alkalosis	(5.9)	(51.1)	(8.5)	(39.1)	(0.10)
Metabolic	26.8†	74.8†	75.3†	245.0	0.37
alkalosis	(4.7)	(39.1)	(12.8)	(50.8)	(0.14)
Hypocapnia	43.7†	172.1†	87.1	239.4	0.24†
	(7.1)	(78.3)	(7.0)	(31.7)	(0.08)

Data are means and (SD) for 8 normoxic and 9 hypoxic lambs.
*P 〈 0.05 vs. normoxic control.
†P 〈 0.05 vs. hypoxic control.

표 3A는 표준편차를 평균값의 오른쪽이 아닌, 아래쪽의 괄호 안에 표시함으로써 표의 너비를 줄이는 동시에 행을 가로질러 데이터를 더욱 쉽게 읽을 수 있게 하는 실례를 보여준다(하지만 이 표에서는 경향을 파악하기 위해 열을 읽어 내려가야 하기 때문에 표 3과 같이 표준편차를 평균값 오른쪽에 두는 편이 더 명확하다). 표준편차를 괄호 안에 두면 더 쉽게 뛰어넘어갈 수 있다는 점에 주목하라.

study")는 설명된 실험군(Z)이 된다. "Phospholipid Composition of Cardiac Lymph from Normal Dogs"라는 제목에서는 "phospholipid composition"이 주제(Y)가 되고, "cardiac lymph"는 설명된 대상(Z), "normal dogs"는 동물(Z)이 된다.

종속변수만 있는 실험의 데이터를 제시하는 표의 경우에도 비슷한 제목을 사용할 수 있다. 예를 들어, "Dimensions of Cell Bodies in the Tracheal Ganglia of Ferrets"라는 제목에서는 "dimensions"가 주제(종속변수)(Y)가 되고 "cell bodies in the tracheal ganglia"는 설명된 대상(Z), "ferrets"은 동물(Z)이 된다.

독립변수와 종속변수가 모두 있는 실험의 데이터를 제시하는 표의 경우, 제목에는 반드시 독립변수(X)와 종속변수(Y), 동물과 실험군 및 대상(Z)이 포함되어야 한다. 제목에서 대조군을 언급하는 것은 불필요하다. 제목의 두 가지 표준 형태는 다음과 같다.

Effect of X on Y in Z

Y during X in Z

예를 들어, "Effects of Methacholine on Electrical Properties and Ion Fluxes in Tracheal Epithelium From Cats and Ferrets" 라는 제목에서는 "methacholine" 이 독립변수, "electrical properties and ion fluxes" 가 종속변수, "tracheal epithelium" 이 대상, "cats and ferrets" 가 동물이 된다(Table 2의 제목 참조). "Plasma Variables Before and After Protein Loss in Lambs" 라는 제목에서는 "plasma variables" 가 종속변수이며 "before and after" 는 "during" 대신 사용되었고, "protein loss" 가 독립변수, "lambs" 는 동물이다(Table 3 참조).

표의 제목에 주제를 기술하는 것보다 더 좋은 방법은 논점을 기술하는 것이다. 제목이 논점을 기술하면, 독자는 표에서 무엇을 찾아야 할 지를 더 정확하게 알 수 있다. 예를 들어, "Increase in Helicity of Abortifacient Proteins in the Presence of Sodium Dodecyl Sulfate" 라는 제목에서는 "increase in helicity" 가 논점이다.

제목을 간결하게 유지하려면 모든 종속변수를 나열하는 대신 범주형 용어를 사용하라(핵심용어와 범주형 용어는 텍스트에서 사용된 것과 동일해야 한다). 예를 들어, 표 1에서는 제목에 사용된 "infants" 가 첫 번째 열의 표제단어인 "infant" 와 일치하며 "clinical characteristics" 는 나머지 열의 표제단어(sex, birth weight, gestational age, age at study, postconceptual age, diagnosis)의 범주형 용어이다.

열의 표제단어(Column Headings)

열의 표제단어는 열에 나열된 아이템과, 필요한 경우 소제목 및 측정단위를 동정하는데 사용된다. 열의 표제단어는 최대한 간결해야 한다.

표제단어(Headings)

표의 본문에 담겨있는 두 가지 종류의 정보에 따라 크게 두 가지 종류의 표제단어가 사용된다: 1. 표 좌측의 하나 또는 그 이상의 열에 배열되는 아이템(데이터가 주어지는), 2. 표 우측의 하나 또는 그 이상의 열에 배열되는 데이터. 독립변수와 종속변수가 모두 있는 실험의 표에서는 표 2-5와 같이 독립변수가 좌측 열에, 종속변수가 우측 열에 배열된다. 예를 들어, 표 3에서는 "Ventilatory condition" 이라고 명명된 열이 독립변수이고 나머지 열이 종속변수에 해당한다. 표 4에서는 "Incubation conditions" 와 "Sample" 이라고 명명된 열이 독립변수, 나머지 열이 종속변수다.

각 종류의 정보는 고유의 수직 열을 가져야 하며 각 열에는 고유의 표제단어가 있어야 한다. 두 종류의 정보를 한 열에 통합해서는 안 된다. 예를 들어, "Drug" 이라고 명명된 열에는 약물의 이름만이 등장해야지 약물과 용량이 함께 배열되어서는 안

표 4. Recovery of [14C]PC and [^{14}C]LPC Standards Incubated with Cardiac Lymph from Dogs

Incubation conditions Temperature	Time	Sample	Recovery (% of total applied dpm recovered from TLC plate) LPC region	PC region	FA region
°C	min		%	%	%
4	30	[^{14}C]PC + buffer	1	98	1
		[^{14}C]PC + lymph	1	97	1
		[^{14}C]LPC + buffer	99	ND	ND
		[^{14}C]LPC + lymph	99	ND	ND
37	90	[^{14}C]PC + buffer	1	97	1
		[^{14}C]PC + lymph	2	94	2
		[^{14}C]LPC + buffer	80	1	19
		[^{14}C]LPC + lymph	96	1	2

Disintegrations per minute (dpm) were obtained from measured counts per minute after correction for quenching using a 14C label as an internal standard. Values are means of three experiments. TLC, thin-layer chromatography; LPC, lysophosphatidylcholine; PC, phosphatidylcholine; FA, fatty acid; ND, not detectable.

표 4는 개의 cardiac lymph를 4C에서 30분간 인큐베이션했을 때 lysophophatidylcholine이나 phosphatidylcholine에 사실상 전혀 가수분해되지 않았으며 37C에서 90분간 인큐베이션한 후에도 가수분해가 거의 미미했다는 점을 보여주고 있다. 이 표에서는 종속변수가 왼쪽의 세 개 열에, 독립변수가 오른쪽의 세 개 열에 기술되었다. 측정단위(C, min, %)는 열의 표제단어에 포함되었거나 그 밑에 반복되었기 때문에 쉽게 눈에 띈다. 이 표는 행을 가로질러 읽을 때 경향을 파악할 수 있다. 제목과 열의 표제단어, 열을 간결하게 유지하기 위해 약어가 사용되었으며, 약어는 각주에 정의되어 있다. 누락된 데이터를 가리키기 위해 "ND"가 사용되었으며 이는 각주에 정의되어 있다.

된다.

좌측 첫 번째 열의 이름을 기술하는 표제단어를 생략해서는 안 된다. 예를 들어, 표 3의 좌측 첫 번째 열(독립변수)에는 다른 열(종속변수)과 마찬가지로 표제단어("Ventilation condition")가 필요하다.

종속변수의 이름을 기술하는 표제단어를 생략해서는 안 되며(예를 들어, 표 5의 "Recovery(%)"), 심지어 이미 제목에서 언급되었고 종속변수가 하나밖에 없는 단순한 표에서도 마찬가지다. 독자에게는 종속변수가 제목과 표제단어 모두에서 언급되는 것이 가장 확실하다. 예를 들어, 표의 제목이 "Effects of Enzymes on Antibody Reactivity"라면 열의 표제단어가 단순히 "Enzyme", "4E4", "3F11", "4D4", "4D8"이어서는 안 된다. 열에 나열된 데이터가 항체의 종류가 아니라 항체의 반응성에 관한 것이기 때문에 항체의 이름인 이 네 개의 표제단어는 반드시 "Antibody Reactivity(% of contorl)"이라는 소제목 아래 놓여야 한다.

열의 표제단어와 독립변수 및 종속변수의 열 외에도 샘플 규모(n)에 관해 세 5의 표제단어와 열이 주어질 수 있다(Table 2의 "Number of explants" 참조).

부표제단어(Subheadings)

필요한 경우, 부표제단어를 사용해서 표제단어를 두 개 이상의 범주로 나눌 수 있다. 예를 들어, 다음 표제단어에서는

Cyclic GMP Concn (fmol/mg wet wt)	
Left Atrium	Right Atrium

종속변수와 측정단위가 표제단어가 되고 이 변수가 측정된 두 장소가 부표제단어가 된다(Table 2, 4, 5 참조).

표제단어와 부표제단어로 사용된 용어가 복수형이 아니라 단수형이라는 점에 유의하라(예를 들어, "Recoveries"가 아니라 "Recovery"다).

표 5. Recovery of Apolipoprotein A-I and Cholesterol in Ultracentrifugal Fractions Obtained from Media of Different Ionic Strengths

	Recovery (% of total)								
	Apolipoprotein A-I*					Cholesterol †			
Medium	1.063-T	1.21-1-B	1.21-2-B	1.21-T	Total	1.063-T	1.21-1-B	1.21-2-B	1.21-T
H2O-KBr	0.4	8.1	6.9	83.7	99.1	—‡	2.0	0.2	17.0
D2O-KBr	0.4	16.1	7.2	71.6	95.3	—	2.0	0.5	16.0
D2O-CsCl	0.4	17.1	13.2	58.9	89.6	—	2.0	0.5	19.0

Data are from one preparation but are typical of recoveries from 20 other preparations.
*Percent of total serum apolipoprotein A-I.
† ercent of total serum cholesterol.
‡Not determined.

표 5는 세 가지 논점을 제시한다: medium의 이온세기가 감소할수록 1.21-T fraction에서 apolipoprotein A-I의 recovery가 감소하며 따라서 apolipoprotein A-I의 손실이 증가함을 나타낸다; 이러한 손실은 1.21-1-B 및 1.21-2-B fractions에서 apolipoprotein A-I의 recovery 증가와 동시에 일어난다; 콜레스테롤 함량은 일정하다. 이 표의 독립변수(medium)는 이온세기가 감소하는 순서로 배열되었으며, 대시(—)는 누락된 데이터를 가리킨다. 데이터가 누락된 이유는 각주에 설명되어 있다. 각주기호는 왼쪽에서, 오른쪽, 그 다음에 아래쪽 순서대로 배열되었다.

측정단위

측정단위는 열의 표제단어의 옆이나 아래에 주어진다(보통 괄호 안에). 측정단위를 매번 반복하는 것은 비효율적이다. 예를 들어, Table 4에서는 두 번째 열이 아래의 왼쪽 예와 같이 되어야지 오른쪽 예와 같이 되어서는 안 된다.

Incubation Time (min)
30
90

Incubation Time 30 min
90 min

측정단위에는 SI 단위를 사용하라.

측정단위로는 가급적 0을 많이 사용하지 않아도 되는 단위를 선택하는 것이 좋다. 예를 들어, 단위를 grams으로 하면 열에 나열된 값은 120,000, 98,000 순으로 나가기 때문에 단위를 kilograms으로 바꿔서 120, 98로 보고하는 것이 좋다.

곱셈기호는 혼동을 일으키기 때문에 0을 줄일 목적으로 표제단어에 곱셈기호를 사용하는 것은 바람직하지 않다(예를 들어, “x 103”). 이 경우 독자가 103을 곱해야 하는가 아니면 저자가 이미 곱했는가?

표의 본문(The Body of the Table)

표의 본문에는 데이터가 주어질 개별 아이템(좌측 열)과 해당 데이터(우측 열)의 목록이 담겨있다. 샘플 규모(n)가 다를 경우 독립변수와 종속변수 사이에 샘플 규모를 나열하는 열을 포함시킬 수 있다(표 2 참조).

좌측 열

열의 표제단어가 열에 나열되는 정보에 관해 말해주듯이 좌측 열에 나열되는 아이템들은 각 행에 나열되는 정보를 말해준다. 좌측 열의 아이템들(보통 독립변수)은 실험 디자인에 따라 논리적인 순서로 나열되어야 한다. 예를 들어, 표 5에서는 이온 농도가 감소하는 순서로 “medium”이 나열되어 있으며, 표 2에서는 대조군(호르몬이 없는)에서 각 호르몬 군, 두 호르몬이 모두 사용된 군으로 증가하는 순서로 호르몬이 배열되어 있다.

관습적으로 대조군이 독립변수 목록의 첫 번째 아이템으로 사용되며 따라서, 표의 첫 번째 행에는 대조군의 데이터가 실린다(표 2). 표 3에서는 대조군의 데이터가 각 그룹에 첫 번째 행에 제시되어 있다(Normoxic, Hypoxic).

좌측 열의 독립변수가 두세 개의 그룹을 포함하고 있을 때는 표 3과 같이 그룹명을 표의 가장 왼쪽에 배열하고 아이템은 그룹명 아래에 들여쓰기 상태로 배열하는 것이 좋다(표 3에서는 독립변수가 Normoxic group과 Hypoxic group으로 나뉜다). 또 한 가지 방법은 그룹명을 표의 가장 왼쪽이 아닌 중앙에 배열하는 것이다(Table 4 in Woodford, Chap. 10, Design of Tables and Figures 참조).

우측 열

데이터 프리젠테이션. 우측 열에는 보통 숫자의 형태로 데이터가 제시되지만 데이터가 단어나(표 1의 마지막 열) 문자(표 1의 두 번째 열), +와 같은 기호일 수도 있다.

데이터의 배열. 데이터가 열과 행으로 어떤 경향을 나타내거나 쉽게 비교할 수 있도록 배열해야 한다. 경향성은 위에서 아래로 진행하거나(표 3, 5) 행을 좌에서 우로 가로지를 때(표 4) 쉽게 읽을 수 있다. 인접한 열(표 2)이나 인접한 행(표 3의 첫 두 행, 표 4)은 쉽게 비교할 수 있지만, 열이나 행을 뛰어넘어서 비교하는 것은 훨씬 어렵다(표 2의 네 행 모두, 표 3의 마지막 네 행).

표준편차의 배치. 데이터가 (예를 들어) 평균값과 표준편차(SD)로 제시될 때 문제가 발생한다. 표준편차를 평균값의 오른쪽에 배치하면 행을 좌에서 우로 가로지르면서 경향을 파악하거나 인접한 두 열을 비교하기가 어렵다. 반면에 표준편차를 평균값 아래에 배치하면 열을 내려가면서 경향을 파악하거나 인접한 두 행을 비교하기가 어렵다. 표준편차의 위치를 결정할 때는 독자가 행을 좌에서 우로 가로지르면서 읽기를 원하는지 생각해보라(그렇다면 표 3A처럼 표준편차를 평균값 아래에 배치하면 된다). 독자가 위에서 아래로, 좌에서 우로 모두 읽어야 할 필요가 있다면 표준편차를 평균값의 오른쪽과 아래에 배치해보고 좋은 쪽을 선택하라. 또 하나 고려해야 할 점은 표준편차를 평균값 아래에 배치하면 표가 너무 넓어지는 것을 막는데 도움이 된다는 것이다. 마지막으로 독자가 표준편차를 뛰어넘을 수 있게 도와주는 테크닉으로 ±를 사용하는 대신 표준편차를 괄호 안에 넣는 방법이 있다(표 3A).

소수 자리. 소수점 이하에는 측정의 정확성을 전달하기에 충분한 최소한의 소수 자리를 사용하는 것이 좋다. 한 가지 변수의 모든 값에는 동일한 수의 소수 자리가 사용되어야 한다(표 2-5). 평균값과 마찬가지로 표준편차에도 동일한 수의 소수 자리를 사용하라(표 2, 3).

표 6. Cardiac variables before and after pulmonary microvascular injury in seven dogs

Variable	Before	After
End-diastolic dimensions		
LV SF (mm)	50.7±7.1	49.4±7.5*
LV AP (mm)	56.7±5.2	56.0±5.5
LV area (mm^2)	2730±630	2640±670 †
RV SF (mm)	36.5±5.2	36.7±4.9
RV chord (mm)	64.2±10.8	64.2±11.2
RV area (mm^2)	2330±430	2320±440
End-systolic dimensions		
LV SF (mm)	43.0±5.2	42.0±6.0
LV AP (mm)	53.5±4.4	53.3±5.3
LV area (mm^2)	2320±460	2260±560
RV SF (mm)	36.3±3.3	37.6±2.8
RV chord (mm)	60.3±10.5	41.2±10.6
RV area (mm^2)	2190±380	2300±440 †
End-diastolic pressures (mmHg)		
LV	13±8	8±6 †
RV	13±5	10±7
PA	14±4	24±9*
Maximum pressure (mmHg)		
LV	113±23	105±28
RV	31±9	38±15‡
PA	29±7	38±13§

Values are means±SD. LV, left ventricle; RV, right ventricle; PA, pulmonary artery; SF, septal-free wall; AP, antero-posterior. *P 〈 0.01, †P 〈 0.05, ‡ P 〈 0.06, §P 〈 0.02 vs. the "before" value, by t-test.

표 6은 pulmonary microvascular injury가 left ventricular septal-free wall dimension과 left ventricular area, left ventricular end-diastolic pressure에 통계학적으로 유의한 감소를 일으킨다는 점을 보여준다. 이 표에서는 공간을 절약하기 위해 종속변수가 표를 가로질러 배열된 것이 아니라 첫 번째 열을 따라 내려가면서 배열되었다. 데이터가 소수점이 아닌 에 맞추어 정열되었기 때문에 숫자간의 차이를 한 눈에 파악하기가 어렵다.

데이터의 배열. 소수점 유무에 관계없이 데이터는 각 열에서 소수점 자리에 정열되어야 한다(표 4, 5). 예를 들어, 평균값±표준편차의 형태로 제시된 데이터는 ±에 맞추어 정열되어야 한다(표 2, 3). 표 2-5에서는 독립변수가 좌측에, 종속변수가 우측에 있기 때문에 각 열의 값이 단정하게 소수점에 정열되어 있으며, 따라서 숫자간의 차이를 파악하기가 쉽다.

너비가 넓은 표의 배열. 종속변수가 대단히 많은 표의 경우 페이지에 비해 표의 너비가 지나치게 넓어지는 경우가 있다. 이런 경우 한 가지 해결 방법은 표준편차나 표준오차, 신뢰간격이나 신뢰구간을 평균값 아래에 두는 것이지만(표 3A와 같이), 공

표 6A. Cardiac variables before and after pulmonary microvascular injury in seven dogs

Variable	Before	After	P
End-diastolic dimensions			
LV SF (mm)	50.7±7.1	49.4±7.5	0.01
LV AP (mm)	56.7±5.2	56.0±5.5	NS
LV area (mm^2)	2730±630	2640±670	0.05
RV SF (mm)	36.5±5.2	36.7±4.9	NS
RV chord (mm)	64.2±10.8	64.2±11.2	NS
RV area (mm^2)	2330±430	2320±440	NS
End-systolic dimensions			
LV SF (mm)	43.0±5.2	42.0±6.0	NS
LV AP (mm)	53.5±4.4	53.3±5.3	NS
LV area (mm^2)	2320±460	2260±560	NS
RV SF (mm)	36.3±3.3	37.6±2.8	NS
RV chord (mm)	60.3±10.5	41.2±10.6	NS
RV area (mm^2)	2190±380	2300±440	0.05
End-diastolic pressures (mmHg)			
LV	13±8	8±6	0.05
RV	13±5	10±7	NS
PA	14±4	24±9	0.01
Maximum pressure (mmHg)			
LV	113±23	105±28	NS
RV	31±9	38±15	0.06
PA	29±7	38±13	0.02

Values are means ±SD. LV, left ventricle; RV, right ventricle; PA, pulmonary artery; SF, septal-free wall; AP, antero-posterior. NS, not significant, by t-test.

표 6A는 통계학적으로 유의한 차이를 보이기 위해 표 6과 같이 기호를 사용하지 않고 P 값에 따로 한 열을 할애하는 것이 시각적 효과가 적을 뿐만 아니라 표에 불필요한 부하를 가중시킨다는 점을 보여준다.

간이 많이 절약되는 것은 아니다. 다른 한 가지 해결 방법은 독립변수와 종속변수의 위치를 바꿔서 종속변수를 좌측 첫 번째 열을 따라 나열하고 독립변수는 맨 위를 가로질러 배열하는 것이다(표 6). 이 경우 숫자를 소수점에 맞춰 정열하면 열이 들쭉날쭉하게 되기 때문에 이를 단정하게 하기 위해 소수점 대신 보통 숫자를 ±에 정열한다. 이렇게 정열하면 단정하게 보이지만 왜곡되어 보일 수도 있다. 예를 들어, 표 6을 언뜻 보면 같은 열에 있는 50.7과 56.7, 2730이 비슷한 크기로 보이지만 사실 세 번째 숫자(2730)는 다른 둘보다 몇 십배 이상 크다. 너비가 페이지보다 큰 표와 관련된 또 다른 해결 방법은 저널이 허락한다면 두 페이지에 걸쳐 출력하거나 90도 회전시키는 방법이 있다. 하지만 90도 회전시키는 것은 독자가 불편하기 때문에 가급적 피해야 한다.

유의한 차이의 지적. 데이터간에 통계학적으로 유의한 차이를 지적할 때는 차이가 나는 값 뒤에 *와 같은 기호를 사용한 뒤에 각주에서 그 기호를 정의하는 것이 가장 명확한 방법이다(예를 들어, "*P=0.02 vs. control")(표 2, 3). (유의한 차이를 나타내는 기호는 대조군의 값 뒤에 또는 두 값의 중간에 놓으면 안 된다.) P 값을 별도의 열에 배열하는 것은 시각적으로 효과적이지 못하며(표 6A), 이보다는 *를 사용하는 것이 차이를 더 분명하게 구분해 준다. 또한 P 값을 별도의 열에 배열하면 표의 본문에 불필요한 부담을 주게 된다.

통계학적으로 유의하지 않은 차이를 언급하는 것은 불필요하다. 표는 시각적 매체라는 점을 염두에 두어야 한다. 숫자가 배열된 열에서 돌출되는 *는 통계학적으로 유의한 차이를 나타내는 명확한 시각적 신호다(표 2). 반대로 *가 없으면 통계학적으로 유의한 차이가 없다는 명확한 시각적 신호가 된다. 다른 기호나 NS("not significant")를 첨가하는 것은 단지 혼란을 가중시킬 뿐이다(표 6A). 게다가, NS는 아무런 정보도 주지 못한다: P 값이 작았는가(예를 들어 0.07) 아니면 컸는가(0.7)?

놓친 데이터의 지적. 놓친 데이터를 지적할 때는 두 가지 시스템이 사용된다. 한 가지 시스템은 놓친 데이터의 자리에 대시라인을 긋고 각주 기호를 다는 것이다(예를 들어, "—[a]"). 그리고, 각주에는 "[a]Not determined" 또는 "[a]Not detectable" 등으로 표시하면 된다(표 5). 다른 시스템은 놓친 데이터의 자리에 "ND"라고 기입한 뒤 각주에서 ND를 정의하는 것이다(표 4). 대시라인과 각주 기호를 사용하는 시스템이 시각적으로 눈에 잘 띠며 다른 데이터를 더 쉽게 볼 수 있기 때문에 선호된다(표 4와 5를 비교하라). 공백은 혼동을 주기 때문에 데이터가 없는 곳에 공백을 남겨서는 안 된다. 공백을 남기면 "not determined"나 "not detectable"을 의미할 수도 있지만 실수일 수도 있다.

각주(Footnotes)

각주는 제목의 아이템과 열의 표제단어 및 표의 본문을 설명하는 표의 몸체 아래에 위치한 어구나 문장을 말한다. 각주에서 설명되는 아이템은 보통 실험적 연구방법이나(표 2, 4), 약어 또는 기호의 의미(표 4), 통계학적 정보(표 2, 3, 6)이다.

또한, 각주는 모두 동일한 값을 지니는 한 열(column)을 대신해서 사용될 수도 있다. 예를 들어, 모든 데이터가 열한 번의 투석에 대한 것이라면 샘플 규모에 관한 열(column)이 있을 필요는 없다. 대신에 그 수치를 각주에서 언급하면 되고, 가능하면 평균값±표준편차와 같은 형식으로 데이터를 정의하고 있는 부분에서 언급하면 좋다: "Data are means±SD for 11 dialysis procedures"("Data are means±SD, n=11"과 같은 형식은 바람직하지 않다). 일반적으로 "n"이 독자적으로 쓰이면 열(column)

에서는 표제단어 또는 각주에서든 의미가 불분명하다. 따라서, "Number of Samples"나 "Number of Rabbits", 표제단어로 사용된 무엇(표 2), 아니면 "in 25 samples"나 "for 16 rabbits", 또는 각주에 언급되는 형태(표 3)를 사용하는 것이 "n"을 사용하는 것보다 명확하다.

데이터 간의 통계학적으로 유의한 차이를 설명하려면 차이를 보이는 값 뒤에 *와 같은 기호를 표시한 뒤에 각주에서 통계량과 어떤 값이 비교되었으며 사용된 검정방법은 무엇인지 기술하는 것이 일반적이다. 유의한 차이를 설명할 때 흔히 사용되는 두 가지 문구는 "*significantly different from the control value, P 〈 0.01 by (name of the statistical test)" 와 "*P 〈 0.01 vs. control by (name of the statistical test" (또는, vs. another treatment group)이다. 중요한 점은 단순히 "*P 〈 0.05)" 라고만 해서는 안 된다는 것이다. 이렇게 하면 어떤 값을 비교하고 있는지 독자가 찾아내야만 한다. 비교는 보통 대조군을 상대로 이루어지긴 하지만 다른 방법으로 처리된 후에 얻은 값들을 비교할 수도 있으므로 어떤 값이 비교되고 있는지를 기술하는 것이 가장 명확하다(표 2, 3, 6 참조).

각주에 제시된 정보의 순서는 그림의 범례에 제시된 정보의 순서와 동일하다: 1. 실험에 관한 세부사항(문장으로), 2. 각주가 나오기 전에 정의되지 않은 약어와 기호의 정의, 3. 통계학적 세부사항. 한 가지 예외는 데이터가 어떻게 요약되었는가에 관한 기술(예를 들어, "Values are mean±SD")이 약어에 대한 정의에 앞서 나오는 경우가 많다는 점이다(표 4, 6 참조).

각주는 간결해야 하며 가능한 적게 사용되어야 한다. 각주가 표의 본문의 무게중심을 무너뜨려서는 안 된다.

각주는 보통 위첨자 기호나 문자로 표시되며 표준적으로 사용되는 기호는 다음과 같다:*, †, ‡, §, ?, ¶, #, **, ††, etc. (표 5). 각주를 표시하기 위해 사용되는 문자는 a, b, c와 같은 소문자여야 한다(표 1). 각주가 통계학적으로 유의한 차이만을 보여주기 위해 사용될 경우 다음과 같은 일련의 기호가 사용된다: *P 〈 0.05, **P 〈 0.01, ***P 〈 0.001. 어떤 저널은 표 안의 단일 아이템에 적용되는 각주에만 각주 기호나 문자를 사용하고 표 전체에 적용되는 각주에는 이를 사용하지 않는 경우도 있다.

각주 기호나 문자는 왼쪽에서 오른쪽, 위에서 아래, 즉 우리가 글을 읽는 순서대로 배열된다.

표의 크기

표는 과도하게 많은 데이터를 담아서도 안되지만 적은 데이터를 가지고 불필요하게 만들어서도 안 된다.

어떤 경우에는 과도하리만큼 큰 또는 과도하리만큼 작은 표가 필요할 때도 있고 바람직할 때도 있다. 예를 들어, 대규모 실험군의 배경 데이터를 제공하거나 모든 피험군이나 동물, 대상의 개별 실험 데이터를 제공하려면 큰 표가 필요할 수도 있다. 표의 시각적 효과가 크기 때문에 논문의 가장 중요한 핵심에 관한 데이터를 제시할 때는 작은 표가 필요할 수도 있다.

그렇지만, 일반적으로 표는 데이터를 텍스트로 제시하는 것보다 표로 제시하는 것이 더 효율적일 만큼의 충분한 데이터를 담고 있어야 하고, 크기는 읽는데 무리가 없어야 하며, 명료성을 희생시키지 않는 범위 내에서 최대한 압축되어야 한다. 소수의 데이터만을 담고 있는 표를 처리하는 방법은 표를 생략하고 대신에 그 속의 값을 텍스트로 기술하는 것이다. 과도하게 큰 표의 경우 불필요한 열이나 행을 생략하는 것을 고려해 봐야 한다. 제목과 표제단어, 각주는 간결하게 유지하고 필요하다면 표를 두 개의 작은 표로 나눌 수도 있다("Tables with Several Simultaneous Faults" in Woodford, Chap.10, Design of Tables and Figures에는 불필요한 행을 제거하고 나머지 정보를 재구성함으로써 두 개의 거대한 표를 하나의 명쾌한 표로 만들어 놓은 훌륭한 예가 나와 있다). 특별히, 표의 목적이 논점을 제시하는 것이라면 가능한 모든 수단을 동원해서 표를 간결하게 만들라. 그렇게 해야 논점이 숫자 속에 파묻히지 않고 분명하게 드러난다.

불필요한 정보를 담은 열을 생략하는 방법

- 중요하지 않은 정보를 담은 열을 생략하라(예를 들어, 다시 한 번 확인하는 데이터)
- 줄거리의 논점에 중요하지 않으며 쉽게 계산할 수 있는 데이터를 담은 열을 생략하라. 예를 들어, stroke volume과 heart rate, minute volume(stroke volume에 heart rate을 곱한 값)을 보고한다면 세 가지 변수 중 하나는 쉽게 생략할 수 있다.
- 하나의 값만이 담겨있는 열을 생략하고, 그 값을 텍스트에서 보고하라.
- 모든 또는 거의 모든 값이 동일한 열을 생략하고 해당 정보는 각주나 텍스트에 기술하라.
- P 값이 담겨있는 열을 생략하고 통계학적으로 차이가 나는 값을 기호로 표시하라.

표제단어를 간결하게 만들어서 표 안의 공간을 절약하려면 표제단어와 소제목에 간결한 용어나 약어를 사용한 뒤에 필요한 경우 각주에서 약어를 설명하라. 공간에 대한 필요성 때문에 텍스트보다는 표에서 더 많은 약어가 사용된다. 예를 들어, 표제단어로 "Cyclic GMP Concn"이 사용되었다면 "concn"은 "concentration" 대신, "GMP"는 "guanidine monophosphate" 대신 사용된 것이다. 물론, "[Cyclic GMP]"의 형태도 가능하다. "Recovery (% of total)"란 표제단어에서는 "%"가 "percent" 대신 사용되었나. "Concn"이나 "%"는 정의할 필요가 없지만 약어는 "FRC"와 같은 표준적인 약어가 표제단어에 사용되었다 할지라도 각주에서 정의해야 한다("FRC, functional residual capacity"). 각주에서 약어가 정의되지 않으면 그 의미를 모르는 독자는(이런 종류의 독자는 언제나 존재한다) 텍스트 속을 헤매면서 FRC의 정의를 찾아야 하며 이는 성가신 일이다 [예외: 본래 단어보다 더 친근한 약어는 정의할 필요가 없다 ; 예를 들어, DNA(deoxyribonucleic acid). GMP도 유사한 예가 될 수 있다]. 약어의 정의는 약어가 등장하는 첫 번째 표에서만 필요하며, 그 다음 표에서부터는 다음 예와 같이 약어가 정의된 표를 인용하기만 하면 된다. "Abbreviations as in Table II".

열의 표제단어는 간결해야 하지만 꼭 약어로 쓸 필요는 없다. 표제단어에 변수의 이름을 기록할 공간이 있다면 그렇게 하라. 예를 들어, "Heart rate"을 약어로 써야 할 필요는 거의 없을 것이다.

또한, 각주는 가능한 짧게, 가능한 적게 사용하려고 노력해야 한다. 각주를 길게 쓰는 것은 열의 표제단어를 길게 쓰는 것보다 좋을 것이 없다. 그래서, 표 3에서는 열의 표제단어가 길고 각주가 간결한 것이다.

불필요한 데이터를 생략하고 열의 표제단어와 각주를 간결하게 유지하는 것 외에도, 표 안에서 정보의 반복을 피해야 한다. 예를 들어, 제목에 "in 10 Lambs"라고 기입다면 "Number of Lambs"에 관한 열(column)을 삽입하거나 아니면 각주에서 "Data are for 10 lambs"라고 말할 필요는 없다.

표를 간결하게 만들기 위해 지금까지 언급한 모든 노력을 기울인 후에도 표가 과도하게 크다면, 두 개의 작은 표로 나누는 것을 고려해보라. 이 때는 데이터가 한 표 안에서 서로 비교될 수 있도록 주의하라.

표의 형식

저널에 따라 다양한 형식의 표가 사용된다. 표준적인 표의 형태는 표의 각 부분을 나누기 위해 세 개의 수평선을 사용하는 것이다: 하나는 열의 표제단어 위에, 하나는 열의 표제단어 밑에, 하나는 데이터 밑에(표 1, 3, 6). 만약 소제목들이 있다면 적절한 제목 밑에 짧은 수평선을 사용해서 소제목을 하나로 묶으라(표 2, 4, 5).

어떤 저널은 데이터가 있는 행 사이에 수평선을 사용하기도 하며, 어떤 저널은 데이터가 있는 열 사이에 수직선을, 어떤 저널은 둘을 모두 사용하기도 한다. 이렇게 부가적인 선을 사용하면 표가 혼란스럽게 보이며, 보통은 충분한 간격만으로도 행과 열을 명확하게 구분할 수 있다. 여하간, 이 부분에 관해서는 논문을 제출하는 저널의 관례를 따르도록 하라.

표의 형식과 관련해 이 외의 다른 세부사항은 저널마다 차이가 있으며, 여기에는 표의 번호에 로마자, 아니면 아라비아 숫자를 사용하는 것, 표의 번호를 중앙 아니면 좌측에 정열하는 것, 제목과 열의 표제단어, 데이터 , 대문자와 이탤릭체의 사용, 각주의 위치, 사용되는 각주 기호의 종류 등에 관한 내용이 포함된다. 표의 다양한 형식에 관한 세부사항은 이번 장에 부분적으로 설명되어 있으며, 최종적으로는 논문을 제출하려는 저널의 관례를 따라야 한다.

줄거리의 전개

그림과 표의 순서

각 그림과 표를 명확하게 디자인하고, 그림의 범례와 표의 제목, 각주를 명쾌하게 쓰는 것 외에도 그림과 표의 순서를 명확하게 배열해서 그림과 표가 논문의 줄거리를 전개할 수 있도록 해야 한다. 그림과 표가 명확한 고리를 이루도록 하려면, 가능한 그림과 표가 서로 대구를 이루도록 디자인해야 하며 대구 형식의 그림의 범례가 서로 대구를 이루고 대구 형식의 표들의 제목과 각주가 서로 대구를 이루도록 해야 한다. 이렇게 하면 각 그림과 표는 다음 그림과 표에 대해 독자를 준비시키게 된다.

예를 들어, transesophageal pulsed Doppler echocardiography로 평가된 pulmonary venous blood flow(mitral inflow를 제외한)가 left ventricular performance의 지표로서 mean left atrial pressure를 정확하게 반영한다는 한 논문에서는 세 개의 표와 다섯 개의 그림이 사용되었다. 하나의 표와 하나의 그림은 방법에 사용되었고, 해당 표는 연구에 사용된 환자의 특징을 나열하고, 해당 그림(the velocity-time profiles of pulmonary venous flow and mitral inflow)은 velocity-time integrals가 측정된 방법을 보여주었다.

나머지 표와 그림은 세 가지 라인의 증거에 대한 데이터를 제시했다. 첫 번째 라인의 증거를 위해 Table 2는 mean atrial pressure와 모든 Doppler 변수(pulmonary venous flow와 mitral inflow 모두에 관한) 간의 상관관계에 관한 데이터를 나열하고 있다. 또한, 산점도인 Fig. 2는 mean atrial pressure 및 가장 상관성이 높은 pulmonary venous flow variable 간의 상관관계를 보여주고 있다. 두 번째 라인의 증거에 대해서는 두 개의 산점도로 이루어진 Fig. 3이 mean atrial pressure의 변화와, 가장 상관성이 높은 pulmonary venous flow variable의 변화, 가장 상관성이 높은 mitral inflow variable의 변화 간의 상관관계를 보여주고 있다. 세 번째 라인의 증거에 대해서는, Table 3이 정상 및 증가된 mean left atrial pressure에 대해 측정된 모든 변수의 값을 나열함으로써 증가된 mean left atrial pressures에서 값이 달랐다는 점을 보여주고 있다. 또한, velocity-time profiles인 Figures 4, 5는 증가된 mean left atrial pressure 상황에서 pulmonary venous flow pattern(Fig. 4) 및 mitral inflow pattern(Fig. 5)의 변화에 관한 일차적 증거를 보여주면서, 다시 한 번 mean left atrial pressure와 pulmonary venous flow 간의 관계를 지적하고 있다.

이 세 개의 표와 다섯 개의 그림에는 가능한 모든 곳에서 대구를 이루는 디자인과 제목이 사용되었다. 예를 들어, 결과를 보여준 두 개의 표에서 변수는 좌측 첫 번째 열에 나열되었으며 해당 데이터는 오른쪽 열에 제시되었다. 또한, 상관관계를 보여준 두 개의 그림과 mean left atrial pressure가 증가했을 때의 효과를 보여준 두 개의 velocity-time profiles에 사용된 그림의 범례 역시 대구를 이루고 있다.

Fig. 2. Correlation of the systolic fraction of pulmonary venous flow with mean left atrial pressure. r, correlation coefficient; SEE, standard error of the estimate; n, number of study periods. The curved lines are 95% confidence intervals for the mean value of systolic fraction.

Fig. 3. Correlation of changes in the systolic fraction of pulmonary venous flow (top) and changes in the ratio of peak early to peak late diastolic mitral inflow (Δ peak early/late)(bottom) with changes in mean left atrial pressure (Δ mean LAP). Abbreviations as in Fig. 2.

Fig. 4. Effect of increased mean left atrial pressure on pulmonary venous flow patterns. (etc.)

Fig. 5. Effect of increased mean left atrial pressure, estimated by pulmonary capillary wedge pressure (PCWP), on mitral inflow patterns. (etc.)

그림과 표의 디자인이 대구를 이루고 있고, 그림의 범례가 대구 형식을 띠고 있기 때문에 그림과 표를 보기만 해도 논문의 줄거리가 분명해 진다. 그림과 표를 통해 줄거리를 전개하는 또 다른 예를 보려면 제 12장의 연습문제 12.1을 참조하라.

그림과 표를 텍스트에 연관시키는 것

그림과 표는 명확한 줄거리의 고리를 만드는 것 외에, 텍스트에 기술된 바를 명료하고 정확하게 보여주어야 한다. 즉, 그림과 표를 통해 보여주는 핵심이 텍스트의 핵심이 되어야 한다는 것이다. 예를 들어, 텍스트가 장비를 기술하고 있다면 그 장비의 중요한 특징을 곧바로 그림에서 볼 수 있어야 한다. 마찬가지로, X를 했더니 Y가 증가했다고 텍스트에 기술되어 있으면 그림에서도 Y가 증가하는 것을 볼 수 있어야 한다. 만약, Y의 증가가 분명하게 드러나지 않는다면 해당 그림은 설득력이 없다. 또한, 그래프나 표의 일부 값이 텍스트에서 다시 기술된다면, 변수의 이름(기타 모든 핵심용어)과 측정단위, 값이 텍스트와 그래프, 표에서 모두 동일해야 한다.

그림과 표의 수

마지막으로, 줄거리를 전개하는 데 필요한 최소한의 그림과 표를 사용해야 한다. 독자는 15~16개 보다는 5~6개의 그림과 표에서 훨씬 쉽게 줄거리를 뽑아낼 수 있는 법이다.

같은 데이터를 그림과 표 양쪽에 제시하지 말라. 예외적으로, 일련의 모든 실험을 요약하는 데이터를 표와 그림에 제시하는 경우나 단일 실험과 관련해 다원기록기(polygraph)의 기록과 같은 일차적 증거를 보여주는 그림의 경우에는 사용해도 무방하다.

그림 및 표에 관한 가이드라인

그림

그림은 보통 방법을 분명하게 보여주거나 결과를 뒷받침하는 증거를 제시할 때 사용된다.

그림이 강한 시각적 효과를 지니도록 디자인하라.

디자인

손그림과 다이어그램은 흰 바탕에 검은 선으로 그리고 단순하게 유지하라.

일차적 증거는 최고 상태를 유지해야 한다.

반색조 그림(예를 들어, 현미경 사진)의 경우 사진의 명암과 윤곽이 분명하게 만들라.

환자의 사진은 가능하다면 얼굴의 특징적인 부위를 가려서 신원을 알아볼 수 없게 해야 하며, 환자의 머리글자가 아닌 A, B, C 등을 이용해서 지칭해야 한다.

현미경 사진에서는:

명암이 분명해서 관심있는 특징이 잘 드러나도록 하라.

사진의 크기는 중요한 특징을 드러내기에 충분해야 하며 관심있는 특징 이외의 공간은 사진이 어떤 문맥 속에 있는 지를 알 수 있을 정도면 충분하다.

표식(label)은 최대한 적은 수를 사용해야 하며 간결하고 쉽게 눈에 띌 만큼만 크면 된다.

배율을 나타내려면 그림에 척도 막대를 사용하거나(일반 저널), 범례에 숫자를 사용하라(전문 저널).

가는 흰 색 선을 사용해서 판(plates)에 배열된 현미경 사진을 서로 구분하라.

좌하방 코너에 각 현미경 사진의 번호를 기입하라. 검은색 외곽선이 있는 흰색 원 안에 검은 글씨로 번호를 부여하라.

겔 전기영동사진의 경우, 겔과 중요한 밴드(band)에 명칭을 부여하라. 표식(label)이 데이터를 압도해서는 안된다.

다원기록기의 기록에서는:

격자선은 제거할 때는 수직 눈금이나 수평 눈금 또는 눈금 척도를 첨가하라. 눈금과 눈금 척도가 정확한지 확인하라.

X, Y 축에 해당 변수의 이름을 기입하고 괄호 안에 측정 단위를 표시하라. 변수의 이름에는 대문자와 소문자를 사용하고, 측정 단위에는 SI 단위를 사용하라.

눈금 척도에는 눈금 척도가 반영하는 단위를 기입하라.

수평축의 제목은 좌측에 배열되어야 하며 눈금의 숫자가 있는 곳까지 뻗어 나와서는 안 된다.

보유한 데이터 종류에 맞는 적절한 종류의 그래프를 사용하라

선그래프에서는 X-Y 축 위에 곡선이나 점으로 표시된 데이터 또는 두 가지 모두가 두 변수 간의 관계를 보여준다. 각 축의 눈금을 정확하게 표시해야 한다.

산점도(scattergrams)는 X-Y축 그래프에 각각의 데이터를 점으로 표시한 뒤 수학적 함수를 적용시켜 두 변수 간의 상관관계를 보여준다.

막대그래프는 불연속 변수나 상대척도 변수의 양이나 빈도를 비교할 때 사용되는 일차원 그래프이다. 막대그래프의 축은 반드시 원점(0)을 포함해야 한다.

개별값 막대그래프는 수직 막대그래프의 변종으로서 개별 데이터값이 평균값과 함께 또는 평균값 대신 제시된다. 짝자료의 경우 선을 그어서 변화의 방향을 나타낼 수 있다.

히스토그램은 일련의 연속적인 직사각형을 통해 단일도수분포를 보여주는 이차원 그래프를 말한다. 히스토그램의 직사각형의 너비는 모두 동일해야 한다.

도수다각형은 두 개 이상의 중첩되는 도수분포 또는 단일도수분포를 보여주기 위해 점으로 표시된 데이터값을 선으로 연결해 나타내는 이차원 그래프를 말한다. 데이터값은 각 군의 중앙에 점으로 표시되며 점을 연결하는 선은 기준선(baseline)까지 확장되어 분포를 완성시킨다.

그림은 쉽게 읽을 수 있어야 한다

그래프를 저널의 열(column)에 맞게 줄인 뒤에도 글자의 크기가 읽기에 충분해야 한다(최소한 높이가 1.5mm).

사용된 기호는 쉽게 눈에 띄고, 쉽게 구분할 수 있을 만큼 커야 한다. 가장 알아보기 쉬운 기호는 ○와 ●이고 그 다음은 △와 ▲이다.

그림을 통해 데이터를 강조하라. 선그래프에서는:
곡선에 가장 진한 선을 사용하고
축의 제목은 이보다 덜 진한 선으로
축과 눈금, 오차 막대, 기호, 곡선 제목에는 가장 옅은 선을 사용하라.

각 그림이 분명한 논점을 가지고 있는지 확인하라.

그림 범례(Figure legends)

그림 범례에는 네 부분이 있다:

제목

제목은 그림 범례의 첫 번째 아이템이며 그림 위에 표시되는 것이 아니다.

제목은 그림의 구체적인 주제나 논점을 간결하게 확인시켜 주어야 하며 과도한 세부사항이나 약어를 포함해서는 안된다.

손그림과 다이어그램, 일차적 증거의 경우, 제목에서 그림의 종류(필요하다면)와 장비, 개념, 그림이 보여주는 생물학적 시료를 밝혀야 한다. 예를 들면, "Fig. 1. Bright-field light micrograph of a segment of a bacterial filament."

그래프의 경우, 제목의 표준 형식은 "Effect of X on Y in Z" 나 "Y in response to X in Z" 이며, 이 때 X는 독립변수, Y는 종속변수, Z는 동물이나 실험군, 대상(material)을 의미한다. 독립변수가 없는 실험의 경우 제목의 표준 형식은 "Y in Z" 이다. 제목은 그래프의 논점을 포함할 수도 있다. 예를 들면, "Inhibition of Y by X in Z."

합성 그림에서는 전체 그림에 대한 제목을 제시하고 합성 그림의 각 부분을 제목 내에서 또는 별도의 부제목을 이용해 밝히라.

실험적 세부사항

세부사항은 독자가 그림을 이해하기에 충분할 만큼만 제공하면 된다. 그래프의 범례의 경우에는 제공된 정보를 축의 제목에서 단순히 되풀이해서는 안 된다.

실험적 세부사항은 문장으로 제시하라.

"For details, see Methods" 와 같은 표현은 불필요하다.

정의

기호나 선 및 막대의 패턴, 그림 범례 전에 정의되지 않은 약어에 관한 정의는 실험에 관한 세부사항 이후에 제시되어야 한다. 정의는 간결해야 한다. 예를 들면, "○, control".

같은 기호나 선 및 막대 패턴, 약어가 하나 이상의 그림에서 사용될 경우 이들이 등장하는 첫 그림의 범례에서만 정의하고 그 다음 범례부터는 첫 그림의 범례를 인용하면 된다. 예를 들면, "Abbreviations as in Fig. 1".

통계학적 정보

점이나 막대로 표시된 데이터가 개별 데이터인지, 평균 혹은 중앙값인지를 기술하고 오차 막대(error bar)가 표준편차와 표준오차, 신뢰도 또는 신뢰구간 중 어느 것을 반영하는지 밝히라.

샘플 규모(n)를 밝히라.

"n=12" 와 같은 표현을 피하라. 대신에 "12 samples" 나 "12 dogs" 와 같은 표현을 사용하라.

통계학적 방법을 통해 분석된 그래프의 경우, 통계량(예를 들어, P 값)과 어떤 값들이 비교되었는지, 사용된 통계학적 검정 방법은 무엇인지를 기술하라. 예를 들면, "*P〈0.01 vs. control by ANOVA".

기타 정보

그림 범례에는 다른 정보도 포함될 수 있다.

그림 범례에는 특이하거나 흥미로운 특징을 지적하는 내용이 포함될 수 있다.

그림 범례에 결과가 포함되어서는 안된다. 그러나, 그래프의 경우 제목에 논점을 기술함으로써 결과를 지적할 수 있다("Inhibition of Y by X in Z"). 일차적 증거를 보여주는 그림의 경우 그림의 특징을 부각시킴으로써 결과를 지적할 수 있다("Note…").

이미 출판된 그림을 재판할 때는 먼저 저작권자(보통은 출판사)와 저자의 허락을 얻어야 한다. 그림 범례의 끝부분에 참고문헌을 인용함으로써 제공처의 권리를 인정하라. 예를 들면, "From Fraser(1975), with permission". 참고문헌 목록에는 해당 참고문헌이 포함되어야 한다. 출판된 그림의 전부를 사용하건 일부를 사용하건 또는 이를 수정해서 사용하건 간에 반드시 허락을 얻어야 한다.

표(Tables)

표는 보통 방법과 관련된 배경 정보나 데이터를 제공하는 일에 사용된다.

데이터를 제공하는 표는 연구에 포함된 모든 피험체와 동물, 대상의 개별 데이터를 제공하던지 아니면 논점을 제시한다.

표는 분명한 시각적 효과를 지니도록 배열되어야 한다.

제목

제목은 표의 구체적인 주제나 논점을 밝혀야 한다.

배경 정보를 제공하거나 종속변수만 있는 실험의 데이터를 제공하는 표의 제목에는 "Y in Z"의 형식을 사용하라.

독립변수와 종속변수가 모두 있는 실험의 데이터를 제공하는 표의 제목에는 "Effect of X on Y in Z"나 "Y during X in Z"의 형식을 사용하라.

두 개 이상의 변수 이름에 범주형 용어를 사용해서 제목을 간결하게 유지하라.

제목과 열의 표제단어, 논문의 텍스트에 동일한 핵심용어를 사용하라.

표제단어(column headings)

각 종류의 정보는 고유의 수직 열을 가져야 하며 각 열에는 고유의 표제단어가 있어야 한다.

열의 표제단어를 두 개 이상의 범주로 나눌 때는 부표제단어를 사용하라.

표제단어 안의 변수의 이름 뒤나 아래에 측정단위를 기입하라(보통 괄호 안에).

SI 단위를 사용하라.

가급적 0을 많이 사용하지 않는 단위를 선택하라.

0을 줄일 목적으로 곱셈기호를 사용하는 것을 피하라.

표의 본문

좌측 열에는 데이터가 주어질 아이템을 나열하되 실험디자인에 따라 논리적인 순서로 나열하라(예를 들어, 증가 또는 감소하는 순서). 우측 열에는 데이터를 제시하라. 독립변수와 종속변수가 모두 있는 실험의 경우 좌측 열에는 독립변수를, 우측 열에는 종속변수를 배열하라.

대조군의 데이터를 먼저 제시하라(맨 위의 행).

샘플 규모(n)가 다를 경우 독립변수와 종속변수 사이에 샘플 규모를 나열하는 열을 포함시키라.

열을 따라 위에서 아래로 또는 행을 따라 좌에서 우로 경향성을 보이거나 또는 인접한 열이나 행을 쉽게 비교할 수 있도록 데이터를 배열하라. 표준편차(SD)와 평균값의 표준오차(SEM), 신뢰구간(CI)은 독자가 데이터를 열을 따라 읽어야 할 지, 행을 가로질러 읽어야 할 지에 따라 평균값이나 중앙값의 오른쪽 또는 밑에 배치하라.

최소한의 소수 자리를 사용해 데이터를 제시하라. 하나의 변수에 대해서는 모든 값에 동일한 수의 소수 자리가 사용되어야 한다. 표준편차에는 평균값과 동일한 수의 소수 자리를 사용해야 한다.

각 열의 모든 값은 소수점에 정열해야 하며, 평균값의 오른쪽에 ±의 형식으로 SD나 SEM을 제시하려면 데이터를 쉽게 비교할 수 있도록 모든 값을 ±에 정열해야 한다.

너비가 과도하게 넓은 표는 SD를 평균값 밑에 배치하거나 독립변수와 종속변수의 위치를 바꾸라(종속변수가 좌측 첫 번째 열에 배열되도록). 저널이 두 페이지에 걸쳐 또는 90도 회전시킨 형태로 표를 실어주는지 확인하라. 독립변수와 종속변수의 위치를 바꾸면 값이 소수점에 말끔하게 정열되지 않으며, 따라서 각 숫자의 규모가 한 눈에 분명하게 다가오지 않는다는 단점이 있다.

데이터 간의 통계학적으로 유의한 차이를 지적할 때는 차이가 나는 값 뒤에 기호(예를 들어, *)를 사용하고 그 기호를 각주에서 정의하라.

놓친 데이터를 표시할 때는 대시라인을 긋고 각주 기호를 달은 뒤에(예를 들어, "—[a]") 각주에 "[a]Not determined" 나 "[a]Not detectable" 등의 정의를 내리던가 아니면 놓친 데이터의 자리에 "ND" 라고 쓰고 이를 각주에서 정의하라. 대시라인은 ND보다 시각적으로 효과적이다. 공백은 혼동을 주기 때문에 놓친 데이터가 있을 때 공백을 남겨서는 안 된다.

각주

제목의 아이템과 열의 표제단어, 표의 본문에서 실험적 세부사항이나 약어 등을 설명할 때, 또는 n과 같이 한 열의 모든 값이 동일해서 이를 대치하고자 할 때 각주를 사용하라. 예를 들면, "Data are mean±SD for 11 dialysis procedures."

각주를 사용해서 통계학적으로 유의한 차이를 설명하라. 예를 들면, "*P〈0.01 vs. control by ANOVA". "P〈0.01" 만 쓰면 어떤 값이 비교되는지 알 수 없기 때문에 바람직하지 않다.

각주의 정보는 그림 범례의 정보와 동일한 순서로 배열하라: 첫 번째로 실험적 세부사항(문장으로), 다음에는 약어와 기호의 정의, 마지막으로 통계학적 세부사항(단, "Values are mean±SD" 는 약어 정의 앞에 온다).

각주는 최대한 적게 사용해야 하고 간결해야 한다.

위첨자 기호나 위첨자 소문자를 이용해서 각주를 표시하라.

표준적으로 사용되는 기호는 다음과 같다: *, †, ‡, §, ?, ¶, #, **, ††, etc. 때로는, 통계학적으로 유의한 차이를 보여주기 위해서 일련의 기호를 사용하기도 한다: *P 〈 0.05, **P 〈 0.01, ***P 〈 0.001.

각주 기호나 문자는 왼쪽에서 오른쪽, 위에서 아래의 순서로 배열하라.

표의 크기

표가 시선을 압도할 만큼 크거나 불필요할 만큼 작아서는 안 된다. 하지만, 배경 데이터나 개별 실험 데이터를 제시할 때 큰 표가 필요할 수도 있다.

표의 목적이 논점을 제시하는 것이라면, 가능한 표를 압축해야 한다. 큰 표를 압축하기 위해서는 불필요한 열이나 행을 생략하고, 제목과 표제단어, 각주를 간결하게 유지해야 한다. 필요하다면 큰 표를 작은 두 개의 표로 분할하되, 같은 표 안에서 데이터를 비교할 수 있어야 한다.

표 안에서 정보를 반복해서는 안 된다.

표의 형식

세 개의 수평선을 사용하라: 하나는 열의 표제단어 위에, 하나는 열의 표제단어 밑에, 하나는 데이터 밑에.

소제목들을 하나의 제목 아래 묶을 때는 짧은 수평선을 사용하라.

해당 저널이 다른 수평선이나 수직선을 사용한다면, 그렇게 하라.

표의 번호에 로마자, 아니면 아라비아 숫자를 사용하는 것 , 표의 번호를 중앙에, 아니면 좌측에 정열하는 것, 제목과 열의 표제단어, 데이터, 대문자와 이탤릭체의 사용, 각주의 위치, 각주 기호의 종류 등에 관한 내용은 저널의 스타일을 따르라.

줄거리의 전개

그림과 표가 명확한 고리를 이루어서 논문의 줄거리를 전개하게 하려면, 그림과 범례가 가능한 서로 대구를 이루도록 해야 하며, 표와 제목, 각주도 가능한 서로 대구를 이루어야 한다.

그림과 표가 텍스트가 기술한 바를 분명하고 정확하게 보여주는지 확인하라.

텍스트에 반복되어 기술된 값이 정확한지 확인하라.

최대한 적은 수의 그림과 표를 사용해서 줄거리를 전개하라.

그림과 표에 같은 데이터를 제시하지 말라. 그러나, 일차적 증거(예를 들어, 다원기록기의 기록)는 요약된 데이터를 보여주는 그림이나 표에 추가로 제공될 수 있다.

연습문제 8.1: 그림과 표의 디자인 및 텍스트와의 상관관계

1. 다음 그림과 표의 디자인과 텍스트와의 상관관계(얼마나 잘 연관되어 있는지)를 평가하라.
2. 그림 범례와 표의 제목을 평가하라.
3. 그림과 표를 다시 디자인하고 필요하다면 그림 범례와 표의 제목, 텍스트를 교정하라.

이 논문의 첫 번째 질문은 다음과 같다: "How severe is cigarette smoke-induced bronchoconstriction?"

Results

Inhalation of cigarette smoke into the lungs of anesthetized dogs caused two- to eight-fold increases in airflow resistance of the total respiratory system depending on the dose of smoke inhaled (Fig. 2). Airflow resistance increased rapidly after the start of smoke inhalation; the maximum was reached within 1 min. Airflow resistance remained increased transiently, decreased to one-half the maximal value within 4 min (Table I), and returned to baseline before the next dose 20 min later (Fig. 2).

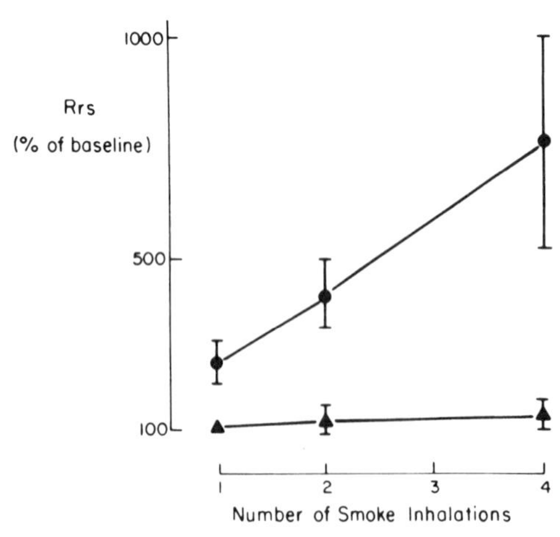

그림 2. Cigarette smoke-induced bronchoconstriction in 5 anesthetized dogs. Data are means±SE before (▲) and after (●) 1, 2, or 4 tidal-volume inhalations of cigarette smoke. Inhalations were separated by 20 min.

표 1. Time course of bronchoconstriction after inhalation of two tidal volumes of cigarette smoke in 5 dogs

	Airflow Resistance (% of baseline)			
Dog No.	½ min	1 min	2 min	4 min
1	482	582	109	264
2	347	276	175	166
3	323	195	141	151
4	610	333	305	314
5	133	107	210	57
mean±SD	379±179	299±180	188±75	190±101

연습문제 8.2: 표의 디자인 및 텍스트와의 상관관계

1. 다음 표의 제목과 배열을 평가하라.
2. 적절한 결과와 표를 비교하라(결과 섹션의 단락 2와 3).
3. 논점이 분명해지도록 표를 교정하라.

논문의 질문은 다음과 같다: "Do peritoneal dialysis and hemodialysis have similar effects on plasma cholesterol metabolism in patients with end-stage renal disease?" 대답은 "no".

Results

1 The concentrations of plasma total and free cholesterol and the phospholipid content were significantly lower in the hemodialysis patients than in the peritoneal dialysis patients or the control group (Table I). These lower values were partly reflected by the lower concentrations of high-density lipoprotein (HDL) and the lower HDL cholesterol in the hemodialysis patients.

2 Consistent with the lower HDL concentrations, the major HDL apolipoprotein, apo A-I, was much lower in the hemodialysis patients than in the control group, whereas the value for the peritoneal dialysis patients was intermediate (Table II). Apo A-II concentrations were very similar in all three groups. Apo B and apo E were in the normal range in both groups of patients. Apo D was slightly higher in the two groups of patients than in the controls.

3 The ratio of high-density lipoprotein and low-density lipoprotein (expressed here as the ratio between their major apolipoproteins, apo A-I and apo B, respectively) was significantly lower in the hemodialysis patients than in the controls (Table II). Values were intermediate in the peritoneal dialysis patients.

표 1. Plasma Apoprotein Levels in Renal Disease and Control Subjects

	Hemodialysis	Controls	CAPD
Apo A-I (mg/dl)	102±17 ($P < 0.0005$)	163±23	123±20
Apo A-II (mg/dl)	34.0±6.5	36.4±2.0	36±4
Apo B (mg/dl)	89±14	98±32	94±8
Apo D (mg/dl)	6.7±1.3	5.6±1.2 ($P < 0.0005$)	9.5±1.0
Apo E (mg/dl)	6.8±0.8	7.3±1.6	7.5±0.9
Apo A-I/Apo B	1.15±0.18 ($0.005 < P < 0.010$)	1.7±0.6	1.3±0.2

Values represent means±standard deviation from 15 hemodialysis, 6 peritoneal dialysis, and 10 control subjects.

제9장 참고문헌

목적

과학연구논문에 참고문헌을 포함시키는 목적은 다른 연구가의 아이디어와 발견을 인정하고 독자에게 추가적인 정보원을 제공하기 위한 것이다.

참고문헌의 선정

많은 정보를 수집해서 해석하는 리뷰 논문의 경우에는 참고문헌이 대단히 방대하지만, 연구논문에는 가장 적절한 참고문헌만이 인용된다. 연구논문에 어떤 참고문헌을 포함시킬지를 결정할 때는 가장 타당하고, 가장 쉽게 입수할 수 있으며, 가장 적은 수의 참고문헌을 선택하라.

타당성

일반적으로 가장 타당하다고 간주되는 참고문헌은 저널에 실린 논문이다. 저널에 실린 논문은 리뷰하는 과정의 타당성이 확립되어야 하는 점이 있지만 출판 전에 리뷰 과정을 통해 타당성을 확보한다(Lock, A Difficult Balance). 다른 타당한 참고문헌에는 책과 박사논문, 학회의 회보(conference proceedings)(논문이 리뷰 과정을 거치는) 등이 있다. 타당성이 떨어진다고 간주되는 참고문헌에는 회의의 초록(연구를 평가하기에 충분한 정보가 담겨있지 않음)과 학회의 회보(논문이 리뷰 과정을 거치지 않는)가 있다. 타당성이 떨어지는 참고문헌은 일차적으로 이를 생각한 사람을 인정하는데만 사용되어야 하며 결론이나 주장을 뒷받침하기 위해 사용해서는 안 된다. 마찬가지로, 개인적인 의견교환이나 출판되지 않은 데이터, 출판되지 않은 관찰은 예비연구의 결과를 뒷받침하거나 다른 연구군에서의 유사한 결과를 인용하기 위한 목적으로만 사용되어야 한다. 이런 종류의 "참고문헌"은 입수해서 평가할 수 없기 때문에 강력한 증거가 되지 못하며 따라서 결론이나 주장을 뒷받침하기 위해 사용되어서는 안 된다.

입수 가능성

대부분의 독자가 가장 쉽게 입수할 수 있는 참고문헌은 저널에 실린 논문이다. 책도 일반적으로는 쉽게 입수할 수 있으며 박사논문이나 모임의 회보는 이보다 더 어렵다. 박사과정의 연구가 논문으로 출판되었다면 박사논문보다는 그 논문이 실린 저널을 인용하라.

아직 출판되지 않았으나 받아들여진 논문은 "in press"(미국식) 또는 "in the press"(영국식)라고 명명된다. 이런 논문은 받아들여진 시점부터 해당 저널의 검색 엔진을 통해 비교적 쉽게 확인할 수 있다. "in press" 상태의 논문을 인용할 때는 저널의 제목 뒤에 "in press"를 첨가하면 된다.

아직 받아들여지지 않았고 따라서 입수할 수 없는 논문은 당연히 참고문헌 목록에 포함되어서는 안 된다. 심지어, 해당 저널이 "submitted" 또는 "in preparation"과 같은 참고문헌을 허가한다 할지라도 아직 받아들여지지 않은 논문을 참고문헌 목록에 집어넣어서는 안 되며 대신에, 이를 텍스트에 개인적인 의견교환(다른 사람이 한 연구에 대한)이나 출판되지 않은 관찰(저자 중 한 사람 혹은 그 이상의 연구에 대한)로서 언급할 수 있다. 이 때 개인적인 의견교환이나 관찰이 이루어진 연도가 반드시 포함되어야 한다. 본인이 들었다고 생각한 정보가 저자의 생각에는 자신이 말한 정보가 아닐 수도 있으며 결과를 반복해서 얻지 못했을 수도 있기 때문에 개인적인 의견교환을 인용하기에 앞서 저자와 확인할 필요가 있다. 어떤 저널은 개인적인 의견교환 모두에 대해 서면 확인을 요구하기도 한다.

최소한

참고문헌을 최대한 적은 수로 유지하려면 가장 우선되고, 가장 중요하며, 가장 우아하고, 가장 최근에 출판된 참고문헌을 선택하라. 가능하다면 리뷰 논문을 인용하라. 또한, 참고문헌 목록에 인용한 참고문헌이 인용하지 않은 참고문헌으로 독자를 이끌 수도 있다는 점을 염두에 두라.

정확성

참고문헌의 정확성

참고문헌 목록의 참고문헌은 정확해야 한다. 목록 안의 참고문헌의 정확성을 담보하려면 Medline에서 입수한 참고문헌의 데이터베이스를 수립하라.

최소한 부분적으로라도 읽지 않은 참고문헌을 인용해서는 안 된다. 그러나 찾기가 불가능한 논문에서 나온 개념을 반드시 인용해야 한다면 다음과 같은 인용 형태를 이용해서 원저를 읽지 않았다는 점을 분명히 해야 한다.

예문 9.1 찾을 수 없는 논문의 인용

Powell JA. Title. Plugers Archiv 1972;XX: xx-xx (cited by Jones RE. Title. J Appl Physiol 1977;XX: xx-xx).

마지막으로, 생의학 논문의 색인에서 본인이 분명해지도록 같은 이름과 머리글자를 사용하도록 하라. 일상 생활에서 쓰는 이름을 바꾸었다면 전문적인 삶에서 쓰는 이름도 바꾸어야 한다. 마찬가지로, 머리글자를 빼거나 더하지 말라. 예를 들어, 이름이 R. J. Gordon이지만 친구들이 그냥 John이라고 부른다고 해서 필명을 중간에 J. Gordon이라고 바꿔서는 안 된다.

정보의 정확성

참고문헌뿐만 아니라 인용한 정보도 정확해야 한다. 어떤 출판된 논문의 내용을 인용할 때는 인용부호를 사용하고 그 속의 모든 단어와 구두점이 원저와 일치하는지 확인해야 한다. 한편 어떤 개념을 표현을 달리해서 설명하는 것이라면 본인의 기술이 정확하고 공정하며 원저자가 받아들일 만한 것인지 확인해야 한다. 논문을 쓴 후에는 인용한 논문을 다시 한 번 읽으면서 본인이 기술한 바가 원저자의 생각을 잘못 반영하고 있는 것이 아닌지 확인하도록 하라.

참고문헌 목록과 텍스트의 연관성

텍스트의 모든 참고문헌은 참고문헌 목록에 포함되어야 하며 참고문헌 목록에 있는 모든 참고문헌은 텍스트에서 인용되어야 한다. 텍스트에 언급된 참고문헌과 참고문헌 목록 간의 괴리를 찾아내는 컴퓨터 프로그램을 사용할 수도 있다.

참고문헌을 텍스트에 편입시키는 방법

텍스트에서 참고문헌을 소개하는 법

텍스트에서 다른 사람의 생각을 인용하는 방법에는 두 가지가 있다. 한 가지 방법은 과학을 강조하는 것이며,

예문 9.2 과학을 강조하면서 인용하는 법

Glucagon may influence hepatic regeneration (23).

다른 한 가지 방법은 과학자를 강조하는 것이다.

예문 9.3 과학자를 강조하면서 인용하는 법

Bucher and Swaffield (23) reported that glucagon may influence hepatic regeneration.

저자의 이름은 연결어휘가 아니기 때문에 문장을 저자의 이름으로 시작하지 않으면 한 단락 안에서 줄거리를 더 쉽게 전개할 수 있다. 또한, 특별한 이유가 없는 한 같은 단락 내에서 두 종류의 인용 방법을 혼용하는 것은 피해야 한다.

다른 논문의 저자를 언급하는 것

다른 논문의 저자를 언급할 때는 모든 저자를 포함시켜야 하며 이어지는 문장에서는 적절한 대명사를 사용해야 한다. 저자가 한 명인 논문의 경우에는 저자의 이름을 사용하면 된다: "developed by Libanoff(4)". 저자가 두 명인 경우에는 매 번 두 명 모두의 이름을 사용하면 된다: "Barrington and Finer(16) treated nine infants". 한편, 저자가 세 명 이상인 경우에는 제 1 저자의 이름을 쓰고 "and others"를 의미하는 라틴어 용어인 "et al."을 사용해야 하며 어떤 저널은 "and others"나 "and colleagues"와 같은 영어 용어를 선호하기도 한다. "et al."이나 기타 유사한 용어는 논문의 저자

들이 언급될 때마다 반드시 사용되어야 한다. 저자가 여러 명인 논문을 제 1 저자의 이름으로만 언급하는 것은 반드시 피해야 한다: "Jackson et al.(12) reported... Jackson(12) also found..." 제 1 저자의 이름과 "et al." 사이에 쉼표가 사용되지 않았다는 점에 유의하라. 또한, "et" 뒤에는 마침표가 없으며 대신 "alia"의 약어인 "al."에는 마침표가 있다.

Jackson et al.에 걸맞는 대명사는 "he"가 아니라 "they"이며, 따라서 "Jackson et al. Reported... He also found..."는 불가능하다. 적절한 표현은 "Jackson et al. Reported... They also found..."이다.

참고문헌의 표시

일반적으로 참고문헌은 언급하는 개념의 뒤나(예문 9.2) 텍스트에 이름이 포함되어 있을 경우 저자의 이름 뒤에 표시된다(예문 9.3). 참고문헌을 개념의 중간(예문 9.4의 참고문헌 29)에 표시하거나 "in a recent study"나 "has been reported"와 같이 출판된 연구를 일반적으로 지칭하는 표현 뒤에 표시해서는 안 된다(예문 9.4의 참고문헌 16).

예문 9.4 참고문헌의 표시

In the rat, the concentration of nuclear receptors in the brain decreases during the first 2 weeks after birth (30), whereas the receptor concentration in liver nuclei increases (**29**) during this period. In addition, a temporal correlation has been reported (**16**) between the T3 binding capacity of nuclei and the activity of fatty acid synthetase in fetal rabbit lung.

교정문

In the rat, the concentration of nuclear receptors in the brain decreases during the first 2 weeks after birth (30), whereas the receptor concentration in liver nuclei increases during this period (**29**). In addition, a temporal correlation has been reported between the T3 binding capacity of nuclei and the activity of fatty acid synthetase in fetal rabbit lung (**16**).

참고문헌을 인용한 개념 뒤에 두라는 말이 참고문헌이 반드시 문장의 마지막에 와야 한다는 뜻은 아니다. 예를 들어, 본인의 생각과 다른 사람의 연구를 구분하는 것이 중요할 수도 있다. 그렇다면, 다른 저자의 발견에 기초해 결론을 끌어낸 다음, 본인의 결론이 아닌 그 저자의 발견 뒤에 참고문헌을 표시하라(예문 9.5).

예문 9.5 참고문헌의 표시

The potential for malignant transformation in lichen planus requires that caution be exercised in the long-term use of steroids (**12**).

교정문

The potential for malignant transformation in lichen planus (**12**) requires that caution be exercised in the long-term use of steroids.

마찬가지로, 한 문장의 여러 곳에 참고문헌을 표시해야 한다면 문장의 마지막에 모든 참고문헌을 묶어서 표시하는 것보다 해당 지점에서 각 참고문헌을 표시하는 것이 바람직하며 특별히 참고문헌 목록이 논문의 제목을 포함하고 있지 않을 때 이러한 방법이 더욱 유용하다.

예문 9.6 참고문헌의 표시

Left atrial pressure dynamics have been shown to be inversely related to pulmonary venous blood flow in dogs and humans and also to influence mitral inflow (**8-12**).

교정문

Left atrial pressure dynamics have been shown to be inversely related to pulmonary venous blood flow in dogs (**8-10**) and humans (**8, 11**) and also to influence mitral inflow (**12**).

참고문헌 인용 시스템

텍스트에서 참고문헌을 인용하는 법

텍스트에서 참고문헌을 인용하는 두 가지 주된 방법은 저자와 연도(예문 9.7)를 사용하는 법과 숫자(예문 9.8)를 사용하는 법이 있다. 텍스트에 사용되는 문자는 위첨자나 괄호 안의 숫자로 인쇄된다.

예문 9.7 저자와 연도의 인용

The relationship is described by a power function ($y = ax^b$) with an exponent less than 1 (Jones et al. 1983, Brown 1984).

예문 9.8 숫자 인용

The relationship is described by a power function ($y = ax_b$) with an exponent less than 1 (4, 5).

한 곳에 인용되는 참고문헌의 순서

텍스트에서 한 곳에 하나 이상의 참고문헌이 인용되는 경우 참고문헌은 가능한 연대기 순으로 나열되어야 한다. 이름과 연도가 인용되는 참고문헌의 경우에는 예외없이 연대기적 순서가 사용되며, 숫자로 인용되는 참고문헌의 경우 번호순으로 나열된다. 한 그룹의 참고문헌을 처음 인용할 때는 번호순과 동시에 연대기적 순서를 사용할 수 있다(예문 9.8: 4=Jones et al. 1983, 5=Brown 1984).

참고문헌 목록에서 참고문헌의 배열

참고문헌 목록에서 저자와 연대 시스템의 경우 참고문헌은 알파벳 순서로 나열되며, 번호가 붙여지지 않는다. 번호 시스템의 경우 참고문헌은 텍스트에서 처음 인용된 참고문헌의 순서대로 번호가 붙여지며, 참고문헌이 표나 그림의 범례에만 등장하는 경우 해당 참고문헌은 그 표나 그림이 논문에서 처음 인용된 위치에 따라 번호가 붙여진다. 텍스트에서 번호를 사용하는 일부 저널의 경우 목록 내의 참고문헌을 알파벳 순서로 정리한 뒤에 번호를 붙이기도 한다.

인터넷이나 World Wide Web(WWW)의 인용

인터넷이나 WWW을 이용하려면 다음 형식을 따르도록 하라.

예문 9.9 인터넷이나 WWW의 인용

Powell JA. Title. Available from: url:http://Internet address or World Wide Web address.

참고문헌 목록의 참고문헌 스타일

대부분의 저널은 참고문헌에 대해 고유의 스타일을 유지하고 있다. 참고문헌의 스타일은 논문의 제목이 포함되는지, 마지막 페이지 번호가 포함되는지, 저자의 머리글자의 위치(성의 앞 또는 뒤), 출판연도의 위치(저자의 이름 뒤, 저널 제목 뒤, 참고문헌의 끝), 구두점 방식 등과 같은 세부사항에 따라 달라진다. 참고문헌을 다양한 스타일로 변환시켜주는 컴퓨터 프로그램도 있다.

많은 저널이 밴쿠버 스타일이라 불리는 단일한 참고문헌 스타일을 채택하고 있으며, 이 이름은 이 스타일이 채택된 모임이 브리티쉬 콜럼비아의 밴쿠버에서 열렸기 때문에 붙여진 것이다. 밴쿠버 스타일은 "Uniform Requirements for Manuscripts Submitted to Biomedical Journals"라는 문헌에 설명되어 있으며, http://www.hsr.it/biblio/uniform.html에서 구할 수 있다. 이 문헌은 주기적으로 업데이트된다. 참고문헌을 밴쿠버 스타일로 정리해주는 컴퓨터 프로그램도 있다.

밴쿠버 스타일로 정리된 참고문헌은 다음과 같다.

예문 9.10 밴쿠버 스타일의 참고문헌

You CH, Lee KY, Chey RY, Menguy R. Electrogastrographic study of patients with unexplained nausea, bloating and vomiting. Gastroenterology 1980; 79:311-4.

단일한 스타일을 지향하는 목적은 저자의 편의를 위한 것이다. "the Uniform Requirements"를 채택한 저널은 참고문헌이 해당 스타일로 정리된 모든 논문을 받아들일 것이다. 그러나, 어떤 저널은 출판할 때 참고문헌의 스타일을 바꾸기도 한다.

참고문헌을 위한 가이드라인

참고문헌은 다른 사람의 아이디어와 발견을 인정하고 독자에게 추가적인 정보원을 제공한다.

가장 타당하고, 가장 쉽게 입수할 수 있으며, 가장 적은 수의 참고문헌을 선택하라.

타당한 문헌 : 저널에 실린 논문, 책, 박사논문, 리뷰 과정을 거친 학회의 회보

타당성이 떨어지는 문헌 : 회의의 초록, 리뷰 과정을 거치지 않은 학회의 회보

입수 가능한 문헌 : 저널에 실린 논문(출판 된 또는 출판 중인), 책

입수가 어려운 문헌 : 박사논문, 학회의 회보

입수가 불가능한 문헌 : 저널에 제출된 또는 준비 중인 논문(참고문헌 목록에 포함시켜서는 안 되며, 대신 텍스트에서 개인적인 의견교환이나 출판되지 않은 관찰로 인용하라).

참고문헌 수를 최대한 줄이려면, 최초의, 가장 중요한, 가장 우아한, 가장 최근 논문을 선택하라. 가능하다면 리뷰 논문을 사용하라.

참고문헌은 모든 세부사항이 정확해야 한다: 저자의 이름, 저자의 머리글자, 논문의 제목, 저널의 제목, 출판연도, 권호(volume number), 첫 페이지와 마지막 페이지 번호.

인용문은 정확해야 한다.

표현을 달리해서 설명할 때는 정확하고 공정해야 한다.

텍스트의 모든 참고문헌은 참고문헌 목록에 있어야 하며, 그 반대도 마찬가지다.

텍스트에서 논문의 저자를 언급할 때는 모든 저자를 포함시켜야 한다. 세 명 이상의 저자가 있는 논문에는 "Jackson et al."의 형식과 대명사 "they"를 사용하라("he"가 아니다).

참고문헌은 인용한 개념 뒤에 표시하거나 또는 저자의 이름이 포함되어 있다면 이름 뒤에 표시하면 된다.

다른 저자의 발견에 기초해 고찰을 이끌어 낼 때는 고찰 뒤가 아니라 해당 저자의 발견 뒤에 참고문헌을 표시하라.

한 문장에 여러 참고문헌이 적용될 경우, 모든 참고문헌을 문장의 마지막에 표시하지 말고 적절한 지점에 각 참고문헌을 표시하라.

텍스트에 참고문헌을 표시할 때는 저널이 요구하는 바에 따라 저자와 출판연도 또는 숫자를 사용하라.

한 지점에 하나 이상의 참고문헌이 적용될 경우, 연대기 순으로 표시하라.

참고문헌 목록에서는 텍스트에 저자와 출판연도가 표시된 경우 알파벳 순서를 따르고, 숫자가 사용된 경우에는 저널이 알파벳 순서를 요구하지 않는 한 번호순 대로 정열하면 된다.

인터넷이나 World Wide Web(WWW)을 인용하려면 다음 형식을 따르라: Powell

JA. Title. Available from: url:http://Internet address or WWW address.

참고문헌 목록의 세부사항은 해당 저널의 스타일을 따르라. 저널이 밴쿠버 스타일을 채택하고 있다면 밴쿠버 스타일을 사용하라.

제4단원
단원 개요

우리는 제 1-3 단원에서 어휘를 선택하고 명쾌하게 문장과 단락에 배열하는 법(제 1 단원)과 명쾌하게 줄거리를 전개하기 위해 생의학 연구논문의 각 섹션을 쓰는 법(제 2 단원), 그림과 표를 디자인하고 참고문헌을 명확하게 제시하는 법(제 3 단원)을 공부했다. 이제 제 4 단원에서는 줄거리의 개요를 명쾌하게 제공하는 방법으로 주의를 돌려보자. 제 10 장(초록)과 제 11 장(제목)에서 우리의 주된 관심은 세부사항을 최대한 줄이면서 개요만을 제공하는 일에 모아질 것이다. 제 12 장(큰 그림)에서는 필요한 모든 세부사항과 함께 개요를 제시하는 방법을 고민하게 될 것이다.

초록과 제목은 두 종류의 독자에게 개요를 제공한다. 한 그룹은 제목만 또는 제목과 초록만을 읽는 그룹으로서 여기에는 Index Medicus나 Current Contents, 초록만을 제공하는 저널이나 초록 제공 서비스만을 이용할 수 있는 독자가 포함된다. 다른 한 그룹은 제목과 초록 뿐만 아니라 논문까지 읽는다. 따라서, 텍스트를 읽는 독자와 읽지 않는 독자 모두를 위해 그림과 표를 통해 줄거리를 전개할 필요가 있는 것처럼, 초록과 제목도 텍스트나 그림, 표를 읽지 않는 독자와 논문 전체를 읽는 독자 모두를 위해 줄거리를 전개할 필요가 있다. 다음 두 장(章)은 언급된 두 종류의 독자 모두에게 명쾌한 초록과 제목을 쓰는 방법에 대해 설명하고 있으며, 가설검증논문과 기술논문, 방법논문의 초록이 포함되어 있다.

논문은 전체로서, 즉 개요와 세부사항 모두가 갖추어진 전체로서도 명쾌해야 한다. 제 12 장은 필요한 모든 세부사항을 제시하면서 동시에 명쾌한 개요를 제공하는 방법을 보여주고 있다.

제10장 초록

역할

과학연구논문에서 초록의 역할은 논문의 개요를 제시하는 것이다. 개요는 초록만을 읽는 독자에게는 논문의 주요 줄거리와 일부 필수적인 세부사항을 제시할 수 있어야 하고 논문을 읽는 독자에게는 줄거리에 대한 명쾌한 예습이 될 수 있어야 한다. 결국, 초록은 초록만을 읽는 독자와 논문을 읽는 독자 모두에게 합당해야 하는 것이다.

초록은 한 편으로는 모호하거나 일반적이어서는 안되지만 다른 한 편으로는 성가실 만큼 자세해서도 안 된다. 초록은 구체적이면서 동시에 선택적이어야 한다. Abstract라는 이름이 말해주는 바와 같이(ab, out + trahere, to pull) 초록은 논문의 각 섹션의 정수(精髓)를 선택하는 것이다.

때로는 초록에 실린 개요가 텍스트에 실린 개요보다 더 명료할 때가 있는데, 이는 개요의 일부가 텍스트에서 생략되었거나 텍스트의 세부사항이 개요를 가렸기 때문이다. 저자는 텍스트 속으로 명쾌한 개요를 집어 넣어서 텍스트가 나무만 있고 숲이 없는 형국이 되지 않도록 모든 노력을 기울여야 하지만, 초록에서 명쾌하고 압축된 개요가 제시된다면 텍스트의 개요에서 다소의 잘못이 있더라도 만회할 수 있다는 장점이 있다.

가설검증논문의 초록

내용

가설검증논문의 초록에서는 제기된 질문과 질문에 대답하기 위해 수행된 실험, 질문에 대한 대답과 관련해 발견한 결과, 질문에 대한 대답을 간결하게 기술해야 한다. 언급된 네 가지 기본 요소 외에도 초록은 독자가 질문을 이해할 수 있도록 배경 정보에 대한 한두 문장으로 시작할 수 있으며 대답의 내포나 대답에 기초한 추측 또는 추천을 기술하는 문장으로 마쳐질 수 있다. 초록은 논문과 연계해 읽을 때 뿐만 아니라 초록만을 읽을 때도 논리적으로 문제가 없어야 하기 때문에 초록에 과학 문헌에 대한 인용이나 그림 및 표에 대한 인용을 포함시켜서는 안 된다.

질문

질문이나 가설의 형태로 제기한 질문을 기술하라.

수행한 실험

연구한 대상(분자, 세포주, 조직, 장기)과 대상이 유래한 유기체와 연구에 포함된 동물군이나 인간군의 이름을 제시하라. 필요하다면 동물이나 피험자의 상태(예를 들어, 마취)를 포함시키라.

실험적 접근방법이나 연구디자인을 기술하고 독립변수와 종속변수를 모두 포함시키라. 방법과 대상의 중요한 세부사항만을 언급하라.

발견한 결과

질문에 대답하는 결과만을 포함시키라. 데이터를 제시하되 가장 중요한 결과에 관한 것만을 제시하라. 가능하다면 정확한 데이터가 아닌 퍼센트 변화를 제시하라. 그림과 표는 포함시키지 말라.

대답

질문에 대한 대답을 기술하라. 대답이 제기한 질문에 답이 되고 있는지 확인하라. "The causes of this response are discussed" 와 같이 모호한 진술을 사용하지 말라.

배경

왜 그런 질문이 제기되었는지 독자가 궁금해 할 것 같으면 배경 정보에 관한 한두 문장으로 초록을 시작하라. 배경 정보는 서론의 앞부분에서 제기된 것과 동일하되 단지 더 간결해야 한다.

내포, 추측 및 추천

논문의 중요성의 전체 또는 일부가 대답이 내포하는 바 또는 대답에 기초한 추측이나 추천에 담겨있다면 예문 10.1과 같이 초록의 끝부분에 내포나 추측, 추천을 기술하는 문장을 포함시키라.

예문 10.1

A 배경
B_1 질문
B_2 수행한 실험

[A]Development of pharyngeal muscle in nematodes and heart muscle in vertebrates and insects involves the related homeobox genes ceh-22, nkx2.5, and tinman, respectively. [B1]To determine whether the nematode gene ceh-22 and the vertebrate gene nkx2.5 perform similar functions, [B2]we examined the

C, D 발견한 결과

E 대답

F 내포

activity of the zebrafish nkx2.5 gene in transgenic Caenorhabditis elegans. *C*We found that ectopic expression of nkx2.5 in C. elegans body wall muscle directly activated expression both of the endogenous myo-2 gene, a ceh-22 target normally expressed only in pharyngeal muscle, and of a synthetic reporter construct controlled by a multimerized CEH-22 binding site. *D*nkx2.5 also efficiently prevented ceh-22 growth defects when expressed in pharyngeal muscle. *E*These results indicate that ceh-22 and nkx2.5 perform similar functions. *F*Further, these results suggest that an evolutionarily conserved mechanism underlies pharyngeal development in nematodes and heart development in vertebrates and insects.

이 초록의 문장 A는 배경 정보를, B1은 질문을, B2는 질문에 대답하기 위해 수행한 실험을 기술하고 있다. 문장 C와 D는 발견한 결과를 기술하고 있으며 해당 데이터는 주어지지 않았다. 문장 E의 뒷부분에 기술된 대답은 B1에서 기술된 질문에 답하고 있다. 초록의 앞부분에서 제시된 배경과 관련된 내포는 초록의 마지막 부분(F)에 제시되어 있다.

조직(Organization)

전반적인 조직

예문 10.1과 같이 초록의 전반적인 조직은 텍스트의 조직과 동일하다: 배경, 질문, 수행한 실험, 발견한 결과, 대답, 내포 및 추측 또는 추천. 하지만, 초록은 한 가지 면에서 더 날씬한 경우가 많다. 즉, 초록에서는 수행한 실험의 세부사항(구체적인 독립변수 및 종속변수, 용량, 방법 등)이 발견한 결과를 기술하는 문장에서 제시되는 경우가 많다. 이런 조직 방법을 사용하면 반복을 피할 수 있다. 예를 들어, 예문 10.1에서 "Ectopic expression of nkx2.5 in C. elegans body wall muscle"은 발견한 결과를 설명하는 문장 C에서만 언급되었다. 마찬가지로, "when expressed in pharyngeal muscle"도 문장 D에서만 언급되었다(예문 10.2).

초록의 전반적인 조직이 논문의 조직 구조를 따르고 있기는 하지만 초록에서는 논문의 모든 섹션에 동일한 비중을 싣지는 않는다. 초록에는 서론(배경, 질문, 실험적 접근방법, 연구한 동물 또는 실험군, 실험군의 상태, 대상)의 상당 부분이 포함되어 있지만 방법(구체적인 독립 및 종속변수, 용량, 방법)은 극히 일부만 포함되어 있고 결과와 그림, 표에서는 핵심적인 결과와 데이터만이, 고찰에서는 대답만 또는 내포와 추측까지가 포함된다.

결과의 조직

초록에 두 개 이상의 결과를 포함시킬 때는 연대기적 순서나, 중요한 순서와 같이 논리적 순서로 배열해야 한다. 가장 중요한 것에서 중요하지 않은 순으로 조직할 때는 대조군의 결과를 마지막에 설명하라(대조군의 결과를 포함시킬 때만). 예문 10.1에서는 결과의 순서가 연대기 순을 따르고 있다(expression, function).

예문 10.2

A_1 질문

A_2 수행한 실험

B-E 발견한 결과

F 대답

*A_1*To determine whether lesions of the nucleus tractus solitarium alter pulmonary artery pressures and pulmonary lymph flow without altering the systemic circulation, *A_2*we measured pressures and lymph flow in 6 halothane-anesthetized sheep in which we created lesions of the nucleus by bilateral thermocoagulation. *B*We found that pulmonary artery pressure rose to 150% of baseline and remained elevated for the 3-h duration of the experiment. *C*Pulmonary lymph flow doubled within 2 h. *D*Systemic and left atrial pressures did not change. *E*Sham nucleus tractus solitarium lesions and lesions lateral to the nucleus produced no changes. *F*These experiments demonstrate that lesions of the nucleus tractus solitarium alter pulmonary artery pressures and pulmonary lymph flow independently of the effects on the systemic circulation.

이 예문에서는 결과가 논리적 순서로 보고되고 있다(가장 중요한 것에서 중요하지 않은 것 순으로). 즉, 실험 결과가 먼저 나오고(B-D), 대조군의 결과가 마지막에 나온다(E). 또한, 변화된 변수(B, C)가 변화되지 않은 변수(D)보다 먼저 나오는 것도 논리적인 순서를 따른 것이다. 발견한 결과의 세부사항이 질문에 제시된 세부사항과 같은 순서라는 점에 유의하라:먼저 pulmonary artery pressures가 나오고, 다음에 pulmonary lymph flow, 마지막으로 systemic circulatory variables.

초록을 날씬하게 만들기 위해, 발견한 결과를 기술한 곳에 수행한 실험의 세부사항이 포함되었으며, 따라서 실험기간(3h)이나 systemic circulation의 구체적인 종속변수(systemic and left atrial pressures)는 결과가 제시된 곳에서만 언급되고 있다(문장 B, D). 마찬가지로, 대조군의 조작은 대조군의 결과를 기술하는 문장의 앞머리에서만 언급되고 있다(E). 또한, 데이터는 본래 값이 아니라 퍼센트["150% of baseline" (B)]와 비율["doubled" (C)]로 주어져 있다.

대답은 마지막 문장에 기술되어 있으며(F) 제기된 질문에 답하고 있다(동일한 핵심용어와 동일한 동사, 동일한 관점을 사용해서).

글쓰기

연속성

초록 전체에 분명한 연속성을 부여하려면 핵심용어를 반복하고 세부사항을 일관적인 순서로 유지하며 질문과 대답에 동일한 관점을 사용하고 비교나 기타 대구되는 개념에는 대구법을 사용하거나 일관된 관점을 사용해야 한다(예문 10.3).

주제를 알리는 것

초록은 관습적으로 하나의 단락으로 쓰여진다(예외적인 경우는 뒤에 나오는 "변형(Variations)"을 참조). 따라서, 새로운 문장으로 시작하면서 시각적으로, 문장의 앞부분에서 주제를 알림으로써 언어적으로 초록의 각 부분의 등장을 알리는 것이 독자에게 도움이 된다. 질문과 발견한 결과, 대답을 새로운 문장으로 시작하라. 질문과 수행된 실험은 같은 문장에 있는 경우가 많으며 그런 경우 질문만을 알리면 된다. 그러나, 문장이 너무 길어질 것 같으면 질문과 실험을 별도의 문장에 두고 각각을 알리는 신호를 사용할 수 있다. 질문은 부정사를 이용해 알린 뒤에 질문하는 어휘나 가설(아래의 표 참조)의 형태로 제시될 수 있다. 발견한 결과는 "We found"로 등장을 알릴 수 있으며 질문에 대한 대답은 "We conclude that"이나 "Therefore" 또는 다른 유사한 표현으로 등장을 알릴 수 있다.

주제	신호
Question +	To determine whethert..., we...
Experiment	To test the hypothesis that..., we...
	We asked whether... To answer this question, we...
	We hypothesized that... To test this hypothesis, we...
Results	We found...
Answer	We conclude that...
	Therefore,...
Implication	These results suggest that...

초록에 내포가 포함되어 있다면 "These results suggest that..."과 같이 조심스러운 신호를 사용해서 내포와 대답을 주의해서 구별하라. 제안에 사용되는 동사도 "may inhibit"이나 "may play a role in"과 같이 조심스러운 것이어야 한다. 대답과 내포를 가장 분명하게 구분하려면 이 둘을 별개의 문장에 두는 방법이 있다(예문 10.1).

동사의 시세

초록에 사용되는 동사의 시제는 논문에 사용된 것과 동일해야 한다. 즉, 질문과 대답에는 현재시제, 수행된 실험과 발견한 결과에는 과거시제가 사용되어야 한다.

문장의 구조

짧은 문장을 사용하고, 명사의 과도한 연결은 피하라. 예문 10.3과 같이 기술적 용어(technical terms)가 여러 단어로 이루어져 있다면 짧은 문장을 사용하는 것이 어려울 수도 있다.

어휘 선택

단순한 어휘를 사용하라. 외국의 독자나 다른 분야의 독자를 위해서 전문용어(jargon)의 사용을 피하라.

약어

가능한 약어의 사용을 피하라. 측정단위에 대해서는 표준적인 약어를 사용해야 하며(SI 단위의 약어), DNA와 같이 표준적으로 널리 통용되는 약어를 사용할 수 있다. 그러나, 비표준적인 약어는 독해를 성가시게 만들기 때문에 피해야 한다. 널리 통용되지 않는 비표준적인 약어를 사용해야 한다면 다음과 같이 초록에서 처음 쓸 때 정의해야 한다. "glutamate pyruvate transferase(GPT)". 일부 전문분야의 저널은 해당 분야에서 표준적으로 사용되는 약어를 초록과 논문에서 정의하지 않고 사용하는 것을 허가하기도 하지만, 이런 경우 그 분야의 신참이 독해하기가 쉽지 않다.

숫자를 좋아하는 사람을 위해 가이드라인을 제시하자면, 약어 하나(측정단위 이외에)는 아무 문제가 없으며 두 개도 괜찮다. 세 개면 거의 한계에 이르게 되며 세 개가 넘어가면 독해가 기하급수적으로 어려워진다. 약어의 사용을 완전히 피할 수 없다면, 초록에 하나의 약어만이 포함되도록 노력하고 어떤 일이 있어도 세 개를 넘어서는 안 된다.

길이

대부분의 저널은 초록의 길이에 제한을 두고 있으며(보통 250단어 미만), 앞에서 언급된 "Uniform Requirements for Manuscripts Submitted to Biomedical Journals"는 150단어 미만으로 명시하고 있다. 만약 제한 규정이 없다면 해당 저널의 최근호에 실린 초록보다 길어지지 않도록 하라.

단지 공간을 채우기 위해 중요하지 않은 세부사항이나 불필요한 어휘를 포함시켜서는 안 된다. 허용된 최대한의 어휘수보다 적은 수의 어휘로 논문을 요약할 수 있다면 그렇게 하라.

좀더 많은 세부사항을 넣고 싶다는 유혹이 든다면, 초록이 좀더 읽기 어려워질 것이라는 점을 기억하라. 나무가 너무 많으면 숲을 가릴 수도 있으며, 그것이야말로 저자가 원하는 것과 정반대의 결과다. 초록이 짧을 때 가장 쉽게 개요를 파악할 수 있으며, 따라서 초록은 짧게 유지하도록 하라. 저널이 250단어보다 긴 초록을 출판할지라도 절대로 초록이 250단어를 넘게 해서는 안 된다.

초록을 간결하게 유지하려는 노력으로 전보를 치듯 글을 써서는 안 된다. 예를 들어 "a" 나 "an", "the" 를 생략해서는 안 된다.

예문 10.3

A_1 질문

A_2, B 수행한 실험 (세부사항)

C-E 발견한 결과

F 대답

*A*To determine whether 4 drugs used in the treatment of asthma inhibit the toluene diisocyanate-induced late asthmatic reaction and the associated increase in airway responsiveness to methacholine, *A_2*we assessed these variables in 24 sensitized subjects divided into 4 groups of 6 subjects each. BEither slow-release verapamil (120 mg twice a day), cromolyn (20 mg 4 times a day via spinhaler), slow-release theophylline (6.5 mg/kg twice a day), or beclomethasone aerosol (1 mg twice a day) was administered for 7 days, each to one of the 4 groups, according to a double-blind, crossover, placebo-controlled study design. *C*We found that neither placebo, verapamil, nor cromolyn inhibited the large increase in forced expiratory volume in the first second (FEV1) or the increase in airway responsiveness to methacholine after exposure to toluene. *D*Slow-release theophylline partially inhibited the increase in FEV1 but had no effect on airway responsiveness to methacholine. *E*Beclomethasone inhibited both variables. *F*Thus, only the high-dose inhaled steroid beclomethasone effectively inhibits toluene diisocyanate-induced late asthmatic reactions and the associated increases in airway responsiveness to methacholine.

이 초록은 초록의 내용과 조직에 관한 가이드라인을 따르고 있다. 결과(C-E)가 가장 효과적이지 않은 것에서 가장 효과적인 것에 순서로 제시되어 있다는 점에 유의하라(가장 중요하지 않은 것에서 중요한 순서).

또한 이 초록은 글쓰기에 대한 가이드라인의 대부분을 따르고 있다. 핵심용어(inhibit, verapamil, cromoly, theophylline, beclomethasone, toluene, late asthmatic reaction, increase in airway responsiveness to methacholine, FEV1)의 반복과 실험에 사용된 약물(B)과 발견한 결과의 일관적인 순서(C-E), 발견한 결과의 일관적인

관점(C-E) 때문에 상한 연속성이 유지되고 있다.

발견한 결과의 등장은 새로운 문장의 앞부분에 있는 "we found that"이 알려주고 있으며, 대답은 새로운 문장의 앞부분에 있는 "Thus"를 통해 예고되고 있다.

동사의 시제도 적합하다. 질문과 대답에는 각각 현재시제가 사용되었으며("inhibit", "inhibits"), 수행한 실험("assessed", 'was administered")과 발견한 결과("inhibited", "inhibited", "had", "inhibited")에는 과거시제가 사용되었다.

어휘 선택은 최대한 단순하고 약어는 하나만 사용되었으며(FEV1), 비록 호흡기 생리학에서 사용되는 표준 약어이지만 정의되었다.

이 초록은 비교적 짧으며(181 단어), 개요가 분명하다.

그러나 문장들, 특별히 문장 A와 B는 다소 길다(A가 44단어, B가 57단어. 평균 문장 길이는 30단어). 정보를 생략하지 않고 문장을 간결하게 만드는 한 가지 방법은 교정문과 같이 수행한 실험을 기술하는 문장(B)을 압축하고 결과를 기술하는 문장에만 약물과 용량을 언급하는 것이다.

교정문

A₁ 질문
A₂, B 수행한 실험(개요)
C-E 발견한 결과
F 대답

*A₁*To determine whether 4 drugs used in the treatment of asthma inhibit the toluene diisocyanate-induced late asthmatic reaction and the associated increase in airway responsiveness to methacholine, *A₂*we assessed these variables in 24 sensitized subjects divided into 4 groups of 6 subjects each. *B*Subjects in each group received one drug for 7 days according to a double-blind, crossover, placebo-controlled study design. *C*We found that neither placebo, slow-release verapamil (120 mg twice a day), nor cromolyn (20 mg 4 times a day via spinhaler) inhibited the large increase in forced expiratory volume in the first second (FEV1) or the increase in airway responsiveness to methacholine after exposure to toluene. *D*Slow-release theophylline (6.5 mg/kg twice a day) partially inhibited the increase in FEV1 but had no effect on airway responsiveness to methacholine. *E*Beclomethasone aerosol (1 mg twice a day) inhibited both variables. *F*Thus, only the high-dose inhaled steroid beclomethasone effectively inhibits toluene diisocyanate-induced late asthmatic reactions and the associated increases in airway responsiveness to methacholine.

발견한 결과를 기술하는 문장에 수행한 실험의 세부사항을 기입하면 초록이 10단어 짧아진다(171 vs. 181). 이렇게 하면 문장 B가 상당히 짧아지기 때문에(20 vs. 57

단어) 수행한 실험의 개요가 더욱 분명해진다. 문장 C가 길어지긴 했지만(48 vs. 33 단어) 평균 문장 길이는 더 짧아졌다(문장 당 28.5 vs. 30단어).

기술논문의 초록

내용과 조직

기술논문의 초록에는 세 가지 구성요소가 있다: 논문의 메시지, 메시지를 뒷받침하는 결과, 메시지가 내포하는 바. 또한, 연구하는 이유나 메시지의 중요성을 명확하게 하는 것이 필요하다면 초록의 앞부분에 배경 정보를 추가할 수 있다.

기술논문에는 가설이 없기 때문에 초록의 앞부분에 메시지가 기술되며, 메시지가 참되다는 점을 독자에게 확신시키기 위해 메시지를 뒷받침하는 결과가 메시지 바로 다음에 제시된다. 내포는 마지막에 기술되며, 방법은(있다면) 결과를 기술하는 문장에 포함된다.

기술논문의 예로는 새로운 유전자를 클로닝해서 특성을 밝히거나 어떤 분자의 일부 구조의 특성을 밝히는 것을 설명하는 논문을 들 수 있다. 이런 종류의 논문의 초록에서 메시지와 결과는 구조에 관한 것이며 내포하는 바는 그 구조가 담당할 법한 기능에 관한 내용이 된다.

예문 10.4 기술논문의 초록

A-C 배경

D 메시지

E-H 결과

I 내포

Aβ-1,4-Endoglucanases (EGases, EC 3.2.1.4) degrade polysaccharides possessing β-1,4-glucan backbones such as cellulose and xyloglucan and have been found among a wide variety of taxonomic groups. BAlthough many animal species depend on cellulose as their main energy source, most omnivores and herbivores are unable to produce EGases endogenously. CSo far, all identified EGase genes involved in the digestive system of animals originate from symbiotic microorganisms. DHere we report the isolation of EGase genes and the identification of endogenous esophageal gland EGases synthesized by two As in each of two plant-parasitic cyst nematodes, Globodera rostochiensis and Heterodera glycines. EHydrophobic cluster analysis revealed that the four catalytic domains in these EGases belong to the family of 5-glycosyl hydrolases (EC 3.2.1, 3.2.2, and 3.2.3). FThese domains show 37-44%

overall amino acid identity with EGases from the bacteria Erwinia chrysanthemi, Clostridium acetobutylicum, and Bacillus subtilis. *G*One EGase with a bacterial type of cellulose-binding domain was identified for each nematode species. *H*The leucine-rich hydrophobic core of the signal peptide and the presence of a polyadenylated 3′ end precluded the EGases from being of bacterial origin. *I*Our findings suggest that the identified EGases may facilitate intracellular migration through plant roots by partially degrading the cell wall.

이 기술논문의 초록에서는 문장 A-C가 연구의 이유와 메시지의 중요성을 지적하는 배경 정보를 제시하고 있으며, 문장 D는 메시지를 기술하고 있다. 문장 E-H는 구조에 관한 세부사항을 설명하는 결과를 기술하고 있으며 문장 I는 내포하는 바, 즉 이 연구에서 확인된 효소가 담당할 법한 기능에 관해 기술하고 있다.

글쓰기

주제를 알리는 것

기술논문의 초록에서는 메시지와 내포의 등장만을 알린다. 메시지를 알리는 신호에는 "Here we report"나 여기에 약간의 변화를 준 "We here report", "Here we describe", "We report" 등이 있으며, 내포를 알리는 신호에는 "These findings suggest that"이나 "We propose that" 등이 있다.

동사의 시제

동사의 시제는 가설검증논문보다는 기술논문의 초록에서 좀더 까다롭다. 기본적인 가이드라인은 진술이 여전히 참일 때는 현재시제를 사용하라는 것이다. 만약, 과거에 수행되었거나 발견된 것에 대한 기술이라면 과거시제를 사용하라. 따라서, 어떤 구조를 설명하는 문장은 여전히 참이기 때문에 예문 10.4의 문장 E와 F("belong", "show"), 예문 10.5의 문장 B, C, D("are", "localizes", "correspond", "requires")와 같이 현재시제를 사용해야 한다. 그러나, 실험 결과를 기술하는 것은 끝난 사건을 기술하는 것이기 때문에 예문 10.4의 문장 E, G, H("revealed", "was identified", "precluded")나 예문 10.5의 문장 E("colocalized")와 같이 과거시제를 사용해야 한다. 내포의 경우, 예문 10.4("may facilitate")처럼 조심스러운 동사가 사용될 수도 있고 예문 10.5("promotes", "ensures")처럼 그렇지 않을 수도 있다.

예문 10.5 기술논문의 초록

A 메시지

B-E 결과

F 내포

*A*We describe the identification and characterization of the yeast Saccharomyces cerevisiae ZIP2 gene, which encodes a novel meiosis-specific protein essential for synaptonemal complex formation. *B*In the zip2 mutant, chromosomes are homologously paired but not synapsed. *C*The Zip2 protein (Zip2p) localizes to discrete foci on meiotic chromosomes; these foci correspond to sites of convergence between paired homologs that are believed to be sites of synapsis initiation. *D*Localization of Zip2p requires the initiation of meiotic recombination. *E*In a mutant defective in double-strand break repair, Zip2p colocalized with proteins involved in double-strand break formation and processing. *F*We propose that Zip2p promotes the initiation of chromosome synapsis and that localization of Zip2p to sites of interhomolog recombination ensures synapsis between homologous chromosomes.

예문 10.5는 기술논문 초록의 세 가지 기본 요소만을 담고 있다: 메시지(문장 A), 메시지를 뒷받침하는 결과(B-E), 내포(F).

문장 구조, 어휘 선택, 약어

여느 때와 마찬가지로 문장은 짧아야 하고, 어휘는 단순해야 하며, 약어는 가능한 피해야 한다.

길이

초록은 가능한 짧아야하며 250단어를 넘어서는 안 된다.

가설검증논문 초록의 공통된 문제점

표준적인 형식에서 벗어남

가설검증논문의 초록이 표준적인 형식에서 벗어나면 초록을 읽을 때 독자가 기대하는 개요를 흐릴 수 있다. 흔한 일탈에는 질문을 생략하거나, 질문을 모호하게 기술하는 것, 대답 대신 내포를 기술하는 것과 가설검증논문의 초록을 기술논문의 초록으로 대치하는 것이 있다.

생략된 질문. 질문이 생략되면 독자는 조작이나 측정의 목적 또는 결과의 의미에 대한 아무런 이해없이 초록을 맹목적으로 읽게 된다. 그렇게 되면 마지막에 가서야 초록을 이해하게 되며 그런 다음에 세부사항을 그림에 맞춰넣기 위해 초록을 다시 읽어야 한다.

예문 10.6 생략된 질문

A 수행한 실험

B-E 발견한 결과

F 대답

G-H 내포

*A*We disrupted the fibroblast growth factor (FGF) receptor 2 (FGFR2) gene by introducing a neo cassette into the IIIC ligand-binding exon and by deleting a genomic DNA fragment encoding its transmembrane domain and part of its kinase I domain. *B*A recessive embryonic lethal mutation was obtained. *C*Preimplantation development was normal until the blastocyst stage. *D*Homozygous mutant embryos died a few hours after implantation at a random position in the uterine crypt, with a collapsed yolk cavity. *E*Mutant blastocysts hatched, adhered, and formed a layer of trophoblast giant cells in vitro, but after prolonged culture, the growth of the inner cell mass stopped, no visceral endoderm formed, and finally the egg cylinder disintegrated. *F*It follows that FGFR2 is required for early postimplantation development between implantation and the formation of the egg cylinder. *G*We suggest that FGFR2 contributes to the outgrowth, differentiation, and maintenance of the inner cell mass and raise the possibility that this activity is mediated by FGF4 signals transmitted by FGFR2. *H*The role of early FGF signaling in pregastrulation development as a possible adaptation to mammalian (amniote) embryogenesis is discussed.

이 초록에는 수행한 실험과 발견한 결과, 대답, 내포하는 바가 나와있으나, 질문이 무엇인지는 알 수가 없으며 따라서 왜 FGFR2 유전자가 붕괴되었는지도 알 길이 없다. 대답(문장 F)이 나오기 전까지는 수행한 실험과 발견한 결과의 핵심을 알 수 없다. 질문이 초록의 앞부분에서 기술되었다면 왜 그런 실험이 수행되었고, 결과가 어떤 방향으로 진행되고 있으며, 어떤 종류의 대답을 기대해야 할지 이해할 수 있기 때문에 독해가 더욱 쉬워질 것이다.

이 초록은 초록에 흔히 등장하는 다른 여러 가지 문제점도 보여 주고 있다: 1. 연구가 수행된 동물이 언급되지 않았고, 2.질문에 대답하기 위해 수행한 실험의 개요가 분명하지 않기 때문에(독립변수만 언급됨), 결과에서 무엇을 예측해야 할지 알 수 없다. 3. 결과의 등장을 미리 알리고 있지 않다(문장 B에서 첫 번째 결과가 기술되는 방식 때문에 그 문장이 결과인지가 분명하지 않다). 4. 결과의 조직 방식이 분명하지 않다. 게다가, 모호한 진술로 끝맺어지고 있다("The role...is discussed"). 초록에서

"is discussed"는 유용한 표현이 아니다. 대신에, 논점(내포)을 기술하던지 아니면 문장을 생략해야 한다. 교정문에서는 이런 모든 문제점이 해결되어 있다.

교정문

A 질문

A′-A″ 수행한 실험

B-E 발견한 결과

F 대답

G-H 내포

AWe hypothesized that fibroblast growth factor receptor 2 (FGFR2) is required for early postimplantation development of mammalian embryos. A′To test this hypothesis, we disrupted the FGFR2 gene in two strains of mice and assessed survival and embryonic development *in vivo, in situ*, and *in vitro*. A″ To disrupt the gene, we introduced a neo cassette into the IIIC ligand binding exon and deleted a genomic DNA fragment encoding its transmembrane domain and part of its kinase I domain. BIn *in vivo* studies, we found that the homozygous offspring of FGFR2 heterozygotes were dead at birth. CIn *in situ* studies, before implantation, the homozygous mutant embryos developed normally until the blastocyst stage. DHowever, the mutant embryos died a few hours after implantation at a random position in the uterine crypt, with a collapsed yolk cavity. EIn *in vitro* studies, the mutant blastocysts hatched, adhered, and formed a layer of trophoblast giant cells; but after prolonged culture, the growth of the inner cell mass stopped, no visceral endoderm formed, and finally the egg cylinder disintegrated. FThese findings indicate that FGFR2 is required for early postimplantation development between implantation and the formation of the egg cylinder. GWe suggest that FGFR2 contributes to the outgrowth, differentiation, and maintenance of the inner cell mass and that this activity may be mediated by FGF4 signals transmitted by FGFR2. HWe further suggest that FGF signaling in pregastrulation development may be an adaptation to mammalian (amniote) embryogenesis.

이 교정문에서는 초록의 앞부분에 가설의 형태로 질문이 기술되고 있으며 따라서 독자는 수행한 실험과 발견한 결과, 대답을 기대하게 된다. 다음 문장에 담겨있는 실험에 관한 완벽한 기술에는 연구한 동물(mice)이 포함되어 있으며 이 문장은 결과가 어떻게 조직되리라는 점에 대해 독자를 준비시켜 준다. 첫 번째 결과가 "In in vivo studies, we found that"으로 시작하기 때문에 결과가 어디에서 시작하는지 알 수 있다. 또한 결과는 행동을 동사에 담아서 더욱 명확하게 쓰여졌다. "In in situ studies"나 "In in vitro studies"와 같은 신호는 독자가 결과의 조직 구성을 따라가는 데 도움을 준다. 마지막으로, 내포는 유사한 형태로 쓰여졌으며 대구되는 신호를 가지고 있기 때문에 문장 G와 H가 모두 내포를 기술하고 있다는 점이 분명하게 드러난다. 이 초록을 간결하게 하려면 마지막에 쓰인 내포를 생략할 수 있다.

모호하게 기술된 질문. 가설검증연구 초록의 표준적인 형식에서 일탈된 두 번째 예는 질문을 모호하게 기술하는 것이다. 모호하게 기술된 질문에서는 예를 들어 "Y was studied"와 같이 종속변수만 언급된다. "Y was studied"는 결코 질문이 될 수 없으며 단순히 무엇을 했는가에 관한 기술이다. 질문이란 무엇을 찾고 싶은가에 관한 것이다. 독립변수와 종속변수가 모두 있는 질문의 경우 독립변수와 종속변수를 연결하는 동사를 사용해서 질문을 명쾌하게 만들어야 한다. 예를 들면 다음과 같다. "To determine whether X(independent variable) causes(verb) Y(dependent variable)." 종속변수만 있는 질문의 경우 예문 10.8의 문장 B와 같이 연구에 사용된 종속변수의 구체적인 면모를 언급해야 한다. 질문이 구체적이라는 점을 확인하려면 대답과 맞추어 보면 된다. 독립변수가 종속변수에 동일한 핵심용어를 사용했는가? 동일한 동사와 관점을 사용했는가?

예문 10.7

A_1 모호한 질문 (수행한 실험)
A_2 연구 주제
B, C 발견한 결과
D 비교
E_1 대답
E_2 내포

A_1Plasma cholesterol metabolism was studied A_2in young, nonobese, normolipidemic men who smoked moderately [24 ± 5 (SD) cigarettes/day] and in a matched nonsmoking normal control group. BIn the smokers, both net transport of cholesterol from cell membranes into plasma (P < 0.001) and the ratio of the rate of cholesteryl ester transfer to the amount of low- and very low-density lipoprotein (P < 0.05) were decreased. CIn addition, apoprotein E was increased in smokers' plasma (P < 0.05), whereas apoprotein A-I, the major apoprotein of high-density lipoprotein, was decreased (P < 0.05). DThis pattern of abnormalities has previously been observed in several other groups of subjects at increased risk for atherosclerotic vascular disease (diabetics, dysbetalipoproteinemics, and hyperbetalipoproteinemics). E_1These data indicate that cigarette smoking causes abnormal metabolism of plasma cholesterol in young men, E_2which could partly explain the high incidence of atherosclerotic vascular disease in older male smokers.

예문 10.6과 같이 이 초록은 읽기 쉬울 뿐만 아니라 수행된 실험과 발견한 결과, 대답에 관해 분명한 개념을 제공한다. 그러나, 질문이 기술된 것처럼 보이기는 하지만 앞부분부터 명쾌한 개요가 제시되지는 않았으며 이는 질문(A1)이 모호하게 기술되었기 때문이다. 질문에는 종속변수(plasma cholesterol metabolism)만이 언급되었고 독립변수(cigarette smoking)는 연구 대상(A2)을 설명하는 문장 속에 묻혀 있다. 결국, 독립변수와 종속변수는 동사로 연결되어 있지 않은 것이다. 게다가, 구체적인 주제(abnormal metabolism)가 빠져있다. 구체적인 질문으로 어떤 대답을 기대하게 하려면("cigarette smoking causes abnormal metabolism of plasma cholesterol in young men") 질문은 단순히 "plasma cholesterol metabolism was studied"가 아니라 "to determine whether cigarette smoking by young men causes abnormal metabolism of plasma cholesterol"이 되어야 한다. 앞의 교정문에서 본 바와 같이 질문을 구체적으로 기술하면 독자는 대답에 대해 더욱 확실하게 준비할 수 있다. 마찬가지로 첫 문장도 마지막 문장에서 atherosclerotic vascular disease에 관한 내포가 나오리라는 점을 독자에게 준비시켜야 한다.

이 초록에는 다른 흔한 두 가지 문제점이 등장한다. 첫 번째는 P 값이 포함되었지만 데이터는 주어지지 않았다는 점이다. P 값만으로는 아무 쓸모가 없다. 평균값이나 표준편차와 같은 실제적인 값을 제공하지 않고 데이터에 대한 정량적인 개념을 전달하려면 퍼센트 변화를 사용하라. 만약 P 값을 제공하고자 않다면 평균값과 표준편차, 샘플 규모(n)도 함께 제공하라(예문 10.11).

또한, 마지막 문장에서는 "데이터"란 용어가 사용되었지만 방금 본 것과 마찬가지로 데이터는 제공되지 않았다. 문장 E의 "Data"는 데이터에 기초해 일반화시킨 용어인 "results"나 "findings"로 바뀌어야 한다(6장의 "결과와 데이터"의 "내용"을 참조하라).

교정문

A_1 구체적인 질문
A_2 내포된 궁극적인 질문
A_3 수행한 실험
B, C 발견한 결과
D 비교
E_1 대답
E_2 내포

A_1To determine whether cigarette smoking by young men causes abnormal metabolism of plasma cholesterol A_2indicative of atherosclerotic vascular disease, A_3we compared plasma cholesterol metabolism in young, nonobese, normolipidemic men who smoked moderately [24 ± 5 (SD) cigarettes/day] with cholesterol metabolism in a matched nonsmoking normal control group. BWe found that in the smokers, both net transport of cholesterol from cell membranes into plasma and the ratio of the rate of cholesteryl ester transfer to the amount of low-and very low-density lipoprotein were decreased. CIn addition, apoprotein E was increased in smokers' plasma, whereas apoprotein A-I, the major apoprotein of high-density lipoprotein, was decreased. DThis pattern of abnormalities has previously been observed in several other groups of subjects at increased risk for atherosclerotic vascular disease (diabetics, dysbetalipoproteinemics, and hyperbetalipoproteinemics). E1These results indicate that cigarette smoking causes abnormal metabolism of plasma cholesterol in young men, E2which could partly explain the high incidence of atherosclerotic vascular disease in older male smokers.

이 교정문에서는 독립변수("cigarette smoking")와 구체적인 주제("abnormal metabolism of plasma cholesterol"), 동사(causes)를 추가함으로써 질문을 구체적으로 만들었다. 이러한 구체적인 세부사항 외에도 첫 문장에 추가된 "indicative of atherosclerotic vascular disease"는 논문에서 제기된 질문 뒤에 숨어 있는 최종적인 질문을 내포하고 있으며 따라서 대답이 뒤에 기술되는 내포(implication)(E2)에 대해 독자를 준비시키고 있다. 마지막으로 P 값은 생략되었으며 "data"는 "results"로 바뀌었다(E1).

어떤 사람들은 질문을 좀더 일반적으로 기술하는 것을 선호하며("To determine the effect of cigarette smoking by young men on the metabolism of plasma cholesterol") 이는 이 방법이 좀더 객관적으로 들리기 때문이다. 그러나, 정말 흡연이 콜레스테롤의 비정상적 대사와 관련있다고 생각한다면, 다시 말하면 정말 그 가설을 받아들이고 있다면 질문을 구체적으로 기술해야 한다. 일반적인 질문이 모호한 질문보다는 낫지만 구체적인 질문이 가장 바람직하며 이는 구체적인 질문이 독자를 구체적인 대답에 대해 준비시키기 때문이다.

대답이 기술되지 않음. 가설검증연구 초록의 표준적인 형식에서 일탈된 세 번째 예는 질문을 기술했음에도 불구하고 대답을 기술하지 않는 것이다. 대신, 내포(implication)가 기술된다. 초록의 역할이 줄거리의 개요를 제시하는 것이며 대답이 줄거리의 정점이라는 점을 고려해 볼 때, 대답을 기술하지 않는 것은 초록의 근본을 뒤엎는 것이나 마찬가지다. 게다가, 대부분의 독자는 대답이 없다는 사실을 깨닫지 못하기 때문에 대답이 없다는 사실을 모르고 혼란에 빠질 수 있다. 독자가 절대 놓칠 수 없는 메시지를 담은 명쾌한 초록을 쓰려면 반드시 대답을 기술해야 한다(대답의 등장을 알리는 분명한 신호와 함께).

예문 10.8

A 배경

B_1 질문

B_2 수행한 실험

*A*Digestion of low-density lipoprotein in vitro by the specific endoprotease kallikrein produces two fragments from B-100: K1 and K2. B_1To determine whether these fragments arise from the same point of cleavage as the naturally occurring fragments of B-100, B-74 and B-26, B_2we used kallikrein to digest

C 발견한 결과

D 내포

low-density lipoprotein from human plasma and compared the resulting fragments, K1 and K2, with B-74 and B 26. *C*We found that not only the molecular weight and the stoichiometry but also the amino terminal amino acid sequence in K1 and K2 precisely matched those in B-74 and B-26. *D*These findings strongly suggest that kallikrein is the agent responsible for the formation of B-74 and B-26 in human low-density lipoprotein.

이 초록에서는 앞부분부터 개요를 파악하고 마지막 문장까지 쉽게 줄거리를 따라갈 수 있다. 그러나, 초록이 발견과 밀접하게 연결되어 있는 내포를 기술하는 것으로 끝나지만, 내포는 독자가 기대하는 것이 아니다. 독자는 대답을 기다리고 있다. 내포는 대답 뒤에 추가될 수 있지만 대답 대신 기술되어서는 안 된다.

교정문

A 배경

B_1 질문

B_2 수행한 실험

C 발견한 결과

D 대답

E 내포

*A*Digestion of low-density lipoprotein in vitro by the specific endoprotease kallikrein produces two fragments from B-100: K1 and K2. *B_1*To determine whether these fragments arise from the same point of cleavage as the naturally occurring fragments of B-100, B-74 and B-26, *B_2*we used kallikrein to digest low-density lipoprotein from human plasma and compared the resulting fragments, K1 and K2, with B-74 and B-26. *C*We found that not only the molecular weight and the stoichiometry but also the amino terminal amino acid sequence in K1 and K2 precisely matched those in B-74 and B-26. *D*We conclude that fragments K1 and K2 arise from the same point of cleavage as the naturally occurring fragments B-74 and B-26. *E*These findings strongly suggest that kallikrein is the agent responsible for the formation of B-74 and B-26 in human low-density lipoprotein.

이 교정문에서는 대답이 추가되었으며(D), 따라서 줄거리가 완전하고 명료해졌다. 또한, 대답에서 질문에서 사용된 것과 동일한 핵심용어와 관점, 동사가 사용되었기 때문에 대답이 제기된 질문에 답하고 있다는 점을 쉽게 알 수 있다. 게다가, 대답이 논리적으로 잃어버린 고리를 채워주고 있다. 대답이 기술되면 내포는 더욱 이해하기가 쉬워진다.

가설검증논문 초록을 기술논문 초록을 대치하는 것. 가설검증논문 초록의 표준적인 형식에서 일탈된 최종적인 형식은 가설검증논문 초록을 기술논문 초록으로 대치하는 것이다. 이렇게 두 가지 형식을 뒤바꾸는 것이 문제가 되는 이유는 기술논문 초록은 가설이 없으며 대신 어떤 발견을 했다는 점을 전제로 하기 때문이다. 이런 전제 때문에 독자를 잘못 이끌 수 있으며 줄거리가 불분명해질 수도 있다. 연구가 가설(또는 제기된 질문)을 검증한 것이라면 초록에 가설을 포함시켜야 하며 기술논문 초록이 아닌 가설검증논문의 초록을 써야 한다.

가설검증논문 초록을 기술논문 초록으로 대치하는 것의 문제점을 예시하기 위해 "Cell" 지에 나란히 실린 두 논문의 초록을 실었다. 이 두 논문은 대단히 유사한 효소들에 관한 대단히 유사한 발견을 설명하고 있으며, 둘 다 서론에서 밝힌 바와 같이 가설을 검증하고 있다. 그러나, 첫 번째 초록(예문 10.9)은 본질적으로 기술논문의 초록이며 두 번째 초록(예문 10.10)은 가설검증논문의 초록이다.

예문 10.9

A 메시지(?)
B-D 결과

E 대답

*A*Here we report the generation of mice lacking the ubiquitously expressed Janus kinase, Jak1. *B*Jak1−/− mice are runted at birth, fail to nurse, and die perinatally. *C*Although Jak1−/− cells are responsive to many cytokines, they fail to manifest biologic responses to cytokines that bind to three distinct families of cytokine receptors. *D*These include all class II cytokine receptors, cytokine receptors that utilize the γc subunit for signaling, and the family of cytokine receptors that depend on the gp130 subunit for signaling. *E*Our results thus demonstrate that Jak1 plays an essential and nonredundant role in promoting biologic responses induced by a select subset of cytokine receptors, including those in which Jak utilization was thought to be nonspecific.

언뜻 보면 예문 10.9의 첫 문장은 합리적인 것 같지만, 다시 한 번 생각해보면 왜 Jak1이 없는 mice를 만들기 원했는지 묻고 싶어진다. 이 것은 유전자를 확인하고 특성을 밝히는 것과는 다르며, 초록을 계속 읽어 나가도 미스테리는 풀리지 않는다. 독자가 마지막 문장에 이르러서 대답을 읽은 후에야 질문이 무엇이어야 했는지 알 수 있게 된다: "Does Jak1 have an essential, nonredundant role in cytokine-induced biologic responses?"

다음 초록은 줄거리를 좀더 명쾌하게 전개하다.

예문 10.10

A 배경
B 질문(모호), 수행한 실험
C-G 발견한 결과
H 대답

*A*A variety of cytokines activate receptor-associated members of the Janus family of protein tyrosine kinases (Jaks). *B*To assess the role of Jak2, we have derived Jak2-deficient mice. *C*The mutation causes an embryonic lethality due to the absence of definitive erythropoiesis. *D*Fetal liver myeloid progenitors, although present based on the expression of lineage specific markers, fail to respond to erythropoietin, thrombopoietin, interleukin-3 (IL-3), or granulocyte/macrophage colony-stimulating factor. *E*In contrast, the response to granulocyte-specific colony-stimulating factor is unaffected. *F*Jak2-deficient fibroblasts failed to respond to interferon γ (IFNγ), although the responses to IFNα/β and IL-6 were unaffected. *G*Lastly, reconstitution experiments demonstrate that Jak2 is not required for the generation of lymphoid progenitors, their amplification, or functional differentiation. *H*Therefore, Jak2 plays a critical, nonredundant role in the function of a specific group of cytokine receptors.

예문 10.9의 첫 번째 문장과는 달리 예문 10.10의 첫 번째 문장(배경 이후에)은 독자를 오도하지 않는다. 모호하긴 하지만 질문이 기술되어 있으며, 질문 뒤에 수행한 실험에 관한 기술이 따라온다. 수행한 실험에 관한 기술은 예문 10.9에 기술된 메시지와 거의 동일하다. 분명히, Jak2-deficient mice(mice lacking Jak1)을 만드는 것이 초록의 메시지는 아니다. 10.9와 10.10의 마지막 문장을 비교해 보면 두 초록의 메시지가 "Jak1 and Jak2 play critical, nonredundant roles in the responses of a group of cytokine receptors"라는 점을 알 수 있다.

예문 10.10도 훨씬 더 명쾌하게 쓰여질 수 있었다. 중요한 점은, 모호한 질문보다는 구체적인 질문이 사용되어야 하며 질문과 대답, 제목이 맞아떨어져야 한다는 것이다. 초록의 제목은 "Jak2 Is Essential for Signaling through a Variety of Cytokine Receptors"였다. 또한, 질문에 대답하기 위해 수행한 실험의 완전한 개요가 첨가되어야 하며 결과의 앞부분에 결과의 등장을 알리는 신호가 있어야 한다. 마지막으로 모든 결과에는 과거시제가 사용되어야 한다.

교정문

*A*A variety of cytokines activate receptor-associated members of the Janus family of protein tyrosine kinases (Jaks). *B*<u>To determine whether Jak2 is</u>

essential for signaling through the receptors of these cytokines, we derived Jak2-deficient mice and assessed their overall phenotype and cellular responses to a variety of cytokines. *C*We found that the Jak2 deficiency killed the embryos due to the absence of definitive erythropoiesis. *D*In addition, fetal liver myeloid progenitors, although present, as indicated by the expression of lineage-specific markers, did not respond to erythropoietin, thrombopoietin, interleukin-3 (IL-3), or granulocyte/macrophage colony-stimulating factor. *E*In contrast, the response to granulocyte-specific colony-stimulating factor was unaffected. *F*Jak2-deficient fibroblasts did not respond to interferon γ (IFNγ), although the responses to IFNα/β and IL-6 were unaffected. *G*Lastly, reconstitution experiments demonstrated that Jak2 is not required for the generation of lymphoid progenitors, their amplification, or functional differentiation. *H*Thus, Jak2 is essential for signaling through a variety of cytokine receptors.

앞에서 설명한 바와 같이 가설검증논문 초록을 기술논문 초록으로 대치하는 문제 외에도, 이의 변종이라 할 수 있는 다양한 문제가 존재한다. 예를 들어, 어떤 초록은 이 두 형식의 초록을 절충시키려는 노력한다. 즉, 배경을 기술한 뒤에 "Here we report"가 메시지의 등장을 알리고, 다음에 질문과 수행한 실험, 발견한 결과, 내포(대답은 없다)가 뒤따른다. 이렇게 기괴한 하이브리드는 반드시 피해야 한다.

초록의 표준적인 형식을 사용하면 과학이 정확하게 반영되며, 독자는 무엇을 기대해야 할 지 알 수 있고, 저자는 초록의 형식을 새로 발명해낼 필요가 없다는 장점이 있다. 표준적인 형식을 수정해야 할 대단히 훌륭한 이유가 없다면 현재 하고 있는 과학의 종류를 판별하고 거기에 맞는 표준적 형식을 사용해 보고하도록 하라. 표준적인 형식을 수정해야 할 만큼 훌륭한 이유는 드물게 나타나기도 하지만 결코 주기적으로 나타나는 법은 없다.

요약하자면, 초록이 명쾌한 개요를 제공하도록 하기 위해 (1)제기한 질문을 기술하고 (2)질문을 모호하거나 일반적이 아닌 구체적으로 기술하며(독립변수와 종속변수를 모두 언급하고 대답에 사용된 것과 동일한 핵심용어와 관점을 사용하며, 독자가 대답을 기대할 수 있도록 질문에 동사(대답에 사용된 것과 같은 동사)를 사용하라), (3) 질문에 대한 대답을 기술하되 대답이 제기한 질문에 답하는지 확인하라. (4) 가설을 검증했다면 기술논문 초록이 아닌 가설검증논문의 초록을 쓰도록 하라.

과도한 길이

초록의 또 한 가지 문제점은 과도한 길이다. 많은 저널이 초록의 길이를 250단어로 제한하고 있고 어떤 저널은 그 이하로 제한하기도 하지만 출판된 많은 초록의 길이가 250단어를 넘는다. 때로는 250단어 미만의 초록이라 할 지라도 필요한 것보다 더 길 수 있다. 예문 10.11은 명쾌하게 써진 초록이지만 271단어이며 해당 저널이 요구한 것보다 121단어를 초과하고 있다.

예문 10.11 (271단어)

A, B 배경

C_1 질문

C_2 -E 수행한 실험

F-H 발견한 결과

I 대답

*A*Delayed closure of the ductus arteriosus after birth has been observed in newborn infants who have critical pulmonic stenosis and in newborn lambs that have experimental pulmonic stenosis. *B*This delayed ductal closure may be caused by decreased ability of the muscle to contract when exposed to oxygen or by increased production of or sensitivity to prostaglandin E_2 (PGE_2), the endogenous ductus arteriosus vasodilator. *C_1*To determine the cause of the delayed ductal closure in fetal lambs that have experimental pulmonic stenosis, *C_2*we operated on 10 fetal lambs of gestational ages 70 to 77 days (term is 148 days) and placed a band around the pulmonary artery. *D*Catheterization at 137 to 142 days showed severe pulmonic stenosis. *E*We then studied isolated rings of ductus arteriosus from these lambs. *F*We found that the oxygen-induced increase in muscle tension was significantly less in rings of ductus arteriosus from 10 lambs with pulmonic stenosis than in rings from 6 control lambs (2.55 ± 0.38 vs. 4.03 ± 0.51 g/mm^2, $P < 0.03$). *G*There was no difference between the two groups either in the amount of PGE_2 released by the rings or in the sensitivity (expressed as median effective dose) of the rings to PGE_2. *H*There was also no difference in the increase in tension when endogenous PGE_2 was inhibited by indomethacin. *I*We conclude that delayed closure of the ductus arteriosus in fetal lambs that have experimental pulmonic stenosis is not caused by increased production of or sensitivity to PGE_2 in the ductus arteriosus (as it is in premature lambs) but rather is the result of decreased ability of the ductus arteriosus to contract when exposed to oxygen.

아래의 교정문에서는 원문에서 92단어를 생략했기 때문에 저널에서 요구하고 있는 150단어에 좀더 접근하고 있다. 교정문에서는 필수적인 정보를 유지하면서 중요하지 않은 세부사항을 생략했으며 구체적인 내용은 다음과 같다.

배경에 관한 두 문장(원문의 A, B)이 한 문장으로 압축되었다(교정문의 A).

prostaglandin E_2가 vasodilator라는 정의(B의 마지막)가 생략되었다(A).

독립변수와 관련한 실험을 위한 준비(C_2, D)가 생략되었으며 문장 C-E가 한 문장으로 묶어져서 질문은 물론이고 독립변수 및 종속변수에 관한 실험적 접근방법을 기술하고 있다(B).

데이터(F)가 생략되었고, 대신에 퍼센트 변화가 주어졌다(C).

Sensitivity to PGE_2가 어떻게 표현되었는지에 관한 기술(G)이 생략되었다(D).

재확인해주는 결과(H)가 생략되었다.

부정적인 결론과 premature lambs을 비교한 내용이 생략되었다(I).

교정문 A (179단어)

A 배경

B_1 질문

B_2 수행한 실험

C, D 발견한 결과

E 대답

[A]Delayed closure of the ductus arteriosus in newborn infants who have critical pulmonic stenosis may be caused by decreased ability of the muscle to contract when exposed to oxygen or by increased production of or sensitivity to prostaglandin E_2 (PGE_2). [B1]To determine the cause of delayed ductal closure in fetal lambs that have experimental pulmonic stenosis, [B2]we induced pulmonic stenosis in 10 fetal lambs at ages 70-77 days (term is 148 days) and then, at 137-142 days, studied isolated rings of ductus arteriosus from these lambs. [C]We found that the oxygen-induced increase in muscle tension in rings of ductus arteriosus from 10 lambs with pulmonic stenosis was only 65% of that in rings from 6 control lambs. [D]There was no difference between the two groups either in the amount of PGE_2 released by the rings or in the sensitivity of the rings to PGE_2. [E]We conclude that delayed closure of the ductus arteriosus in fetal lambs that have experimental pulmonic stenosis is caused by decreased ability of the ductus arteriosus to contract when exposed to oxygen.

본래의 긴 초록도 읽는 데는 아무 문제가 없었지만, 길이를 줄인 교정문은 개요를 훨씬 명쾌하게 전달하고 있다. 그러므로, 가장 분명하게 개요를 전달하려면 긴 초록을 압축하는 것이 좋으며, 긴 초록을 압축하려면 불필요한 어휘를 생략하는 것 외에 배경 정보를 압축하고 중요하지 않은 정보를 생략해야 한다(예를 들어, 정의, 실험을 위한 준비, 방법에 관한 세부사항, 실제 데이터, 재확인하는 결과, 선행한 결과와의 비교).

요구한 150단어 수준으로 초록을 한층 더 압축하려면 몇 가지 중요한 정보를 생략해야 한다. 교정문 B는 배경 정보(A)를 완전히 생략함으로써 결과적으로 해당 연구와 인간 질병과의 고리를 상실하고 있으며 또한 임신기간(the length of term)을 생략했다(B2). 교정문 B에서는 수행한 실험과 발견한 결과를 기술하면서 "rings of ductus arteriosus"를 "ductal rings"로 바꿨고, 문장 D를 능동태로, "sensitivity of the rings"는 "rings' sensitivity"로, "we conclude that"은 "thus"로 바꿨으며 질문과 대답에서 "is caused by" 대신 "results from"을 사용하고 있다.

교정문 B (151 단어)

A 질문

B 수행한 실험

C, D 발견한 결과

E 대답

*A*We asked whether delayed closure of the ductus arteriosus in fetal lambs that have experimental pulmonic stenosis results from decreased ability of the muscle to contract when exposed to oxygen or from increased production of or sensitivity to prostaglandin E_2 (PGE_2). *B*To answer this question, we induced pulmonic stenosis in 10 fetal lambs at ages 70-77 days and then, at 137-142 days, studied isolated ductal rings from these lambs. *C*We found that the oxygen-induced increase in muscle tension in ductal rings from 10 lambs with pulmonic stenosis was only 65% of that in rings from 6 control lambs. *D*Neither the amount of PGE_2 released by the rings nor the rings' sensitivity to PGE_2 differed between the two groups. *E*Thus, delayed closure of the ductus arteriosus in fetal lambs that have experimental pulmonic stenosis results from decreased ability of the ductus arteriosus to contract when exposed to oxygen.

약어 사용에 관한 조언. 초록을 압축할 때 단어 대신 약어를 사용해서는 안 된다. 약어를 사용하면 독해가 훨씬 어려워지며 약어가 하나 추가될 때마다 독해는 기하급수적으로 어려워진다. 제 1 장의 연습문제 1.1의 마지막 예를 참조하라.

변형(Variations)

어떤 저널은 지금까지 설명된 바와 다른 형식의 초록을 요구하기도 하며, 그럴 때는 해당 저널이 요구하는 형식을 따르면 된다. 예를 들어, Science나 Nature 같은 저널은 대단히 짧은 초록을 요구한다. Science는 "일반 독자에게 왜 그 연구가 수행되었으며 왜 그 결과가 중요한지를 설명하는 한두 문장이 포함되어 있으며 논문의 핵심 논점과 결과 또는 고찰의 개요를 전달하는 초록"을 요구한다. 그러므로, 질문과 결과 또는 고찰, 중요성이 강조되는 한편, 방법은 최소화되고 데이터는 생략된다. 이렇게 되면 초록이 대단히 짧고 읽기 쉬워진다. Science에서 발췌한 예문 10.12는 이런 형식을 따르고 있다.

예문 10.12

A 내포된 질문

B 중요성

C_1 수행한 실험

C_2 발견한 결과

*A*The existence of spontaneous neural activity in mammalian retinal ganglion cells during prenatal life has long been suspected. *B*This activity could play a key role in the refinement of retinal projections during development. *C_1*Recordings in vivo from the retinas of rat fetuses between embryonic days 17 and 21 *C_2*found action potentials in spontaneously active ganglion cells at all the ages studied.

Reprinted with permission from Galli L, Maffei L. Spontaneous impulse activity of rat retinal ganglion cells in prenatal life. Science 1988, Oct 7; 242:90-91. Copyright 1988 American Association for the Advancement of Science.

Annals of Internal Medicine과 같은 임상저널은 구조형 초록(structured abstracts)으로 알려진 특별한 형식을 요구한다. 이런 형식의 초록은 한 단락으로 이루어지는 것이 아니라 각 소제목 뒤에 짧은 단락이 뒤따라 나오는 형식이다. 예문 10.13은 일련의 소제목들을 보여주고 있다. 만약 이 연구에 독립변수가 있었다면 "Patients" 뒤에 "Interventions"라는 또 하나의 소제목이 포함되었을 것이다. 어떤 단락들은 문장이 아닌 구(句)로 되어있다(예문 10.13의 "Study Objective", "Design", "Setting" 참조). 이런 초록들은 하나의 단락으로 이루어진 초록보다 길이는 길지만 명료하며 각 종류의 정보를 쉽게 찾을 수 있다.

일부 기초과학저널도 표준적인 형식의 초록에 소제목을 추가함으로써(예를 들어, "Background", "Methods", "Results", "Conclusions") 구조형 초록을 모방하고 있다.

예문 10.13

Study Objective: To determine the association between current use of non-aspirin nonsteroidal anti-inflammatory drugs and fatal peptic ulcers or upper gastrointestinal hemorrhage in the elderly.

Design: Nested case control study using a linked Medicaid-death certificate database.

Setting: Tennessee Medicaid enrollees aged 60 and greater from 1976 to 1984.

Patients: One hundred twenty-two patients ("the cases") had a terminal hospitalization and a peptic ulcer or upper gastrointestinal hemorrhage confirmed by hospital chart review. Population controls (n = 3897) were matched to potential cases by age, sex, race, calendar year, and nursing home status.

Measurements and Main Results: The 122 patients ("cases") more frequently filled a prescription for a non-aspirin nonsteroidal anti-inflammatory drug within 30 days before onset of illness than did controls (34% vs. 11%; adjusted odds ratio, 4.7; 95% CI, 3.1 to 7.2). This association between current use of nonaspirin nonsteroidal anti-inflammatory drugs and fatal peptic ulcer disease was consistent in three age groups, women and men, whites and nonwhites, and community and nursing home dwellers. There was no significant association between case status and previous use of nonaspirin nonsteroidal anti-inflammatory drugs (adjusted odds ratio, 1.9; 95% CI, 0.7 to 4.7).

Conclusions: The findings of this study add to the growing evidence that nonaspirin nonsteroidal anti-inflammatory drugs can increase the risk for clinically serious peptic ulcer disease in the elderly.

방법논문의 초록

내용

방법논문은 새로운 또는 개선된 방법이나 장비, 대상(Materials)을 설명하는 논문이다.

방법논문의 초록에는 다음과 같은 정보가 포함되어야 한다: 1. 방법이나 장비, 대상의 이름 또는 범주형 용어, 2. 목적, 3. 장비나 대상의 핵심적인 특징 또는 방법이나 장비의 작동 방식 또는 두 가지 모두, 4. 장점, 5. 방법이나 장비, 대상을 테스트한 방법, 5. 얼마나 효과적인지.

이름

방법이나 장비, 대상에 이름이 있다면 초록에 그 이름을 사용하면 된다. 다른 한편으로는 "method" 나 "apparatus" 와 같은 범주형 용어를 사용하거나 가능하다면 범주형 용어 앞에 방법의 중요한 특징을 나타내는 형용사를 첨가하도록 하라. 예를 들어, "a system for measuring oxygen consumption continuously in fetal sheep has been developed" ("system" 은 범주형 용어다) 대신에 저자는 "a microcomputer-based system for measuring oxygen consumption continuously in fetal sheep has been developed." 라고 썼다. 이 때 형용사인 "microcomputer-based" 는 "system" 의 중요한 특징을 지적하고 있으며 따라서 범주형 용어인 "system" 만 사용하는 것보다 해당 시스템에 대해 더욱 분명한 개념을 전달한다.

방법의 이름이나 해당되는 범주형 용어를 사용하는 것 외에도 그 앞에 "improved"를 첨가함으로써 해당 방법이 현존하는 방법을 개선한 것이라는 점을 보여줄 수도 있다. 일반적으로 방법이 새로운 것이라고 말할 필요는 없지만 그렇게 하더라도 문제될 것은 없다.

목적

목적은 보통 동사의 형태("for doing X")로 기술되며 "to do X"도 사용할 수 있다. 위의 예문에서는 목적인 "for doing X"의 형태로 기술되었다: " a microcomputer-based system for measuring oxygen consumption continuously in fetal sheep."

동물이나 실험군

방법이나 장비, 대상이 적용되는 동물이나 실험군은 연구된 실험군이 모두 인간이 아닌 이상 반드시 포함되어야 한다. 위의 예문에서는 동물이 언급되었다(fetal sheep).

중요한 특징과 방법의 작동방식

장비나 대상의 중요한 특징이나 방법 및 장비의 작동방식은 방법이나 장비, 대상이 무엇인가에 관한 개념을 독자에게 전달하기 위해 포함된다.

장점

장점은 새로운 방법이 좋은 것이라든가 아니면 개선된 방법이 현존하는 방법보다 낫다는 점을 확신시키기 위해 포함된다. 이 때 개선된 방법의 장점은 현존하는 방법의 문제점을 해결한 것이어야 한다. 독자는 장점을 통해 그 방법의 필요성에 대해 알게 되기 때문에 장점을 기술하는 것은 중요하다.

검증 방식과 방법이 얼마나 효과적인지

방법이 어떻게 검증되었으며 얼마나 효과적인가에 관한 내용은 해당 방법이 믿을 만하고 정확하다는 점을 확신시키기 위해 포함된다.

조직

방법논문의 초록이 담고 있는 정보는 본질적으로 방금 언급한 순서대로 조직되어야 한다(예문 10.15). 구체적으로 말하자면, 초록은 언제나 방법의 이름으로 시작한 뒤에 목적과 동물 및 실험군이 뒤를 잇고, 다음에는 중요한 특징이나 작동 방식이 등장한다. 장점이나 방법의 검증 방식, 방법이 얼마나 효과적인지에 관한 내용은 마지막 부분에 온다(예문 10.14).

한 가지 종류 이상의 정보가 한 문장에 포함될 수도 있다. 구체적으로는 방법의 이름과 목적, 동물이나 실험군이 사실상 거의 한 문장에 오며, 검증 방식과 방법이 얼마나 효과적인지에 관한 내용도 한 문장에 포함되는 경우가 많다(예문 10.14와 10.15).

동사의 시제

방법의 이름을 언급하는 문장의 동사는 사용되는 동사에 따라서 과거시제(사실, 현재완료)나 현재시제가 될 수 있다. 예를 들어, "An improved method has been developed"(과거에 일어난 일이므로 과거시제) 또는 "An improved method is described"(여전히 참이기 때문에 현재시제). 방법이나 방법의 장점을 설명하는 문장의 동사에는 현재시제가 사용된다. 예를 들어, "The system includes...", "The method cuts short and simplifies the conventional procedures...", "Additional advantages of the method are..." 등과 같다. 방법이 어떻게 검증되었으며 얼마나 효과적인지를 설명하는 문자의 동사에는 과거시제가 사용된다. "the flowmeter accurately measured a wide range of tidal volumes."

글쓰기

연속성과 문장 구조, 어휘 선택, 약어 및 초록의 길이와 관련한 원칙은 가설검증논문 및 기술논문의 초록과 다를 것이 없다.

예문 10.14

A_1 이름
A_2 목적
A_3 작동 방식
B 장점
C_1 검증 방법
C_2 얼마나 효과적인지
D, E 장점

^{A_1}An improved method has been developed ^{A_2}for isolating alveolar type II cells ^{A_3}by digesting lung tissue with elastase and "panning" the resultant cell suspension on plates coated with IgG. ^{B}This method provides both high yield and high purity of type II cells. ^{C_1}In 50 experiments in rats, ^{C_2}we obtained 35 ± 11 (SD) × 10^6 cells/rat, 89 ± 4% of which were type II cells. ^{D}In addition, type II cells isolated by "panning" adhere more rapidly and completely in tissue culture than do cells isolated by centrifugation over discontinuous density gradients of metrizamide. ^{E}Finally, the method is reproducible and easily adapted to isolating type II cells from species other than rats.

이 초록은 범주형 용어("method")를 사용해서 방법을 소개하며 이를 개선된 것으로 설명하고 있다(A1). 다음에는 특성이 기술되어 있고(A2) 방법의 작동 방식에 대한 간결한 설명이 뒤따른다(A3). 이런 모든 정보는 한 문장에 기술되어 있다. 쥐(rat)를 대상으로 연구했음에도 불구하고(문장 C) 동물은 언급되어 있지 않으며 방법은 인간과 다른 동물에도 적용된다(문장 E). 문장 B는 해당 방법의 두 가지 장점을 기술하고 있으며("high yield and high purity") 문장 C는 방법의 검증 방식을 기술한 뒤에(C1) "high yield and high purity"를 뒷받침하는 데이터를 제공함으로써 해당 방법이 얼마나 효과적인지를 지적하고 있다(C2). 문장 D는 다른 방법에 비해 해당 방법의 두 가지 장점을 기술하고 있으며 따라서 해당 방법이 개선된 것이라는 주장(A1)을 뒷받침해준다. 문장 E는 두 가지 최종적인 장점을 기술하고 있다.

핵심용어가 반복되고(문장 A, B, E의 "method", 문장 A, D의 "panning", 문장 A, B, C, D, E의 "type II cells") 연결어휘가 사용되었기 때문에("in addition", "finally") 연속성이 분명하게 드러나 있다. 문장의 길이는 간결하다(문장 당 평균 22단어). 어휘는 최대한 간단하며 약어는 하나만 사용되었다(IgG: immunoglobulin G). IgG는 표준적인 약어로 간주되기 때문에 따로 정의되지는 않았다. 초록의 길이는 110단어로 간결하며 개요도 명쾌하다.

예문 10.15

A_1 이름
A_2 목적
A_3 모집단

B, C 핵심 특징

D 장점

E_1 검증 방법
E_2 얼마나 효과적인지

A_1We have designed a new endotracheal flowmeter $A_2$to measure tidal volume, phasic and mean airway pressure, inspiratory time, and end-tidal Pco_2 and Po_2 A_3in intubated infants. *B*The flowmeter is light (11 g) and adds minimal dead space (1.0 ml) and minimal resistance (2 cm H_2O/110 ml per s) to the infant's airway. *C*The volume signal (≤10 ml) is linear to 7 Hz, and end-tidal gases can be measured at respiratory rates of 90 breaths/min. *D*This flowmeter is particularly valuable for evaluating rapid mechanical ventilation of very-low-birth-weight infants. E_1In 125 studies in 50 infants weighing 740-1500 g, $E_2$the flowmeter accurately measured a wide range of tidal volumes.

이 초록은 새로운 장비를 설명하고 있다. 첫 문장은 장비의 이름(endotracheal flowmeter)을 언급하고 있으며(A1) 이 장비가 새로운 것이라는 점과(A1), 장비의 목적(A2)을 기술한 뒤에 장비가 적용되는 실험군을 명명하고 있다(A3). 다음 두 문장(B, C)은 flowmeter의 중요한 특징을 설명하고 있으며 몇 가지 구체적인 세부사항을 포함하고 있다. 문장 D는 장비의 장점을 기술하고 있고, 마지막 문장은 검증 방식(E1)과 장비가 얼마나 효과적인지(E2)에 관해 설명한다.

핵심용어인 "flowmeter"의 반복(문장 A, B, C, D)과 일관된 관점(문장 B, D, E에서

"flowmeter"의 관점)으로 인해 연속성이 분명하게 드러나 있다. 문장은 간결하며(문장 당 평균 22.6단어), 어휘는 최대한 단순하며 두 개의 표준적 약어가 사용되었다(P_{CO_2}, partial pressure of carbon dioxide ; P_{O_2}, partial pressure of oxygen). 초록의 길이는 113단어로 간결하며 개요도 명쾌하다.

색인용 용어(Indexing Terms)

색인용 용어의 사용

어떤 저널은 색인 담당자가 저널의 색인에 들어갈 용어를 찾는데 도움이 되도록 색인용 용어(또는 핵심용어) 목록을 제공할 것을 저자에게 요구한다. 색인용 용어는 초록 뒤나 저널의 목차에 있는 제목 뒤에 인쇄되기도 한다.

색인용 용어 선택의 원칙

색인용 용어는 논문의 중요한 주제들로 이루어져야 한다. 용어를 선택할 때는 논문을 쓸 때 검색할 만한 용어와 다른 독자들을 끌어 모을 수 있는 용어를 선택하라.

색인용 용어를 선택할 때는 최근 용어를 사용해야 한다. 어떤 저널은 Index Medicus의 1월호에 게제되는 medical subject headings(MeSH)에서 색인용 용어를 찾도록 요구한다. 그러나, MeSH 용어는 가장 최근 연구에 사용되는 용어와는 간격이 있기 마련이다. 따라서, MeSH에 포함되지 않은 색인용 용어를 사용할 필요가 있을 수 있다. 예를 들어, "acquired immunodeficiency syndrome"이란 용어는 적어도 1년 후에야 MeSH에 포함되었다.

또한, 색인용 용어를 선택할 때는 가능한 가장 구체적인 용어를 사용해야 한다. 예를 들어, erythromycin에 관한 논문에서는 일반적인 용어인 "antibiotics"가 아니라 "erythromycin"이 색인용 용어로 사용되어야 한다. 색인 담당자가 구체적인 용어인 "erythromycin"에서 일반적 용어인 "antibiotics"를 유추해내기는 쉽지만 일반적 용어에서 구체적 용어를 유추해내기란 쉽지 않다.

색인용 용어가 단어가 아닌 구(句)일 수도 있다는 점에 유의하라. 따라서, "blood coagulation disorders"와 같은 구도 색인용 용어가 될 수 있다.

색인 담당자들이 논문의 제목에서 쉽게 색인용 용어를 선택할 수 있기 때문에 어떤 저널은 저자에게 제목에 없는 색인용 용어만을 제공하라고 요구한다는 점도 유의할 필요가 있다.

마지막으로, 색인용 용어에 사용되는 단어가 꼭 논문에 있어야 하는 것은 아니다. 예를 들어, "Regional Differences in Pleural Lymphatic Albumin Concentration in Sheep" 이라는 논문의 색인용 용어인 "capillary exchange"는 논문에 등장하지 않는다.

학회용 초록

역할

학회용 초록의 역할은 우선 저자가 가치있는 기여를 하고 있다는 점을 보이는 것이고 두 번째는 이야기할 청중을 끌어 모으는 것이다.

내용

이러한 역할을 수행하려면, 학회용 초록은 논문용 초록과 동일한 가이드라인을 따르는 한 편 대신 방법에 대해 더 상세한 내용을 담으며 데이터를 표나 그래프 형태로 보여주는 경향이 있다. 방법에 대해 더 상세한 내용과 데이터를 포함시키는 이유는 초록 심사위원회와 학회에 참석하는 청중이 연구의 타당성을 평가할 때 이런 추가적인 정보가 도움이 되기 때문이다. 또한, 학회용 초록은 연구의 중요성을 부각시키기 위해 논문용 초록에 비해 내포(implication)를 포함시키는 경향이 많다.

세부사항의 양과 약어의 사용

가능한 자세한 방법과 데이터, 통계학적 세부사항을 학회용 초록에 채워 넣으려는 유혹에 단호하게 대처해야 한다. 과도한 세부사항은 나무가 숲을 가리는 것과 같이 초록의 독해를 어렵게 만든다. 많은 데이터를 제공하는 것보다는 한 가지 좋은 결과를 제시하는 것이 바람직하다. 결과가 좋다면 초록은 받아들여질 것이며, 결과가 좋지 않다면 데이터가 도움이 되지 못할 것이다. 데이터는 단지 많은 일을 했다는 점만을 보여줄 뿐이다.

또한, 더 많은 세부사항을 첨가하기 위해 약어를 사용하고자 하는 유혹도 견뎌내야 한다. 많은 약어를 사용하면 독자가 암호같은 약어를 푸는 일에 집중해야 하기 때문에 독해가 어려워진다.

마지막으로, 자세한 학회용 초록이 논문을 대신할 수는 없다는 점을 염두에 두어야 한다. 모든 실용적인 목적에도 불구하고 학회용 초록은 일 년 뒤면 저절로 파기되기 마련이다. 최종적으로 논문이 출판되지 않는다면 초록에 담긴 세부사항과 데이터, 고찰을 확인할 방법이 없기 때문에 모든 것이 무용지물이 된다.

그러므로, 세부사항과 약어를 있는 대로 사용할 것이 아니라 사려깊게 사용함으로써 본인이 가치있는 기여를 하고 있다는 점을 보이고 이야기할 청중을 끌어 모으라.

데이터와 결과의 프리젠테이션

학회용 초록에 포함된 데이터는 논문용 초록의 데이터와는 달리 표나 그래프의 형태로 제시되는 경우가 많다. 이 때 표나 그래프는 논문용 표나 그래프와 마찬가지로 디자인이 명료해야 한다. 논문과 유일한 차이가 있다면 학회용 초록의 표에는 제목이 없고 그래프에도 범례(legend)가 없다는 점이다.

학회용 초록에 표나 그래프를 포함시킬 때는 해당 데이터가 뒷받침하는 결과를 기술하는 것을 잊지 않도록 주의해야 한다. 결과를 생략하면 개요가 불분명해진다(예문 10.16). 명료성을 최대한으로 끌어올리려면 표나 그래프는 해당 데이터가 뒷받침하는 결과를 기술하는 문장 다음에 배치되어야 하며 결과를 기술하는 문장 대신에 사용되어서는 안 된다.

예문 10.16

CROMOLYN SODIUM FAILS TO PREVENT HYPOXIA-INDUCED PULMONARY VASOCONSTRICTION IN NEWBORN AND YOUNG LAMBS. Author Number One, Author Number Two, Author Number Three, and Author Number Four. Department of Pediatrics, University of XXX, City, State

Leukotrienes, which are found in a variety of pulmonary cell types including mast cells, have been suggested to mediate hypoxia-induced pulmonary vasoconstriction. Cromolyn sodium, a stabilizer of mast cell membranes, has been reported to prevent hypoxia-induced pulmonary vasoconstriction in adult sheep and young lambs, presumably by preventing the release of leukotrienes. We were unable to reproduce these results not only in newborn lambs but also in young sheep. Six newborn lambs were instrumented to measure pulmonary (PAP) and systemic (SAP) arterial pressures and cardiac output ($\dot{Q}$). After baseline measurements, vehicle was infused and responses to alveolar hypoxia were recorded. After return to baseline, cromolyn sodium (3 mg/kg/min) was infused for 10 min before and continued during alveolar hypoxia and responses were recorded. Studies were done at 4-7 d (newborn) and again at 15-18 d (young sheep).

Treatment	PAP (mmHg)		SAP (mmHg)		$\dot{Q}$ (L/min/kg)	
	Newborn	Young	Newborn	Young	Newborn	Young
Baseline	15±2	20±7	79± 6	90±10	0.24±0.07	0.31±0.09
Hypoxia	28±3*	31±9*	76± 4	88± 9	0.29±0.11	0.41±0.08
Cromolyn	19±4	25±6	79±10	83±11	0.22±0.06	0.25±0.07
Crom + Hypox	31±5†	35±6†	80± 6	92±13	0.25±0.08	0.39±0.13†

Mean ± SD; *$P < 0.05$ vs. baseline; †$P < 0.05$ vs. cromolyn (ANOVA). Cromolyn sodium at 5 mg/kg/min, in 2 lambs, produced similar results. The results of this study contradict previous reports that cromolyn sodium prevents hypoxia-induced pulmonary vasoconstriction and thus question the importance of mast cells in producing hypoxia-induced pulmonary vasoconstriction.

이 초록이 쓰여진 방식에는 두 가지 중요한 문제점이 있기 때문에 초록의 개요가 분명하지 않다.

1. 질문이 앞부분에 기술되지 않았으며 대신에 대답이 주어졌다(세 번째 문장). 질문을 대답으로 대치하면 대답을 배경 정보로 오인할 수 있기 때문에 혼란을 줄 수 있다.
2. 결과가 기술되지 않았으며 데이터만 제시되었다(표). 따라서, 표 밑의 다음과 같은 문장을 읽을 때("Cromolyn sodium at 5mg/kg/min, in 2 lambs, produced similar results") 스스로 알아내기 전까지는 결과가 무엇인지 알 수 없다. 결과는 독자가 스스로 알아내는 것이 아니라 저자가 기술하는 것이다.

또한, 일부 중요한 세부사항이 초록의 명료성을 훼손시킬 수 있다

3. 실험을 설명할 때 시험한 두 가지 용량 중 하나만이 언급되었으며 따라서 두 번째 용량에 대한 결과를 예견할 수 없다.
4. 표의 각주에 샘플 규모와 용량이 빠져있다.
5. 마지막 문장의 끝부분에 실린 내포(implication)에서는 leukotrienes에 대해 아무 것도 언급하지 않고 있으며, 따라서 초록의 첫 단어(대단히 강력한 위치)가 불러 일으킨 기대와 두 번째 문장의 마지막 단어가 강조한 바가 충족되지 못하고 있다.

마지막으로, 첨가된 일부 이차적인 세부사항이 중요한 세부사항에 집중되어야 할 주의를 분산시킴으로써 초록의 메시지가 부분적으로 훼손되고 있다.

6. 표의 통계학적 비교가 질문에 답하는 결과에 직접적으로 해당되는 것이 아니다. 이 비교들은 pulmonary arterial pressure의 상승에서 반영된 바와 같이 hypoxia가 실제로 pulmonary vasoconstriction을 일으킨다는 점을 보여주고 있다. 그러나, 정작 중요한 비교는 hypoxia 단독일 때와 hypoxia + cromolyn sodium일 때의 pulmonary arterial pressure를 비교하는 것이며, 핵심은 이들 값에 유의한 차이가 없었다는 점이다.
7. Systemic arterial pressure와 cardiac output은 질문에 대답하는 일에 반드시 필요한 것이 아니지만 pulmonary arterial pressure의 변화가 systemic arterial pressure나 cardiac output의 변화에서 유래한 것이 아니라는 점을 보여주기 위해 표해 포함되었다.

교정문에는 질문과 결과가 기술되어 있다. 또한, 실험을 설명할 때 시험한 두 번째

용량이 언급되었고 표의 각주에 샘플 규모와 용량이 첨가되었으며, 마지막 문장에 "leukotriene release"가 덧붙여졌다. 이러한 변화들은 초록을 더욱 명쾌하게 만들어 준다. 통계학적 비교와 systemic arterial pressure와 cardiac output에 관한 데이터는 이차적인 중요성을 지니고 있지만 결과의 타당성을 보여주기 위해 그대로 유지했다. 마지막으로, 원문과 같은 길이를 유지하기 위해 첫 문장에 있는 "which are found in", "a variety of", "have been suggested to"가 "released by", "various", "may"로 압축되었다. 두 번째 문장의 "a stabilizer of mast cell membranes"는 "a mast cell membrane stabilizer"로 바뀌어졌다. 결과를 기술한 문장에서는 수동태 대신 "we"가 사용되었고 문장의 앞머리에 사용된 "six"는 문장 중간의 "6"으로 대치되었다. 표 앞에 있는 문장에서는 "pulmonary arterial pressure responses" 앞에 있는 "the"가 생략되었다. 마지막 문장에서는 "these"가 "our"로 바뀌어졌고 "reports" 앞의 "previous"가 생략되었다.

교정문

CROMOLYN SODIUM FAILS TO PREVENT HYPOXIA-INDUCED PULMONARY VASOCONSTRICTION IN NEWBORN AND YOUNG LAMBS. Author Number One, Author Number Two, Author Number Three, and Author Number Four. Department of Pediatrics, University of XXX, City, State

Leukotrienes, released by various pulmonary cell types including mast cells, may mediate hypoxia-induced pulmonary vasoconstriction. Cromolyn sodium, a mast cell membrane stabilizer, has been reported to prevent hypoxia-induced pulmonary vasoconstriction in adult sheep and young lambs, presumably by preventing release of leukotrienes. <u>We tried to reproduce these results in newborn (4-7 d) and young (15-18 d) lambs</u>. We instrumented 6 newborn lambs to measure pulmonary (PAP) and systemic (SAP) arterial pressures and cardiac output ($\dot{Q}$). After baseline measurements, we infused vehicle and recorded responses to alveolar hypoxia. After return to baseline, we infused cromolyn sodium <u>at 2 doses</u> (3 mg/kg/min (6 lambs) <u>and 5</u> mg/kg/min (2 lambs)) for 10 min before and then during alveolar hypoxia and recorded responses. <u>We found no differences between pulmonary arterial pressure responses to hypoxia with and without cromolyn sodium at either dose at either age.</u>

Treatment	PAP (mmHg)		SAP (mmHg)		$\dot{Q}$ (L/min/kg)	
	Newborn	Young	Newborn	Young	Newborn	Young
Baseline	15±2	20±7	79± 6	90±10	0.24±0.07	0.31±0.09
Hypoxia	28±3*	31±9*	76± 4	88± 9	0.29±0.11	0.41±0.08
Cromolyn	19±4	25±6	79±10	83±11	0.22±0.06	0.25±0.07
Crom + Hypox	31±5†	35±6†	80± 6	92±13	0.25±0.08	0.39±0.13†

Mean ± SD <u>for 6 lambs given 3 mg/kg/min cromolyn</u>.
*$P < 0.05$ vs. baseline; †$P < 0.05$ vs. cromolyn (ANOVA).

Our results contradict reports that cromolyn sodium prevents hypoxia-induced pulmonary vasoconstriction and thus question the importance of <u>leukotriene release from</u> mast cells in producing hypoxia-induced pulmonary vasoconstriction.

초록을 위한 가이드라인

역할

초록은 논문의 주요 줄거리와 일부 필수적인 세부사항을 제시해야 한다.
초록은 논문을 읽는 독자와 논문을 읽지 않는 독자 모두에게 분명해야 한다.

가설검증논문의 초록
내용과 조직
다음 내용을 기술하라.
　제기한 질문
　질문에 대답하기 위해 수행한 실험:
　　연구한 대상(분자, 세포주, 조직, 장기)와 대상이 유래한 유기체 또는 연구한 동물이나 인간 실험군.
　　실험적 접근방법 또는 연구디자인(독립변수와 종속변수를 모두 포함해야 함).
　질문에 대답이 되는 결과
　　가장 중요한 결과만을 논리적 순서로
　　데이터는 최소한
　　가능한 실제 데이터보다는 퍼센트 변화를
　　앞서 언급되지 않은 방법상의 중요한 세부사항
　질문에 대한 대답. 대답이 제기한 질문에 답이 되고 있는지 확인하라.
쓸모가 있다면 다음 내용을 포함시키라.
　초록의 앞부분에 배경 정보.
　초록의 뒷부분에 내포, 추측, 추천.

글쓰기

단락이 하나인 초록의 경우
　질문을 알리는 신호("To determine whether", "To test the hypothesis that"), 또는 질문과 수행된 실험을 알리는 신호("We asked whether.... To answer this question, we...", "We hypothesized that.... To test this hypothesis, we...").
　결과를 알리는 신호("We found").
　대답을 알리는 신호("We conclude", "Therefore").
　내포를 알리는 신호("These results suggest that...").
적절한 동사시제를 사용하라.
　질문과 대답에는 현재시제를.
　수행한 실험과 발견한 결과에는 과거시제를.
　내포에는 신중한 동사를(예를 들어, "may mediate").
질문을 생략하거나 아니면 모호하게 기술하거나, 대답 대신 내포를 기술하거나,

가설검증논문에 기술논문 초록을 써서는 안된다.

초록은 간결하게 유지하라(<250단어).

변형(Variations)

논문을 제출하는 저널이 초록에 다른 형식을 요구한다면 그 형식을 따르도록 하라.

기술논문의 초록

내용과 조직

다음 내용을 기술하라.

- 논문의 메시지.
- 메시지를 뒷받침하는 결과.
- 메시지가 내포하는 바.

쓸모가 있다면 다음 내용을 포함시키라.

- 초록의 앞부분에 배경 정보.

글쓰기

메시지를 알리는 신호("Here we report").

내포를 알리는 신호("These findings suggest that").

적절한 동사시제의 사용:

- 구조를 설명할 때는 현제시제를.
- 실험 결과를 설명할 때는 과거시제를.

방법논문의 초록

다음 내용을 기술하라.

- 방법이나 장비, 대상(material)의 이름 또는 범주.
- 목적.
- 동물 또는 실험군.
- 중요한 특징, 작동방식 또는 둘다.
- 장점(왜 그 방법이 필요한가).
- 검증방식.
- 얼마나 효과적인가.

항상 처음 네 개의 항목으로 시작하라. 마지막 세 항목은 필요하다면 변경될 수도 있다.

해당 방법이 현존하는 방법을 개선한 것이라는 점을 지적하려면 방법의 이름 앞에 "improved"를 첨가하라. 방법이 새로운 것이라는 점을 말할 필요는 없지만 그렇게 해도 문제될 것은 없다.

"for doing X" 나 "to do X" 의 형태로 목적을 기술하라.

이름과 목적, 동물 또는 실험군을 한 문장에 기술하라.

방법의 검증방식과 방법이 얼마나 효과적인지를 보통 한 문장에 포함시키는 것이 좋다.

방법을 명명할 때는 사용된 동사의 종류에 따라 과거시제(현재완료시제)나 현재시제를 사용하라(예를 들어, "An improved method has been developed" 또는 "An improved method is described"). 방법과 방법의 장점을 설명할 때는 현재시제를, 검증방식과 얼마나 효과적인지를 설명할 때는 과거시제를 사용하라.

색인용 용어

논문을 쓸 때 검색할 만한 용어와 다른 독자를 끌어 모을 수 있는 용어를 선택하라.

논문의 중요한 주제를 명명할 때는 최신의 구체적인 용어, 가능한 medical subject headings(MeSH)에 등재된 용어를 사용하라.

단어 뿐만 아니라 구(句)도 사용하라.

저널이 제목에 없는 색인용 용어만을 제공하라고 한다면 그렇게 하라.

필요하다면, 논문에 등장하지 않는 용어라 할지라도 색인용 용어에 포함시키라.

학회용 초록

학회용 초록의 역할은 저자가 가치있는 기여를 하고 있다는 점을 보이고, 이야기할 청중을 끌어 모으는 것이다.

이런 역할을 수행하기 위해, 일반적으로 학회용 초록은 논문용 초록과 동일한 가이드라인을 따르지만,

다음과 같은 예외가 있다:

- 독자가 연구의 타당성을 평가할 수 있도록 학회용 초록은 논문용 초록에 비해 방법에 대해 더 상세한 내용을 담으며 데이터를 표나 그래프를 통해 제시할 수 있다.
- 학회용 초록은 연구의 중요성을 부각시키기 위해 논문용 초록에 비해 내포(implication)를 많이 포함시키는 경향이 있다.

그러나,

- 나무가 숲을 가릴 만큼 과도한 세부사항을 첨가해서는 안 된다.
- 너무 많은 약어를 사용해서 초록을 해독 불가능하게 만들지 말라.
- 표나 그래프는 주의 깊게 디자인하되, 표의 제목과 그래프의 범례는 생략하라.
- 표나 그래프의 데이터가 뒷받침하는 결과를 생략해서는 안 된다. 표나 그래프는 결과에 관한 기술 뒤에 배치되어야 한다.

연습문제 10.1: 초록

1. 다음 초록에 등급을 매기라. A(excellent), B(good), C(average), D(poor), F(terrible). 그렇게 매긴 이유를 제시하라.
2. 다음 초록 중 하나를 교정하라. 교정문에서:
   - 초록에서 빠진 부분을 채워 넣으라; 대답이 질문에 대한 답이 되는지 확인하라.
   - 필요한 경우 질문과 질문에 답하기 위해 수행한 실험, 결과, 대답, 내포 또는 추측을 알리는 신호를 첨가하라.

3. 추가적으로

   초록 1(분자생물학)에서는
   - 단순한 어휘를 사용해서 결과를 설명하라.

   초록 2(분자생물학)에서는
   - 핵심용어를 반복해서 문장 G에 등장하는 "positive"와 "negative"의 의미를 알 수 있게 하라. 교정할 때 가장 정확한 핵심용어를 사용하라.

   초록 3(생리학)에서는
   - 정확한 어휘를 사용해서 실험을 설명하라.

   초록 4(생리학)에서는
   - 세부사항의 양을 줄이라.

참조 : 이 초록들은 모두 가설검증논문에서 발췌한 것이다.

Abstract 1

Note: The question as stated—vaguely—in the Introduction was "To investigate the function of p300 during mouse development."

GENE DOSAGE-DEPENDENT EMBRYONIC DEVELOPMENT AND PROLIFERATION DEFECTS IN MICE LACKING THE TRANSCRIPTIONAL INTEGRATOR P300

*A*The transcriptional coactivator and integrator p300 and its closely related family member CBP mediate multiple, signal-dependent transcriptional events. *B*We have generated mice lacking a functional p300 gene. *C*Animals nullizygous for p300 died between days 9 and 11.5 of gestation, exhibiting defects in neurulation, cell proliferation, and heart development. *D*Cells derived from p300-deficient embryos displayed specific transcriptional defects and proliferated poorly. *E*Surprisingly, p300 heterozygotes also manifested considerable embryonic lethality. *F*Moreover, double heterozygosity for p300 and cbp was invariably associated with embryonic death. *G*Thus, mouse development is exquisitely sensitive to the overall gene dosage of p300 and cbp. *H*Our results provide genetic evidence that a coactivator endowed with histone acetyltransferase activity is essential for mammalian cell proliferation and development.

등급 : _____
이유 :

Abstract 2

참조: 서론에 기술된 가설은 "various factors with different functions interact with the same or similar sequences to control gene expression."이고, 고찰에 기술된 대답은 "both positive and negative factors can interact with the same DNA sequence in order to regulate gene expression"이다.

MOLECULAR CLONING AND CHARACTERIZATION
OF A HUMAN DNA BINDING FACTOR THAT
REPRESSES TRANSCRIPTION

*A*Several transcription factors interact with GC-rich sequences and positively regulate both housekeeping genes and cellular oncogenes. *B*We have cloned a human cDNA that encodes a factor that binds to a GC-rich sequence repeat present in the epidermal growth factor receptor (EGFR), β-actin, and calcium-dependent protease (CANP) promoters. *C*This cDNA encodes a 91-kd protein with an extremely basic region at its amino terminus. *D*Deletion analyses with bacterially expressed proteins containing fragments of this factor indicate that this basic region of the protein functions as the DNA binding domain. *E*Expression of this factor in CV1 cells shows that it represses expression originating from both the EGFR and β-actin promoters as well as chimeric promoters containing the CANP gene. *F*It also represses transcription in cell-free extracts. *G*These results suggest that positive and negative factors may interact with the same control element to account for the diversity of transcriptional regulation.

등급 : _____
이유 :

Abstract 3

EFFECTS OF EXPOSURE TO OZONE ON DEFENSIVE
MECHANISMS OF THE LUNG

*A*Various components of the endogenous defense mechanism of the lung were studied by means of a unilateral lung exposure technique. *B*Low levels of ozone were found to decrease cellular viability, depress various intracellular hydrolytic enzymes (lysozyme, beta-glucuronidase, and acid phosphatase), and increase the absolute number and percent of polymorphonuclear leukocytes within pulmonary lavage fluid. *C*All these effects were dose related and were found only in the single lung exposed to ozone and not in the contralateral lung simultaneously breathing ambient air. *D*The responses were found to be the result of direct toxicity of this pollutant rather than a generalized systemic response. *E*It was concluded that the observed effects could be responsible for the increased mortality of animals given a bacterial challenge following ozone exposure.

등급 : ______
이유 :

Abstract 4

PULMONARY MECHANICS AND GAS EXCHANGE
IN SEATED NORMAL MEN WITH CHEST RESTRICTION

*A*Lung volumes, static pressure-volume curves, maximal expiratory flow-volume curves, right-to-left intrapulmonary shunts ($\dot{Q}_s/\dot{Q}t$), and perfusion relative to the alveolar ventilation and perfusion ratio (V_A/Q) were determined in seated normal men before chest strapping while breathing air (Cair) and during chest strapping while breathing air (S_{air}) or 100% oxygen (S_{O_2}). *B*With S_{air} and S_{O_2}, mean vital capacity was reduced by 44% from control. *C*Elastic recoil pressure [Pst(l)] of the lung at 50% control total lung capacity (TLC) increased significantly ($P < 0.05$) from 4.64 ± 0.39 cm H_2O (mean ± SE) to 7.00 ± 0.47 cm H_2O with S_{air} and to 7.24 ± 0.70 cm H_2O with S_{O_2}. *D*Maximal expiratory flow at 50% of control TLC increased significantly ($P < 0.05$) from 3.22 ± 0.25 L/s (mean ± SE) to 5.84 ± 0.69 L/s with S_{air} and to 5.50 ± 0.68 L/s with S_{O_2}. *E*With S_{air}, no significant increase in $\dot{Q}s/\dot{Q}t$ from control was observed. *F*With S_{O_2}, mean $\dot{Q}s/\dot{Q}t$ increased significantly ($P < 0.05$) from 0 to 2.2 ± 0.9% of the cardiac output. *G*It is therefore unlikely that the development of atelectasis, as indicated by an increase in $\dot{Q}s/\dot{Q}t$, accounts for the increase in Pst(L) with S_{air} and S_{O_2}. *H*Current evidence suggests that either change in alveolar surface compliance or distortion of the lung or both are responsible for the increased recoil pressure but that neither mechanism alone appears to explain it totally.

등급 : ______

이유 :

제11장 제목

역할

생의학 논문의 제목은 두 가지 역할을 담당한다: 1. 논문의 주요 주제나 메시지를 밝히고, 2. 독자의 흥미를 끄는 것.

가설검증논문에 사용되는 제목의 내용

제목에 주제를 기술하는 것

생의학 연구논문의 표준적인 제목은 논문의 주제를 알려주는 구(句)다. 가설검증 논문의 경우 주제는 다음과 같은 세 가지 종류의 정보를 담고 있다: 조작한 독립변수(X), 관찰 또는 측정한 종속변수(Y), 연구를 수행한 동물이나 실험군 및 대상(Z). 질문이나 대답에 연구한 동물이 포함되었는지 여부와 상관없이 제목에는 반드시 연구한 동물이 포함되어야 한다. 필요한 경우, 다른 두 가지 정보가 제목에 포함될 수 있다: 연구 기간내의 동물 또는 피험자의 상태나 실험적 접근방법.

독립변수와 종속변수가 모두 있는 논문의 제목

독립변수와 종속변수가 모두 있는 연구의 경우, 제목의 표준 형식은 다음과 같다.

Effect of X on Y in Z.

예문 11.1

X Y Z

Effect of β-Endorphin on Breathing Movements in Fetal Sheep

이 표준 형식에서는 연구한 동물과 실험군이나 대상이 제목의 끝부분에 온다는 점에 유의하라.

인간이 대상인 경우에는 예문 11.22와 같이 "humans"를 제목에 포함시키는 것이 가장 분명하기는 하지만 예문 11.2와 같이 제목에서 생략하는 경우가 많다.

예문 11.2

Effect of Membrane Splitting on Transmembrane Polypeptides

그러나, 인간이 하위실험군(subpopulation)으로 연구되었을 경우에는 해당 부분 실험군이 예외없이 제목에 포함된다.

예문 11.3

Effects of Esmolol on Airway Function in Patients Who Have Asthma

인간에 대한 연구의 부정적인 인상 때문에(제목에서는 실험군이 인간이라는 점에 대한 암시가 전혀 없다), 동물을 가지고 연구를 수행한 경우에는 반드시 동물이 제목에 포함된다.

종속변수만 있는 논문의 제목

종속변수만 있는 가설검증논문의 경우, 제목의 표준 형식은 다음과 같다.

Y in Z

Y는 종속변수, 즉 관찰되거나 측정한 변수를 의미하며 Z는 연구를 수행한 동물이나 실험군 및 대상을 의미한다. 예문 11.25와 11.27의 교정문과 예문 11.36을 참조하라.

제목의 기타 정보

위에 언급된 필수 정보(X, Y, Z) 외에도 가설검증논문의 제목에는 실험 기간 동안 동물이나 피험자의 상태(예문 11.4) 또는 실험적 접근방법(예문 11.5)이 포함되는 경우가 많다(해당 사항이 중요한 경우).

예문 11.4

Effect of Hypoproteinemia on Fluid Balance in the Lungs of Awake Newborn Lambs

예문 11.5

Microvascular Pressures Measured by Micropuncture in Lungs of Newborn Rabbits

제목에서 메시지를 기술하는 법

전통적으로, 생의학 연구논문의 제목은 논문의 주제를 기술하지만 논문이 강력한 증거로 뒷받침되는 강력하고 분명한 메시지를 담고 있을 경우 논문의 제목이 메시지, 즉 질문에 대한 대답을 기술할 수도 있다. 메시지는 구(句)나 문장의 형태로 기술될 수 있다.

구(句)에 메시지를 기술하는 법

제목이 구(句)인 경우, 메시지는 제목의 앞부분에 있는 종속변수의 앞에 놓인 형용사나 명사의 형태로 표현되며 이 때 사용되는 형용사나 명사는 질문과 대답에 사용되는 동사에 기초한 것이다. 예를 들어, 논문의 질문이 "to determine whether the metabolic rate in rats is reduced during radio-frequency irradiation"이며 질문에 대한 대답이 "yes"라면 메시지는 예문 11.6과 같이 제목에서 형용사 "reduced"를 통해 표현될 수 있다.

예문 11.6

Reduced Metabolic Rate during Radio-Frequency Irradiation in Rats

다음의 예문 11.7에서는 종속변수 앞에 명사 "alteration"을 통해 메시지가 표현되고 있다. 질문은 "to determine whether protein-calorie malnutrition alters lung mechanics"였다.

예문 11.7

Alteration of Lung Mechanics by Protein-Calorie Malnutrition in Weaned Rats

어떤 경우에는 예문 11.8과 같이 메시지를 기술하기 위해 형용사와 명사가 모두 사용되기도 한다.

예문 11.8

Hypoxia-Induced Alterations of Vascular Reactivity to Norepinephrine in Isolated Perfused Lung from Cats

문장에 메시지를 기술하는 법

제목에서 메시지를 기술하는 또 한 가지 방법은 문장을 사용하는 것이다. 문장에서는 예문 11.9와 같이 메시지가 현재시제의 동사로 표현된다.

예문 11.9

Verapamil and Diet Halt the Progression of Atherosclerosis in Cholesterol-Fed Rabbits

저널의 목차에 실린 제목들을 읽어보면 구(句)를 사용하는 것보다 문장을 통해 메시지를 기술하는 것이 더욱 강력하다는 사실을 알 수 있다. 눈에 확 다가오는 제목은 대개 문장일 것이다. 문장으로 된 제목이 더 강력한 이유는 명사나 형용사보다는 동사가 행동을 더욱 강력하게 전달하기 때문이다. 따라서, 구(句)로 된 동일한 제목을 문장으로만 바꾸어 놓아도 훨씬 힘있게 들릴 것이다("Arrested Progression of Atherosclerosis by Verapamil and Diet in Cholesterol-Fed Rabbits"를 예문 11.9와 비교해보라). 결론적으로, 확고한 증거가 뒷받침해주는 명쾌한 메시지가 있을 경우에는 제목에 문장을 사용하도록 하라.

기술논문(descriptive papers)에 사용되는 제목의 내용

새로운 구조를 설명하는 기술논문의 경우, 설명하는 구조와 해당 구조의 중요 기능을 제목에서 기술한다. 이 때 해당 구조가 제목의 첫 번째 단어가 되고 기능은 그 다음에 동격어(쉼표 뒤에)나 부주제(콜론 뒤에), 또는 문장의 나머지(동사 및 보어군)로 뒤따른다.

예문 11.10 동격어

Hip, a Novel Cochaperone Involved in the Eukaryotic Hsc70/Hsp40 Reaction Cycle

예문 11.10에서는 구조("Hip")가 문장의 첫 단어로 등장하며 기능은 쉼표 뒤에 범주형 용어("involved")를 사용해 동격으로 언급되고 있다. 기능은 과거분사

("involved")와 보어군을 이용해 한층 더 정의되고 있다. 동격 형식(구조, 기능에 관한 범주형 용어, 기능을 한층 더 정의하는 분사와 보어군)은 구조를 설명하는 논문에 사용할 수 있는 대단히 명확한 제목 형식이다. 이 기법의 배경은 핵심용어를 연결하는 것과 다를 바 없다.

예문 11.11 부제목

CDC20 and CDH1: A Family of Substrate-Specific Activators of Anaphase-Promoting-Complex-Dependent Proteolysis

예문 11.10과 11.11의 형식상의 가장 큰 차이점은 예문 11.11에서는 쉼표 대신 콜론이 사용되면서 부제목이 만들어 진다는 것이다.

예문 11.12 문장

Ich-1, an Ice/ced-3-Related Gene, Encodes Both Positive and Negative Regulators of Programmed Cell Death

예문 11.12의 제목은 문장이다. 구조가 문장의 주어("Ich-1")로 사용되었으며 기능은 동사("encodes")와 보어에 언급되어 있다.

구조 다음에는 Ich-1의 범주형 용어("an Ice/ced-3-Related Gene")가 문장의 주어에 포함되어 있지만, 범주형 용어는 기능을 기술하고 있지 않다.

이 예문은 문장으로 만들기 보다는 예문 11.10과 같이 쓰는 것이 더 명료할 수도 있을 것이다: "Ich-1, and Ice/ced-3-Related Gene that Encodes Both Positive and Negative Regulators of Programmed Cell Death."

방법논문(Methods Papers)에 사용되는 제목의 내용

방법논문의 제목은 논문이 어떤 방법이나 장비, 대상을 설명하는 것인가와 방법의 목적을 지적해야 하며 사용된 동물이나 실험군의 이름을 언급해야 한다. 또한, 제목에서 방법이 새롭거나 개선된 것인지를 지적할 수도 있다.

이름

논문이 어떤 방법이나 장비, 대상을 설명하는가를 지적할 때, 만약 방법이나 장비, 대상에 이름이 있다면 제목에 그 이름을 사용하도록 하라.

예문 11 13

Endotracheal Flowmeter for Measuring Tidal Volume, Airway Pressure, and End-Tidal Gas in Newborns

예문 11.14

Monoclonal Antibodies as Probes for Distinguishing Unique Antigens in Secretory Cells of Heterogeneous Exocrine Organs

만약 방법에 이름이 없으면 제목에 "method"나 "apparatus"와 같은 범주형 용어를 사용하라.

예문 11.15

A Method for Purifying the Glycoprotein IIb-IIIa Complex in Platelet Membrane

목적

목적을 기술할 때는 "for doing X" 형식의 동사가 사용된다. 따라서, 예문 11.13과 11.15의 "for measuring"과 "for purifying" 역시 목적을 기술하기 위해 사용된 동사 구문이다. 예문 11.14는 이와는 조금 다른 형식을 사용한다("as probes for distinguishing". 두 형식 모두 분명하게 목적을 지적해준다.

그러나, "-ing" 없이 "for"만을 사용하면 제목이 불분명해진다.

예문 11.16

A Double-Catheter Technique for Caudally Misdirected Catheters in the Umbilical Artery

이 제목에서는 테크닉이 무엇을 위한 것인지가 불분명하다.

교정문

A Double-Catheter Technique for Avoiding Caudally Misdirected Catheters in the Umbilical Artery

"-ing"를 추가하면 목적이 분명해진다: "for avoiding."

동물이나 실험군

가설검증논문이나 기술논문의 제목과 마찬가지로 방법이 인간에 대한 것이거나(예문 11.14-11.16) 인간과 다른 동물에 대한 것일 경우(예문 11.18) 방법이 사용된 실험군을 생략하는 경우가 많다. 그러나, 방법이 동물에 대한 것이거나 인간의 구체적인 하위실험군에 대한 것일 경우 예외없이 동물이나 실험군이 기술된다(예문 11.13, 11.17).

새로운 또는 개선된(New or Improved)

논문이 새로운 방법을 설명하는 경우에는 보통 제목에 "new"나 "new"의 멋진 대타인 "novel"을 포함시킬 필요가 없지만, 방법의 가장 중요한 특징이나 가장 큰 장점은 포함될 수 있다. 예문 11.16의 "double-catheter"는 새로운 방법의 가장 중요한 특징이다.

만약 논문이 개선된 방법을 설명하고 있다면 제목에 개선된 방법의 가장 중요한 특징이나 가장 큰 장점을 가능한 언급함으로써 개선된 내용이 무엇인지를 기술해야 한다. 예문 11.17의 "noninvasive"는 개선된 방법의 가장 중요한 장점이다.

예문 11.17

Noninvasive Method for Monitoring Blood Gases in the Newborn

만약 가장 중요한 특징이나 장점을 쉽게 언급할 수 없다면 일반적인 용어인 "improved"를 제목에 사용해야 한다.

예문 11.18

An Improved Method for Isolating Type II Cells in High Yield and Purity

좋은 제목의 특징

좋은 제목의 특징은 논문의 주제와 메시지를 정확하고 완전하며 구체적으로 밝히는 동시에 분명하고 간결하며 중요한 용어로 시작한다는 것이다.

정확하고 완전하며 구체적임

제목을 정확하게 만들려면 논문에 사용된 것과 동일한 핵심용어를 제목에서 사용해야 한다. 제목을 완전하게 만들려면, 필요한 모든 정보가 제목에 포함되어야 한다(앞에서 언급된 "가설검증논문에 사용되는 제목의 내용"과 "기술논문에 사용되는 제목의 내용", "방법논문에 사용되는 제목의 내용" 참조). 제목을 구체적으로 만들려면 구체적인 어휘를 사용하라. 제목에 사용된 용어는 색인과 검색을 위한 색인용 용어로 사용될 수 있어야 한다.

정확성

가설검증논문의 경우에는 질문과 대답에 제목을 비교함으로써 정확성을 확인해야 한다. 제목에 실린 독립변수와 종속변수, 동물이나 실험군, 대상, 실험군의 상태(필요한 경우), 실험적 접근방법(필요한 경우) 및 메시지(기술된 경우)는 서론과 고찰, 초록에 기술된 질문 및 대답에 포함된 내용과 동일해야 한다.

예문 11.19

제목: Neutrophil-Induced Injury of Epithelial Cells in the Pulmonary Alveoli of Rats

질문: To determine whether the injury of epithelial cells in the pulmonary alveoli that occurs in many inflammatory conditions is induced in part by stimulated neutrophils, we exposed monolayers of purified alveolar epithelial cells from rats to stimulated human neutrophils and measured cytotoxicity using a 51Cr-release assay.

대답: We conclude that stimulated neutrophils induce injury in epithelial cells in the pulmonary alveoli.

기술논문의 경우, 제목에서 구조와 기능에 사용된 용어는 서론과 고찰에 기술된 메시지(또는 메시지와 내포)에 사용된 것과 동일해야 한다.

예문 11.20

제목: ARC, an Inhibitor of Apoptosis Expressed in Skeletal Muscle and Heart that Interacts Selectively with Caspases

서론: We have identified and characterized a human cDNA encoding an apoptosis repressor with a CARD (ARC) that is expressed in skeletal muscle and heart. ARC interacts selectively with caspases and functions as an inhibitor of apoptosis.

방법논문의 경우, 제목에 실린 방법의 이름과 목적, 동물이나 실험군(포함되었을 경우)은 서론과 고찰, 초록에 실린 내용과 동일해야 한다.

예문 11.21

제목: A Method for Purifying the Glycoprotein IIb-IIIa Complex in Platelet Membrane

초록: We have developed a method for the rapid purification of the glycoprotein IIb-IIIa complex in platelet membrane.

완전성

두 개의 메시지를 지닌 논문에서는 제목을 완전하게 만들기가 쉽지 않다. 두 개의 메시지를 반영하는 제목을 만들기 어려울 경우 제목을 위해 가장 중요한 메시지를 선택하라. 마찬가지로 여러 개의 독립변수를 조작하고 여러 개의 종속변수를 평가한 연구에서 이들을 모두 포함하는 범주형 용어가 없을 경우에는 제목을 위해 가장 중요한 독립변수와 종속변수를 선택하도록 하라. 초록이 논문을 대신할 수 없는 것과 마찬가지로 제목이 초록을 대신할 수 없다는 점을 염두에 두라. 논문의 모든 변수를 제목에 끼워 맞추는 것보다는 주요 변수만을 알리는 것이 더욱 강력하다.

구제성

가장 흔히 제목을 추상적으로 만드는 두 단어는 바로 "and"와 "with"이다. "And"는 "Cardiovascular and Metabolic Effects of Halothane in Normoxic and Hypoxic Newborn Lambs."와 같이 대구되는 용어를 결합시키기 위해 사용된 경우에는 아무런 문제가 없다. 그러나, "and"가 표준 형식인 "Effect of X on Y in Z" 대신에 "X and Y in Z"의 형식으로 독립변수와 종속변수를 연결시키는데 사용되면 문제가 된다. 이 경우의 문제점은 "and"가 X와 Y간의 관계를 반영하지 못한다는데 있다.

예문 11.22

Airway Caliber and the Work of Breathing in Humans

이 제목은 구체적이지 못하다. "airway caliber"와 "the work of breathing in humans"의 관계가 도대체 무엇인가? 표준 형식인 "Effect of X on Y in Z"의 형태로 교정하면 제목이 구체적이 된다.

교정문

Effect of Airway Caliber on the Work of Breathing in Humans

제 1 장의 "어휘 선택"에서 공부한 바와 같이 "with"는 구체적이지 않기 때문에 명료하지 않은 경우가 많다. 따라서, "compared with"나 "measured with", "supplemented with"와 같이 특정 동사와 결부되어 표준적으로 사용되는 경우가 아니라면 가능한 "with"의 사용을 피해야 한다.

예문 11.23

Bronchoconstriction, Gas Trapping, and Hypoxia with Methacholine in Dogs

이 예문에서는 metacholine과 bronchoconstriction, gas trapping, hypoxia와의 관계가 분명하지 않다. 해결책은 "with"를 좀더 구체적인 단어로 바꾸는 것이다.

교정문

Bronchoconstriction, Gas Trapping, and Hypoxia Induced by Methacholine in Dogs

명확성

제목을 명확하게 만들려면 문장 구조와 어휘 선택에 관한 원칙을 따르라. 특별히, 명사의 과도한 연결을 피하고(연습문제 2.2, 예문 4) 약어를 사용하지 말라. 제목에 약어를 사용하지 않는 이유는 제목이 문맥 속에서, 예를 들어 Index Medicus에서 제목이 죽 나열된 속에서 읽혀지는 경우가 많기 때문이다. 따라서, 어떤 약어가 해당 전문분야에서 잘 알려진 것이라 하더라도 다른 전문분야의 독자에게는 혼란을 줄 수 있다.

예문 11.24

Quantification of the Effect of the Pericardium on the LV Diastolic PV Relation in Dogs

교정문

Quantification of the Pericardium' s Effect on the Left Ventricular Diastolic Pressure-Volume Relation in Dogs

교정문에서는 LV와 PV의 원래 용어를 위한 공간을 확보하기 위해 "effect of the pericardium"이 "pericardium' s effect"로 압축되었다. 교정된 제목에는 약어가 없기 때문에 모든 독자에게 의미가 분명하다. 본래의 제목은 해당 분야의 사람에게만 효과가 있다.

제목에는 두 종류의 약어가 사용 가능하다. 한 종류는 DNA(deoxyribonucleic acid)와 같이 본래 단어보다 약어가 더 잘 알려진 경우이며, 다른 한 종류는 N_2O_5(dinitrogen pentoxide)와 같은 화학물질의 약어다. 그렇지만, 이런 경우에도 공간이 허용된다면 원래의 용어를 사용하는 것이 바람직하며 특별히 "oxygen"과 같이 짧고 친숙한 단어의 경우 더욱 그러하다. 또한, 예문 11.10-11.12 및 11.20과 같이 약어가 정의된 경우에는 제목에 약어를 사용해도 좋다.

만약, 약어의 의미가 명쾌한가를 확신할 수 없다면 원래의 용어를 사용하라.

간결성

짧은 제목은 긴 제목보다 큰 효과를 가져오며, 따라서 정확성과 완전성, 구체성 및 명료성을 훼손하지 않는 범위 내에서 가능한 제목을 짧게 만들어야 한다. 즉, 제목은 간결해야 한다. 때로는 꼭 필요한 정보를 모두 포함시키는 것만으로 제목이 상당히 길어질 수도 있다. 그렇지만 제목을 이루는 글자와 띄어쓰기 공간의 수가 총 100개가 넘지 않도록 하라(최대 120개를 넘어서는 안 된다). 긴 제목은 스스로의 무게 때문에 붕괴되기 시작한다. 어떤 저널은 그보다 훨씬 엄격한 제한을 두지만, 저널의 제한이 무엇이건 간에 허용된 공간을 채우는 것이 목적이 아니라는 점을 염두에 두어야 한다. 우리의 목적은 논문의 주제나 메시지를 정확하고 완전하며, 구체적이고 분명하게 전달하는 것이다. 이런 기준을 충족시키는 짧은 제목을 고안해낼 수 있다면 그렇게 하라.

제목을 간결하게 만드는 두 가지 방법은 불필요한 단어를 생략하고 필요한 단어를 최대한 촘촘하게 압축시키는 것이다.

불필요한 단어의 생략

"Nature of" 나 "Studies of" 와 같이 추상적인 서두를 생략하라.

예문 11.25

Pharmacokinetic Studies of the Disposition of Acetaminophen in the Sheep Maternal-Placental-Fetal Unit

이 예문에서는 "pharmacokinetic studies of" 가 불필요하다. "disposition" 만으로 개념을 전달할 수 없다면 "pharmacokinetics" 와 같이 더 정확한 용어를 사용할 수 있다.

교정문

Disposition of Acetaminophen in the Sheep Maternal-Placental-Fetal Unit

제목의 다른 곳에 있는 추상적인 단어를 생략하라.

예문 11.26

Alterations Induced by Administration of Chlorphentermine in Phospholipids and Proteins in Alveolar Surfactant

교정문 A

Alterations Induced by Chlorphentermine in Phospholipids and Proteins in Alveolar Surfactant

교정문 B

Chlorphentermine-Induced Alterations in Phospholipids and Proteins in Alveolar Surfactant

보통은 제목 앞의 "the"를 생략해도 좋다. "the"는 "the effect of"나 "the distribution of"와 같은 구(句) 앞에 정상적으로 올 수 있지만, 이런 구(句)가 제목의 앞머리에 올 때는 예문 11.25의 교정문처럼 생략할 수 있다("Disposition of").

그러나, 제목의 앞머리가 아닌 곳에 있는 단수형 명사 앞의 "the"를 생략해서는 안 된다.

예문 11.27

Dynamics of Chest Wall in Preterm Infants

교정문

Dynamics of the Chest Wall in Preterm Infants

필요한 단어의 압축

불필요한 단어를 생략하는 것 외에도 제목을 간결하게 만들기 위해 적어도 세 가지 압축 기법을 사용할 수 있다.

범주형 용어. 한 가지 중요한 압축 기법은 세부사항 대신 범주형 용어를 사용하는 것이다. 범주형 용어의 사용은 구체적인 단어를 사용하라는 지침과 상충되는 것처럼 보일 수도 있다. 그러나 예문 11.28이 보여주는 바와 같이 너무 구체적인 것도 바람직하지 않다.

예문 11.28

Electron Microscopic Demonstration of Lysosomal Inclusion Bodies in Lung, Liver, Lymph Nodes, and Blood Leukocytes of Patients with Amiodarone-Induced Pulmonary Toxicity

네 가지 조직을 언급함으로써 이 제목은 나무를 보여주긴 하지만 숲을 가리고 있다. 논문의 텍스트는 "lysosomal inclusion bodies"가 "lung"에 존재한다는 것이 이미 보고되어 있고 이 연구의 메시지는 "extrapulmonary tissues"에도 존재한다는 점을 분명히 밝히고 있다. "liver, lymph nodes, and blood leukocytes"를 범주형 용어인 "extrapulmonary tissues"로 대체하고 "lung"을 생략하면 숲을 볼 수 있게 된다.

교정문

Electron Microscopic Demonstration of Lysosomal Inclusion Bodies in Extrapulmonary Tissues of Patients with Amiodarone-Induced
Pulmonary Toxicity

범주형 용어가 없을 경우 제목을 위해 가장 중요한 변수를 선택하라(앞에 언급된 "완전성"을 참조하라).

형용사를 통해 메시지를 표현함. 다른 한 가지 압축 기법은 명사와 전치사 대신 형용사를 사용해 메시지를 표현하는 것이다. 예문 11.6에서는 "reduction in" 대신 "reduced"가 사용되었다.

명사 연결구. 세 번째 압축 기법은 전치사구 대신 명사 연결구를 사용하는 것이다. 이 기법은 주의 깊게 사용해야 제목이 불분명해지는 것을 피할 수 있다(앞에 언급된 "명확성"을 참조하라).

독해에 심각한 장애를 초래하지 않으면서 명사 연결구를 만드는 한 가지 방법은 연구한 동물의 이름을 제목의 마지막에 두는 것이 아니라 형용사로 언급하는 것이다.

예문 11.29

Renal Mechanism of Action of Rat Atrial Natriuretic Factor

이 제목을 더 길게 쓰는 방법은 "Renal Mechanism of Action of Atrial Natriuretic Factor in Rats."가 될 것이다. 이렇게 길게 만든 제목은 좀더 명료하며 연구한 동물을 강조해주기 때문에 "in rats"를 쓸 수 있는 공간이 있다면 그렇게 하라.

중요한 단어 먼저

독자의 흥미를 유발하기 위해서는, 제목에 중요한 단어를 먼저 배치하라. 독립변수와 종속변수가 모두 있는 연구의 제목을 고안할 때는 염두에 둔 독자가 가장 흥미롭게 느끼는 바에 따라 독립변수 또는 종속변수가 가장 중요한 단어가 될 수 있다. 예를 들어, 예문 11.30과 11.31에서는 마취과의사가 대상일 경우 "halothane anesthesia"(독립변수)를 가장 먼저 배치하는 것이 적절할 것이며, 신생아전문의(neonatologist)가 대상이라면 "impaired pulmonary function"(종속변수)를 먼저 배치하는 것이 좋을 것이다.

예문 11.30

Halothane Anesthesia Impairs Pulmonary Function in Newborn Lambs

예문 11.31

Impaired Pulmonary Function in Newborn Lambs Anesthetized with Halothane

부제목

중요한 단어를 앞에 두는 기법에서는 주제목이 나온 뒤에 부제목이 뒤따르며 이때 주제목은 일반적인 주제를, 부제목은 구체적인 주제를 기술한다. 콜론(:)에 의해 주제목과 부제목이 구별된다는 점에 유의하라.

예문 11.32 대상 : 연구한 변수

Human Apolipoprotein B: Structure of the Carboxyl-Terminal Domains and Sites of Gene Expression

부제목과 주제목의 관계. 부제목에 실린 구체적 주제는 주제목의 일반적 주제와 다양한 관계를 맺을 수 있다. 한 가지 가능한 관계는 위의 예문 11.32와 같이 주제목이 연구한 대상을 기술하고 부제목이 종속변수를 기술하는 것이다. 이런 관계는 종속변수만이 있는 제목(Y in Z)에서 흔히 사용된다. 다른 한 가지 관계는 예문 11.33과 같이 주제목이 종속변수를 기술하고 부제목이 실험적 접근방법을 기술하는 것이다.

예문 11.33 연구한 변수 : 실험적 접근방법

Pulmonic Valve Endocarditis: A Serial Two-Dimensional Doppler Echocardiographic Study

이런 종류의 부제목에서는 콜론이 제목의 표준 형식에서 등장하는 전치사를 대신한다. 표준 형식의 제목으로 재구성하려면, 부제목으로 시작한 뒤에 적절한 전치사를 첨가하고 주제목으로 마치면 된다. 예문 11.33의 경우 제목의 두 부분을 결합시켜 주는 전치사는 "of" 다. "A serial Two-Dimensional Doppler Echocardiographic Study of Pulmonic Valve Endocarditis".

부제목과 주제목 사이에 가능한 또 하나의 관계는 주제목이 구조를, 부제목이 기능을 기술하게 하는 것이다(예문 11.11과 11.34).

예문 11.34 변수: 기능

Angiotensin II: A Potent Regulator of Acidification in the Early Proximal Convoluted Tubule of the Rat

이 예문에서는 콜론이 동사 "is" 를 대신하고 있으며, 따라서 예문 11.34에서 부제목이 사용되지 않았다면 제목은 "Angiotension II Is a Potent Regulator of Acidification in the Early proximal Convoluted Tubule of the Rat." 이 될 것이다.

주제목과 부제목의 관계가 무엇이든 간에 부제목 사용의 핵심 요소는 부제목과 주제목의 관계가 분명해야 한다는 점이다. 즉, 콜론이 대치하고 있는 전치사나 동사를 독자가 쉽게 간파할 수 있어야 한다.

논문 시리즈에 사용되는 부제목. 어떤 저자는 번호가 부여된 논문 시리즈를 제시할 때 부제목을 사용한다.

예문 11.35 시리즈

Morphology of the Rat Carotid Sinus Nerve: I. Course, Connections,

Ultrastructure
Morphology of the Rat Carotid Sinus Nerve: II. Number and Size of Axons

논문들이 같은 저널에 출판되었고(가능하면 같은 저널의 같은 호) 절대로 하나의 논문으로 묶일 수 없다면 예문 11.35와 같이 번호가 부여된 부제목도 괜찮다. 그러나, part I만이 출판되었다면 part II가 출판되지 않을 가능성은 언제나 있다. 출판되더라도 그 논문은 part I과 동일한 저널에 실려야 한다. 따라서, 가장 안전한 정책은 번호가 부여된 논문 시리즈를 시작하지 않는 것이다.

부제목의 사용. 일반적으로, 표준 형식의 제목은 구(句)이건 문장이건 간에 부제목이 있는 제목보다 명료하며 이는 부제목이 사용되면 부제목과 주제목을 연결하는 중요한 고리가 생략되기 때문이다. 그러므로, 부제목의 사용은 피해야 한다. 중요한 단어를 앞에 둘 수 있는 가장 좋은 방법이 될 때만 부제목을 사용하라.

세부사항

어휘 선택

제목에 메시지를 기술할 때는 정량적인 어휘를 수식하는 형용사와 정성적인 어휘를 수식하는 형용사를 구분해야 한다. “increased” 나 “decreased”, “reduced” 는 예문 11.6의 “metabolic rate” 와 같은 정량적인 어휘를 수식하는데 사용해야 한다. 반면에, “improved” 나 “impaired” 는 정성적인 어휘, 즉 기능이나 수행능력과 같이 개선되거나 악화될 수 있는 개념을 지칭하는 어휘에 사용되어야 한다. 예를 들면 다음과 같다. “Improved Regional Ventricular Function after Successful Surgical Revascularization.” 예문 11.31을 참조하라.

제목 길이의 결정

제목 길이를 결정할 때는 글자와 글자 사이의 띄어쓰기 공간을 모두 계산해야 하며, 이 때 “글자” 는 문자와 구두점을 모두 포함하는 범주형 용어다. 문자와 구두점과 띄어쓰기 공간을 각각 1로 계산하되 콜론 뒤의 띄어쓰기 공간은 2로 계산하라. 예를 들어, “Human Apolipoprotein B: Structure of the Carboxyl-Terminal Domains and Sites of Gene Expression” 에는 총 96개의 글자와 띄어쓰기 공간이 있다.

난외표제(Running Titles)

난외표제란 저널의 각 페이지 또는 한 페이지 걸러 한 번씩 페이지의 맨 위나 아래에 등장하는 짧은 구(句)를 말한다. 난외표제의 목적은 논문을 확인시켜주는 것이며 어떤 저널은 저자의 이름을 대신 사용하거나 한 페이지씩 번갈아 사용한다.

저널 페이지의 위나 아래의 공간이 제한되어 있기 때문에 난외표제는 제목보다 짧아야 한다.

난외표제는 제목의 축소 버전이라는 점을 알 수 있어야 하고 제한된 공간에 알맞게 짧아야 한다.

가설검증논문

가설검증논문의 경우, 난외표제는 보통 독립변수와 종속변수를 포함하지만 동물은 포함하지 않는다.

예문 11.36

제목: Locus of Hypoxia-Induced Vasoconstriction in Isolated Ferret Lungs

난외표제: Locus of Hypoxia-Induced Vasoconstriction

제목의 앞머리를 항상 난외표제에 쓸 수 있는 것은 아니다. 때로는 중간에서 구(句)를 집어내야할 때도 있다(예문 11.37).

예문 11.37

제목: Three-Dimensional Reconstruction of Alveoli in the Rat Lung for Pressure-Volume Relationships

난외표제: Reconstruction of Alveoli in the Rat Lung

또 하나의 가능성은 제목에서 단어를 골라낸 뒤 동일한 순서를 유지하면서 새로운 구(句)를 만드는 것이다(예문 11.38).

예문 11.38

제목: Cooling Different Body Surfaces during Upper and Lower Body Exercise
난외표제: Cooling during Exercise

난외표제를 만드는 또 다른 방법은 중요한 핵심용어, 보통 독립변수와 종속변수를 선택해서 "and"로 결합시키는 것이다. 제목에 "and"를 이런 방식으로 사용해서는 안되지만("구체성" 참조) 이 페이지가 앞 페이지와 동일한 논문이라는 점을 확인시켜주는 것이 유일한 목적인 난외표제에서는 문제될 것이 없다.

예문 11.39

제목: Influence of the Pericardium on Right and Left Ventricular Filling in the Dog
난외표제: Pericardium and Ventricular Filling

기술논문

기술논문의 경우 난외표제는 구조와 기능에 대해 간략하게 언급한다.

예문 11.40

제목: *Ich-1*, an Ice/ced-3-Related Gene, Encodes Both Positive and Negative Regulators of Programmed Cell Death
난외표제: Ich-1 Encodes Regulators of Programmed Cell Death

방법논문

방법논문의 경우 난외표제에는 방법이나 방법과 동물 또는 실험군이 사용될 수 있으며(예문 11.41), 방법의 이름이나 범주형 용어, 목적에 관한 간결한 진술이 모두 포함될 수 있다(예문 11.42).

예문 11.41

제목: Endotracheal Flowmeter for Measuring Tidal Volume, Airway Pressure, and End-Tidal Gas in Newborns

난외표제: Endotracheal Flowmeter for Newborns

예문 11.42

제목: An Improved Method for Isolating Type II Cells in High Yield and Purity

난외표제: Improved Method for Isolating Type II Cells

제목을 위한 가이드라인

역할

논문의 주요 주제나 메시지를 밝히고, 독자의 흥미를 끄는 것.

가설검증논문 제목의 내용

다음 정보가 포함되어야 한다:

독립변수(X).

종속변수(Y).

동물이나 실험군, 대상(Z).(실험군이 모두 인간일 경우 실험군을 생략할 수 있다).

필요한 경우, 다음을 포함시켜라.

연구 기간 중 동물이나 피험자의 상태

실험적 접근방법

주제나 메시지를 기술하라.

주제를 기술할 때는 "Effect of X on Y in Z" 나 "Y during X in Z" 의 형식을 사용하고 독립변수가 없는 경우 "Y in Z" 의 형식을 사용하라.

메시지를 기술할 때는,

종속변수 앞에 형용사나 명사(또는 형용사와 명사)를 통해 메시지를 표현하는 구(句)를 사용하거나,

현재시제의 동사를 통해 메시지를 표현하는 문장을 사용하라.

기술논문 제목의 내용

다음 정보가 포함되어야 한다.

구조.

기능.

기능은 다음과 같이 기술하라.
동격어(쉼표 뒤에).
소제목(콜론 뒤에).
문장의 나머지(동사 및 보어군).

방법논문 제목의 내용

다음 정보가 포함되어야 한다.
방법이나 장비, 대상(material)의 이름 또는 범주.
목적.
방법이 사용된 동물 또는 실험군(실험군이 모두 인간이거나 인간 및 기타 동물일 때 제외).
방법이 새로운 것이더라도 보통 제목에 "new"를 첨가할 필요는 없다.
방법이 개선된 것이라면 제목에 "improvements"나 "improved"가 포함되어야 한다.

좋은 제목의 특징

좋은 제목은 논문의 주제와 메시지를 정확하고 완전하며 구체적으로 밝힌다.
정확성을 위해서는
가설검증논문의 경우 질문과 대답에 사용된 것과 동일한,
기술논문의 경우 메시지 또는 메시지와 내포에 사용된 것과 동일한,
방법논문의 경우 방법의 이름과 목적, 논문에 기술된 동물 또는 실험군에 사용된 것과 동일한
핵심용어를 사용해야 한다.

완전성을 위해서는, 필요한 모든 정보를 포함시키라(앞에서 언급된 "내용" 참조).
구체성을 위해서는,
색인용 용어가 될 수 있는 구체적인 용어를 사용하라.
"X and Y in Z" 형식을 사용하지 말라.
"with"의 사용을 피하라.
좋은 제목은 명확하다.
명사 연결구를 피하라.
약어를 사용하지 말라. 예외: 본래 단어보다 약어가 더 잘 알려진 경우, 화학공식, 제목에서 정의된 약어.
좋은 제목은 간결하다.
제목은 최대한 간결해야 하며, 가능한 문자와 띄어쓰기 공간의 수가 총 100개가 넘

지 않아야 한다.

불필요한 단어를 생략하라.

"Studies of"와 같은 추상적인 서두를 생략하라.

기타 모호하고 무의미한 단어를 생략하라.

제목 앞의 "the"는 보통 생략한다.

필요한 단어는 압축하라.

여러 세부사항 대신 하나의 범주형 용어를 사용하라.

메시지를 표현할 때는 명사와 전치사 대신 형용사를 사용하라(예를 들어, "alteration in" 대신 "altered").

모호하지 않다면 명사구를 사용하라(예를 들어, "rat lung").

좋은 제목은 의도한 독자의 주의를 끌 수 있는 중요한 단어로 시작한다.

가설검증논문의 경우, 보통 독립변수나 종속변수가 가장 중요한 단어가 된다.

필요한 경우, 주제목(가장 중요한 단어)을 쓰고 콜론 뒤에 부제목을 쓰라.

주제목은 논문의 전반적인 주제를 기술한다.

부제목은 구체적인 주제를 기술한다.

주제목과 부제목의 관계가 분명해야 한다: 콜론이 대신하고 있는 전치사나 동사는 독자가 쉽게 간파할 수 있는 것이어야 한다.

번호가 부여된 논문 시리즈를 시작하지 말라.

세부사항

"metabolic rate"와 같은 정량적인 어휘를 수식할 때는 "increased"나 "decreased"를 사용하라.

"function"과 같은 정성적인 어휘를 수식할 때는 "improved"나 "impaired"를 사용하라.

제목의 길이를 결정할 때는, 문자와 구두점, 띄어쓰기 공간을 각각 1로, 콜론 뒤의 띄어쓰기 공간을 2로 계산하라.

난외표제(Running titles)

난외표제란 저널의 각 페이지 또는 한 페이지 걸러 한 번씩 페이지의 맨 위나 아래에 등장하는 짧은 구(句)를 말한다.

난외표제는 제목의 축소 버전이라는 점을 알 수 있어야 한다.

가설검증논문의 경우,

제목에서 핵심용어, 보통은 독립변수와 종속변수를 선택해서 난외표제를 만들며, 동물은 보통 생략된다.

난외표제에 등장하는 단어는 제목과 순서가 동일해야 한다.

필요하다면 "X and Y" 형식을 난외표제에 사용하라.
기술논문의 경우, 구조를 명명한 뒤 기능에 관한 간략한 기술을 첨가하라.
방법논문의 경우, 난외표제는 다음 중 하나를 기술해야 한다.
방법의 이름.
방법의 이름과 동물 또는 실험군.
방법의 이름과 목적.

연습문제 11.1: 제목

1. 다음 세 초록에 각각에 해당하는 제목을 작문하라.
2. 처음 두 초록에는 난외표제도 작문하라.
3. 가설검증논문의 초록에는 질문과 대답에, 기술논문의 초록에는 메시지와 내포에 밑줄치라.

Abstract 1 (Hypothesis-Testing Paper)

*A*Continuous positive airway pressure (CPAP) is used routinely to improve oxygenation in newborns who have intrapulmonary shunts, which result in hypoxemia that is refractory to usual oxygen therapy. *B*Although the cardiovascular and pulmonary effects of CPAP on newborns are well known, little information is available concerning the effect of CPAP on renal function in newborns. *C*Accordingly, we determined the effect of CPAP (7.5 cm H_2O) on urine flow, sodium excretion, and glomerular filtration rate in six newborn goats that were lightly anesthetized with methoxyflurane. *D*We found that CPAP decreased urine flow, sodium excretion, and glomerular filtration rate. *E*CPAP also decreased pulse pressure but did not change mean systemic arterial pressure or heart rate. *F*We conclude that CPAP can impair renal function in newborns without significantly altering renal perfusion pressure.

Journal of Pediatrics

제목: 글자와 띄어쓰기 공간의 수를 100개 미만으로.

난외표제: 글자와 띄어쓰기 공간의 수를 55개 미만으로.

Abstract 2 (Descriptive Paper)

*A*Wing formation in Drosophila requires interactions between dorsal and ventral cells. *B*We describe a new gene, fringe, which is expressed in dorsal cells and encodes for a novel protein that is predicted to be secreted. *C*Wing margin formation and distal wing outgrowth can be induced by the juxtaposition of cells with and without fringe expression, whether at the normal wing margin, at the boundaries of fringe mutant clones in the dorsal wing, or at sites of fringe misexpression in the ventral wing. *D*By contrast, both loss of fringe expression and uniform fringe expression cause wing loss. *E*These observations suggest that fringe encodes a boundary-specific cell-signaling molecule that is responsible for dorsal cell-ventral cell interactions during wing development.

(Cell)

제목: 이 저널에는 제한이 없다.

난외표제: 글자와 띄어쓰기 공간의 수를 50개 미만으로.

Abstract 3 (Hypothesis-Testing Paper)

*A*In mice, the inhalation of airplane glue or toluene fumes slows the sinoatrial rate, prolongs the P-R interval, and sensitizes the heart to asphyxia-induced atrioventricular block. *B*In humans who sniff glue or solvents, similar mechanisms may be a cause of sudden death.

Science

제목: 글자와 띄어쓰기 공간의 수를 100개 미만으로.

제12장 큰 그림

제 10 장과 11장에서 우리는 생의학 논문의 초록과 제목이 논문의 메시지와 줄거리에 관해 명쾌한 개요를 제시해야 한다는 사실을 공부했다. 논문을 쓸 때 극복해야 할 난관은 개요를 명쾌하게 제시하는 동시에 필요한 모든 세부사항을 전달해야 한다는 점이다.

이 책의 앞부분에서 메시지와 줄거리를 명쾌하게 만드는 모든 기법이 소개되었다. 여기에서 우리는 이를 집대성한 점검표를 만들고자 한다. 이 점검표는 가설검증논문에 초점이 맞추어져 있다.

큰 그림을 위한 점검표

목표

논문의 메시지와 줄거리를 기술하면서 동시에 필요한 모든 세부사항을 전달하는 것. 즉, 숲을 가리지 않으면서 나무를 보여주는 것이다.

메시지

논문의 메시지(질문에 대한 대답)는 한 문장에 기술하라.

대답에 대한 모든 기술이 동일해야 한다.

질문에 대한 모든 기술이 동일해야 한다.

대답이 제기한 질문의 답이 되어야 한다: 동일한 핵심용어와 동일한 동사, 동일한 관점을 사용하라.

줄거리

줄거리를 논문에 엮어 넣으라. 줄거리는 다음과 같이 네 부분으로 구성된다:

질문

질문에 대답하기 위해 수행한 실험

발견한 결과(질문에 대한 대답이 되는)

내납

또한, 줄거리에는 다음 내용이 포함된다.

질문과 대답이 앞서 연구된 내용과 어떻게 일맥상통하는지.

질문과 대답이 왜 중요한지.

서론의 줄거리는 질문으로 연결되는 깔때기다. 알려진 사실과 알려지지 않은 사실이 질문으로 좁혀지고, 실험적 접근방법이 나온다. "알려진 사실"에는 질문이 앞서 연구된 내용과 어떻게 연결되며 왜 중요한지에 관한 내용이 포함된다.

대상 및 방법의 줄거리는 질문에 대답하기 위해 수행한 실험이다.

모든 실험이 미리 디자인되는 연구의 경우, 연구디자인 서브섹션이 실험의 개요를 전달하며 다음과 같은 내용을 포함한다

독립변수

종속변수

모든 대조상태(controls)

하나의 실험의 결과가 다음 실험을 결정하는 연구의 경우, 대상 및 방법 섹션은 요리책과 같으며, 실험의 줄거리는 결과 섹션에서 주어진다.

두 종류의 연구 모두에서 대상 및 방법 섹션에서 각 절차의 목적을 기술하는 것은 해당 절차가 질문에 대답하는 것에 어떻게 도움이 되는지를 지적하기 위해서다.

소제목은 서브섹션의 주제를 시각적으로 알리며, 서브섹션과 단락 앞부분의 주제문과 연결구 및 연결절은 주제를 문자적으로 알린다.

결과 섹션의 줄거리는 발견한 결과(질문에 대한 대답이 되는)다.

모든 실험이 미리 디자인되는 실험의 경우, 분명하게 기술된 결과(섹션의 앞부분과 각 단락의 앞부분)는 줄거리를 전개한다.

단락 앞부분의 주제문과 연결구, 연결절은 소주제를 알린다.

하나의 실험이 다음 실험을 결정하는 연구의 경우 줄거리에서 네 부분이 반복되는 패턴을 보인다:

질문

실험

결과

대답

"We found"는 결과의 등장을 알린다.

고찰 섹션의 줄거리는 세 부분으로 이루어진다:

시작부는 질문에 대한 대답을 기술하고 이를 뒷받침하는 증거를 제시한다.

중간부는 대답을 설명함으로써 대답이 앞서 수행된 연구와 어떻게 일맥상통하는지를 지적한다.

결말부는 대답을 다시 기술하거나 추천, 응용, 내포, 추측을 기술함으로써 대답의

중요성을 지적하거나 두 가지 모두를 수행한다.

모든 단락 앞부분의 주제문은 연결어휘나 연결구, 연결절, 핵심용어의 반복 및 기타 연속성을 유지하는 기법들과 함께 또는 단독으로 고찰의 줄거리를 전개한다.

대답을 알리는 신호는 고찰의 시작부와 결말부 모두에서 대답의 등장을 알려 준다.

각 단락의 개별 줄거리의 경우, 뒷받침문들이 주제문을 뒷받침하도록 조직되어 있으며 조직 방법은 연속성을 유지하는 기법을 통해 지적된다.

논문의 모든 섹션에서,

- 도움이 된다면 중요도 순으로 글을 조직하라(보통 고찰 섹션에서. 적절한 경우 방법 및 결과 섹션에서도).
- 가능한 모든 경우에서 주제문을 이용해 개요를 기술하라.
- 모든 단락의 첫 한두 문장을 읽는 것만으로 줄거리가 드러나는지 확인하라.
- 그림과 표가 논문의 줄거리를 전개하고 있는지 확인하라.
- 그림과 표를 단순하고, 논점이 드러나도록 디자인하라.
- 모든 그림과 모든 표의 디자인이 가능한 대구를 이루도록 하라.
- 가능하다면, 논문의 주요 줄거리는 그림을 통해, 배경 정보는 표를 통해 제시하라.
- 그림과 표의 수는 최대한 적게 유지하라.

상관관계

텍스트는 앞뒤가 맞아야 한다.

반드시

서론에 질문이 없으면 고찰에도 대답이 없어야 한다.

결과 섹션에 결과가 없으면 고찰에도 대답이 없어야 한다.

방법 섹션에 방법이 없으면 결과 섹션에도 결과가 없어야 한다.

질문에 등장하는 독립변수와 종속변수 또는 이들 변수의 지표가 방법 및 결과, 고찰 섹션에서 접하게 되는 것과 동일해야 한다. 하나의 지표가 사용되었다면 그 지표의 변수가 기술되어야만 한다.

서론과 방법, 결과, 고찰 섹션에 등장하는 일련의 변수들은 같은 순서를 유지해야 한다.

서론이 일반적인 문제점으로 시작하고 고찰이 내포로 마쳐진다면, 고찰의 내포는 서론의 문제점과 연관이 있어야 한다.

핵심용어는 논문 전체에 걸쳐 동일해야 한다.

그림과 표는 텍스트와 일치해야 한다.

그림과 표의 모든 변수는 방법 및 결과 섹션에 있어야 한다.

변수를 명명하는 핵심용어는 그림과 그림 범례, 표 및 텍스트에서 모두 동일해야 한다.

텍스트에서 다시 기술된 값은 그림과 표의 데이터와 동일해야 하며, 측정단위도 같아야 한다.

그림과 표는 텍스트에서 그림과 표가 보여주리라고 말한 내용을 보여주어야 한다.

참고문헌의 경우,

텍스트의 모든 참고문헌이 참고문헌목록에 있어야 한다

참고문헌 목록의 모든 참고문헌이 텍스트에 있어야 한다.

참고문헌의 내용과 저자가 참고문헌에 담겨있다고 주장하는 내용이 일치해야 한다.

초록은 논문을 정확하게 반영하면서 동시에 초록만으로도 내용을 이해할 수 있어야 한다.

초록의 질문은 서론의 질문과 동일해야 한다.

초록의 대답은 고찰 섹션의 대답과 동일해야 한다.

초록의 실험적 접근방법과 실험적 세부사항은 서론과 방법 섹션에 있는 내용과 동일해야 한다.

초록의 결과와 데이터는 결과 섹션과 그림, 표에 있는 내용과 동일해야 한다.

질문과 결과, 대답, 내포에는 반드시 이를 알리는 신호가 사용되어야 한다.

초록의 개요는 텍스트에 있는 개요와 동일해야 한다.

제목은 논문을 정확하게 반영해야 한다.

제목이 논문의 주제를 지적하고 있다면, 이 주제는 질문에 있는 것과 동일해야 한다.

제목이 질문에 대한 대답을 지적하고 있다면, 이 대답은 초록 및 고찰에 있는 대답과 동일해야 한다.

제목은 다음 내용을 포함해야 한다.

독립변수

종속변수

연구한 동물 또는 실험군

메시지(적절한 경우)

포함해야 할 중요한 정보

반드시 포함해야 할 중요한 정보는 다음과 같다.

질문(초록과 서론에서).

대답(초록과 고찰에서).

연구한 동물 또는 실험군, 연구된 분자, 세포주, 조직 및 장기.

제목에서.

초록에서.
질문 또는 실험적 접근방법에서(서론).
방법 섹션에서.
결과 섹션에서.
대답 또는 대답을 알리는 신호에서(고찰).
최소한 첫 번째 그림 범례에서.
최소한 첫 번째 표의 제목에서.
방법과 데이터 분석의 중요한 측면(방법 섹션에서).
연구디자인(모든 실험이 미리 디자인되는 연구의 방법 섹션 및 하나의 실험이 다음 실험을 결정하는 연구의 결과 섹션에서).
대답을 뒷받침하는지 여부와 상관없이 모든 적절한 결과(결과 섹션)와 뒷받침하는 데이터(그림, 표 및 텍스트). 결과에 대한 대안적 설명(고찰 섹션).
연구디자인의 결함, 방법상의 한계, 가정의 타당성에 대한 논의(방법 또는 고찰 섹션).
약어의 정의.
표와 텍스트에서 "±" 뒤에 나오는 값의 정의.
그래프의 오차 막대의 정의.
샘플 규모(n).
그림 범례와 표의 각주에서 텍스트를 참고하지 않고 그림이나 표를 이해하기에 충분한 정보.
중요한 참고문헌.

나무와 숲

불필요한 정보를 포함시키거나 정보를 불필요하게 반복하지 말라.
"잡음이 많을 수록, 메시지는 흐려진다."
텍스트와 그림, 표의 모든 정보가 질문 및 대답에 밀접하게 연결되는지 확인하라.
논문의 문장과 단락, 각 섹션을 간결하게 유지하라.
서론에서는,
구체적인 주제와 가깝게 시작하라.
문헌을 리뷰하지 말라.
깔때기형식을 이용해서 가능한 효율적으로 질문으로 좁혀나가라.
방법에서는,
이미 보고된 잘 알려진 방법의 세부사항은 생략하고, 대신 참고문헌을 인용하라.
보고되었지만 잘 알려지지 않은 방법의 경우, 참고문헌을 인용하는 것 외에 간략한 설명을 포함시키라.
결과에서는,
개요만을 제공하라.
그림과 표에서 제공된 데이터를 반복하지 말라.
그림과 표를 설명하는 별도의 문장을 생략하라.
모든 실험이 미리 디자인되는 연구에서는 방법을 설명하는 별도의 문장을 생략하라.
그림과 표에서는,
불필요한 그림과 표, 불필요한 데이터를 생략하라.
그림과 표 양쪽에 같은 데이터를 제시하지 말라.
고찰에서는,
서론을 반복하거나 새로운 서론을 쓰는 것으로 시작하지 말라.
결과를 요약하는 것으로 시작하지 말라.
옆으로 새는 주제를 포함시키지 말라.
참고문헌 목록에서는,
다른 사람의 연구를 인정하고 독자를 추가 정보원으로 이끌 기에 충분한 수의 참고문헌을 제공하라.
참고문헌의 수는 최대한 적게 유지하라.
초록에서는,
핵심적이지 않은 모든 세부사항과 데이터를 생략하라.
가능하다면 실제 값 대신 퍼센트 변화를 사용하라.
제목에서는, 필수적이지 않은 모든 단어와 세부사항을 생략하라.
약어의 사용을 피하라.
논문을 간결하고, 충실하며, 명쾌하게 만들라.

연습문제 12.1: 큰 그림

필요한 곳을 교정하고, 개요를 첨가하고, 다시 조직하고, 압축함으로써 메시지와 줄거리를 더 명쾌하게 만들라. 세부사항 때문에 길을 잃어서는 안 된다. 큰 그림(숲)에 초점을 맞추라.

1. 질문과 대답
  a. 질문에 관한 모든 기술은 동일해야 한다.

b. 대답에 관한 모든 기술은 동일해야 한다.
c. 대답이 제기한 질문에 답이 되는지 확인하라.
d. 질문과 대답에는 현재시제를 사용하라.

2. 연구한 동물 또는 실험군

연구한 동물이 논문의 모든 섹션에서 기술되고 있는지 확인하라(예를 들어, female sheep).

3. 서론

a. 질문을 교정하라.
b. 서론을 간략하게 만들라.
c. 최선의 출발점을 찾으라.
d. 빠진 정보를 추가하라.

4. 방법

a. 연구디자인

여기에 쓰여진 연구디자인은 수행된 실험과 관련해 요리책과 같은 세부사항을 많이 포함하고 있으며, 이러한 요리책과 같은 세부사항은 다른 서브섹션에 속하는 것이다. 교정된 연구디자인 서브섹션은 질문에 대답하기 위해 수행한 실험에 관한 간결한 개요를 제시해야 한다(하나의 짧은 단락).

개요를 쓰라. 간략하게 유지하되, 다음과 같은 내용을 포함시키라.

가한 조작
측정한 변수
모든 대조상태(controls)
하나의 실험의 구성요소
실험의 지속 기간
조작과 측정의 순서
목적이 불분명한 절차의 목적

b. 요리책

시간이 있으면 본래의 연구디자인(=방법 섹션의 단락 3-8)에서 생략한 세부사항에 대한 요리책을 써보라.

필요하다면 새로운 서브섹션을 만들라.
필요하다면 현재있는 요리책 서브섹션에 세부사항과 목적을 첨가하라.

c. 계산

최선의 조직 방법을 찾으라.
필요한 경우 주제문을 첨가하라.

d. 외과적 준비

시간이 있다면 외과적 준비에 관한 설명을 압축해서 간결하게 만들라(현재 길이의 1/3 정도로).

5. 결과
   a. 최선의 조직 방법을 찾으라(독립변수 순으로? 종속변수 순으로? 어떤 순서로?)
   b. 압축하라.
6. 그림과 표
   a. 그림 1과 2가 데이터에 적합하게 만들라.
   b. 그림 3을 명쾌하게 만들라.
   c. 데이터의 경향을 쉽게 볼 수 있도록 표 2를 다시 디자인하라.
   d. 아니면, 어떤 데이터를 그림에, 어떤 데이터를 표에 제시할 지 결정한 뒤 그에 따라 그림과 표를 다시 디자인하라.
7. 고찰

   단락 1
   - a. 대답을 알리는 신호를 사용하라.
   - b. 대답을 교정하라.
   - c. 문장 B를 문장 A에 더 밀접하게 연결하라.

   단락 3
   - d. 이 단락을 포함시킨 이유를 지적하라.

   단락 5
   - e. 신호와 대답을 교정하라.
   - f. 문장 H를 단락의 나머지 부분에 더 명쾌하게 연결시키라.
8. 초록
   a. 질문과 대답을 교정하라.
   b. 압축하라.
   c. 문장 I와 J를 포함시킨 이유를 지적하라.
9. 제목: 제목을 더 구체적으로 만들라.

CHANGES IN THE PULMONARY CIRCULATION DURING BIRTH-RELATED EVENTS

Abstract

[A]At birth, there is a rapid and dramatic decrease in pulmonary vascular resistance, allowing pulmonary blood flow to increase and oxygen exchange to occur in the lungs. [B]Many events are occurring simultaneously, and those responsible for this decrease in resistance are uncertain. *C*To determine whether ventilation and oxygenation of the fetal lungs could cause this decrease in resistance, we studied chronically instrumented, near-term sheep fetuses in utero. *D*In 16 fetuses, we measured vascular pressures and injected radionuclide-labeled microspheres to determine pulmonary blood flow. *E*We found that ventilation of the fetal lungs with a gas mixture that produced no changes in arterial blood gases caused a large but variable increase in pulmonary blood flow, to 401% of control, no change in pulmonary arterial pressure, and a doubling of left atrial pressure. *F*Thus, pulmonary vascular resistance fell dramatically, to 34% of control. *G*Oxygenation caused a modest further increase in pulmonary blood flow and a decrease in mean pulmonary arterial pressure, so that resistance fell to 10% of control. *H*Cord occlusion caused no further changes in vascular pressures or blood flow, so resistance remained similar to oxygenation levels (11% of control). *I*The fetuses appeared to fall into 2 groups with respect to their response to ventilation: 8 of the 16 developed near maximal increases in pulmonary blood flow during ventilation without oxygenation, and the other 8 developed an average of only 20% of the maximal increase in blood flow during ventilation. *J*We could find no differences in the 2 groups of fetuses to explain their different responses. *K*We conclude that the changes in pulmonary vascular resistance and blood flow that occur at birth can be achieved by in utero ventilation and oxygenation. *L*Moreover, much of the vasodilatory response can be achieved without an increase in fetal pO_2. *M*Investigating the metabolic differences between fetuses that do and do not respond to ventilation alone may help to define the metabolic processes involved in pulmonary vasodilation at birth.

Introduction

*A*In the circulation of both fetuses and newborns, the main role of the right ventricle is to deliver blood to the gas exchange circulation for uptake of oxygen and removal of carbon dioxide. *B*In the fetus, this delivery is achieved by virtue of the pulmonary vascular resistance being very high. *C*Right ventricular output is thus diverted away from the lungs and toward the placenta, through the ductus arteriosus (1-4). *D*Immediately at birth, as the lungs become the organ of gas exchange, pulmonary vascular resistance must fall dramatically, allowing pulmonary blood flow to increase and oxygen exchange to occur in the lungs. *E*If pulmonary vascular resistance does not fall, the syndrome of persistent pulmonary hypertension of the newborn occurs, often leading to death.

*F*Which of the many events that occur at birth are responsible for the normal decrease in pulmonary vascular resistance is not fully understood. *G*Three major events of the birth process that could be responsible are ventilation, or rhythmic gaseous distension, of the fetal lungs, oxygenation of the lungs, and occlusion of the umbilical cord. *H*Two of these events—ventilation and oxygenation—have been studied in acutely exteriorized fetal sheep. *I*Most of the studies suggested that oxygenation rather than ventilation of the fetal lungs is the major event responsible for the decrease in pulmonary vascular resistance (5-10). *J*However, the metabolic effects of acute anesthesia and surgery may have altered the pulmonary vascular response in these studies, because this response is considered to be at least partly mediated by vasoactive metabolites. *K*Although a change in oxygen or carbon dioxide concentration (11) or induction of a gas-liquid interface in the alveolus (12) each may directly affect pulmonary vascular resistance, production or inhibition of various metabolic agents probably plays a major role in the profound decrease in pulmonary vascular resistance at birth. *L*Alterations in concentration of bradykinins (10, 13), angiotensin (14, 15), acetylcholine (16), and histamine (17, 18) have all been investigated, but metabolites of arachidonic acid have been most extensively studied and are considered to be the principal agents involved. *M*Of the prostanoids, PGI_2 is the most potent pulmonary vasodilator and is produced in response to breathing (19) or mechanical ventilation (20, 21). *N*Conversely, leukotrienes are potent pulmonary vasoconstrictors (22-4), and inhibition of leukotriene synthesis dramatically augments pulmonary blood flow in fetal sheep (25).

*O*The purpose of this study was to determine whether the sequential exposure of the fetus to gaseous ventilation, oxygenation, and umbilical cord occlusion could decrease pulmonary vascular resistance to levels seen at birth. *P*To remove the superimposed effects of acute anesthetic and surgical stresses and of other components of the birth process, such as prenatal hormonal surges, labor, delivery, and cold exposure, we studied near-term fetal sheep in utero 2-3 days after surgery.

Materials and Methods

Animals

1 Sixteen fetal sheep were studied at 134.9 ± 1.2 (SD) days of gestation (term is about 145 days). The fetuses were of normal weight (3.6 ± 0.6 kg) and had normal blood gases (see Results) and hemoglobin concentrations (10.9 ± 1.6 g/dl) at the onset of the study.

Surgical Preparation

2 The surgical protocol has been described previously (4, 26). Briefly, the ewe underwent a midline laparotomy under spinal (1% tetracaine hydrochloride) and supplemental intravenous (ketamine hydrochloride) anesthesia. The fetus also received local anesthesia (0.25% lidocaine hydrochloride) for each skin incision. Through a small uterine incision, the fetal hind limbs were exposed individually and polyvinyl catheters were advanced to the descending aorta and inferior vena cava via each pedal artery and vein. Two catheters were also advanced into the main umbilical vein via a peripheral tributary localized from the same uterine incision. This incision was closed after placement of a large polyvinyl catheter in the amniotic cavity for zero pressure reference. A second uterine incision was then made over the left chest. A left lateral thoracotomy was performed and catheters were placed in the ascending aorta via the internal thoracic artery and directly in the pulmonary artery and left atrium using a needle-cannula assembly (27). An 8F multiple side-hole polyvinyl catheter was left in the pleural cavity for drainage. The thoracotomy was closed and a midline incision was made in the neck. The trachea was exposed and ligated proximally, and an endotracheal tube (4.5 mm ID) was inserted directly and advanced to the region of the carina. The tube was attached to two pieces of 12F polyvinyl tubing via a Y connector and filled with 0.9% NaCl solution. One piece of tubing was sealed and the other was connected to another piece of 12F tubing that was placed in the amniotic cavity, to allow free drainage of tracheal fluid postoperatively. The neck incision was closed. The umbilical cord was then located and a silicone rubber balloon occluder was placed around it, just distal to the abdomen. Antibiotics (400 mg of kanamycin sulfate and 1 million units of penicillin G potassium) were instilled in the amniotic cavity and 0.9% warmed saline was added to replace loss of amniotic fluid. The uterine incision was closed. All vascular catheters were filled with heparin sodium (1000 units/ml), sealed, and exteriorized along with the other tubing to the left flank of the ewe. The abdominal incision was closed in layers and the ewe was returned to the cage for recovery. Antibiotics (400 mg of kanamycin sulfate and 1 million units of penicillin G potassium) were administered intravenously to the ewe and into the amniotic cavity daily.

Study Design

3 Four experiments were performed in the sequence presented below. Each experiment was performed at least 15 minutes after pressures and blood gases had stabilized.

Control

4 The ewe was placed in a study cage and allowed free access to alfalfa pellets and water. During all 4 experiments, after vascular catheters were connected to Statham P23Db strain-gauge transducers (Statham Instruments, Oxnard, CA), pressures were recorded continuously on a direct-writing polygraph (Beckman Instruments, San Jose, CA). For control experiments, fetal blood samples were obtained from the ascending aorta for determination of pH, pCO_2, and pO_2 (Corning 158 pH/blood gas analyzer, Medfield, MA), and of hemoglobin concentration and hemoglobin oxygen saturation (Radiometer OSM2 hemoximeter, Copenhagen, Denmark). Radionuclide-labeled microspheres (selected from ^{57}Co, ^{51}Cr, ^{153}Gd, ^{114}In, ^{54}Mn, ^{95}Nb, ^{113}Sn, ^{85}Sr, and ^{65}Zn), 15 μm in diameter, were then injected into the inferior vena cava while reference blood samples were withdrawn from the ascending aorta, descending aorta, and pulmonary artery at a rate of 4 ml/min. Fetal or maternal blood was then given to replace the blood loss.

Ventilation

5 The 2 polyvinyl tubes connected to the tracheal tube were opened and the tracheal fluid was allowed to drain by gravity. A mixture of nitrogen, oxygen, and carbon dioxide was balanced to match the fetal blood gases obtained during the control experiment. The gas mixture was approximately 92% nitrogen, 3% oxygen, and 5% carbon dioxide. Before ventilation was begun, this gas mixture was briefly allowed to flow through the polyvinyl tubing at a rate of about 10 L/min so that the fetus would not be exposed to high concentrations of oxygen at the onset of ventilation. The tubing was then connected to a specially designed respirator, and ventilation was adjusted as described previously (26). Ventilatory settings are presented in Table 1. After variables stabilized, blood samples were obtained as for the control and two sets of radionuclide-labeled microspheres were injected, one into the inferior vena cava and the other into the left atrium, during withdrawal of reference blood samples as described for the control. Replacement blood was then infused into the fetus.

표 1. Ventilatory settings for variables in the fetal sheep during ventilation,oxygenation, and umbilical cord occlusion

Variable	Ventilationa	Oxygenation	Cord Occlusion
Respiratory rate (breaths/min)	50 ± 8 (15)[b]	57 ± 12 (13)	57 ± 13 (11)
Peak inspiratory pressure[c] (mmHg)	27 ± 10 (15)	26 ± 9 (14)	25 ± 9 (12)
End expiratory pressure[c] (mmHg)	3 ± 6 (15)	4 ± 6 (14)	4 ± 6 (12)

[a]During ventilation, fetuses received a mixture of nitrogen, oxygen, and carbon dioxide balanced to match their blood gases during the control experiment.
[b]Data are mean ± 1 SD for the number of fetuses given in parentheses. There were no statistically significant differences between experiments for any of the variables.
cPressures are referenced to amniotic cavity pressure.

Oxygenation

6 The gas mixture was then changed to 100% oxygen and ventilation was continued. Carbon dioxide was not added to the oxygen because its addition in the first few studies increased fetal pCO_2. This increase probably occurred because placental blood flow fell during oxygenation (4), impairing carbon dioxide removal. After variables stabilized, microspheres were injected into the inferior vena cava and the left atrium, blood samples were obtained, and replacement blood was infused.

Umbilical Cord Occlusion

7 The balloon around the umbilical cord was fully inflated to occlude the umbilical blood vessels and thus abolish placental blood flow (4). After variables stabilized, the experimental protocol was repeated. In 4 of the 16 fetuses, cord occlusion could not be studied, because of a faulty balloon in 2 and the development of pneumothoraces, which led to cardiovascular decompensation, in 2.

8 Upon completion of the last experiment, the ewe was killed by injection of large doses of sodium pentobarbital and the fetus was removed from the uterus and weighed. The lungs were removed from the carcass, and the lungs and carcass were separately weighed and placed in formalin. They were then separately carbonized in an oven, ground into a coarse powder, and placed in plastic vials to a uniform height of 3 cm. Radioactivity of the lungs and reference blood samples was counted in a 1000-channel multichannel pulse-height analyzer (Norland, Fort Atkinson, WI). Specific activity of each isotope within a sample was calculated by the least-squares method (28).

Calculations

9 During the control experiment, because there is no left-to-right shunt through the ductus arteriosus (29), pulmonary blood flow was measured by injecting microspheres into the inferior vena cava and withdrawing blood samples from the pulmonary artery. This injection and withdrawal technique excludes bronchial flow. In 6 fetuses we also injected microspheres into the left atrium during the control experiment. We found that bronchial flow was relatively constant and quite small, always less than 3% of combined ventricular output. We then subtracted this value from the pulmonary blood flow measurements in the remaining experiments.

10 Upon ventilation, pulmonary vascular resistance falls and blood flow increases dramatically. Thus, a left-to-right shunt through the ductus arteriosus cannot be excluded. To measure pulmonary blood flow in the presence of a left-to-right shunt requires a technique that determines the contribution of left ventricular output to pulmonary blood flow. Therefore, during ventilation, oxygenation, and umbilical cord occlusion, we injected microspheres labeled with different radionuclides simultaneously into both the inferior vena cava and the left atrium and calculated pulmonary blood flow as the difference between combined ventricular output and the sum of blood flows to the fetal body and placenta (4). Combined ventricular output was calculated as the sum of left and right ventricular outputs. Blood flows to fetal body and placenta were calculated from the left atrial injections and reference blood withdrawals from the ascending and descending aorta (4).

11 Pulmonary vascular resistance was calculated as the difference between mean pulmonary arterial pressure and mean left atrial pressure divided by pulmonary blood flow. For the 6 fetuses in which we were unable to measure left atrial pressure for technical reasons, we used the mean values obtained from the other fetuses during the same experiment.

Analysis of Data

12 In this study, we assessed the sequential effects of ventilation, oxygenation, and umbilical cord occlusion. Determination of their independent effects was not possible because the order of the experiments could not be randomized. One reason is that we were concerned that oxygenation of the fetal lungs might induce multiple and perhaps irreversible metabolic and hemodynamic consequences, so that subsequent ventilation without oxygenation could not be studied. Another reason is that the umbilical cord cannot be occluded before oxygenation. Thus, the study design is composed of 4 sequential experiments, each serving as the control for the next. Data from each of these experiments were analyzed by the Mann-Whitney U test, comparing only the data obtained during one experiment with data obtained during the experiment immediately preceding it. Statistical significance was considered present when the P value was ≤ 0.01. All data are presented as mean $\pm$ 1 SD.

Results

1 Systemic arterial blood gases and hemoglobin oxygen saturation were normal in the control experiment, and did not change during ventilation alone (Table 2). Oxygenation caused a large increase in pO_2 and hemoglobin oxygen saturation, but did not change pH or pCO_2. Cord occlusion did not change these variables significantly, but there was much greater variability in pCO_2 and pH, probably because of the inability of some fetuses to maintain adequate CO_2 exchange in the lungs, because of pulmonary immaturity.

표 2. Ascending aortic pH, blood gases, and hemoglobin oxygen saturations during the experiments

Variable	Control	Ventilation	Oxygenation	Cord Occlusion
pH	7.37 ± 0.06 (15)[a]	7.35 ± 0.07 (16)	7.34 ± 0.09 (16)	7.29 ± 0.15 (13)
pO_2 (mmHg)	18 ± 3 (15)	19 ± 4 (16)	215 ± 154* (16)	263 ± 168 (13)
pCO_2 (mmHg)	55 ± 6 (15)	54 ± 6 (16)	51 ± 10 (16)	58 ± 21 (12)
Hgb O_2 sat[b] (%)	47 ± 13 (16)	46 ± 12 (16)	97 ± 6* (16)	95 ± 10 (16)

[a] Data are mean ±1 SD for four sequential experiments on the number of fetal sheep given in parentheses.
[b] Hgb O_2 sat., hemoglobin oxygen saturation.
*Significantly different from the value during the immediately preceding experiment, $P \leq 0.01$.

2 Pulmonary blood flow in the control experiment (33 ± 17 ml/min/kg fetal body weight) was similar to that previously measured in chronically instrumented fetuses of similar gestational ages (2, 3), constituting 9% of combined ventricular output (Figure 1). It increased dramatically during ventilation alone, to 401% of control values (133 ± 94 ml/min/kg fetal body weight). The variability of this increase in pulmonary blood flow was marked, however, which led us to separate the fetuses into 2 groups, as described below. Oxygenation increased pulmonary blood flow further, to a mean of 623% of control (206 ± 64 ml/min/kg fetal body weight). Umbilical cord occlusion did not cause any further change in pulmonary blood flow (190 ± 69 ml/min/kg fetal body weight).

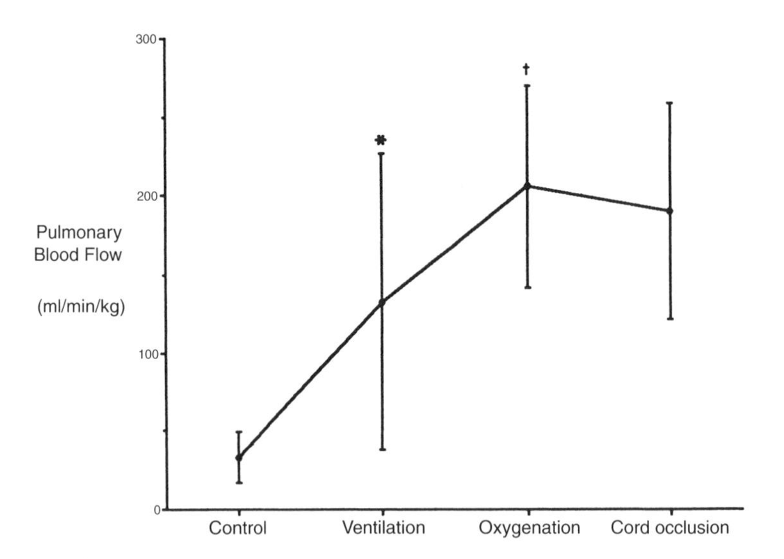

그림 1. Pulmonary blood flow during sequential ventilation, oxygenation, and umbilical cord occlusion in the 16 fetal sheep. Data are mean ± 1 SD. *P ≤ 0.001, + P ≤ 0.005 vs. the experiment immediately preceding it.

3 Mean pulmonary arterial pressure was normal in the control experiment and did not change during ventilation (Table 3). There was a small but significant decrease in pressure during oxygenation. Because this decrease was similar to that seen in mean systemic arterial pressure, it can not be explained by partial closure of the ductus arteriosus. There was no further change in mean pulmonary or mean systemic arterial pressure after umbilical cord occlusion.

표 3. Mean vascular pressures during the experiment

Pressurea	Control	Ventilation	Oxygenation	Cord Occlusion
Pulmonary arterial pressure (mmHg)	53 ± 8 (15)[b]	55 ± 9 (15)	47 ± 6* (15)	48 ±16 (12)
Systemic arterial pressure (mmHg)	52 ± 6 (15)	53 ± 6 (15)	48 ± 6* (15)	58 ± 16 (12)
Left atrial pressure (mmHg)	4 ± 5 (12)	9 ±4* (10)	10 ± 5 (10)	9 ± 5 (7)

[a]Pressures are referenced to amniotic cavity pressure.
[b]Data are mean ± 1 SD for the number of fetal sheep given in parentheses.
*Significantly different from the value during the immediately preceding experiment, $P \leq 0.01$.

Left atrial pressure could be measured in only 10 fetuses for technical reasons. In association with the large increase in pulmonary blood flow during ventilation alone, mean left atrial pressure doubled (Table 3). It did not change further during oxygenation or cord occlusion. Pulmonary vascular resistance decreased dramatically (to 34% of control values) during ventilation alone (from 1.93 ± 1.31 to 0.66 ± 0.90 mmHg z min z kg/ml), decreased further during oxygenation (to 10% of control; 0.20 ± 0.77 mmHg z min z kg/ml), and did not change further after cord occlusion (11%; 0.22 ± 0.11 mmHg z min z kg/ml) (Figure 2).

Major vs. Minor Responders during Ventilation Alone

4 The individual changes in pulmonary blood flow were extremely variable (Figure 3). In some fetuses the majority of the increase occurred during ventilation alone, whereas in others there was almost no increase until oxygenation. This finding led us to separate the fetuses according to their response to ventilation and examine the reasons for this variability. We arbitrarily divided the fetuses into 2 groups: major responders, which showed an increase in pulmonary blood flow during ventilation alone that was at least 50% of the cumulative increase (the difference between pulmonary blood flow during control measurements and after cord occlusion), and minor responders, which showed an increase of less than 50%. Interestingly, 8 fetuses were major responders and 8 were minor responders. The major responders had an increase in flow during ventilation that was equal to the cumulative increase (103 ± 52%), whereas the minor responders had a much smaller increase (20 ± 17%).

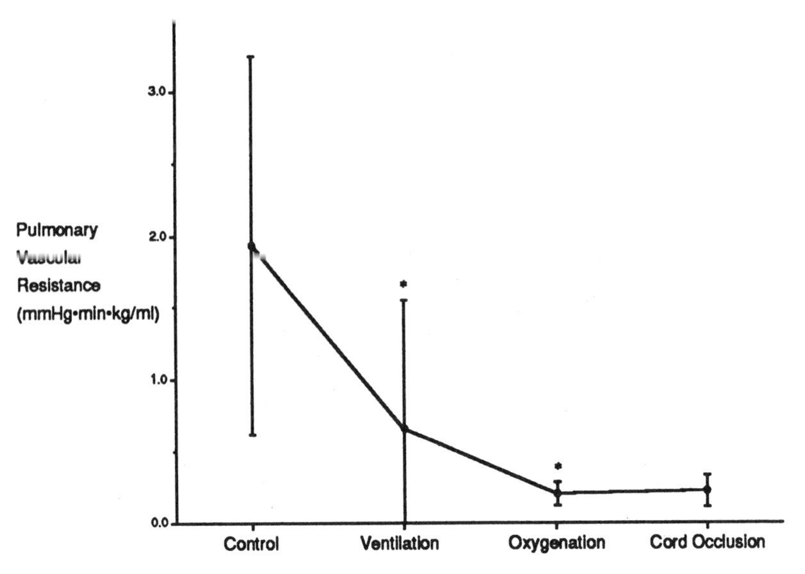

그림 2. Pulmonary vascular resistance during sequential ventilation, oxygenation, and umbilical cord occlusion in the 16 fetal sheep. Data are mean ±1 SD. *P ≤ 0.001 vs. the experiment immediately preceding it.

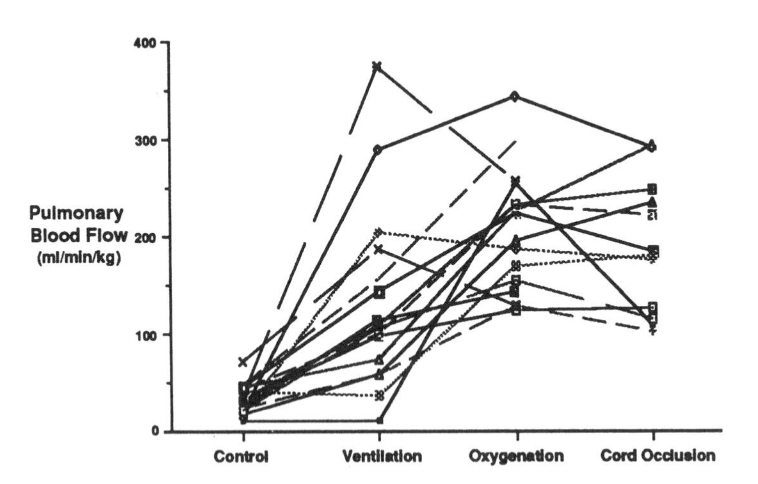

그림 3. Individual changes in pulmonary blood flow in each of the 16 fetal sheep during sequential ventilation, oxygenation, and umbilical cord occlusion.

5 We examined the measured variables that could have caused this disparity between the major and minor responders (Table 4). None of those variables showed statistically significant differences between the 2 groups (Table 4). Indices of maturity and postoperative stability (gestational age, weight, and days after surgery), of initial pulmonary vascular tone (control pH and blood gases

표 4. Ventilatory settings for variables in the fetal sheep during ventilation,oxygenation, and umbilical cord occlusion

Variable	Major responders	Minor responders
Gestational age at study (days)	135 ± 1 (7)[b]	135 ± 1 (8)
Weight (kg)	3.5 ± 0.6 (8)	3.8 ± 0.6 (8)
Days after surgery	2.3 ± 0.7 (8)	2.0 ± 0.0 (8)
Control		
pH	7.37 ± 0.07 (8)	7.39 ± 0.03 (7)
pO_2 (mmHg)	18 ± 2 (8)	18 ± 3 (7)
pCO_2 (mmHg)	55 ± 6 (8)	54 ± 6 (7)
Pulmonary blood flow (ml/min/kg)	33 ± 19 (8)	33 ± 15 (7)
Mean pulmonary arterial pressure (mmHg)	53 ± 12 (7)	53 ± 4 (8)
Combined ventricular output (ml/min/kg)	401 ± 84 (8)	378 ± 69 (8)
Oxygenation		
pO_2 (mmHg)	215 ± 150 (8)	215 ± 168 (8)
pCO_2 (mmHg)	52 ± 11 (8)	49 ± 10 (8)
Pulmonary blood flow (ml/min/kg)	195 ± 76 (8)	217 ± 52 (8)

[a]Major responders had increases in pulmonary blood flow ≥ 50% of the cumulative increase during the study. Minor responders had increases <50%.

[b]Data are mean ± 1 SD for the number of fetal sheep given in parentheses. No difference between groups was statistically significant.

and pulmonary blood flow and pressure), of ventricular function (combined ventricular output), and of adequacy of alveolar ventilation during oxygenation (blood gases and pulmonary blood flow during oxygenation) were remarkably similar. Adequacy of alveolar ventilation during ventilation alone (without oxygenation) could not be assessed, although there was no change in the method of ventilation in either group when oxygenation was established. Of those fetuses in which sex was recorded, the majority in both groups were female (6 of 7 of the major responders, 4 of 6 of the minor responders).

Discussion

1 *A*Three major events of the birth process are ventilation, or rhythmic gaseous distension of the lungs, oxygenation, and loss of the umbilical–placental circulation. *B*We found that ventilation and oxygenation together can account for the decrease in pulmonary vascular resistance, and thus for the large increase in pulmonary blood flow, that normally occur at birth. *C*Moreover, on average, nearly two-thirds of the increase in pulmonary blood flow occurred during ventilation alone.

2 *D*Our finding that about two-thirds of the decrease in pulmonary vascular resistance occurs during ventilation alone is much larger than the previously accepted value of about one-third (6). *E*The reason we found a larger decrease than previously accepted may be that previous studies were performed on acutely exteriorized fetuses (5, 6, 8—10). *F*An acute stress such as that caused by the anesthesia and surgery used to exteriorize a fetus can greatly alter production and inhibition of various metabolic agents. *G*Altered metabolite production and inhibition could have slowed the rate of decrease in pulmonary vascular resistance during the second phase of the decrease (30) in those studies. *H*Evidence for this possibility is that the prostaglandin synthesis inhibitor indomethacin has been shown to attenuate this slow second phase of the decrease, which lasts for 10—20 minutes after the rapid first phase (30). *I*(In contrast, the first phase, a rapid decrease that lasts for only 30 seconds, is not altered by indomethacin but may be altered by direct mechanical effects of ventilation: the establishment of a gas-liquid interface in the alveoli may decrease perivascular pressures and thus distend the small arterioles and decrease resistance (30).) *J*Further evidence that prostaglandin metabolites are important in the decrease of pulmonary vascular resistance is that prostaglandin I_2, a potent pulmonary vasodilator, is produced in response to either mechanical ventilation (20, 21) or breathing (19) in recently delivered fetal lambs. *K*In addition, the production of prostaglandin E_1, prostaglandin D_2, and bradykinin and the inhibition of leukotrienes C_4 and D_4 may affect pulmonary vascular resistance (31). *L*Thus, the variable but generally lesser effects of ventilation alone in the previous studies may be ascribed to the variable effects of the study protocols on the metabolic milieu of the pulmonary vascular bed.

3 *M*We also found great variability in the response of fetal pulmonary blood flow to the effects of ventilation alone. *N*In one-half of the fetuses, the mean increase in pulmonary blood flow during ventilation alone was maximal, whereas in the other half it was only about 20% of the cumulative response. *O*Interestingly, Cook et al. (11) found similar variability in their study of nitrogen and air ventilation: of the 6 fetuses studied, 2 showed no effect of nitrogen ventilation but a large effect upon changing to air, 2 showed a small effect of nitrogen and a larger response to air, and 2 showed a large increase in pulmonary blood flow during nitrogen ventilation with no further change upon exposure to air. *P*To explain these findings, Cook et al. noted that nitrogen had the greatest effect on the smallest fetuses. *Q*However, we were unable to identify the reasons for the variability we found. *R*It was not on a purely arithmetic basis. *S*That is, the major responders did not begin with lower control flows or have lower maximal flows. *T*In fact, the 2 groups had remarkably similar pulmonary blood flows both during control measurements and during ventilation with 100% oxygen. *U*The groups were also not different in their overall maturity, with respect to either gestational age or weight. *V*In addition, differences in pO_2 were not responsible for the differences between major and minor responders, since both during control measurements and during ventilation alone, the minor responders were neither more hypoxic nor more hypercapnic than the major responders. *W*Lastly, adequacy of alveolar ventilation was probably not responsible for the difference between the groups. *X*Although we were not able to determine the adequacy of alveolar ventilation during ventilation alone, during oxygenation, pO_2 and pCO_2 values were similar in the 2 groups, without the method of ventilation having been changed in either group.

4 *Y*The marked difference between the pulmonary vasodilatory responses of the 2 groups of fetuses is thus unexplained, but this difference may have important implications for future studies. *Z*First, it may be important in uncovering the metabolic processes responsible for an incomplete decrease in pulmonary vascular resistance at birth. *AA*Second, evaluation of the concentrations and fluxes of the putative metabolic agents involved may demonstrate different fates of these agents in major and minor responders. *BB*However, careful evaluation of lung mechanics is critical in future studies to ensure that the differences between the responses of the pulmonary vascular bed are not caused solely by differences in pulmonary function. *CC*In this regard, it would be of interest to determine whether static gaseous distension of the lungs (that is, distension without ventilation) can induce a similar decrease in pulmonary vascular resistance. *DD*Static distension does increase lung compliance in fetal sheep (32) and has been shown to decrease pulmonary vascular resistance to some degree in acutely exteriorized fetal sheep (12).

5 *EE*In summary, the changes in pulmonary vascular resistance and blood flow that are critical to the adaptation of the fetus to the postnatal environment can be achieved by in utero ventilation and oxygenation. *FF*Moreover, much of the vasodilatory response can be achieved without an increase in fetal pO_2. *GG*This effect is variable. *HH*The variability is probably mediated in part by alterations in a variety of vasoactive metabolites. *II*By using an in utero preparation to investigate the metabolic differences between fetuses that do and do not respond to ventilation alone, the processes responsible for the syndrome of persistent pulmonary hypertension of the newborn may be better elucidated.

References

1. Reuss ML, Rudolph AM. Distribution and recirculation of umbilical and systemic venous blood flow in fetal lambs during hypoxia. J Dev Physiol 1980;2:71−84.
2. Anderson DF, Bissonnette JM, Faber JJ, Thornburg KL. Central shunt flows and pressures in the mature fetal lamb. Am J Physiol 1981; 241:H60−6.
3. Heymann MA, Creasy RK, Rudolph AM. Quantitation of blood flow patterns in the foetal lamb in utero. In: Foetal and neonatal physiology: proceedings of the Sir Joseph Barcroft centenary symposium. Cambridge: Cambridge University Press, 1973:129−35.
4. Teitel DF, Iwamoto HS, Rudolph AM. Effects of birth-related events on central blood flow patterns. Pediatr Res 1987;22:557−66.
5. Lauer RM, Evans JA, Aoki H, Kittle CF. Factors controlling pulmonary vascular resistance in fetal lambs. J Pediatr 1965;67:568−77.
6. Dawes GS, Mott JC, Widdicombe JG, Wyatt DG. Changes in the lungs of the new-born lamb. J Physiol 1953;121:141−62.
7. Dawes GS. The pulmonary circulation in the foetus and newborn. In: Foetal and neonatal physiology: a comparative study of the changes at birth. Chicago: Yearbook Medical Publishers, 1968:79−90.
8. Cassin S, Dawes GS, Mott JC, Ross BB, Strang LB. The vascular resistance of the foetal and newly ventilated lung of the lamb. J Physiol 1964;171: 61−79.
9. Assali NS, Kirschbaum TH, Dilts PV Jr. Effects of hyperbaric oxygen on uteroplacental and fetal circulation. Circ Res 1968;22:573−88.
10. Heymann MA, Rudolph AM, Nies AS, Melmon KL. Bradykinin production associated with oxygenation of the fetal lamb. Circ Res 1969; 25:521−34.
11. Cook CD, Drinker PA, Jacobson HN, Levison H, Strang LB. Control of pulmonary blood flow in the foetal and newly born lamb. J Physiol 1963;169:10−29.
12. Colebatch HJH, Dawes GS, Goodwin JW, Nadeau RA. The nervous control of the circulation in the foetal and newly expanded lungs of the lamb. J Physiol 1965;178:544−62.
13. Campbell AGM, Cockburn F, Dawes GS, Milligan JE. Pulmonary

vasoconstriction in asphyxia during cross-circulation between twin foetal lambs. J Physiol 1967;192:111−21.
14. Hyman A, Heymann M, Levin D, Rudolph A. Angiotensin is not the mediator of hypoxia-induced pulmonary vasoconstriction in fetal lambs [Abstract]. Circulation 1975;52 (Suppl II):132.
15. Davidson D, Stalcup SA, Mellins RB. Angiotensin-converting enzyme activity and its modulation by oxygen tension in the guinea pig fetal-placental unit. Circ Res 1981;48:286−91.
16. Lewis AB, Heymann MA, Rudolph AM. Gestational changes in pulmonary vascular responses in fetal lambs in utero. Circ Res 1976; 39:536−41.
17. Cassin S, Dawes GS, Ross BB. Pulmonary blood flow and vascular resistance in immature foetal lambs. J Physiol 1964;171:80−9.
18. Goetzman BW, Milstein JM. Pulmonary vascular histamine receptors in newborn and young lambs. J Appl Physiol 1980;49:380−85.
19. Leffler CW, Hessler JR, Green RS. The onset of breathing at birth stimulates pulmonary vascular prostacyclin synthesis. Pediatr Res 1984;18: 938−42.
20. Leffler CW, Hessler JR. Perinatal pulmonary prostaglandin production. Am J Physiol 1981;241:H756−9.
21. Leffler CW, Hessler JR, Terragno NA. Ventilation-induced release of prostaglandinlike material from fetal lungs. Am J Physiol 1980; 238:H282−6.
22. Schreiber MD, Heymann MA, Soifer SJ. The differential effects of leukotriene C4 and D4 on the pulmonary and systemic circulations in newborn lambs. Pediatr Res 1987;21:176−82.
23. Hand JM, Will JA, Buckner CK. Effects of leukotrienes on isolated guinea-pig pulmonary arteries. Eur J Pharmacol 1981;76:439−42.
24. Morganroth ML, Stenmark KR, Zirrolli JA, et al. Leukotriene C4 production during hypoxic pulmonary vasoconstriction in isolated rat lungs. Prostaglandins 1984;28:867−75.
25. Lebidois J, Soifer SJ, Clyman RI, Heymann MA. Piriprost: a putative leukotriene synthesis inhibitor increases pulmonary blood flow in fetal lambs. Pediatr Res 1987;22:350−4.
26. Iwamoto HS, Teitel DF, Rudolph AM. Effects of birth-related events on blood flow distribution. Pediatr Res 1987;22:634−40.
27. Iwamoto HS, Rudolph AM. Chronic renal venous catheterization in fetal

sheep. Am J Physiol 1983;245:H524－7.
28. Baer RW, Payne BD, Verrier ED, et al. Increased number of myocardial blood flow measurements with radionuclide-labeled microspheres. Am J Physiol 1984;246:H418－34.
29. Assali NS, Sehgal N, Marable S. Pulmonary and ductus arteriosus circulation in the fetal lamb before and after birth. Am J Physiol 1962;202: 536－40.
30. Leffler CW, Tyler TL, Cassin S. Effect of indomethacin on pulmonary vascular response to ventilation of fetal goats. Am J Physiol 1978;234: H346－51.
31. Heymann MA. Control of the pulmonary circulation in the perinatal period. J Dev Physiol 1984;6:281－90.
32. Ikegami M, Jobe A, Berry D, Elkady T, Pettenazzo A, Seidner S. Effects of distention of the preterm fetal lamb lung on lung function with ventilation. Am Rev Respir Dis 1987;135:600－6.

목표에 도달하기: 글쓰기에 관한 조언

이 책은 명쾌하게 써진 생의학 연구논문의 실체를 다루고 있으며, 논문을 명쾌한 최종 형태로 만들어내는 것은 또 다른 문제다. 이 책에서 다루어진 원칙에 기반해 백지에서 시작해서 완결된 원고를 만들어낼 수 있도록 몇 가지 조언을 하고자 한다.

초안의 작성

초안을 쓰는 것은 쉽지 않다. 왜냐하면, 무슨 말을 하고 싶은지에 대해 막연한 생각만을 가지고 있기 때문이다. 우리는 초안을 쓴 뒤에야 정말 하고싶은 말이 무엇인지 알게 된다. 그러므로, 초안을 쓰는 데 충분한 시간과 에너지를 들일 필요가 있다.

초안을 최대한 쉽게 쓰려면,

- 글쓰기를 위해 따로 시간을 할애하라(3-4일 동안 하루에 3-4시간).
- 피곤하지 않고 활력이 최고조일 때 글을 쓰라.
- 효율적으로 글을 쓰기위해 필요한 모든 것을 갖추어 놓으라(모든 데이터, 그림과 표의 초안, 참고문헌, 컴퓨터나 종이, 커피, ...).
- 방해받지 않는 조용한 장소에서 일하라.
- 논문을 제출할 저널을 결정하고 해당 저널과 저널의 독자의 기호에 최소한 근접하도록 논문을 손질하라(예를 들어, 임상저널, 기초연구저널, 일반저널)(제 1 장의 Huth 참조).

시작하는 것이 가장 어렵다. 시작하기 위해서 우선 가장 쉬운 섹션부터 쓰도록 하라. 대개, 가장 쉬운 섹션은 방법 섹션이다. 예를 들어, 우선 방법과 결과 섹션을 쓰고, 고찰로 넘어간 뒤, 서론과 참고문헌 목록을, 다음에는 그림 범례와 표의 각주, 마지막으로 초록과 제목을 쓸 수 있다. 그러나, 어떤 순서로 논문을 쓰는가는 문제되지 않는다. 가장 중요한 것은 글쓰기가 끝났을 때의 논문의 모양새이므로 자신에게 맞는 방식으로 글을 쓰면 된다.

시작할 때 정확하게 무슨 말을 해야 할 지 모를 수도 있다. 이 단계에서는 정확한 단어와 정확한 문장이 그리 중요하지 않다. 무언가 말하고 이를 이어나가라. 쓰다보면 아이디어가 떠오른다. 처음의 한두 문장이나 한두 단락은 언제라도 지워버릴 수 있게 마련이다.

이 책의 작문 원칙이나 기타 작문 원칙은 생각하지 말고, 가능한 빨리 쓰라. 초안의 목적은 아이디어가 머릿속에서 도망가기 전에 종이나 컴퓨터에 붙잡아두는 것이다. 그래야 그것을 가지고 뭔가 할 수 있게 된다. 일단 시작했다면, 멈추지 말라. 속도를 붙이려면 약어를 사용하고, 단어가 생각이 안 나면 빈 자리로 남겨두라. 그 문장이 나중에도 논문에 남아있다면 빈 자리는 언제라도 채울 수 있다. 주어와 동사가 일치하는지, 핵심용어를 바꾸었는지, 단락에 주제문이 있는지 염려하지 말라. 이런 모든 사항은 교정할 때 해결할 수 있다.

질문과 대답은 무엇을 논문에 포함시키고, 무엇을 제외해야 할 지, 또한 글을 어떻게 조직해야 할 지를 결정하는 시금석이 되기 때문에 글쓰기를 시작하기 전에 질문과 대답을 작성하는 것도 좋은 방법이다. 그러나, 고찰을 쓰는 동안 대답이 진보할 수 있다는 점은 염두에 두어야 한다. 예를 들어, 고찰의 시작부에서는 대답을 이렇게 시작했다가, 고찰의 결말부에 가서는 다르게 끝날 수도 있다. 사실 이것이야말로 논문을 쓰는 과정에서 얻게 되는 큰 유익이다. 즉, 대답을 꼴 지울 수 있는 정확한 방법을 발견하게 되는 것이다. 대답을 발견한 뒤에는 거기에 맞게 질문을 수정하고 다음에는 그 질문으로 이끄는 서론을 쓰라. 초안에서 이런 모든 짝짓기를 감당할 수 없다해도 문제되지 않는다. 이런 일은 교정할 때도 할 수 있다.

초록을 쓸 때는 서론과 고찰에서 질문과 대답을 기술한 방식을 살펴보라. 질문과 대답에 관한 기술은 초록에서도 동일해야 하며, 따라서 쉬운 길을 택하는 것이 좋다. 즉, 초록을 위해 새로 질문과 대답을 쓰지 말고, 그냥 써놓은 것을 그대로 옮기라. 마찬가지로, 제목을 쓸 때도 질문과 대답을 살펴보고, 동일한 핵심용어를 사용하라. 제목에서 동사를 사용한다면 대답에 있는 것과 같은 동사이어야 한다. 하지만 이 때도, 논문의 다른 부분을 살펴보지 않고 쓰는 편이 편하다면 이런 짝짓기 작업은 교정할 때 해도 좋다.

개요가 간결하고 단순하건, 길고 복잡하건 간에 개요를 가지고 일을 하는 편이 도움이 된다면 그렇게 하라. 반대로, 개요를 가지고 일을 할 수 없다면 하지 말라. 무엇이든 본인에게 맞는 스타일을 선택하면 된다. 그러나, 글을 쓰기 전에, 특별히 고찰에서는 무엇을 먼저 말하고, 무엇을 다음에 말해야 할 지에 관해 머릿속이나 종이 위에 나름대로의 개념은 가지고 있어야 한다.

논문 쓰는 일에 압도되지 않으려면 각 섹션을 별도의 과제로 생각하는 것도 좋다. 즉, 방법 섹션을 끝냈다면 하나의 과제를 마친 것이다. 또한, 적게 쓰라. 예를 들어, 가능하다면 서론은 10-12문장으로 된 하나의 단락으로 쓰라. 20문장을 쓰는 데는 더 많은 시간이 걸릴 뿐만 아니라 그 중 일부(예를 들어, 문헌 리뷰)는 생략되어야 할 것이다. 따라서, 아예 그런 내용을 쓰는 수고를 더는 것이 좋다. 마찬가지로, 고찰에서는 6-7 단락이면 충분하며, 10-15 단락을 쓰려고 애쓰지 말라. 한가지 불필요한 단락은 고찰의 앞부분에 위치한 서론의 단락이다. 그런 단락은 아예 잊어버리고, 질문에 대답하는 것으로 시작하라. 하지만, 서론을 다시 쓰는 것으로 고찰을 시작하는 것이나, 아니면 "Figure 1 shows"로 결과 섹션을 시작하는 것이 더 쉽다면 그렇게 하라. 불필요한 부분은 나중에라도 언제든지 지워버릴 수 있다. 초안에서 가장 중요한 일은 앞으로 나아가는 것이다.

초안을 쓰는 데는 보통 4-5일이 소요되므로 하루에 끝내지 못한다고 해서 자괴감에 빠질 피로는 없다. 3-4시간 동안 글쓰기에 골몰했다면 그대로 멈추고, 다음 날에 다시 시작하라. 초안을 쓰는 동안 쉬지 않고 일을 하는 스타일이라면 녹음기를 이용하는 것이 좋다.

교정: 점검표를 활용하라

초안을 끝내자마자 교정에 들어가라. 많은 내용을 바꾸어야 할 게다. 교정할 때는 이 책의 앞에서 제공된 가이드라인을 점검표로 활용하거나 특별히 어렵다고 느끼는 부분에 관해 자신만의 점검표를 만들어 활용하라. 각 섹션의 내용과 조직에 대해 만족하다고 느끼면 단락 구조와 문장 구조, 어휘 선택에 관한 장(章)의 가이드라인으로 돌아가서 점검하라. 특별히 핵심용어와 주제문에 유의해야 한다. 마지막으로, 큰 그림을 위해 제시된 점검표를 활용해서 논문의 전체 줄거리를 점검하라. 줄거리의 개요를 만들어내는 주제문과 연결구, 연결절이 첨가되는 시기는 보통 후반부에 접어들 때다. 어떤 단락에서는 뒷받침하는 세부사항을 먼저 쓰고 메시지를 마지막에 첨가할 수도 있다. 글쓰기는 우리가 생각하고 있는 바를 발견하는 과정이므로, 사실 이렇게 쓰는 것이 자연스러운 방법이다. 그러나, 글을 이렇게 조직하면 독해가 어려워지기 때문에 교정할 때는 메시지를 단락의 앞부분으로 옮긴 뒤에(주제문) 주제문 뒤에 뒷받침하는 세부사항을 배치하라. 글쓰기의 후반부에서는 논문을 압축할 수 있는 가능한 모든 방법을 동원하라: 불필요한 단락과 불필요한 세부사항, 불필요한 어휘를 생략하라. 어떤 단락이나 문장, 단어를 포함시켜야 할 지 결정할 때는 스스로 독자의 입장이 되어보라. "이 단락을 읽고 싶을까?", "이 단락을 읽을 필요가 있을까?" 스스로에게 정직해지라. 대답이 "아니오"라면 그 단락을 생략하라. 대부분의 독자는 간결하고, 충실하며, 명쾌한 논문을 선호한다. 자신의 논문을 간결하고, 충실하며, 명쾌하게 만들 수 있는 용기를 갖추라.

초안을 두고 이런 모든 교정 작업을 할 수는 없기 때문에 단계별로 교정해야 한다. 첫 번째 교정에서 가능한 많은 일을 하도록 하라. 그리고, 더 이상 바꿀 것이 없다고 느끼면 논문을 서랍 속에 1-2주(아니면 자신이 쓴 글의 내용을 잊을 수 있는 기간) 방치하라. 그런 다음에는 논문을 다시 비판적인 눈으로 볼 수 있을 것이다: "정말 내가 쓴 논문인가?", "이건 도대체 무슨 뜻이지?" 이런 반응이 나오면 두 번째 교정 작업에 들어갈 준비가 된 것이다. 논문이 제출할 준비가 되기까지는 보통 세네 번의 교정 작업이 필요하다. 하지만, 논문 하나를 쓰는 일에 영겁의 시간을 들여서는 안 된다. 과학연구논문은 실질적인 지식이지 시가 아니다. 따라서, 글이 완벽할 필요는 없지만 반드시 명료해야 한다.

논문을 제출하기 전에는 흔히 간과하는 다음 세 가지 사항을 마지막으로 점검하라.

· 대답이 질문에 대한 답이 되고 있는가? 질문에 관한 모든 기술과 대답에 관한 모든 기술이 같은 내용을 말하고 있는가?
· 연구한 동물이나 실험군이 제목과 초록, 질문이나 실험적 접근방법(서론), 방법 섹션, 결과 섹션, 대답이나 대답을 알리는 신호(고찰), 최소한 첫 그림 범례와 첫 표의 제목에 언급되어 있는가?
· 요약된 데이터가 세 가지 구성요소를 모두 갖추고 있는가: 평균값, 표준편차, 샘플 규모(n)?

논문을 제출하고 출판될 때까지 지켜보는 일에 관한 정보는 Huth, Chapters 16-19를 참조하라.

명쾌한 글쓰기의 보상

새로운 연구 분야에서 논문의 초안을 쓰는 일은 쉽지 않지만, 계속해서 논문을 쓰면서 이 책에 있는 점검표를 가지고 점검하고 동료들의 비판적인 조언을 구한다면, 점점 더 나은 초안을 쓰고 점점 더 나은 최종 원고를 얻을 수 있을 것이다. 또한, 자신의 분야에서 경험을 쌓고 스스로의 전문성에 자신감을 얻게 되면 명료할 뿐만 아니라 활기찬 논문을 쓸 수 있을 것이다. 여러분의 글쓰기 능력이 향상되면 여러분과 독자 모두가 유익을 얻게 된다. 여러분은 과학을 더 깊게 이해하게 되고, 글쓰기에 대한 부담을 덜게 되며, 자신의 메시지를 전달하고 명쾌한 줄거리를 제시하는 일에 만족하게 될 것이다. 한 편, 독자는 나무 뿐만이 아니라 숲까지 볼 수 있게 되므로 여러분의 논문을 읽는 것을 즐기게 될 것이다. 마지막으로, 과학 문헌이 유익을 얻게 된다. 즉, 더 간결해지고, 명료해지며, 충실할 뿐만 아니라 활기를 띠게 될 것이다. 이런 모든 목표는 추구할 만한 가치가 있다.

연습문제의 교정

제1장

어휘 선택을 위한 가이드라인

과학연구논문의 어휘는
정확하고,
단순하며,
반드시 필요한 것이어야 한다.
약어는 될 수 있는 대로 사용하지 말아야 한다.

연습문제 1.1: 단어 선택의 원칙

I. 과학연구논문의 어휘는 정확해야 한다.

(Strunk and White, II. 16, p.21: Use definite, specific, concrete language.)

어휘는 과학과 마찬가지로 정확해야 한다.

정확하고, 단정적이고, 구체적인 어휘가 머릿속에 이미지를 불러일으킨다는 점에 유의하라. 예를 들어, "dog"은 "animal"보다 훨씬 많은 이미지를 불러일으킨다. 마찬가지로, "pattern of discharge"는 "response characteristics"에 비해 훨씬 많은 이미지를 불러일으킨다. 머릿속에 이미지를 불러일으키는 어휘는 독해에 도움이 되며, 반대로 추상적인 어휘(예를 들어, "animal"이나 "characteristics")는 독해를 어렵게 만든다.

1. greatly decreased; reduced by 80%.

주안점: "compromised"는 부정확한 어휘다: 도대체 renal blood flow에 어떤 일이 일어났는가? ("compromised"는 위태롭다는 뜻이다. 어떤 사람의 생명은 위태로울 수 있지만 "blood flow"는 측정 가능하며, 따라서 증가하던지 아니면 감소한다.) "Drastically"도 부정확한 어휘다. 과학은 정량적이므로 "by 80%"와 같이 정량적인 어휘가 "greatly"와 같은 정성적인 어휘보다 훨씬 명확하다.

2. 5? 7? 9?

주안점: "Several"은 부정확한 어휘다. "several hours"는 도대체 몇 시간을 의미

하는가? 의미와 범위를 기술하라.

3. increase

주안점: 변화는 증가와 감소를 모두 의미할 수 있다. 첫 문장을 읽은 후에도 우리는 저자가 증가를 말하는 것인지 감소를 말하는 것인지 알 수 없다. 다음 문장의 "further increase"에 가서야 우리는 첫 문장에 언급된 변화가 증가를 의미한다는 점을 알 수 있다. 따라서, 첫 문장에 "change"가 아닌 "increase"를 사용해야 옳다.

4. incubated in, grown in, bathed in.

주안점: "Exposed to"는 부정확한 어휘다. 세포가 어떻게 노출되었는가? 정확한 용어를 사용하라. 세포를 48시간 동안 첨가한 것은 아닐 것이기 때문에 "put in"도 여기에는 맞지 않다.

5. lambs.

주안점: 동물의 이름이 독자의 뇌리에서 떠나지 않게 하라.

6. prevented, blocked.

7. offset.

주안점: "To rescue"는 죽음이나 파멸에서 구한다는 뜻이다. "rescue"의 적절한 용례는 유전자형(genotype)의 어떤 변화로 인해 표현형(genotype)이 죽음이나 파멸에서 구해졌다고 말하는 것이다. 예문 6에서는 가한 조작이 어떤 과정을 "막는(prevents)" 것이지 구하는("rescue") 것이 아니다. 예문 7에서는, 한 물질이 다른 물질의 부족을 상쇄한다("offsets")(다른 물질의 부족을 구하는("rescue") 것이 아니다. "rescue"는 유행을 타는 현학적인 전문용어이며, 그런 현학적인 전문용어를 사용한다는 것은 전문가 그룹에 속했다는 사실을 보여주는 것이다. 현학적인 전문용어를 비롯해서 최신 용어를 사용하는 것은 정당한 일이지만 현학적인 전문용어의 문제점은 이들의 의미가 부정확할 경우가 많다는 것이다. 따라서, 이런 유의 용어는 정확한 의미를 지닐 때만 사용하라.

8. prevented, inhibited, repressed.

주안점: "Negatively regulated"는 다양한 동사로 정확하게 전달할 수 있는 개념을 모호하게 표현한 것에 지나지 않는다.

9. caused OR resulted in OR led to an increase in microvascular pressure, OR increased microvascular pressure.

주안점: "was associated with"는 부정확한 표현이며, 단지 어떤 관계가 존재한다는 것만을 지적하고 있다. 구체적으로 관계를 설명할 수 있다면, 그렇게 하라.

10. and OR accompanied by.

11. during.
12. induced by.
13. , reaching OR , as evidenced by.
14. plasma that contained heparin, OR heparinized plasma, OR heparin-containing plasma.

주안점: "With"는 영어에서 가장 모호하고 불명확한 단어다. 문장 10-14는 "with"의 다섯 가지 다른 용례를 보여주고 있다: 각각 추가, 시간, 원인, 뒷받침하는 세부사항, 구성요소. "with"는 서로 다른 너무나 많은 것을 의미할 수 있기 때문에 가능하다면 정확한 용어를 사용하는 것이 가장 바람직하다. 독자가 저자의 의중을 헤아리게 되어서는 안된다.
(참조: "With"의 사용이 정당한 경우도 있다. "I went to the movies with my friends"와 같이 "with"의 기본적인 의미는 "함께"이다. 다른 표준적인 의미로는 "We measured the desk with a ruler."와 같이 "~을 가지고, ~을 수단으로 해서"가 있다. "with"의 세 번째로 "patients with diabetes"와 같이 "어떤 속성을 지닌"의 의미를 갖는다. 마지막으로, 예를 들어 "supplemented with", "compared with", "ventilated with"와 같이 몇몇 동사에 "with"가 동반되기도 한다.)

II. 과학연구논문의 어휘는 단순해야 한다.

(Strunk and White, V. 14, p. 76: Avoid fancy words.)

단순한 어휘를 사용하라.

크고 화려한 어휘가 나쁘고, 작고 단순한 어휘가 좋다는 것이 아니다. 핵심은 여러분이 기술적 용어(technical terms)를 사용해야 하며 이런 용어는 크고, 화려하며, 무거워지는 경향이 있다는 점이다. 따라서, 글이 너무 무거워지는 것을 막기 위해 나머지 문장에는 단순한 어휘를 사용해야 한다. 단순한 어휘는 보통 음절이 몇 개 되지 않으며, 어린아이에게 말할 때 사용할 만한 어휘다. 예를 들어, 아이에게는 "utilize"라고 말하지 않으며, 그냥 "use"를 사용한다.

일반적으로, 개념이 단순하다면 이를 복잡하게 만들지 말라. 반대로, 개념이 복잡하다면 가능한 단순하게 만들라.

15. girls, boys, after, beginning.

주안점: 예문 15-17에서는 기술적 용어(dialysis, replication, chromosomes, DNA polymerases, trans-acting factor, GC-rich sequences)의 무게가 무거워서 독해가 느려진다. 문장을 가볍고 읽기 쉽게 만들려면 다른 어휘를 가능한 단순하게 만들어야 한다("female", "male", "following", "initiation", "initiate", "initial" 이 나쁜 어휘라는 것은 아니다. 단지 이 문장들에서는 불필요하게 화려할 뿐이다.)

16. start

주안점: polymerase가 replication을 다른 곳에서(문장의 끝부분) "restart" 한다면 이 곳에서는 분명히 "start" 할 것이다.

17. a first

18. before.

주안점: 문장의 끝부분에서 "Before" segregation이 사용되었기 때문에 문장의 앞부분에는 "before" formation이 사용될 수 있다.

19. discontinuous, leaping, jumping.

주안점: "saltatory" 는 화려하고 추상적이며 영어가 모국어가 아닌 사람은 말할 것도 없고 영어를 모국어로 쓰는 사람에게도 낯선 단어다. 반대로, "docking" 은 단순하고 이미지와 연결되는 단어다. "saltatory" 는 "docking" 과 충돌한다. "Leaping" 과 "jumping" 은 "docking" 이 만들어 낸 이미지와 조화되는 이미지를 머릿속에 만든다. 이런 이미지가 정확하지 않다면 "discontinuous" 를 사용하라.

20. increase pain.

주안점: 저자가 문장의 끝부분에 "reduce pain" 을 기꺼이 사용했다면, 문장의 앞부분에서도 이와 정반대되는 "increase pain" 을 기꺼이 사용해야 할 것이다. "Enhance" 는 현학적인 단어이며, 의미도 분명하지 않다. "with" 와 마찬가지로 "enhance" 도 다양한 의미로 사용되며 따라서 혼자서는 아무 의미가 없는 것이나 마찬가지다(연습문제 1.2 참조).

21. subtypes, functions, senses; pain; heat.

주안점: "submodalities" 보다는, 쉬운 단어인 "subtypes" 나 "functions" 를 사용하거나 아니면 "somatic sensory submodalities" 를 "somatic senses" 로 단순화시키라. 감각을 나열한 부분은 재미있는 문제를 던지고 있다: 한 가지 감각(proprioception)을 제외하고는 다른 모든 단어를 단순한 단어로 대치할 수 있다. 마찬가지로, 한 가지 감각(touch)을 제외하고는 다른 모든 감각에 복잡한 단어를 사용할 수 있다. 모든 감각을 단순한 단어로 명명하면 가장 좋겠지만 그렇게 할 수 없기 때문에 단순한 단어를 가능한 많이 사용하도록 하라.

22. cell bodies.

23. toward the liver.

주안점: "perikarya" 와 "hepatopetally" 는 정당한 기술적 용어지만 여기에서는 더 단순한 용어인 "cell bodies' 와 "toward the liver" 가 사용될 수 있

다. 단순한 용어를 사용하는 것이 전문가에게 욕이 되는 것은 아니며 다른 분야의 사람들은 화려한 용어보다는 단순한 용어를 더 쉽게 이해할 수 있을 것이다.

III. 과학연구논문의 어휘는 반드시 필요한 것이어야 한다.

(Strunk and White, II. 17, p. 23: Omit needless words.)

가능한 최소한의 어휘만을 사용하라. 잡음이 많아지면 메시지가 흐려진다. 하지만, 간결성이 어휘 선택의 제 1 원칙은 아니다. 간결성은 제 3 원칙에 해당한다. 핵심은 명료성을 잃지 않는 범위에서 최대한 간결하게 쓰는 것이다. 더 많은 어휘를 사용해야 명료해진다면 그렇게 하라(예를 들어, 제 2 장의 "명사의 과도한 연결을 피하라" 참조).

24. After 4 h, we abruptly ended the hemodialysis procedure.

주안점: "Of hemodialysis"는 문장의 나머지 부분에 내포되어 있기 때문에 불필요하다.

25. Oxygen uptake in response to drugs varied considerably.

주안점: 반응을 검사했다고 말하는 것은 불필요하다. 반응을 발견했다면, 당연히 검사했다는 의미가 아닌가? 마찬가지로, 이 문장에서는 반응을 발견했다고 말하는 것도 불필요하다. 반응이 어떠했다고 말했다면, 그 반응을 발견했다는 의미가 아닌가?

26. This inhibition leads to accumulation of ß-catenin in the cytoplasm. OR This inhibition leads to a pool of ß-catenin in the cytoplasm.

주안점: "A pool"은 "an accumulation"을 의미한다. "pool"이 "accumulation"보다 더 단순하고 이미지와 연결되는 단어이기 때문에 여기서는 "pool"을 우선 선택해야 한다.

27. Both of these changes were greater when the pericardium was closed.

주안점: 이 문장은 혼동을 주기 때문에 불필요한 문장보다 더 나쁘다. 문제의 예문에서 밑줄쳐진 부분이 앞 문장에서 설명된 결과를 의미하는지 쉽게 인식하기 어렵다. 독자에게 이들이 모두 같은 결과라는 점을 보이려면 "decreases"와 "increases"를 모두 포함하는 범주형 용어를 사용하는 것이 가장 분명하다. 여기에서 가장 적합한 범주형 용어는 "changes"이다. 또한, "these"를 첨가해서 이런 변화가 앞에서 언급된 것이라는 점을 지적하라.

약어 사용을 위한 가이드라인

참조 : 다음 가이드라인은 각 단어 또는 중요한 음절의 첫 문자로 만들어진 약어에 관한 것이다(예를 들어, DNA, deoxyribonucleic acid). 측정 단위에 관한 표준 약어(SI 단위)는 국제적으로 통용되는 것이며 따라서 자유롭게 사용해도 좋다.

약어는 믿을 수가 없다. 이미 알고 있다면 독해가 더 쉬워지지만 새로운 약어는 독해를 성가시게 만든다. 여러분의 논문을 읽을 독자의 상당수가 약어를 모르기 때문에(예를 들어, 모국어가 영어가 아닌 독자, 석박사 과정 학생, 해당 분야의 신참) 약어는 최대한 적게 사용해야 한다. 독자는 단락 당 두세 개의 약어는 어렵지 않게 처리할 수 있지만 열 개의 약어(예문 28)는 과도하다. 약어 사용은 가능한 피하라. 특별히 표준적인 약어가 아니라면 더욱 그렇게 해야 한다.

약어는 언제 사용해야 하는가?

보통 약어를 사용하는 이유는 길고 다루기 힘든 용어, 그리고 논문에 수없이 나오는 용어를 대치하기 위해서다: "Heart rate"이 길고 다루기 힘들지는 않다. "Norepinephrine"도 괜찮다. 다섯 번이 수없이 등장하는 것은 아니며, 열 번도 그리 많은 것은 아니다. 약어가 논문에 겨우 다섯 번 내지 열 번 등장한다면 어떤 독자는 그 의미를 계속해서 찾아봐야 할 것이고 그러면 독해가 지연된다. 약어는 아주 자주 사용되어서 독자가 그 의미를 잊어버리지 않을 정도가 되어야 한다. 예외적으로 tetradecanoylphobol acetate(TPA)와 같이 대단히 긴 용어는 논문에 겨우 한두 번 등장한다 할지라도 약어로 사용해야 한다. 다른 또 한 가지 예외는 DNA나 HEPES buffer와 같이 본래 용어보다 약어가 독자에게 더 친숙한 경우다. 그런 약어는 자유롭게 사용해도 좋다.

약어 사용을 피하는 방법

약어 대신 때로는 긴 용어에서 한 단어를 뽑아 쓸 수도 있다. 예를 들어, "isometric handgrip exercise"는 논문에 한 종류의 "exercise" 만이 언급되고 있다면 표준적인 약어가 아닌 "IHE" 대신 그냥 "exercise"라고 부를 수 있다.

"Group A" 식의 표현을 피하려면 "the hypotensive group"과 같이 해당 그룹의 특성을 이용해 보라.

새로운 말을 만들어야 할 때는 약어를 사용할 필요가 없는 짧은 용어를 만들라. 예를 들어, "endorphins"은 "opiate receptor blockers"에 비해 대단히 훌륭한 선택이었다.

연습문제 1.2: 부주의하게 혼용되는 단어

1. affected.
2. concentration

   주석: "Level"은 "amount"나 "concentration", "content" 보다 더 일반적인 용어다. 논문에 한 종류의 "level"이 존재한다면 "amount"나 "concentration", "content" 대신 "level"을 사용해도 좋지만, 예를 들어, "amounts"와 "concentrations"가 모두 등장하거나 사용한 "level"이 "horizontal state or line"을 의미한다면 매번 구체적인 용어를 사용하는 것이 바람직하다.
3. consisted of. (Omit "no other drugs were used.")
4. increases.
5. improved.
6. speeds.
7. intervals, period.
8. variables.
9. is.

제2장

연습문제 2.1: 주어와 동사, 목적어 및 보어군을 통해 핵심 메시지를 표현하라

1. At the end of dialysis, the plasma acetate concentration in the adults **was** almost double that in the children.

   주석: 교정된 문장의 주어와 동사, 보어군이 본래 문장의 주어, 동사, 보어군보다 더 많은 메시지를 전달하고 있다는 점에 유의하라: "concentration was almost double" vs. "adults ended dialysis." 또한 "adults"와 "children" 앞에 같은 전치사("in")가 사용되었다는 점에도 주목하라("in" 대신에 "of"를 쓸 수도 있었다). 마지막으로, 성인과 소아가 모두 투석을 거쳤다면, "at the end of dialysis"가 문장의 앞에 와야 그 사실이 가장 분명해진다(해당 조건이 앞에 등장하면 이를 바꾸기 전까지는 계속 유효하다)(제 3 장의 "신호의 유효기간" 참조).
2. The patient's symptoms **did not change**.

   The patient's symptoms **were unchanged**.
3. After the patient **began** taking 0.6 g of aspirin daily, his arthritis **resolved**.

   Aspirin (0.6 g daily) **resolved** the patient's arthritis.

4. The death rate decreased progressively OR progressively decreased.
5. Ethanol evaporates from the mixture rapidly.
   Ethanol evaporates rapidly from the mixture.
6. Potassium perchlorate was removed by centrifugation of the supernatant liquid at 1400 × g for 10 min. (passive)
   Centrifugation of the supernatant liquid at 1400 × g for 10 min removed potassium perchlorate. (active)
   We removed potassium perchlorate by centrifuging the supernatant liquid at 1400 × g for 10 min. (one way to use "we")
   To remove potassium perchlorate, we centrifuged the supernatant liquid at 1400 × g for 10 min. (another way to use "we")
7. Blood pH was measured by OR with a Radiometer capillary electrode.
   주석: "By"를 사용하면 기계가 아무 도움없이 측정했다는 의미가, "with"를 사용하면 연구가가 기계를 조작했다는 의미가 내포된다.
8. The lives of uremic patients have been prolonged by improved conservative treatment and hemodialysis.
   Uremic patients live longer because of improved conservative treatment and hemodialysis.
   Improved conservative treatment and hemodialysis have prolonged the lives of uremic patients.
9. Minute ventilation and respiratory frequency increased abruptly in all dogs as exercise began.
   Exercise increased minute ventilation and respiratory frequency abruptly in all dogs.
   주석: "dogs"가 주제가 아니기 때문에 "All dogs increased their minute ventilation and respiratory frequency abruptly as exercise began"이라고 하면 안된다.
10. COP1 was inactivated by light before it was depleted from the nucleus.
11. When a partially purified TFIIH fraction was immunoprecipitated with Ab-ERCC2 under medium high salt conditions (0.5 M KCl), a triplet ...
12. If mismatches are not corrected, base pairs are segregated after meiosis.
13. We analyzed each specimen at least twice.
14. Infusion of tyramine decreased cutaneous blood flow.
15. The mutation kills the embryos.
16. Homozygous p53-knockout mice were resistant to neuronal apoptosis

induced by a variety of neuronal toxins.

17. D1-like receptors **permit** regulation of D2-like receptors.
 D1-like receptors **regulate** D2-like receptors.
18. These agents **act** by **inhibiting** the synthesis of cholesterol by the liver.
 These agents **inhibit** the synthesis of cholesterol by the liver. (slightly different meaning)
 주석: "hepatic synthesis of cholesterol" 은 너무 추상적이다.
19. This net difference in osmolarity **forces** (OR **drives**, **shifts**, **draws**) water into the cerebrospinal fluid, thus **increasing** pressure.
 주석: 인과관계의 개념을 유지하기 위해 "Thus" 가 필요하다.
 This net difference in osmolarity **increases** pressure by **drawing** water into the cerebrospinal fluid.
 Because of this net difference in osmolarity, water **flows** into the cerebrospinal fluid, thus **increasing** pressure.
 Driven by this difference in osmolarity, water **flows** into the cerebrospinal fluid, thus **increasing** pressure.
 주석: "driven" 은 동사이며 이미지를 불러일으키는 구체적인 용어이기 때문에 "because of" 보다는 "driven by" 가 더 강력하다.
20. Recently, evidence that light **controls** the import of a potential transcription factor into the nucleus has been provided.
 Recently, light **has been found to control** the import of a potential transcription factor into the nucleus.
21. A capsule of amyl nitrite was crushed and held in front of the nose for 20 s while the patient **breathed** normally.
 주석: "While normal respiration was maintained" is not as good; too abstract.
22. Calcium is translocated across the membrane as a phosphorylated enzyme intermediate **is formed**. Then calcium is released into the lumen as the phosphorylated enzyme intermediate **is decomposed** into the unphosphorylated enzyme and ADP plus phosphate.
 Calcium is translocated across the membrane when an enzyme **is phosphorylated**. Then calcium is released into the lumen when the enzyme **is dephosphorylated**.
 주석: 예문 21, 22의 문제의 근원은 "with" 에 있으며, 두 문장 모두에서 문제를 해결하는 방법은 동사를 첨가하는 것이다. 예문 22의 경우, 두 번째 교정문이 네 가지 이유에서 가장 바람직하다. 이 교정문은 실제 행동을 동사

도 표현하고 있으며("phosphorylated", "dephosphorylated"), 대구 형식을 사용하고 있다(제 2 장 및 3장 참조). 또한, 서로 대조되는 동사를 강력한 위치인 각 문장의 끝부분에 두고 있으며(제 3 장, "강조" 참조), 불필요한 어휘가 생략되었다.

23. Radical cleavage **is** modestly **increased** at base pairs 10－12.
    Cleavage by radicals at base pairs 10－12 **is** modestly **increased**
24. Genetic work in C. elegans showed that its BCL2 homolog **regulates** cell death. OR its BCL2 homolog is the main regulator of cell death. Genetic work in C. elegans showed that the central function of its BCL2 homolog is to regulate cell death.

연습문제 2.2: 명사구 해체하기

1. Blood clotting in the shunt occurred after 5 days.
   주석: 명사구는 해체되었지만 동작이 여전히 주어에 있다.
   Blood in the shunt clotted after 5 days. (동작이 동사에).
2. Interference patterns induced by DNAase I nicking correspond precisely to interference patterns induced by ethylation for both of the 10-bp sequences.
   주석: 때로는 명사 간의 관계를 분명하기 위해 분사 + 전치사가 필요하다.
3. The precipitate was further purified by being centrifuged on sucrose density gradients (OR on density gradients made of sucrose).
   주석: "sucrose density gradients"는 적법한 용어지만 처음에는 길게 풀어 쓴 다음("density gradients made of sucrose") 그 뒤부터 명사구를 사용하는 것이 더 명확한 방법이다. "sucrose density gradient centrifugation"도 마찬가지다.
4. "Regulation of Cerebrospinal Fluid pH by the Blood-Brain Barrier"
   주석: "pH Regulation"은 "regulation of the pH"나 "regulation by the pH"를 모두 의미할 수 있기 때문에 적합하지 않다.
5. The antigen was prepared from **whole homogenates** of rat liver.
   OR **crude homogenates**.
   주석: "whole liver"는 맞지 않다. "whole"은 "whole milk"와 같은 문맥에서 쓰여야 한다.
6. T_4 stimulated incorporation of choline into **primary cultures** derived from fetal lung cells OR fetal lung cells in **Primary culture**.
   주석: "primary cell cultures"는 "primary"가 "cell"을 수식할 수도, "cultures"를

수식할 수도 있기 때문에 분명하지 않다. 반면에 "Fetal lung cells"의 경우 "fetal lung"이라면 세포도 "fetal cell"이 될 것이고, 그 반대도 마찬가지이기 때문에 문제될 것이 없다.

7. **PKC-activation-induced translocation** of RACK1 is specific. ...
8. Serum samples from healthy **subjects** and from **patients** who had ulcerative colitis were studied by (OR with) paper electrophoresis.
9. There was no significant difference between lactate **concentrations** in resting **subjects** and in exercising **subjects**.

   주석: "Lactates did not differ significantly when sampled at rest or during exercise"는 안 된다. 이 문장에서는 누가 휴식 중이며 누가 운동하고 있는지 분명하지 않다. 문장 8과 9에는 피험자가 반드시 언급되어야 한다.

연습문제 2.3: 비대한 문장의 교정

예문 1

Mutagenesis studies of several MADS box proteins, including MEF2, have shown that the 56-amino-acid MADS box is required for DNA binding. A 30-amino-acid extension on the carboxyl-terminal side of the MADS box is also required. This carboxyl terminal extension is unique to each subclass of MADS box proteins.

(53 words; mean: 18 words per sentence)

주석: 본래 문장에서는 "in addition to"와 "which"를 통해 개념이 줄줄이 함께 연결되었다. 본래 문장보다 네 단어가 긴 교정문에서는 이런 연결 고리마다 새로운 문장이 시작되고 있다.

예문 2

To identify mast cells, an adjacent section was stained with alcian blue. The staining shows that several mast cells are located in the media and adventitia region of the intramural arteriole. However, the number of alcian-blue-staining cells is lower than the number of cells that are positive for chymase mRNA shown in Fig. 5B.

(56 words; mean: 19 words per sentence)

주석: 본래 문장에는 또 하나의 개념이 숨겨져 있다("but not the number

equivalent to the number of chymase mRNA positive cells in Fig. 5B). 교정문에서는 숨겨진 개념이 별도의 문장에 실렸으며(마지막 문장) 비교를 명확하게 하기 위해 수정되었다. 또한, 교정문에서는 더 정확한 단어가 사용되었고("are located") 명사구가 해제되었다("chymase mRNA positive cells"). 본래 문장보다 열 단어 긴 이 교정문은 글을 명쾌하게 만들기 위해 때로 단어를 추가할 필요가 있다는 점을 보여준다.

예문 3

A temporal and spatial relationship between lipid peroxidation and type I collagen expression has been described in stellate cells. This relationship has been correlated with an in vitro model of coculture between stellate cells and hepatocytes. In this model, after addition of LCL4, collagen is expressed in stellate cells located near the stellate cell-hepatocyte boundary but not in distant cells or in stellate cells cultured alone.

(66 words; mean: 22 words per sentence)

주석: 본래 문장은 개념이 줄줄이 연결되어 거의 이해할 수 없는 문장이 되어 버렸다. 교정문은 이 문장을 세 개의 짧은 문장으로 분리했으며, 마지막 문장에서는 불필요한 단어를 생략함으로써("in the immediate vicinity of" 대신 "near") 교정문이 본래 문장보다 네 단어 짧아졌다.

연습문제 2.4: 대명사의 명확한 사용법

1. To decrease blood volume by about 10% in a few minutes, blood was pooled in the subjects' legs by placing wide congesting cuffs around the thighs and inflating the cuffs to diastolic brachial arterial pressure.
   To decrease blood volume by about 10% in a few minutes, blood was pooled in the subjects' legs by inflating wide congesting cuffs, placed around the thighs, to the diastolic pressure of the brachial artery.
   주석: 두 번째 교정문에서는 "cuffs"의 반복을 피하고 형용사구인 "diastolic brachial arterial pressure"를 해체했다.
2. This difference in recovery suggests that...
   These different degrees of reduction suggest that...
   This selective reduction of apolipoprotein A-I suggests that...
   주석: 이 교정문들은 구체적이지 않은 것에서 구체적인 것의 순으로 진행하고

있다. 앞 문장의 두 개의 핵심용어가 반복되었기 때문에("apolipoprotein A-I"와 "reduced") 마지막 교정문이 가장 바람직하다(제 3 장, "핵심용어의 반복" 참조). "These findings suggest that"은 너무 모호해서 도움이 되지 않는다.

3. The size of the bolus is limited...
The size of the relative error is limited...
The size of the CT number is limited...
However, the size of the bolus is limited because large boluses are harder to administer and patients do not tolerate them well.
주석: 저자가 의도한 바는 첫 번째 교정문이지만 어떤 교정문도 이치에 어긋나지 않는다. 마지막 교정문에서는 동사와 형용사를 통해 동작이 표현되었기 때문에("are harder", "tolerate") 문장이 가볍고 읽기 쉽다.

연습문제 2.5: 대구법의 사용

1. Cardiac output was less in the E. coli group than in the Pseudomonas group.
2. Left ventricular function was impaired in the dogs that received endotoxin and in the control dogs.
3. Pulsation of the cells or cell masses can be quick and erratic or slow and regular.
4. Whereas epidural administration of fentanyl at a rate of 20 μg/h reduced the requirement for patient-controlled bupivacaine, intravenous administration of fentanyl (20 μg/h) or placebo did not.
주석: 이런 대구되는 개념에 대구 형식을 사용하면 "did not" 뒤에 같은 내용을 반복할 필요가 없다.
5. The tubes were spun on a Vortex mixer for 10 s, stored at 4°C for 2 h, and then centrifuged at 500 × g for 10 min.
주석: "centrifuged" 앞의 "they were" 뿐만 아니라 "then"도 생략할 수 있지만 그럴 필요까지는 없다.
6. Tracheal ganglion cells have been classified on the basis of their spontaneous discharge (12), their electrical properties (5), and the presence or absence of vasoactive intestinal peptide (8).
주석: "or absence"를 생략할 수도 있다.
Tracheal ganglion cells have been classified on the basis of three

properties: spontaneous discharge (12), electrical characteristics (5), and vasoactive intestinal peptide content (8).

7. Phenylephrine increased the rate of mucus secretion and the output of nondialyzable ^{35}S; it also caused a net transepithelial movement of Na towards the mucosa.

   Phenylephrine increased the rate of mucus secretion, increased the output of nondialyzable ^{35}S, and caused a net transepithelial movement of Na towards the mucosa.

8. The fractions were centrifuged, the pellets were resuspended in a small volume of buffer, and a sample of cells was counted in an electronic cell counter.

9. Even the highest dose of atropine had no effect either on baseline pulse rate or on the vagally stimulated pulse rate.

   Even the highest dose of atropine had no effect on pulse rate either during baseline or during vagal stimulation.

   주석: 두 번째 교정문은 "pulse rate"의 반복을 피하고 있다.

10. An impulse from the vagus nerve to the muscle has to travel both through ganglia and and through postganglionic pathways.

    주석: "through both ganglia"가 "two ganglia"를 의미할 수 있기 때문에 "through both ganglia and postganglionic pathways"는 이론적으로는 문제가 없지만 여기에서는 바람직하지 않다.

11. The internal pressure must depend not only on volume but also on the rate of filling.

연습문제 2.6: 비교문의 대구법

1. The greater stability in this study than in the previous study resulted from more accurate marker digitization.

2. Total microsphere losses were greater at 34, 64, and 124 min than at 4 min.

   Total microsphere losses at 34, 64, and 124 min were greater than those at 4 min.

3. We frequently observed that mean coronary arterial pressure was lower than mean aortic pressure after carbochromen injection. (maybe neither decreased)

We frequently observed a decrease in mean coronary arterial pressure but not in mean aortic pressure after carbochromen injection. (one decreased)
We frequently observed a greater decrease in mean coronary arterial pressure than in mean aortic pressure after carbochromen injection. (both decreased)

4. The loss of apolipoprotein A-I from high-density lipoproteins during ultracentrifugational isolation **was greater than** the losses during other isolation methods.
5. Losses of apolipoprotein A-I during other isolation methods **were smaller than** losses during ultracentrifugation.
6. The protein composition of heavy meromyosin, **like** that of subfragment 1, was homogeneous.
Like the protein composition of subfragment 1, the protein composition of heavy meromyosin was homogeneous.

제3장

연습문제 3.1: 주제문과 뒷받침문

교정문 1

[A]Capsaicin (50 mg/kg) was injected into each guinea pig subcutaneously in two sequential doses. [B]The first dose was 20 mg/kg. [C]The second dose, given 2 h later, was 30 mg/kg. [D]Before each dose of capsaicin was given, anesthesia was induced by injection of pentobarbital (first, 30 mg/kg i.p.; second, 10−20 mg/kg i.p.). [E]In addition, to counteract respiratory impairment caused by capsaicin, salbutamol (0.6 mg/kg s.c.) was injected into the guinea pig N min after anesthesia was induced and 10 min before capsaicin was injected. [F]Control guinea pigs underwent the same procedures with vehicles.

(100 words; mean: 17 words/sentence)

주제문은 "two doses"에 관한 것이며, 메시지(two doses)는 문장 끝부분의 보어군에 담겨있다.

주제가 주어이며, 동작은 동사에 담겨있다.

뒷받침하는 세부사항은 중요도 순으로 조직되어 있다.
문장 D의 앞부분에 연결어구가 첨가되어 앞 단계와 연결해준다.
"solution" 에 관한 세부사항은 "materials subsection" 으로 옮겨졌다.

교정문 2

*A*Two different doses of capsaicin were injected into each guinea pig. *B*The first dose, 20 mg/kg, was injected N min after pentobarbital (30 mg/kg i.p.) was injected to induce anesthesia and 10 min after salbutamol (0.6 mg/kg) was injected to counteract respiratory impairment caused by capsaicin. *C*The second dose of capsaicin, 30 mg/kg, was injected 2 h later, after additional administration of pentobarbital (10−20 mg/kg i.p.) and salbutamol. *D*For each dose, capsaicin was prepared as a 12.5% solution in equal parts of 95% ethanol and Tween-80, diluted to 25 mg/ml with saline. *E*Control guinea pigs underwent the same procedure except that vehicle was substituted for capsaicin.

(115 words; mean: 23 words/sentence)

주제문은 "two doses" 에 관한 것이며, 메시지(two doses)는 문장 앞부분의 주어에 담겨있다.
주제가 아닌 메시지가 주어이며 동작은 동사에 담겨있다.
뒷받침하는 세부사항은 용량(dose)에 의해 조직되어 있다.
"solution" 에 관한 세부사항(가장 중요하지 않은)은 단락의 마지막 근처에서 별도의 문장에 들어가 있다.

교정문 3

*A*Capsaicin was injected subcutaneously into each guinea pig in two consecutive doses. *B*Before the first dose, pentobarbital (30 mg/kg i.p.) was given to anesthetize the guinea pig, and then salbutamol (0.6 mg/kg s.c.) was given to prevent apnea. *C*Ten minutes later, 20 mg/kg capsaicin was injected. *D*Before the second dose, given 2 h later, the same protocol was followed except the guinea pig received a lower dose of pentobarbital (10−20 mg/kg) and a higher dose of capsaicin (30 mg/kg). *E*Control guinea pigs underwent the same procedure with vehicles.

(94 words; mean: 19 words/sentence)

주제문은 "two doses"에 관한 것이며, 메시지(two doses)는 문장 끝부분의 보어군에 담겨있다.

주제가 주어이며, 동작은 동사에 담겨있다.

뒷받침하는 세부사항은 본래 단락과 마찬가지로 연대기 순으로 조직되어 있다.

주요 논점(the two doses of capsaicin)에 주의를 모으기 위해 "dose"는 문장 B와 D 앞부분의 연결어구에 첨가되었다.

반복을 피하고 있다(D).

"solution"에 관한 세부사항은 "materials subsection"으로 옮겨졌다.

길이가 짧은 문장 C가 중요한 세부사항(first dose of capsaicin)을 강조하고 있다.

문장 D에서는 "a higher dose"가 capsaicin 용량 간의 차이를 강조하고 있다.

연습문제 3.2: 핵심용어를 문장의 앞부분에서 동일하게 반복하기

예문 1

교정문 1

A LUMPED TRANSPORT MODEL TO DETERMINE
DYNAMIC BINDING CAPACITY AS A FUNCTION
OF LINEAR VELOCITY AND BED LENGTH

*A*The dynamic binding capacity of a protein on chromatographic resins depends on linear velocity, bed length, binding kinetics, and the physical and chemical properties of the resin. *B***An excellent method of measuring this dynamic binding capacity is by assessing the shape of** breakthrough curves at different linear velocities and bed lengths. *C*For large molecules such as proteins, the shape of the breakthrough curve may vary considerably as linear velocity and bed length are changed.

교정문 2

*A*The dynamic binding capacity of a protein on chromatographic resins depends on linear velocity, bed length, binding kinetics, and the physical and chemical properties of the resin. *B***This dynamic binding capacity can be measured by assessing the shape of** breakthrough curves at different linear velocities and bed lengths. *C***The shape of the breakthrough curve** for large molecules such as proteins may vary considerably as linear velocity and bed length are changed.

주석

핵심용어를 동일하게 반복하는 것

본래 단락에서는 문장 C의 "column length"가 문장 A의 "bed length", 제목이 "bed height"와 동일한 것인지 알기 어렵다. 마찬가지로, 문장 B의 "velocities"가 문장 A와 C의 "linear velocity", 제목의 "flow rate"와 동일한 것인가? 문장 A와 B의 "dynamic binding capacity"가 제목의 "resin capacity"와 같은 것인가? 이렇게 다르게 표현하면 잘 되도 잡음이 생기고 잘 안되면 혼란만 가중시킨다. 모두 같은 의미라는 것이 독자에게 분명해지도록 핵심용어를 동일하게 반복하라.

핵심용어를 앞에서 반복하라

본래 단락에서는 문장 B에 끝에 이르기 전까지 문장 A와 B 간의 연속성이 분명하지 못한다. 이는 "breakthrough"라는 새로운 용어가 도입되었으며 이 용어가 앞 문장과 어떻게 연결되는지 알 수 없기 때문이다. 교정문에서는 "breakthrough"가 언급되기 전에 문장 B의 앞부분에서 "dynamic binding capacity"가 반복되었으며, 따라서 연속성이 더 분명해졌고 줄거리를 따라가기 쉬워졌다.

교정문 2에서는 "dynamic binding capacity"가 문장 B의 앞부분에서 문장의 주어로 반복되었기 때문에 교정문 1에 비해 문장 A와 B 간의 연속성이 한층 강화되었다. 교정문 1에서는 "dynamic binding capacity"의 한 측면("method of measuring")이 문장의 앞부분에 위치해 있다.

두 교정문 모두 문장 B와 C 간의 연속성을 강화하기 위해 문장 B에 핵심용어인 "shape"을 추가했다. 또한, 두 번째 교정문에서는 문장 C의 앞부분에서 핵심용어인 "shape of the breakthrough curve"가 반복되었다.

핵심용어인 "dynamic binding capacity"를 문장 B의 앞부분에서 반복하고 문장 B에 핵심용어인 "shape"을 추가하는 두 가지 변화 때문에 문장 B와 문장 B 전후의 문장들 간의 연속성이 한층 강화되었다.

예문 2

교정문 1

^{A}Transcription of the acid phosphatase PHO5 in the yeast Saccharomyces cerevisiae is activated by a transcription factor encoded by the PHO4 gene.

[B]Whether transcription is activated depends on extracellular phosphate levels. [C]When yeast cells are grown in medium containing high phosphate levels, PHO4 is in the cytoplasm and does not activate transcription of PHO5. [D]When yeast cells are starved for phosphate, PHO4 enters and is **retained** in the nucleus, where, in conjunction with a second transcription factor called PHO2, it activates transcription of PHO5. [E]It is not known how PHO4 is retained in the nucleus under low phosphate conditions. [F]One hypothesis is that PHO4 is retained in the nucleus by binding to the nuclear protein PHO2. [G]Another hypothesis is that PHO4 is retained in the nucleus by binding to DNA. [H]To test the first hypothesis, we are examining the subcellular localization of PHO4 in a strain from which PHO2 has been deleted. [I]Preliminary results suggest that **binding to PHO2 is not the way PHO4 is retained in the nucleus** under low phosphate conditions. [J]To test the second hypothesis, we are generating a mutant version of PHO4 from which the DNA binding domain has been deleted. [K]This PHO4 mutant will be introduced into yeast and its subcellular localization will be determined.

1. 문장 A의 "expression"이 이제 "transcription"이 되었다.
2. "activation of transcription depends on extracellular phosphate levels"라는 논점(문장 B)이 "how transcription of PHO5 is activated"에 관한 논점(문장 A) 뒤에 배치되었다. 그럼으로써, 문장 B를 뒷받침하는 문장 C와 D가 자신들이 뒷받침하는 문장 바로 뒤에 오게 되었으며 문장 C의 핵심용어인 "phosphate levels"는 문장 B의 "phosphate levels"를 반복하고 있다.
3. 문장 D에 "retained"가 추가되어 문장 E의 "retained"의 등장을 준비시켜준다.
4. 두 개의 가설이 나란히 쓰여져 있다. 두 가설 모두 정확하게 기술되어 있으며 동일한 핵심용어가 사용되고 있다. 문장 F는 핵심용어인 "PHO2"가 "nuclear protein"이라는 점을 밝힘으로써 문장 E와의 연속성을 유지하고 있다. 이 기법은 핵심용어를 연결하는 것이다(이제 "PHO2" 앞에 등장하는 범주형 용어 "nuclear protein"은 문장 E의 "nucleus"에 연결된다).
5. 문장 I의 "interaction"은 "binding"으로, "localization"은 "retained"로 바뀌어졌다(사실, 주어와 동사, 보어군 전체가 바뀌었다).
6. 두 번째 가설이 문장 G에 기술되어 있기 때문에 본래 단락의 문장 J(the second possibility)는 생략되었다.

교정문 2

교정문 2는 교정문 1과 거의 동일하지만 문장 F가 본래의 문장 F와 G를 대신하고 있으며(두 가설을 한 문장에), 문장 H와 J의 시작부가 더 구체적이 되었다.

FThe explanation may be that PHO4 is retained in the nucleus by bind-ing to a nuclear component, either PHO2 or DNA. HTo test binding to PHO2,... JTo test binding to DNA,...

교정문 3

A,BIn the yeast Saccharomyces cerevisiae, **transcription** of the acid phosphatase PHO5 is regulated by extracellular phosphate levels through the transcription factor PHO4. CWhen yeast cells are grown in medium containing high phosphate levels, PHO4 enters the cytoplasm and PHO5 is not transcribed. DWhen yeast cells are grown in medium without phosphate, PHO4 is **retained** in the nucleus. D′There, in conjunction with a second transcription factor, PHO2, it activates transcription of PHO5. EThere are two hypotheses for how PHO4 is retained in the nucleus under low phosphate conditions. FOne hypothesis is that PHO4 binds to the nuclear protein PHO2. HTo test this hypothesis, we studied nuclear retention of PHO4 in a strain that lacks PHO2. IPreliminary results suggest that binding of PHO4 to PHO2 is not required for the nuclear retention of PHO4 under low phosphate conditions. JThe second hypothesis is that PHO4 binding to DNA through its DNA binding domain is responsible for retaining PHO4 in the nucleus. KTo test this hy-pothesis, we plan to study the nuclear retention of a PHO4 mutant from which the DNA binding domain has been deleted.

교정문 4

A**Transcription** of the acid phosphatase PHO5 in the yeast Saccharomyces cerevisiae is regulated by the transcription factors PHO4 **and PHO2**. BThe intracellular **location** of PHO4, and consequently the transcription of PHO5, are regulated by extracellular phosphate levels. CWhen yeast cells are grown in medium containing high phosphate levels, PHO4 is located in the cy-toplasm and therefore is unable to activate transcription of PHO5. DWhen yeast cells are grown in medium containing low phosphate levels, PHO4 is translocated to and retained in the nucleus, where, in conjunction with PHO2, it activates transcription. [E]How PHO4 is retained in the nucleus is unknown. [F]One hypothesis is that PHO4 is retained in the nucleus by binding to the nuclear transcription factor PHO2. [H,I]However, preliminary results from studies performed in yeast lacking PHO2 suggest that binding of PHO4 to PHO2 is not responsible for retaining PHO4 in the nucleus under low phosphate conditions. [J]A second hypothesis is that PHO4 is retained in the nucleus by binding to DNA via its DNA-binding domain. [K]To test this hypothesis, PHO4 lacking the DNA binding domain is being generated. [L]This mutant will be introduced into yeast and its subcellular location will be determined.

연습문제 3.3: 핵심용어의 연결

교정문 1

[A]Medications, dietary deficiencies, inflammatory mediators, abnormal calcium metabolism, and decreased physical exercise have all been implicated in the pathogenesis of decreased bone mineral density in children with juvenile rheumatoid arthritis (refs). [B]Recent evidence now indicates that one type of medication, glucocorticoids, decreases bone mineral density and degrades muscle in these children (refs); ...

이 교정문은 예문 3.17과 같다: "One member of this family, Drosophila Decapentaglegic..."

교정문 2

[B]Recent evidence now indicates that glucocorticoids, a type of medication used occasionally to treat children with juvenile rheumatoid arthritis, decrease bone mineral density and degrade muscle in these children (refs); ...

이 교정문은 예문 3.16의 교정문 A와 같다: "The v-erbB gene, and oncogene of the avian erythroblastosis virus,..."

교정문 3

*B*Recent evidence now indicates that glucocorticoid medication decreases bone mineral density and degrades muscle in these children (refs);...

이 교정문은 예문 3.16의 교정문 B와 같다: "The v-erbB oncogene...."

세 교정문 모두에서 "medication"이 두 번째 사용되었을 때 핵심용어가 서로 연결되었다.

연습문제 3.4: 핵심용어의 반복과 연결

교정문 1

*A*Blood products are used frequently in the care of sick preterm infants, but their use may increase the risk of intracranial hemorrhage. *B*This risk may be decreased by optimizing the rate of blood product infusion. *C*Therefore, we studied the effects of various rates of blood product infusion on **two indicators of the risk of intracranial hemorrhage**, cerebral blood flow and intracranial pressure, in sick preterm infants within the first 7 days after birth.

주석

핵심용어를 동일하게 반복하라

교정문 1에서는 문장 A와 B의 핵심용어인 "blood products"와 "the risk of intracranial hemorrhage"가 문장 C에서 반복되고 있다. "volume expansion"은 생략되었다.

핵심용어인 "timing", "method", "rapidity"는 정확한 용어인 "rate"로 대치되었다. "administration"은 정확한 용어인 "infusion"으로 바뀌었다.

또한, 문장 A의 핵심용어인 "sick preterm infants"는 완전히 다른 모집단인 "small preterm infants"로 바뀌기 보다는 문장 C에서 그대로 반복되었다.

핵심용어를 앞에서 반복하라

문장 B에서는 "clinicians"가 생략되면서 "risk"가 더 앞에서 반복될 수 있게 되었다.

핵심용어의 연결

"cerebral blood flow"와 "intracranial pressure"가 두개강 내 출혈의 위험인자의 지표라는 점이 밝혀지면서 이들 핵심용어가 연결되고 있다.

교정문 2

ABlood products are used frequently in the care of sick preterm infants. BHowever, if blood products are infused rapidly, **causing sudden expansion of blood volume**, the risk of intracranial hemorrhage may be increased. CWe suspected that this risk varies with the rate at which blood volume is expanded. DTherefore, we studied the effects of various rates of expanding blood volume on **two indicators of the risk of intracranial hemorrhage**, cerebral blood flow and intracranial pressure, in sick preterm infants within the first 7 days after birth.

교정문 2의 문장 B에는 "causing sudden expansion of blood volume"이 추가되면서 "blood products"와 "blood volume" 간의 관계가 명확해졌다. 이렇게 핵심용어가 연결되었기 때문에 첫 두 문장의 "blood products"가 마지막 두 문장의 "blood volume"으로 치환될 수 있다.

문장 B의 핵심용어인 "rapidly"는 문장 C의 범주형 용어인 "rate"의 등장을 준비시켜주지만 이 두 핵심용어가 연결된 것은 아니다.

연습문제 3.5: 연결어휘의 가치

1. **논리적 관계:** 두 번째 문장이 다음 단계를 제공한다.
   실마리: "Then"이 다음 단계의 등장을 암시한다.
2. **논리적 관계:** 두 번째 문장이 "microspheres"가 준비된 방식을 설명한다.
   실마리: "In brief"가 설명의 등장을 암시한다.

사람들이 흔히 "in brief" 대신 "briefly"를 사용한다는 점에 유의하라. "briefly"가 "for a short time"을 의미한다면 "They were suspended briefly in 1 ml of dextran solution...."이라고 쓸 수도 있지만 다음과 같이 기간을 구체적으로 명시하는 것이 더 바람직하다: "They were suspended for 5s in 1 ml of dextran solution...."

3. **논리적 관계:** 말하기 어렵다.
   실마리: 연결어구가 없다.

독자의 추론이 대개 맞기는 하지만, 핵심은 독자가 추론하도록 해서는 안된다는 것이다. 적절한 연결어구를 사용하면 절대로 논리적 관계를 놓칠 수 없다.

연습문제 3.6: 연결구

*A*Hepatocytes cultured in tissue slices, where cell contacts and tissue organization are largely retained, continue tissue-specific transcription at nearly normal levels in culture media. *B*However, hepatocytes grown in cell culture, where cell contacts and tissue organization are disrupted, have severely altered levels of transcription. *C***To avoid altered levels of transcription**, one approach has been to combine extracellular matrix with pure hepatocytes in culture.

OR: *C***To maintain normal transcription,**

*C***One approach used to maintain normal levels of transcription has been...** (연결절)

"Normal"은 문장 A와 B의 "transcription"을 반복한 것 외에 문장 A의 핵심용어를 반복한 것이다.

연습문제 3.7: 연결절

예문 1

이 단락의 조직 패턴은 "해결-문제" 형이다. 문장 A는 잠재적인 해결책을 기술하고 있으며 문장 B와 C는 이 해결책의 한계(문제점)를 설명하고 있다. 따라서, 문장 B 앞부분의 연결절은 문장 B가 한계를 설명한다는 점을 기술해야 한다.

교정문 1 (연결절을 첨가)

*A*Xenogeneic transplantation, or the transplantation of organs between species, is a potential solution to the severe shortage of donor organs for clinical transplantation [1, 2]. *B***One limitation to xenogeneic transplantation** is chronic immunologic rejection, **which** is mediated by both cellular and humoral pathways [3]. *C*However, the primary limitation is hyperacute rejection, which is triggered by the recipient' s natural antibodies directed against the donor' s endothelial cells [4].

문장 B의 끝부분이 압축되어 있다. 또한, 문장 B에 핵심용어인 "xenogeneic"이 동일하게 반복되었다는 점에 유의하라.

문장 C에서는 반복되었던 어휘("to xenogeneic transplantation")가 생략되었다.

교정문 2 (두 번째 주제문(문장 B)을 사용했으며 문장 C의 앞부분의 연결절이 이를 뒤따르고 있다.)

ᴬXenogeneic transplantation, or the transplantation of organs between species, is a potential solution to the severe shortage of donor organs for clinical transplantation [1, 2]. ᴮ**However, xenogeneic transplantation has two limitations.** ᶜ**One limitation is** chronic immunologic rejection, which is mediated by both cellular and humoral pathways [3]. ᴰThe primary limitation is hyperacute rejection, which is triggered by the recipient's natural antibodies directed against the donor's endothelial cells [4].

교정문 3 (뒷받침문을 재조직했다: 중요도 및 연대기 순을 동시에)

ᴬXenogeneic transplantation (the transplantation of organs between species) is a potential solution to the severe shortage of donor organs for clinical transplantation [1, 2]. ᴮ**Presently, the primary limitation to xenogeneic transplantation is hyperacute rejection**, which is triggered by the recipient's natural antibodies directed against the donor's endothelial cells [3]. ᶜ**In addition, in the long term, xenogeneic transplantation is limited by chronic rejection**, which is mediated by both cellular and humoral pathways [4].

OR: ᶜ**Even if this acute rejection is avoided,**

예문 2

이 단락의 조직 패턴은 "지지"형이다. 따라서, 문장 B의 앞부분의 연결절은 뒷받침문들이 세포배양액에 알부민을 포함시키는 것을 지지하고 있다는 점을 기술해야 한다.

교정문 1

ᴬAnother question that frequently arises when we try to increase apo-B secretion by hepatocytes grown in culture is whether or not albumin should be included in the culture medium. ᴮ**One argument in favor of including albumin is that** albumin appears to be an effective sink for toxic products released into the medium by damaged cells (ref). ^{C}**Another argument is that** albumin solubilizes water-insoluble long-chain fatty acids by complexing with them (ref), thus raising the lipid level in the culture medium. ^{D}Therefore, albumin could increase apo-B secretion, which depends on lipid levels in the medium. ^{E}We therefore tested different concentrations of fetal bovine serum albumin (from 0 to 15%, v/v) on the level of apo B secreted in the culture medium and determined that 6.5% (v/v) is the ideal concentration for our purposes.

OR: ^{B}**Evidence for including albumin is that...** ^{C}**Further evidence is that...**
^{B}**One advantage of including albumin is that...** ^{C}**Another advantage is...**
^{B}**In support of including albumin, (연결절) albumin appears...** ^{C}**In addition, ...**

교정문 2

^{A}Another question that frequently arises when we try to increase apo-B secretion by hepatocytes grown in culture is whether or not albumin should be included in the culture medium. ^{B}**Two arguments support including albumin.** ^{C}**One argument is that** albumin appears to be an effective sink for toxic products released into the medium by damaged cells (ref). ^{D}**Another argument is that** albumin solubilizes water-insoluble long-chain fatty acids by complexing with them (ref), thus raising the lipid level in the culture medium. ^{E}Therefore, albumin could increase apo-B secretion, which depends on lipid levels in the medium. $^{E'}$Since albumin appears likely to be useful in the culture medium, the next question is what the ideal concentration is for maximal secretion of apo-B. ^{F}We therefore tested different concentrations of fetal bovine serum albumin (from 0 to 15%, v/v) on the level of apo-B secreted in the culture medium and determined that 6.5% (v/v) is the ideal concentration for our purposes.

문장 B는 주제문이다.
문장 C와 D는 연결절로 시작한다.
문장 E′는 논리의 잃어버린 고리를 채워주고 있다.

OR: ^{B}**Two findings support... One finding is that... The other finding is that..."**
^{B}**Two advantages of including albumin have been reported. One**

advantage is..."

교정문 3

[A]Another question that frequently arises when we try to increase apo-B secretion by hepatocytes grown in culture is whether or not albumin should be included in the culture medium. [B]**In support of including albumin, albumin has been found to be beneficial to cells in culture, and particularly for apo-B secretion.** [C]**One of the benefits is that** albumin appears to be an effective sink for toxic products released into the medium by damaged cells (ref). [D]In addition, albumin solubilizes water-insoluble long-chain fatty acids by complexing with them (ref), thus raising the lipid level in the culture medium. [E]Therefore, albumin could increase apo-B secretion, which depends on lipid levels in the medium. [F]We therefore tested the effect of different concentrations of fetal bovine serum albumin (from 0 to 15%, v/v) on the level of apo-B secreted in the culture medium and determined that 6.5% (v/v) is the ideal concentration for our purposes.

문장 B는 연결구로 시작해서 주제문으로 끝난다. 연결구는 문장 A와 B 간의 논리적 관계를 기술하고 있으며 주제문은 알부민을 세포배양액에 포함시키는 구체적인 이유를 기술함으로써 문장 C-E의 개요를 제공하고 있다. 문장 A의 핵심용어 네 가지를 반복하는 것 외에도 주제문은 문장 C에 등장하는 다른 핵심용어를 소개하고 있다.
문장 C는 연결절로 시작하고 있으며, 이 연결절은 핵심용어인 "benefits"를 반복함으로써 문장 B와 C 간에 연속성을 유지하고 있다.

예문 3

교정문 1

[A]We asked whether low-density lipoproteins (LDL) and high-density lipoproteins (HDL) from serum regulate the phosphoinositide/calcium cascade and exocytosis. [B]**We found that**, in primary cultures of type II cells, both LDL and HDL stimulated **three steps in the phosphoinositide/calcium cascade:** phosphoinositide catabolism, calcium mobilization, and translocation of protein kinase C from cytosolic to membrane compartments. [C]**In addition**, LDL and

HDL stimulated **exocytosis, as indicated by secretion of** phosphatidylcholine (PC), the major phospholipid component of pulmonary surfactant. *D* **The LDL-induced effects, but not the HDL-induced effects, were inhibited by heparin, which blocks binding of ligands to the LDL receptor.**

B 연결절과 핵심용어의 연결
C 연결어휘, 핵심용어의 반복, 연결구 ("as indicated by")
D 핵심용어가 앞에서 반복됨
문장 B와 C의 순서가 바뀌면서 주제문에 나온 순서와 일치하게 되었다.

교정문 2

A We asked whether low-density lipoproteins (LDL) and high-density lipoproteins (HDL) from serum regulate the phosphoinositide/calcium cascade and exocytosis. *B* We found that, in primary cultures of type II cells, both **LDL and HDL stimulated the phosphoinositide/calcium cascade, as indicated by their activation of** phosphoinositide catabolism, calcium mobilization, and translocation of protein kinase C from cytosolic to membrane compartments. *C* **In addition**, both LDL and HDL stimulated **exocytosis, as indicated by secretion of** phosphatidylcholine (PC), the major phospholipid component of pulmonary surfactant. *D* The LDL-induced effects **on the phosphoinositide/calcium cascade and exocytosis,** but not the HDL-induced effects, were inhibited by heparin, which blocks binding of ligands to the LDL receptor.

B 연결절, 핵심용어의 반복, 연결구("as indicated by")

교정문 3

A We asked whether low-density lipoproteins (LDL) and high-density lipoproteins (HDL) from serum regulate the phosphoinositide/calcium cascade and exocytosis. *B* We found that, in primary cultures of type II cells, both **LDL and HDL stimulated this cascade, since both induced** phosphoinositide catabolism, calcium mobilization, and translocation of protein kinase C from cytosolic to membrane compartments. *C* **In addition**, LDL and HDL stimulated **exocytosis, since both induced cells to secrete** phosphatidylcholine (PC), the major phospholipid component of pulmonary surfactant. *D*The LDL-induced effects, but not the HDL-induced effects, were inhibited by heparin, which blocks binding of ligands to the LDL receptor.

*B*연결절, 핵심용어의 반복, 연결절("since both induced...")

연습문제 3.8: 일관적인 관점과 순서를 유지하는 것

예문 1

교정문 1 (관점: mortality, mortality, exception OR all mortality)

*A*Mortality in this series of patients was 90%. *B*Generally, mortality in clinical series has been greater than 80%. *C*The only exception is the mortality of 46% reported by Boley (2).

OR: The mortality of 46% reported by Boley (2) is the only exception.

교정문 2 (관점: mortality, mortality)

*A*Mortality in this series of patients was 90%. *B*Mortality in other clinical series has been greater than 80%, except for the mortality of 46% reported by Boley (2).

교정문 3 (문장 B에 내포된 비교를 분명하게 드러냄)

*A*Mortality in this series of patients was 90%. *B*Generally, mortality in clinical series has been about the same (greater than 80%). *C*The only exception is the mortality of 46% reported by Boley (2).

예문 2

교정문 1 (관점: effect;order: contraction first, relaxation second)

*A*The response produced by bradykinin alone consisted of a contraction followed by a longer lasting relaxation. *B*The magnitude of the contraction was increased after treatment with indomethacin (2 μg/ml for 20−30 min) and bradykinin. [C]However, the magnitude of the relaxation was reduced to 7% of that induced by bradykinin alone.

교정문 2 (관점: effect)

[A]Contraction followed by a longer lasting relaxation was the response induced by bradykinin. [B]The contraction was stronger after indomethacin (2 μg/ml for 20−30 min) was added along with bradykinin, and the relaxation was weaker.

교정문 2에서는 "relaxation"에 관한 데이터가 생략되었다. 이상적으로는 종속변수 모두의 데이터를 제공하던지 아니면 아예 하지 말아야 한다. 마찬가지로, 독립변수 모두의 용량을 제공하던지 아니면 아예 하지 말아야 한다.

교정문 3 (관점: cause)

[A]Bradykinin alone induced a contraction followed by a longer lasting relaxation. [B]Adding indomethacin (2 μg/ml for 20−30 min) along with bradykinin increased the magnitude of the contraction and reduced the magnitude of relaxation to 7% of that induced by bradykinin alone.

교정문 4 (관점: cause; overview added; data for the contraction added)

[A]Bradykinin alone induced a two-phase response: a contraction followed by a longer lasting relaxation. [B]Adding indomethacin (2 μg/ml for 20−30 min) along with bradykinin increased the magnitude of the contraction by X% and reduced the magnitude of relaxation by 93%.

예문 3

교정문 (관점: effect)

[A]Considerable evidence indicates that the apo-B−containing lipoproteins (such as VLDL, IDL, LDL, lipoprotein [a]) are atherogenic (1). [B]For example, after a diet rich in fats and cholesterol was fed to nonhuman primates and mice, **serum concentrations** of apo-B−containing lipoproteins were elevated. *C*In addition, **atherosclerotic lesions developed** in the large arteries.

교정문의 문장 B의 관점("serum concentrations")은 문장 A의 관점의 한 측면이다("apo-B-containing lipoproteins").

문장 B에서는 주제가 주어이며("serum concentrations") 동작은 동사에 담겨있다("were").

마찬가지로, 문장 C에서도 주제가 주어이며("atherosclerotic lesion") 동작은 동사에 담겨있다("developed").

마지막으로, 문장 A에 대한 문장 B의 논리적 관계를 지적하기 위해 문장 B의 앞부분에 연결어휘가 첨가되었다. 연결어휘 대신 다음과 같이 핵심용어 "evidence"를 반복하는 연결절이 사용될 수 있다:

Some of this evidence is that ...
Evidence for atherogenesis is that ...
Evidence from animal studies is that ...

연습문제 3.9: 소주제 알리기

*A*Direct amino acid sequence analysis of both the 57 and the 47 kD proteins on PVDF showed that the proteins were blocked at the N-terminus. *B*To **overcome this block**, internal amino acid sequence analysis was performed on the proteins from the SDS-PAGE gel. *C*For the 57 kD protein, N-terminal sequence analysis of a mixture of two cleavage fragments obtained after trypsin digestion and preparative HPLC yielded two amino acid residues for each of 11 cycles:(Val/Ala)-(Phe/Trp)-(Tyr/Pro)-(Val/His)-(Asn/Lys)-(Val/Asp)-(Leu/Tyr)-(Asn/Pro?)-(Glu/Leu?)-(Glu/Ile?)-(Gln/Pro?). *D*For the 47 kD protein, N-terminal sequence analysis of an internal fragment obtained after trypsin digestion and preparative HPLC yielded 13 amino acid residues, corresponding with amino acid residues 203 to 215 of human alpha-enolase (ref): Asp-Ala-Thr-Asn-Val-Gly-Asp-Glu-Gly-Gly-Phe-Ala-Pro.

문장 B 앞부분의 연결구인 "To overcome this block"은 연결어휘인 "therefore"보다 더 정확하기 때문에 연속성을 강화시켜준다.

연습문제 3.10: 대구형식과 소주제 알리기

예문 1 두 문장의 대구법: 소주제 알리기

교정문 1 (두 번째 문장은 첫 번째 문장과 정확하게 대구를 이루며 대조상태는 생략되었다.)

In rat papillary muscle, 3 mM caffeine converted load-sensitive relaxation (Fig. 1A, B) to load-insensitive relaxation (Fig. 1C, D). However, **in cat papillary muscle,** caffeine did not convert load-sensitive relaxation to load- insensitive relaxation at concentrations of 3 mM (Fig. 2), 5 mM (Fig. 3), or 10 mM (data not shown).

교정문 1에는 두 개의 대구되는 문장이 있다. 이들은 소주제를 알리는 대구 형식의 신호로 시작되며("in rat papillary muscle", "in cat papillary muscle") 동일한 문장 패턴을 보인다: 주어(caffeine), 동사(converted, did not convert), 보어군. 동사가 서로 정반대라는 점에 주목하라. 다른 동사였다면 그리 적합하지 않았을 것이다: "failed to convert"는 "conversion"을 미리 기대하고 있었다는 점을 암시하기 때문에 합당하지 않을 수 있으며, "failed to eliminate"(본래 문장)는 대구를 이루지 않는다.

연구한 동물을 기준으로 조직되었으며 따라서, 소주제를 알리는 신호에서 동물이 언급되고 있다: "in rat papillary muscle", "in cat papillary muscle".
관점: 독립변수(caffeine)
마지막 문장은 더 이상 "adding 3mM caffeine at 5 or 10mM)을 설명하지 않는다.

교정문 2 (교정문 1처럼 조직되었지만 더 간결하다)

In rat papillary muscle, 3 mM caffeine eliminated the load sensitivity of relaxation (Fig. 1A-D). In contrast, in cat papillary muscle, not even 10 mM caffeine eliminated the load sensitivity of relaxation (Figs. 2, 3).

교정문 3 (대조상태의 결과를 포함하고 있으며 "conversion"이란 개념이 생략되었다)

Under control conditions, the relaxation of rat and cat papillary muscles was load sensitive (Figs. 1, 2). **After 3 mM caffeine,** the relaxation of **rat** papillary muscle became load insensitive (Fig. 1) but the relaxation of **cat** papillary muscle was still load sensitive (Fig. 2) and remained so even after 5 (Fig. 3) or 10 mM caffeine.

독립변수를 기준으로 조직되었으며, 따라서 소주제를 알리는 신호에 독립변수가 언급되고 있다: "under control conditions", "after 3mM caffeine".
관점: 독립변수(relaxation)

교정문 4 (주제문이 있다. 대조상태 결과는 생략되었다)

Caffeine had different effects on the load sensitivity of relaxation in rat and cat papillary muscle. **In rat papillary muscle,** 3 mM caffeine converted the load sensitivity of relaxation (Fig. 1A, B) to load insensitivity (Fig. 1C, D). However, **in cat papillary muscle,** caffeine did not convert load sensitivity to load insensitivity at concentrations of 3 mM (Fig. 2), 5 mM (Fig. 3), or 10 mM (data not shown).

연구한 동물을 기준으로 조직되었다.
관점: 독립변수 (caffeine)

교정문 5 (주제문을 가지고 있으며, 주제문은 대조상태를 포함하고 종속화시키고 있다)

Although papillary muscle relaxation was load sensitive under control conditions (no caffeine) in both rats (Fig. 1) and cats (Fig. 2), relaxation in these muscles responded differently to caffeine. **In rat papillary muscle,** relaxation became load insensitive when 3 mM caffeine was added to the bath (Fig. 1). In contrast, **in cat papillary muscle,** relaxation remained load sensitive after 3 mM (Fig. 2), 5 mM (Fig. 3), or 10 mM caffeine was added to the bath.

연구한 동물을 기준으로 조직되었다.
관점: 종속변수(relaxation)

교정문 6 (가장 짧다)

Caffeine converted papillary muscle relaxation from load sensitive to load insensitive in rats but not in cats at all concentrations tested (Figs. 1-3).

예문 2 두 문장 이상의 대구법

교정문 1

*E*Araldite-embedded tissues were sectioned at 1 μm with an ultramicrotome (Porter-Blum MT-1).

교정문 2

*B,C*Tracheal segments fixed in Bouin's fixative were dehydrated in graded ethanol solutions, cleared in alpha-terpineol, embedded in paraffin, and sectioned at 7 μm with a rotary microtome (American Optical). *D,E*Tracheal segments fixed in 0.2% glutaraldehyde were dehydrated in graded acetone solutions, embedded in araldite (Polysciences), and sectioned at 1 μm with an ultramicrotome (Porter-Blum MT-1).

예문 3 대구 형식의 유지

이 단락에서는 대구 형식의 붕괴를 피하기 위해 주제문을 사용해서 "fetuses"와 "mothers" 간의 대조를 기술하고 있으며 그리고 나서 두 번째 주제문 뒤에 "fetuses"에 관한 세부사항을 설명하고 있다.

교정문

Injection of naloxone altered the arterial blood gas and pH responses of the fetuses but not those of the mothers. The fetal responses depended on the site of injection. After fetal injection of naloxone, fetal arterial blood pH and Po_2 both decreased [from 7.39 ± 0.01 (SD) to 7.35 ± 0.02 and from 23.0 ± 0.5 to 20.8 ± 0.8 mmHg, respectively]. There was no change in fetal arterial blood Pco_2. After maternal injection of naloxone, only fetal arterial blood Po_2

decreased (from 24.4 ± 0.8 to 22.2 ± 1.0 mmHg). There were no significant changes in fetal arterial blood pH or Pco_2.

연습문제 3.11: 압축

교정문 1

*A*Extravasation of Evans blue dye *B*was increased both in the trachea and *C*in the main bronchi 45 and 60 min after exposure to ozone, *D*but not 15 or 30 min after exposure.

(32 words)

A 해체된 명사구, 주제=주어.
B 동작은 동사에.
C 대구 형식이 사용됨.
D 두 번째 문장이 압축됨.

교정문 2 ("only" 의 사용을 보여줌)

Extravasation of Evans blue dye was increased in the trachea and the main bronchi only at 45 and 60 min after exposure to ozone.

(24 words)

교정문 3 (대구 형식에 의해 가능해진 압축을 보여줌)

At 45 and 60 min after exposure to ozone, extravasation of Evans blue dye was increased in both the trachea and the main bronchi, although at 15 and 30 min it was not.

(33 words)

모든 교정문에서 동사는 "increased"가 아니라 "was increased" 이어야 하며, 이는 "increased" 의 사용이 45min이 "increase"가 시작된 시점이라는 점을 암시하기 때문이다. 그러나, "increase" 는 31min에서 시작되었다.

제4장

연습문제 4.1: 서론

서론 1

장점

이 서론의 뛰어난 장점은 아라비아의 로렌스식의 서두다. 이런 서두는 구체적인 어휘를 통해 강력한 이미지를 불러일으킴으로써 흥미를 일깨운다: camels, hot deserts, burrow, desert sun.

이 서론은 문장이 짧기 때문에 아주 읽기가 편하다(열 문장 중 여덟 문장이 20단어 미만이다).

연구의 참신성이 분명하게 드러나 있다.

서론이 간결하다.

단점

질문으로 이끄는 깔때기 형식이 엄격하지 못하다.

A. 첫 문장(A)은 논문의 전반적인 주제를 밝히고 있지 않다. 서론이 구체적 주제(아래의 교정문 2 참조)에 근접해서 시작된다 하더라도 멋진 이미지를 불러일으키는 단어를 최소한 얼마간이라도 유지해 보려고 노력해야 한다.

C. 문장 C 앞에 다음과 같은 한 단계가 빠져있다. “So the question arises, how do ungulates regulate their body temperature?”

F. 문장 F는 줄거리를 단절시킨다. F는 E를 뒷받침하지 않으며 G는 E를 뒷받침한다. F는 생략되어야 하며, 아니면 문장 G에 편입될 수도 있다(교정문 1의 문장 D 참조).

D-E. 알려지지 않은 사실이 기술되지 않았다.

H. 문장 H는 쳇바퀴를 돌고 있다: “bursts” = “short duration.” 문장의 주어는 70km/h를 의미하는 “these high speeds”가 되어야 하며, 새로운 정보인 “short bursts”는 동사와 보어군에 포함되었다(교정문 1, 문장 F).

I. 문장 H와 I 간의 논리적 관계가 기술되지 않았다. 최소한, H와 I는 “Because”로 시작하는 한 문장에 모아져야 한다. 교정문 1의 문장 F와 교정문 2의 문장 E에서는 논리가 더 확실하게 펼쳐져 있다.

A-G. 동물에 관한 핵심용어가 바뀌었으며, “antelopes”(제목, E, I)와 “oryxes”(A), “gazelles”(A, F, G), “eland”(F)가 등장한다. 사실, “oryxes”, “gazelles”, “eland”는 모두 “antelope”의 일종이지만 일부 독자는 그런 사

실을 모를 수도 있다. 서론에서는 연구에 포함된 "antelope"의 종류만 언급해야 하며, 이들이 "antelope"의 일종이라는 점이 밝혀져야 한다(교정문 1, 문장 D).

질문이 완전하지 않거나(질문 1), 명쾌하게 유도되지 않았다(질문 2).

질문 1에 빠져있는 정보는 독립변수(running), "heat storage"의 역할(heat balance 아니면 temperature regulation), 동물에 관한 것이다.

질문 2로 이끄는 생각의 전개가 빠져있다. 생각의 전개를 통해 소주제("Independence of Brain and Body Temperatures")가 어떻게 질문 2와 연결되는지를 분명하게 보여야 한다(교정문 1의 문장 G, 교정문 2의 문장 F).

질문이 "simple"하다고 말해서는 안된다.

문장 C에는 많은 참고문헌이 있다. 관련된 리뷰 저널이 있다면, 많은 참고문헌 대신 리뷰 저널을 인용하거나 아니면, 가장 핵심적인 참고문헌만을 인용해야 한다. 인용한 논문의 참고문헌 목록이 독자를 다른 논문으로 이끌 수 있다는 점을 염두에 두라.

실험적 접근방법이 기술되지 않았다. 추가되어야 할 것이다.

교정문 1

INDEPENDENCE OF BRAIN AND BODY
TEMPERATURES PERMITS HEAT
STORAGE IN RUNNING ANTELOPE

*A*The existence of camels, antelope, and other ungulates in hot deserts has long fascinated physiologists, because, unlike rodents, ungulates are too large to escape the sun by burrowing or by finding shade. *B*Thus, external heat loads pose major problems of temperature regulation for them (for a review, see ref. 1). *C*However, internal heat loads may pose even greater problems of temperature regulation. *D*For example, a typical desert antelope, the gazelle, running at 70 km/h produces heat at 40 times its basic metabolic rate (2). *E*How antelope cope with this extra heat is unknown. *F*Because the high speeds are usually of short duration, it is possible that antelope might store heat while running and then dissipate it during periods of relative inactivity. *G*Heat storage, though, would require physiologic mechanisms for coping with high body temperature, such as preferential protection of normal brain temperature.

*H*To determine whether heat is stored in running antelope, we measured their core body temperature while they ran around a track in the desert. *I*In addition, to determine whether normal brain temperature is maintained, we measured brain temperature.

주석

빠진 단계가 추가되었다(B).
개별 참고문헌들을 리뷰 저널로 대치했다(B).
"gazelle"이 "antelope"의 일종이라는 점이 밝혀졌다(D).
연속성의 훼손을 막기 위해 속도(speed)에 관한 논점을 종속화시켰다.
알려지지 않은 사실이 추가되었다(E).
질문 1로 이끄는 생각의 충분한 전개가 추가되었다(F).
쳇바퀴 도는 진술을 피하기 위해 "bursts"가 생략되었다(F).
질문 2로 이끄는 생각이 추가되었다(G).
질문 1은 F에서 언급된 가능성을 반영하면서 더욱 구체적이 되었으며, 따라서 "heat storage"의 역할을 정의할 필요가 없어졌다(H).
독립변수(running)와 연구한 동물(antelope)이 질문 1에 포함되었다(H).
질문 2가 더 구체적이 되었으며(I) 따라서, 분명하게 G를 따를 뿐만 아니라 제목과도 분명하게 연결된다.
질문이 "simple"하다고 말하지 않았다(H).
각 질문에 대한 실험적 접근방법이 기술되었다(H, I).

교정문 2

EFFECT OF RUNNING ON BRAIN AND BODY TEMPERATURE IN ANTELOPES

*A*In order for camels, antelopes, and other ungulates to survive in hot deserts, they must be able to regulate their body temperatures. *B*Although most work on the regulation of body temperature in desert ungulates has been concerned with external heat loads (see ref. 1 for a review), internal heat loads may also pose problems for temperature regulation. *C*For example, one type of desert antelope, the gazelle, running at high speed (70 km/h) produces heat at 40 times its basic metabolic rate (2). *D*It is not clear how antelope deal with this heat load. *E*Because high-speed running usually occurs in short bursts, and because dissipation of this internally produced heat is limited by the high ambient temperature, it seems possible that the antelope might allow its body temperature to rise rather than dissipate this heat. *F*If body temperature does rise, maintenance of the brain at a lower temperature than the rest of the body would be important since the brain is known to be more sensitive to high temperatures than are the other organs. *G*To determine whether body temperature rises in running antelopes and, if so, whether brain temperature rises equally, we measured both brain and body temperatures in antelopes running at high ambient temperatures.

주석

교정문 1에 언급된 변화 외에, 교정문 2에는 원문에서처럼 세 번째 문장까지 기다리지 않고 첫 문장에 논문의 주제(temperature regulation)를 기술하고 있으며, 따라서 단계를 빠뜨리는 문제를 피하고 있다. 교정문 2는 또한 두 질문 모두로 이끄는 생각의 전개를 자세하게 제시하고 있다(문장 E와 F).

두 교정문 모두 깔때기 형식을 통해 명쾌하게 질문으로 좁혀가고 있으며 질문과 실험적 접근방법을 분명하게 기술하고 있지만 어느 것도 원문만큼 활기차지는 못하기 때문에 여전히 개선할 소지는 남아있다. 교정문 1에는 짧은 문장들이 사용되었고 원문의 구체적인 이미지의 일부가 유지되고 있지만(camels, hot deserts, burrowing, sun), 다른 일부(oryxes, gazelles, bursts)가 생략되었으며 몇 가지 무겁고 추상적인 단어가 추가되었다(periods of relative inactivity, physiologic mechanisms, preferential protection). 교정문 2는 질문으로 이끄는 생각의 전개를 분명하게 보여주고 있지만 추상적인 단어(ungulates, high ambient temperature, maintenance) 와 긴 문장(여섯 문장 중 네 개가 30 단어를 넘는다) 때문에 무미건조하다. 결국, 교정문들은 원문보다 더 엄격하게 쓰여졌지만 원문에서 대단히 매력적으로 드러나 있는, 자신의 연구에 매료된 과학자의 전율을 반영하지 않고 있다.

서론 2

장점

알려진 사실에 관한 기술이 분명하다(A-G).
깔때기 형식은 “apoE” 에서 “isoforms” 로 논리적으로 좁혀지고 있다.
알려지지 않은 사실이 기술되었다(H).
연구의 중요성이 기술되었다(F).

난점

알려지지 않은 사실과 질문의 관계가 분명하지 않다.
질문이 정확하게 기술되지 않았다(J).
대답이 불필요하다.
문장 I의 apoE는 apoE4이어야 한다.
문장이 길다(평균 26.5단어/문장; 열한 개 문장 중 여덟 개가 30단어를 넘는다).

교정문

APOLIPOPROTEIN E4 INHIBITS NEURITE OUTGROWTH
BY DEPOLYMERIZING MICROTUBULES

1 [A]Apolipoprotein (apo) E is a 34-kD protein component of lipoproteins that mediates their binding to the low density lipoprotein (LDL) receptor and to the LDL receptor-related protein (LRP) (1−4). [B]Apolipoprotein E is a major apolipoprotein in the central nervous system, where it is thought to redistrib-ute lipoprotein cholesterol among the neurons and their supporting cells, thus maintaining cholesterol homeostasis (5−7). [C]In addition to this function, apo E in the peripheral nervous system redistributes lipids during regeneration (8−10).

2 [D]Three common isoforms of apo E exist: apoE2, apoE3, and apoE4. D9These isoforms are the products of three alleles−ε2, ε3, and ε4−at a single gene locus on chromosome 19 (11). [E]Apolipoprotein E3, the most common isoform, has cysteine and arginine at positions 112 and 158, respectively (1, 12). [E′]ApoE2 has cysteine at both of these positions (1, 12). [E″]ApoE4 has arginine at both (1, 12).

3 [F]The apoE4 allele (ε4) is a major risk factor for sporadic and familial late-onset Alzheimer' s disease (13−16). [G]In support of this finding, apoE4 immunoreactivity has been detected in both the amyloid plaques and the intracellular neurofibrillary tangles seen in postmortem examinations of brains from Alzheimer' s disease patients (17, 18).

4 [H]The mechanism by which apoE4 might contribute to Alzheimer' s disease is unknown. [I]However, our recent data demonstrating that apoE4 stunts the outgrowth of neurites from neurons of the dorsal root ganglion (DRG) (19, 20) suggest that apoE4 might contribute to Alzheimer' s disease by stunting the outgrowth of these neurites. [I′]Our data further suggest that outgrowth might be stunted by remodeling of the cytoskeleton, specifically the microtubule system. [J]Therefore, as a step toward determining the mechanism of apoE4' s contribution to Alzheimer' s disease, we asked whether apoE4 inhibits neurite outgrowth of Neuro-2a cells, a mouse neuroblastoma cell line, by remodeling the microtubule system of these cells.

주석

이 교정문의 주요 변화는 마지막 세 문장에 있다: 선행 데이터로부터의 제안(I, I')과 질문(J). 모든 것이 더욱 정확해졌으며 알츠하이머병의 기전에 대한 관계가 분명해졌다. 질문에 대한 대답을 기술하고 있는 마지막 문장(K)이 생략되었다.

기타 변화:

B "nervous system" 앞에 "central"을 더하면 문장 C의 "peripheral nervous system"과 잘 대조를 이룬다.

C "apart from" 대신 "in addition"을 사용하면 "central nervous system"이 중요하지 않게 보이는 것을 피할 수 있다.

D 주제가 이제 주어가 되었으며, 중요한 세부사항이 괄호 안에서 빠져나왔다.

E', E'' 새 문장이 새 소주제를 강조하고 있다.

F 불필요한 연결구("accumulating evidence demonstrates that")가 생략되었다. 문장이 압축되어 하나의 강력한 논점을 만들어내고 있다.

G 더 정확한 연결구가 사용되었다. "apoE"가 "apoE4"로 수정되었다.

H 새로운 단락이 줄거리의 다음 단계를 강조하고 있다(알려지지 않은 사실).

I, I' 명사 연결구가 해체되었다. "apoE"가 "apoE4"로 수정되었다. 줄거리가 계속해서 알려지지 않은 사실(알츠하이머병의 기전)에 초점을 맞추고 있다.

J 질문을 알리는 신호를 통해 이 연구가 최종적인 질문인 알츠하이머병의 기전에 한 걸음 다가갔다는 점을 지적하고 있다. 연구에서 제기된 직접적인 질문에 대한 정확한 기술이 수행한 실험에 관한 기술을 대치했다. 질문은 "remodeling"과 "inhibiting"을 대구 형식으로 두지 않고 연결시키고 있다.

문장 C와 F가 짧아졌기 때문에 문장 길이도 짧아졌으며 문장 D와 E는 두세 개의 문장으로 나뉘어졌다. 이제 평균 길이는 20단어/문장이며 14문장 중 다섯 문장 만 30단어를 넘는다.

서론 3

장점

질문으로 좁혀지는 깔때기 형식이 분명하다(깔때기, 단락 1; 질문, 단락 3).

문장 J 앞부분의 전반적인 질문이 단락 1에서 분명하게 이어지고 있다(특별히 문장 E).

전반적인 질문에는 독립변수(alkalosis)와 종속변수(constriction of the pulmonary circulation)가 모두 포함되어 있다.

연구의 참신성은 알려지지 않은 사실의 기술을 통해 분명하게 드러나 있다(C-E).

중요성이 기술되어 있다(단락 2).

동물(newborn rabbits)과 대상(isolated, perfused lungs)이 실험적 접근방법(K)에 기술되어 있다.

단점

서론이 너무 길며, 세부사항(나무)이 줄거리(숲)를 가리고 있다.

단락 2의 문장 G와 H는 같은 내용을 말하고 있기 때문에 G나 H 중 하나를 생략할 수 있다.

문장 I는 H를 다시 기술한 것이기 때문에 생략할 수 있다.

단락 3의 처음 세 개의 구체적인 질문(J)은 사실상 실험적 접근방법이며(K-L 참조), 따라서 생략할 수 있다.

네 번째 구체적인 질문은 처음 세 개의 구체적인 질문과 대구를 이루지 않으며 따라서 별도로 제시해야 한다.

결과(M)는 불필요하다. 더욱이, 독자가 논문의 이 시점에서 처리할 수 있는 것보다 많은 세부사항을 제시할 뿐만 아니라 핵심용어를 바꾸고 있기 때문에 혼란을 가중시킨다: 첫 번째 결과에서 언급된 종속변수는 기대했던 "pulmonary vasoconstriction"이 아니라 "pulmonary vascular resistance"이며, 이 둘 간의 관계가 밝혀져 있지 않다. 마지막으로, 결과를 포함시키면 서론이라기보다는 초록처럼 느껴진다.

대답(N)은 제기된 질문에 답이 되지 않는다. 대답에서는 자극에 대한 "sequence of exposures"(alkalosis와 hypoxia)가 독립변수지만 질문에서는 "alkalosis"만 독립변수다. 또한, 대답은 제목과 일치하지만 질문은 그렇지 못하다. 질문이 무엇인지가 분명하지 않기 때문에 이 서론은 논문의 나머지를 이해할 수 있도록 독자를 충분히 준비시켜주지 못한다.

"three sequences of stimuli"(L)를 사용한 이유가 기술되어 있지 않다. 기술되어야 한다.

중요성에 관한 기술(단락 2)이 깔때기(단락 1)와 질문(단락 3) 사이의 생각의 흐름을 방해하고 있다.

화려하고 추상적인 단어, 낮은 동사 대 명사 비율, 일부 긴 문장들이 글을 무겁게 만들고 있다.

교정문

EFFECT OF ALKALOSIS ON HYPOXIA-INDUCED
PULMONARY VASOCONSTRICTION IN LUNGS
FROM NEWBORN RABBITS

1 *A*Alkalosis, produced primarily by mechanical hyperventilation, is widely used in the treatment of newborns who have the syndrome of persistent pulmonary hypertension (15, 16). *B*Although mechanical hyperventilation is often clinically effective in the treatment of these infants, it is not clear whether the clinical improvements during mechanical hyperventilation are due to the alkalosis resulting from the therapy. *C*The results of the few studies of the effect of alkalosis on hypoxia-induced pulmonary vasoconstriction in lungs of newborn animals have been variable. *D*Alkalosis has been shown either to reduce (10) or to have no effect (13, 14) on constriction of the neonatal pulmonary circulation in response to alveolar hypoxia. *E*These variable results may have been caused by the different sequences in which the lungs were exposed to hypoxia and alkalosis. *F*If alkalosis does reduce hypoxia-induced pulmonary vasoconstriction, some of its harmful effects might be avoided by using metabolic instead of mechanical (respiratory) alkalosis.

2 *G*In this study, we asked whether or not alkalosis reduces constriction of the neonatal pulmonary circulation in response to hypoxia and whether metabolic alkalosis is as effective as respiratory alkalosis. *H*To answer these questions, we measured the vasoconstrictive responses of isolated, perfused lungs from newborn rabbits to respiratory or metabolic alkalosis and hypoxia in three sequences: alkalosis before, during, and after alveolar hypoxia.

교정문의 구조

단락 1: *A.* 중요성. *B-D.* 질문 1로 이끄는 알려지지 않은 사실. *E.* 실험적 방법으로 연결되는 C-D에서 설명된 혼란에 관한 가능성 있는 이유. *F.* 질문 2로 이끄는 가능성 있는 해결책.

단락 2: *G.* 질문. *H.* 실험적 접근방법.

주석

반복과 불필요한 세부사항, 결과 및 대답을 생략함으로써 교정문의 길이가 대단히 간결해졌다.

교정문은 재조직되면서 중요성으로 시작하고 있다. 따라서, 질문은 결과가 제시 바로 다음에 등장한다.

교정문에는 metabolic vs. respiratory alkalosis에 대한 질문이 추가되었으며(G), 이 질문으로 이끄는 생각의 흐름이 전개되고 있다(F).

결국, 교정문은 원문의 단점을 대부분 해결하고 있으나, 아직도 글이 여전히 무겁다.

제5장

연습문제 5.1: 명쾌하게 쓴 방법 섹션

*주제 +
소주제를
알리는 신호*

*연속성을
위한 기법*

Methods

Preparation(준비)

연대기 순으로 조직.
주제문 없음.
연속성을 위한 기법이 최소한으로 사용됨.

1 ANESTHESIA
A 핵심용어

1 [A]Nine dogs (14−25 kg) were **anesthetized** with thiopental sodium (25 mg/kg i.v.) followed by **chloralose** (80 mg/kg i.v.). [B]Supplemental doses of **chloralose** (10 mg/kg i.v.) were given hourly to maintain **anesthesia**. [C]The **dogs** were paralyzed with decamethonium bromide (0.1 mg/kg) 10 min before measurements of tracheal secretion.

*A-C
핵심용어의 반복
A, C
일관된 관점*

2 VENTILATION
D 핵심용어

2 [D]The trachea was cannulated low in the neck, and the lungs were ventilated with 50% oxygen in air by a Harvard respirator (model 613), whose expiratory outlet was placed under 3−5 cm of water. [E]Percent CO_2 in the respired gas was monitored by a Beckman LB-1 gas analyzer, and end-expiratory CO_2 concentration was kept at about 5% by adjusting the ventilatory rate. [F]Arterial blood samples were withdrawn periodically and their Po_2, Pco_2, and pH were determined by a blood gas/pH analyzer (Corning 175). [G]Sodium bicarbonate (0.33 meq/ml) was infused i.v. (1−3 ml/min) when necessary to minimize a base deficit in the blood.

*D-G
문장의 주제를
알리는 핵심용어*

3 INSERTION OF CATHETERS
H 핵심용어

3 [H]The chest was opened in the midsternal line and a catheter was inserted into the left atrium via the left atrial appendage. [I]Catheters were also inserted into the right atrium via the right jugular vein and into the abdominal aorta via a femoral artery.

*H, I
대구형식;
핵심용어의 반복
I 연결어휘*

주제 + 소주제를 알리는 신호

연속성을 위한 기법

4 PREPARATION OF TRACHEAL SEGMENT
J 핵심용어

4 *J*A **segment** of the trachea (4−5 cm) immediately caudal to the larynx was incised ventrally in the **midline** and transversely across both ends of the **midline** incision. *K*The dorsal wall was left intact. *L*Each midline cut edge was retracted laterally by nylon **threads** to expose the mucosal surface. *M*The **threads** were attached to a stationary bar on one side and to a force-displacement transducer (Grass FT03) on the other. *N*The **segment** was stretched to a baseline tension of 100−125 g.

J, L, M, N 핵심용어의 반복

Study Design(연구디자인)

중요도 순(단락 5-8) 및 연대기 순(단락 5-7)으로 조직.
하나의 주제문(단락 7).
주로 핵심용어의 반복과 연결어휘, 연결구를 통해 연속성이 유지됨.

5 EXPERIMENT
O 연결구; 독립변수
Q Baseline ("before"); 종속변수
R Sham control

5 *O*To determine whether stimulation of pulmonary C-fibers reflexively evokes increased secretion from tracheal submucosal glands, we stimulated pulmonary C-fiber endings in each of the 9 **dogs** by **injecting capsaicin** (10−20 μg/kg) into the right atrium. *P***Capsaicin** was taken from stock solutions prepared as described elsewhere (4). *Q*At 10-s intervals for 60 s before and 60 s after each **injection**, we measured **secretions** from tracheal submucosal glands. *R*As a control, in the same 9 **dogs** we measured secretion in response to **injection** of vehicle (0.5−1.0 ml) into the right atrium. *S***Injections** were separated by resting periods of about 30 min.

O-S 핵심용어의 반복
R 소주제를 알리는 연결구

6 VERIFICATION CONTROL
U 연결구
T 배경
U 목적 및 절차

6 *T*Although **capsaicin** selectively stimulates pulmonary C-fibers from within the pulmonary circulation, it is likely to stimulate other afferent pathways, including bronchial C-fibers, once it passes into the **systemic** circulation (2, 5). *U*To verify that secretion in our experiments was not caused by **systemic** effects of **capsaicin**, we next measured secretion after injecting **capsaicin** (10−20 μg/kg) into the left atrium and again, 30 min later, into

T, U 핵심용어의 반복; 연결어휘

주제 + 소주제를 알리는 신호

연속성을 위한 기법

the right atrium of all 9 dogs.

7 VERIFICATION CONTROL
V 연결구 +주제문
V 목적
V-X 절차
Y 결과

7 [V]Finally, to verify that stimulation of pulmonary **C-fibers** was responsible for the secretions, we measured secretion in response to capsaicin (10−20 μg/kg into the right atrium) in the 9 **dogs** before and after **blocking conduction** in both of the cervical **vagus nerves,** which carry the pulmonary C-fibers. [W]We **blocked conduction** either by **cooling** the nerves to 0℃ as described elsewhere (8) (4 **dogs**) **or** by **cutting** the nerves (5 **dogs**). [X]Before the first **blocking experiment** on each **dog**, we cut the recurrent and pararecurrent nerves so that the tracheal segment received its motor supply solely from the superior laryngeal nerves (14). [Y]Consequently, when we **cooled** or **cut** the midcervical **vagus nerves** during an **experiment,** we could be certain that the changes in the tracheal responses were caused by interruption of the afferent vagal **C-fibers**.

V-Y 핵심용어의 반복; 연결어휘; 일관된 관점 ("We")

W, Y 일관된 순서 ("cooled," "cut")

8 VERIFICATION CONTROL
Z 연결구

8 [Z]As a further check on the effects of stimulating (and blocking) pulmonary C-fibers, in each of these experiments, we also measured heart rate, mean arterial pressure, and isometric smooth muscle tension of the tracheal segment, which are known to be altered reflexively by stimulation of pulmonary C-fibers (3).

Z 연결어휘

Methods of Measurement(측정 방법)

중요도 순으로 조직.
두 개의 주제문(단락 9, 10).
강한 연속성:
단락 9: 핵심용어의 반복을 통해.
단락 10: 연속성의 네 가지 기법의 조합을 통해. 단락의 좋은 모델이다.

9 METHOD OF MEASUREMENT OF THE MAIN DEPENDENT VARIABLE
AA 주제문

9 [AA]The rate of **secretion** from sub**mucosal gland ducts** was assessed by **counting hillocks** of **mucus** per unit time as described elsewhere (8). [BB]*Briefly*, immediately before each experiment, the **mucosal** surface was gently dried and sprayed with **tantalum**.

BB 연결어휘
AA-FF 핵심용어의 반복

주제 + 소주제를 알리는 신호

연속성을 위한 기법

CC The **tantalum** layer prevented the normal ciliary dispersion of **secretions** from the openings of the **gland ducts**, so the accumulated **secretions** elevated the **tantalum** layer to form **hillocks**. DD **Hillocks** with a diameter of at least 0.2 mm were **counted** in a 1.2-cm2 field of **mucosa**. EE To facilitate **counting**, the **mucosa** of the retracted segment was viewed through a dissecting microscope, and its **image** was projected by a television camera (Sony AVC 1400) onto a television screen together with the output from a time-signal generator (3M Datavision DT-1). FF The image and the **time signal** were recorded by a videotape recorder (Sony VO-2600) for subsequent playback and measurement of the rate of **hillock** formation.

10 METHODS OF MEASUREMENT OF SECONDARY VARIABLES
GG 주제문

10 GG **Heart rate**, mean **arterial pressure**, and **isometric smooth muscle tension** of the tracheal segment were recorded continuously throughout each experiment by a Grass polygraph. HH **Heart rate** was measured by a cardiotachometer triggered by an electrocardiogram (lead II). II **Arterial pressure** was measured by a Statham P25Db strain gauge connected to the catheter placed in a femoral artery. JJ **Isometric smooth muscle tension** in the segment was measured by a Grass FT03 force displacement transducer attached to the lateral edge of the retracted segment, as described elsewhere (1, 14).

EE
EE와 FF의 소주제를 알리는 연결구
EE, FF
일관된 순서 ("image," "time signal")

Statistical Analysis(통계학적 분석)

주제문이 없음.

11 STATISTICAL ANALYSIS
LL 연결구

11 KK Data are reported as means ± SD. LL To determine if there were **significant differences** in secretion before and after stimulation within each experiment, or significant differences in secretion between the experiments, we performed two-way repeated-measures analysis of variance. MM When we found a **significant difference** between experiments, we performed the

LL-NN
핵심용어의 반복; 일관된 관점 ("We")

Student-Neuman-Keuls test to identify pairwise differences.
*NN*We considered **differences significant at** $P < 0.05$.

단락 내 및 단락 간의 조직과 연속성

이 방법 섹션은 네 개의 서브섹션으로 나뉘어지며, 각 서브섹션에는 소제목이 있다(Preparation, Study Design, Methods of Measurement, Statistical Analysis). 각 서브섹션 내에서 주제의 등장은 시각적(새로운 단락을 통해) 및 문자적으로 알려지고 있으며 연속성도 강력하게 유지되고 있다. 주제문은 세 단락에만 사용되었다(단락 7, 9, 10). 예를 들어, 단락 1의 문장 A는 주제문이 아니며, 단지 마취의 첫 단계다. 주제문이라면 "Dogs were anesthetized according to our usual procedure."와 같은 내용을 말해야 한다.

질문에 대답하기 위해 수행한 실험(단락 5)에는 다섯 개의 대조상태가 포함되어 있다: baseline(문장 Q), sham(문장 R), 세 개의 verification controls: 분비가 capsaicin의 전신적 효과에 의한 것이 아니라는 점의 입증(단락 6), pulmonary C-fibers를 자극하는 것이 분비와 관련있다는 점의 입증(단락 7), pulmonary C-fibers를 자극하는 것이 예측한 바와 같이 다른 변수에 영향을 미친다는 점의 입증(단락 8). 어떤 독자는 baseline control이 라고 밝혀져 있지 않기 때문에 이를 놓칠 수도 있으며, 더 눈에 잘 띠게 하려면 문장 Q의 "for 60s before" 뒤에 "(baseline)"을 추가해도 좋다.

실험과 각 대조상태에, 사용된 개의 숫자가 기술되어 있다는 점에 주목하라(문장 Q, R, U, V).

방법 섹션 전체에 걸쳐서 핵심용어의 반복을 통해 단락 내 및 단락 간의 연속성이 유지되고 있다. 단락 간에 반복된 핵심용어에는 "dog(s)", "trachea" 또는 "tracheal", "segment", "capsaicin", "C-fiber(s)", "secretion(s)", "submucosal gland(s)"가 있다. 또한, 연결어휘와 연결구, 일관적인 순서, 일관된 관점, 대구 형식, 소주제를 알리는 신호가 단락 내에서 연속성을 유지시켜 주고 있다.

관점은 잘 다루어졌다. "We'는 연구디자인과 통계학적 분석, 방법 섹션에서 줄거리를 말하는 서브섹션에서만 사용되었다. "We"가 줄거리를 전개하는 문장에만 등장한다는 점에 유의하라: 연구디자인의 O, Q, R, U, V, W, X, Y, Z; 통계학적 분석의 LL, MM, NN. 또한, "we"는 단지 두 문장의 앞머리에만 등장하며(W와 NN), 따라서 눈에 거슬리지 않는다.

결과적으로, 논문의 줄거리를 계속해서 전개하려면, 이 방법 섹션은 두 가지 방법을 통해 질문에 대답해주는 방법(methods)에 초점을 맞춰야 한다는 점을 알 수 있다. 한 가지 방법은 주제를 중요도 순으로 조직하는 것이다. 질문에 대답하기 위해 수행한 실험이 대조상태 앞에 와야 하며, 질문에 대답해주는 종속변수에 관한 방법이 다른 종속변수보다 먼저 설명되어야 한다. 이 방법 섹션의 줄거리를 전개할 수 있는 다른 방법은 조직된 방식을 알려서 조직 패턴이 분명하게 드러나도록 하는 것이다. 사용된 시각적 신호는 소제목과 새로운 단락이며, 문자적 신호는 연결구(연구디자인의 단락 5-8, 통계학적 분석의 단락 11)와 주제문(측정방법의 단락 9와 10)이다.

연습문제 6.2: 대상 및 방법

소제목은 다음과 같아야 한다.

Materials	(원문 단락 5)
Preparation	(원문 단락 1)
Study Design	(원문 단락 2와 4)
Calculations	(원문 단락 3)
Analysis of Data	(원문 단락 6)

교정문

Materials

*A*All chemicals and a prostaglandin E_2 radioimmunoassay kit were purchased from Sigma (St. Louis, MO). *B*^{3}H-prostaglandin E_2 (specific activity, 130 Ci/mmol) was purchased from New England Nuclear (Boston, MA).

*C*On the day of each experiment, we prepared stock solutions of arachidonic acid (0.33 mg/ml) and indomethacin (16 mg/ml) in ethanol. *D*To rule out any effect of ethanol on prostaglandin E_2 production, we incubated N rings of ductus arteriosus in fresh buffer containing the maximum concentration of ethanol. *E*After a 90-min incubation at 37°C, we collected the buffer and measured prostaglandin E_2. *F*Ethanol had no effect on prostaglandin E_2 production (data not shown).

Preparation(준비)

교정문 1

*A*We prepared rings of ductus arteriosus from 16 fetal lambs (122−145 days of gestation; term is 150 days) that were delivered by cesarean section from spinally anesthetized ewes. *B*After exsanguinating a lamb, we removed the entire ductus arteriosus, dissected it free of adventitial tissue, and divided it into eight 1-mm-thick rings [wet weight, 22.1 ± 8.2 (SD) mg]. *C*Then we placed the rings in glass vials containing 4 ml of buffer (50 mM Tris HCl, pH 7.39, containing 127 mM NaCl, 5 mM KCl, 2.5 mM CaCl2, 1.3 mM MgCl2 · 6 H2O, and 6 mM glucose) at 37°C. *D*We bubbled all buffer solutions with oxygen. *E*Before beginning the experiments, we allowed the preparation to stabilize for 45 min.

교정문 2

*A*From 16 exsanguinated 122- to 145-day fetal lambs (term is 150 days), we excised the ductus arteriosus, dissected it free of adventitial tissue, and sliced it circumferentially into eight 1-mm-thick rings [wet weight, 22.1 ± 8.2 (SD) mg]. *B*We incubated these rings in glass vials containing 4 ml of buffer A (50 mM Tris HCl, pH 7.39, containing 127 mM NaCl, 5 mM KCl, 2.5 mM $CaCl_2$, 1.3 mM $MgCl_2$ · 6 H_2O, and 6 mM glucose) at 37°C for 45 min before all experiments.

Study Design(연구디자인)

*A*To determine whether exogenous arachidonic acid increases production of prostaglandin E_2 in the ductus arteriosus, we performed eight experiments. *B*In each experiment, we measured prostaglandin E_2 content after incubating eight rings of ductus tissue from one fetal lamb in each of three consecutive buffers with or without arachidonic acid. *C*Then we calculated prostaglandin E_2 production. *D*The buffers were used were, first, fresh buffer (baseline), then fresh buffer containing 0.2 μg/ml arachidonic acid, and finally fresh buffer containing 0.2 μg/ml arachidonic acid and 2 μg/ml of the prostaglandin synthesis inhibitor, indomethacin. *E*All incubations were done in buffer bubbled in oxygen at 378C for 90 min. *F*Between incubations in the last two buffers, we washed the rings in fresh buffer for 30 min. *G*At the end of the experiment, we blotted the rings dry and weighed them (wet weight). *H*In eight control series, we measured prostaglandin E_2 content in eight other rings subjected to the same sequence of incubations and washes, but in buffer alone.

i. 새로운 첫 번째 문장이 주제문이며, 다음 두 문장은 실험의 개요를 제시하고

있다. 세부사항의 설명(D-F)은 반복을 피하고 있다.

ii. 개요에는 독립변수와 종속변수가 모두 포함되어 있다. 종속변수(production of prostaglandin E2)가 계산된 변수라는 점이 밝혀져 있으며(C), 측정된 종속변수(prostaglandin E2 content)도 개요에 포함되어 있다(B).

iii. 연구디자인에는 두 대조상태가 모두 포함되어 있다. Baseline control은 buffer의 이름을 명명하고 있는 문장 D에 언급되어 있으며, 원문에서 별도의 단락에 기술되어 있던 control series는 문장 H에 있다.

iv. indomethacin을 첨가한 목적(to block endogenous production of prostaglandin E2)이 추가되었다(문장 D).

v. 원문에서는 control series에서만 언급되었던 "bubbling with oxygen"이 모든 실험에서 수행되었다는 점이 밝혀졌다(E). 만약 "bubbling with oxygen"을 준비 서브섹션에 포함시켰다면(교정문 1의 "Preparation" 처럼) 연구디자인의 문장 E를 "All incubations were done at 37°C for 90min"으로 바꾸라.

vi. 원문에서는 샘플의 규모가 분명하지 않다. 원문의 문장 E는 "eight rings of ductus arteriosus were incubated"라고 말하고, 원문의 문장 L은 실험 당("per experiment") 평균값을 언급하고 있다. 따라서, 하나의 실험이 "one ring"을 의미하는 것인지, "eight rings"를 이용한 하나 이상의 실험을 의미하는 것인지가 분명하지 않다. "prostaglandin E2"를 완충액에서 측정했으며 여기에는 여덟 개의 "ring" 모두가 기여했기 때문에 "one ring"이 "one experiment"가 될 수 없다는 점은 추측할 수 있다. 따라서 "one sequence of incubations"가 "one experiment"가 되어야 한다. 원문에는 이런 "sequences"의 수가 기술되어 있지 않으며, 반드시 보충되어야 한다. 교정문에서는 샘플의 규모가 분명해졌다: 여덟 개의 실험. 각 실험은 "one fetal lamb"에서 취해진 "eight rings of ductus arteriosus"에 행해진 것이다.

vii. 원문의 문장 L은 "rings of the ductus arteriosus"의 평균 무게를 언급하고 있으며 이는 결과처럼 들리기 때문에 방법 섹션에 적합하지 않는 것처럼 보인다. 그러나, 이 무게는 질문에 대답해주는 결과가 아니기 때문에 결과 섹션에 바람직한 내용이 아니다. 평균 무게는 prostaglandin E2 production을 표현하는 데 사용되는 값이기 때문에 결과 보다는 방법 섹션에 더 쓸모가 있다. 또는, 평균 무게를 준비 서브섹션에 포함시킬 수 있다.

Calculations(계산)

*A*We calculated production of prostaglandin E_2 as measured prostaglandin E_2 content normalized to tissue weight and corrected for percent recovery: pg content per mg ductal tissue per min incubation/% recovery. *B*Before measuring prostaglandin E_2 content, we purified the prostaglandins from each buffer solution by first acidifying the solutions to pH 3.5 with 1 N citric acid, then extracting the prostaglandins in a 1:1 mixture of cyclohexane and ethyl acetate, and finally running the prostaglandins through silicic acid microcolumns (4). *C*To measure prostaglandin E_2 content, we performed a radioimmunoassay using a specific rabbit antiserum against an albumin-conjugated prostaglandin E_2 preparation. *D*To calculate percent recovery (the amount of prostaglandin E_2 content retained during the purification process), we added a known amount of ^3H-prostaglandin E_2 to each buffer solution before the purification process and then compared the radioactivity measured before and after purification. *E*Recovery of prostaglandin E_2 ranged from 50 to 70%. *F*We report prosta-g-landin E_2 production as pg prostaglandin E_2 per mg wet weight tissue per 90-min incubation.

i. 교정된 계산 서브섹션의 첫 문장은 원문보다 강한 주제문이며, 질문에 언급된 종속변수(production of prostaglandin E2)가 어떻게 계산되었는지에 관한 개요를 제공하고 있다.

ii. 세부사항은 연대기 순으로 다시 조직되었다(주제문과 같은 순서): 우선 예비단계(purification); 다음에는 계산의 두 요소의 결정: measurement of content(C)와 calculation of recovery(D). 마지막 두 문장(percent recovery of prostaglandin E2 및 how prostaglandin E2 production is reported)은 원문의 순서와 같다.

iii. "percent recovery"는 문장 D에 정의되어 있다. 또한, 각 단계의 세부사항이 각각 한 문장에 모아져 있으며 해당 단계는 문장의 앞부분에 밝혀져 있다(B-D). 마지막으로, "calculation of recovery"를 명확하게 하기 위해서 "a known amount"가 문장 D에 추가되었다.

iv. 계산 서브섹션의 두 가지 정보가 언뜻 보면 방법 섹션에 적절하지 못해 보인다: 원문의 문장 S와 W. 문장 S는 percent recovery of prostaglandin E2 를 언급하고 있으면 이는 결과처럼 들린다. 그러나, 이것은 질문에 답이 되는 결과가 아니며, 저자가 씨름하고 있는 대상(material)에 대한 이야기이기 때문에 방법 섹션에 더 적합하다.

문장 W는 에탄올이 최대 농도에서 prostaglandin E2 production에 아무 영향을 주지 않았다는 점을 기술하고 있으며, 마찬가지로 질문에 답이 되는 결과가 아니다.

에탄올이 아무 영향을 미치지 않는다는 사실은 실험디자인이 타당하다는 점을 시석하기 때문에 방법 섹션에 속해야 한다.

따라서, 결과처럼 보이지만 질문에 대한 답이 되지 않는 정보는 결과 섹션보다는 방법 섹션이 더 적합하다.

교정문에서는 전체에 걸쳐 "we"를 사용하고 있으며, 첫 단락에서만 방법 섹션을 "we"로 시작하는 것을 피하기 위해 사용하지 않았다. 나머지 단락에서 "we"는 대부분 문장에서 사용되고 있지만 문장의 앞머리에는 거의 등장하지 않는다: Materials의 두 번째 단락에는 아예 없고, Preparation의 교정문 2와 Study Design에는 한 번, Preparation의 교정문 1과 Calculations에는 두 번). "we"가 문장의 모두에 나오는 것을 피하는데 사용한 주요 기법은 문장의 앞부분에 시간적 순서나 목적을 가리키는 연결어휘 또는 연결구를 두는 것이다. 예를 들어, Materials의 문장 C와 D를 살펴보라.

제6장

연습문제 6.1: 결과

교정문 1 (상세한 표; 관점: 종속변수)

Blood and urine ketone acids of the seven obese subjects increased more after 21 days of the protein diet than after 21 days of the mixed diet (Fig. 1). Plasma insulin levels and mean plasma glucose both decreased more after the protein diet than after the mixed diet. Plasma glucagon did not change after either diet.

(56 words)

교정문 2 (세 문장 대신 두 문장)

After the 21-day protein diet, blood and urine ketone acids increased more and plasma insulin and glucose decreased more than after the 21-day mixed diet in the seven obese subjects (Fig. 1). Plasma glucagon levels were no different.

(40 words)

교정문 3 (효과와 비교의 분리; 관점: 독립변수)

Both diets increased blood and urine ketone acids in the seven obese subjects after 21 days, but the pure protein diet caused larger increases than the mixed diet did (Fig. 1). Both diets decreased plasma insulin and plasma glucose; again, the pure protein diet had a greater effect. Neither diet changed plasma glucagon.

(53 words)

교정문 4 (주제문의 첨가)

Substrate and hormone levels in the seven obese subjects were altered more by the 21-day protein diet than by the 21-day mixed diet. Specifically, blood and urine ketone acids increased more after the protein diet than after the mixed diet (Fig. 1). Plasma insulin concentrations and plasma glucose concentrations decreased more after the protein diet than after the mixed diet. Plasma glucagon concentrations were not changed after either diet.

(71 words)

교정문 5 (주제문만 존재)

Substrate and hormone levels in the seven obese subjects were altered more by the 21-day protein diet than by the 21-day mixed diet (Fig. 1).

(27 words)

참조: 사실 우리는 혈당이 감소한 것인지 알 수 없으며 단지 protein diet 후에 혈당이 낮게 나왔다는 점만을 알 수 있다.

압축 기법

처음 세 개의 교정문은 다음과 같은 기법을 이용해서 단락 1을 242단어에서 40-56단어로 압축했다.

- 텍스트에서 모든 데이터를 생략.
- glucose와 glucagon에 대한 그래프를 Figure 1에 추가.
- Plasma insulin에 대한 그래프를 baseline에서의 변화가 아닌 실제 값으로 바꾸었으며, 따라서 텍스트에 baseline의 값을 제공하지 않아도 된다.

· 두세 개의 변수를 한 문장에 기술.
· 단락 앞부분의 그림 범례를 생략하고 첫 결과 마지막 부분의 그림을 인용.
"day 21" 의 반복을 생략.

연속성의 변화

"when carbohydrate was eliminated" (원문의 문장 E) 대신 "protein diet".
"carbohydrate-containing diet" (원문의 문장 B) 대신 "mixed diet".
(마찬가지로, 데이터를 텍스트에 남겨두겠다면, ketone acids의 측정단위도 텍스트와 그림에서 동일해야 한다. 텍스트에는 mmol을, 그림에는 mM을 사용해서는 안된다.)

비교한 순서가 일관적이다: 모든 비교는 protein diet에서 시작해서 mixed diet로 넘어갔다(원문에서는 glucose의 경우, mixed diet에서 시작해서 protein diet로 넘어갔다. 이럴 경우 어떤 독자는 mixed diet 보다 protein diet를 한 후에 plasma glucose가 더 올라갔다고 잘못 이해할 수 있다.)

가장 바람직한 단락

이 결과 섹션에서는 아마 단락 3과 4가 가장 바람직할 것이다. 그러나, 대부분의 독자는 단락 4와 5가 가장 바람직하다고 생각하며, 이는 이 두 단락이 유일하게 그림 범례로 시작하지 않기 때문이다.

단락 4는 여러 장점을 지니고 있다. 짧고, 결과로 시작하고(그림 범례가 아니라), 데이터와 통계학적 세부사항이 종속되어 있으며(하지만, 데이터는 쉼표가 아니라 괄호에 의해 결과와 분리되어야 한다) 차이의 규모에 대한 개념이 제시되어 있다("20% greater"). 또한, diet를 지칭하는 용어가 일관적이고, 세 문장이 일관된 관점과 적절한 대구 형식을 보이고 있으며, 문장 앞부분의 핵심용어가 각 문장의 주제를 알리고 있고 연결어휘가 문장 간의 논리적 관계를 가리키는데 사용되었다. 하지만, 논리적 관계가 엄격하지는 않다. 두 번째 문장 앞부분의 "however"는 사실상 세 번째 문장의 개념에 적용되고 있으며, 따라서 마지막 두 문장은 다음과 같아야 한다.

"However, <u>because</u> the calculated weight loss attributable to fluid losses after the protein diet <u>was</u> also greater than that after the mixed diet, the estimated nonfluid weight loss after the protein diet was no different from that after the mixed diet."

단락 5는 단락 4만큼 명료하지 못하지만, 단락 4의 장점을 일부 가지고 있다. 이 단락은 결과로 시작하고, 데이터를 종속시켰으며 diet의 이름을 일관되게 유지하고 있다. 그러나, 단락 5는 처음 두 문장의 앞부분에 아무런 신호가 없기 때문에 대조된다는 점을 분별하기가 어렵다. 또한, 두 문장의 관점도 서로 다르다: 문장 U, blood pressure values; 문장 V, fall in systolic blood pressure. 마지막으로, "exaggerated postural decline"은 불필요하게 화려한 동시에 핵심용어를 바꾸고 있다. 이 단락은 다음과 같이 더 명쾌하게 쓰여질 수 있다.

5 When the subjects were supine, blood pressure was not significantly different from prediet values after either the protein diet (119 ± 5/72 ± 4 vs. 114 ± 2/69 ± 2 mmHg) or the mixed diet (114 ± 3/71 ± 3 vs. 114 ± 2/69 ± 3 mmHg). However, when the subjects stood for 2, 5, or 10 min, blood pressure decreased more after the protein diet than after the mixed diet (by 28 ± 3 vs. 18 ± 3 mmHg, P 〈 0.02). The decrease in blood pressure was accompanied by an increase in adverse symptoms in all seven subjects after the protein diet but in only one of the seven subjects after the mixed diet.

이 결과 섹션에서 단락 3을 최고의 단락으로 꼽는 독자는 많지 않으며, 이는 이 단락이 그림 범례로 시작하고 많은 데이터를 포함하고 있기 때문이다. 그러나, 첫 문장(그림 범례)을 생략한다면 단락 3은 대단히 명료하다. 중요한 결과(변화한 mineral balance)가 처음에 제시되었고(문장 P), 다음에는 변화하지 않은 mineral balance가 한 문장에 묶여서 기술되었다(문장 Q). 데이터가 많기는 하지만, 단락의 뒷부분에 나열되어 있기 때문에 관심없는 독자는 그냥 뛰어넘을 수도 있다. 이런 데이터는 질문에 대한 대답에 도움이 되지 않기 때문에 별도의 표를 만드는 것이 바람직하지 않다.

단락 2는 생략하거나 압축할 수 있는 꽤 많은 정보를 담고 있기 때문에 최고의 단락이 될 수 없다. 첫 문장은 불필요한 그림 범례이며, 문장 I-K는 1/3 길이로 압축될 수 있다. 예를 들어보자.

"Neither mean daily nitrogen balance nor the nitrogen balance during the first or last week of the protein diet was significantly different from the corresponding values for the mixed diet (mean, -2.1 ± 0.9 vs. -2.6 ± 0.4 g per day; first week, -4.9 ± 0.5 vs. -4.6 ± 0.3 g per day; and last week, -1.0 ± 0.6 vs. -1.6 ± 0.3 g per day, P 〉 0.1). However, nitrogen balance was more negative during the first week than during the last week."

문장 L은 하나의 방법을 기술하고 있으며, 이 방법은 다음 문장에 있는 결과에 종속되어야 한다. 예를 들면, "In the subject given each diet for $5\frac{1}{2}$ weeks, daily nitrogen balance was similar after the two diets (Fig. 3)".

이 결과 섹션에 대해 한 가지 더 제기할 수 있는 질문은 단락의 순서가 적절한가의 문제다. 질문에 제기된 주제는 "nitrogen and sodium balance", "blood pressure", "norepinephrine"이며, 따라서 우리는 이 주제들의 등장을 결과 섹션에서 기대하게 된다. 왜 결과 섹션이 "substrate and hormone levels"로 시작하는지가 분명하지 않다. 마찬가지로, 왜 "weight loss"가 "nitrogen and sodium balance"에 관한 결과 뒤에, "blood pressure"와 "norepinephrine"에 관한 결과 앞에 오는지가 분명하지 않다.

단락 6

교정문 1 (관점: 종속변수)

주제문

Plasma norepinephrine concentrations, one of our indicators of sympathetic nervous activity, fell below prediet values after the protein diet but not after the mixed diet. However, the lower concentrations occurred only when the subjects lay supine or after the subjects stood for 2 min (Fig. 5). After the subjects stood for 5 or 10 min, the plasma norepinephrine concentrations were no different from those before the diet.

(67 words)

교정문 2 (주제문의 관점: 독립변수)

주제문

Only the protein diet had an effect on plasma norepinephrine. After the protein diet, plasma norepinephrine concentrations, one of our indicators of sympathetic nervous activity, were lower than before the diet both when subjects were supine and after they stood for 2 min (Fig. 5). However, after the subjects stood for 5 or 10 min, the concentrations were equal to those before the protein diet.

(65 words)

내용의 변화

각 교정문은 주제문에서 대조를 명쾌하게 부각시키고 있다. "mixed diet"가 "norepinephrine concentration"에 영향을 주지 않는다는 점을 각 주제문이 지적하고 있기 때문에 "mixed diet"에 관한 결과를 자세히 기술할 필요는 없다.

모든 결과는 "concentration"에 관한 것이며 "concentration"과 관련한 무엇에 관한 것이나(원문의 문장 AA), "concentration"의 증가에 관한 무엇에 관한 것이 아니다(원문의 문장 Z와 BB). 이제, 대조가 분명하게 드러난다.

또한, 교정문에서는 그림 범례를 생략하고 첫 번째 구체적인 결과 뒤에 그림을 인용하여 불필요한 어휘를 생략함으로써 단락 6이 압축되었다(104단어에서 65~67단어).

"plasma norepinephrine" 이 "sympathetic nervous activity" 의 지표라는 점이 밝혀졌으며(핵심용어를 연결하는 기법을 통해) 따라서, 질문에 대한 연관성이 분명해졌다.

그림 인용

두 개의 교정문 모두 주제문이 구체적인 결과를 제공하고 있기 때문에 주제문 뒤에 그림을 인용할 수 있다. 하지만, 두 번째 문장이 변화를 두 기간에 한정시킴으로써 주제문의 논점을 정련하고 있기 때문에 그림을 두 번째 문장 뒤에 인용하면 독자가 그림에서 무엇을 찾아야 할 지에 관해 더 분명한 아이디어를 얻을 수 있다.

연속성의 변화

"protein diet" 가 "mixed diet" 보다 앞서 언급되고 있으며 따라서 비교의 순서가 단락 1, 3, 4, 5에서 모두 동일하다.

어휘선택

원문에서는 "in response to standing with the hypocaloric mixed diet" (문장 Z)의 "with" 의 의미가 불분명하다.

원문의 "observed" (문장 Z), "initiation of" , "therapy" (문장 Z와 AA)가 불필요하다.

연습문제 6.2: 결과

교정문

A 질문
A′ 이유; 실험
A″-C 결과

1 A**We wanted to determine whether the signal transduction mechanisms for activation of phospholipase C by thrombin and PDGF in vascular smooth muscle cells are different from each other.** A′**Since both thrombin and PDGF affect phospholipid metabolism (ref), we first examined the time course for production of IP_3, IP_2, and IP, three products of the enzymatic reaction catalyzed by phospholipase C, in response to thrombin and PDGF.** A″We found that thrombin (1 U/ml) rapidly increased production of IP_3, IP_2, and IP in a sequential manner. BThe increases in IP_3 and IP_2 production were transient, reaching a peak at 30 and 60 s, respectively, and declining to near prestimulatory values within 5 min (Fig. 1). CIn marked contrast to thrombin,

PDGF (7.5 nM) caused a sustained increase in the production of all three metabolites for 6 min of stimulation. D Next, because IP_3 causes the release of calcium from intracellular storage, we examined the time course for calcium mobilization. D′ Consistent with the time course for IP_3 production, thrombin caused a transient increase in intracellular $[Ca^{2+}]$, whereas PDGF caused a sustained increase (Fig. 2). E *The different time courses of the increases induced by thrombin and by PDGF suggest that the signal transduction mechanisms for activation of phospholipase C by these two mitogens might be different.*

D 이유; 실험
D′ 결과
E 대답

2 F One difference between the signal transduction mechanisms might relate to the involvement of G proteins. F′ To determine whether G proteins are involved, we used pertussis toxin, which modifies the function of some G proteins. G We found that pertussis toxin significantly blunted the thrombin-induced increases in IP_3 (Fig. 1) and intracellular $[Ca^{2+}]$ (Fig. 2), *indicating that a pertussis toxin–sensitive G protein is involved in the signal transduction mechanism for thrombin.* H In contrast, pertussis toxin did not affect the PDGF-induced increases in either the production of IP_3 (Fig. 1) or intracellular $[Ca^{2+}]$ (Fig. 2), *indicating that either no G protein or a pertussis toxin-insensitive G protein is involved in the signal transduction mechanism for PDGF.*

F 배경
F′ 질문; 실험
G 결과; 대답
H 결과; 대답

3 I To ask whether the signal transduction mechanism for activation of phospholipase C by PDGF might involve a pertussis toxin–insensitive G protein, we examined the effect of GTPγS, a stable GTP analog, on IP_3 production in saponin-permeabilized vascular smooth muscle cells. J GTPγS has been shown to potentiate many G protein-mediated responses by direct activation of the G protein (15-17). K We found that in permeabilized vascular smooth muscle cells, GTPγS increased IP_3 production synergistically with both thrombin and PDGF (Fig. 3). L *Thus, unlike thrombin, PDGF may use a pertussis toxin-insensitive G protein for activation of phospholipase C.*

I 질문; 실험
J 이유
K 결과
L 대답

4 M To support the notion that a pertussis toxin-insensitive G protein is involved in the signal transduction mechanism for PDGF, we tested guanosine 5′-O-(2-thiodiphosphate) (GDPbS), an analog of GDP. M′ GDPbS blunts G protein-mediated cellular responses by competing with GTP for binding (18). N We found that GDPβS blunted PDGF-induced IP_3 production in permeabilized cells (Fig. 4). O *Thus, whereas thrombin uses a pertussis toxin–sensitive G protein as a signal transducer to activate phospholipase C in vascular smooth muscle cells, PDGF appears to use a pertussis toxin–insensitive G protein.*

M 목적; 실험
M′ 이유
N 결과
O 대답

5 P An additional characteristic of G protein–mediated activation of

P 배경

P′ 질문
P″ 실험
Q-T 결과
T″ 대답

phospholipase C in some systems is that they are often subject to feedback regulation by protein kinase C. P′Therefore a second difference between the signal transduction mechanisms for activation of phospholipase C by thrombin and PDGF might be that these mechanisms are not equally sensitive to feedback regulation by protein kinase C. P″To check this possibility, we tested the protein kinase C stimulator, phorbol 12-myristate 13-acetate (PMA), which blunts G protein—mediated activation of phospholipase C in some systems (19). QWe found that, in vascular smooth muscle cells, PMA strongly inhibited thrombin-induced, but not PDGF-induced, IP_3 production (Fig. 5). RPMA did not affect basal production of IP_3 (200 vs. 215 cpm/dish). SConsistent with its effect on IP_3 production, PMA blunted thrombin-induced, but not PDGF-induced, Ca^{2+} mobilization (Fig. 6). TThis effect of PMA requires functional protein kinase C, since PMA did not inhibit thrombin-induced Ca^{2+} mobilization in cells that were made deficient in protein kinase C activity (data not shown). T′*Thus, whereas the signal transduction mechanism for thrombin is **inhibited** by protein kinase C, the signal transduction mechanism for PDGF is not*.

U 배경; 질문; 실험
V 결과
W 대답

6 USince PMA has been suggested to act on several targets, including the binding of a hormone to its receptor, we performed receptor-binding studies using ^{125}I-thrombin to see if thrombin receptors are the target of PMA. VAcute PMA treatment did not affect either the dissociation constant (K_D) for thrombin or the maximal binding (B_{max}) for thrombin (Fig. 7). W*Thus, PMA must act by interfering with one or more events distal to the binding of thrombin to its receptor.*

X 배경
Y 질문; 실험
Z 결과; 대답

7 XAnother possible target for PMA action is the G protein itself. YTo investigate this possibility, we examined the effect of PMA on GTPγS-induced inositol phosphate release. ZGTPγS caused a progressive release of inositol phosphate, which was inhibited by 55% by PMA treatment (Fig. 8), *suggesting that PMA inhibits thrombin-induced cellular responses by affecting the function of the G protein directly.*

단락 3-4의 다른 교정문

I 질문; 실험

3-4 ITo ask whether the signal transduction mechanism for activation of phospholipase C by PDGF might involve a pertussis toxin-insensitive G protein, we examined the effect of GTPγS, a stable GTP analog, on IP_3 production in saponin-permeabilized vascular smooth muscle cells. JGTPγS has been shown

J 이유
K 결과
M 목적; 실험
M′ 이유
N 결과
O 대답

to potentiate many G protein-mediated responses by direct activation of the G protein (15-17). *K*We found that in permeabilized vascular smooth muscle cells, GTPγS increased IP3 production synergistically with both thrombin and PDGF (Fig. 3). ***M*To confirm the effect of GTPγS, we tested guanosine 5′-O-(2-thiodiphosphate) (GDPβS), an analog of GDP. M9GDPβS blunts G protein-mediated cellular responses by competing with GTP for binding (18).** *N*We found that GDPβS blunted PDGF-induced IP_3 production in permeabilized cells (Fig. 4). *OThus, whereas thrombin uses a pertussis toxin-sensitive G protein as a signal transducer to activate phospholipase C in vascular smooth muscle cells, PDGF appears to use a pertussis toxin-insensitive G protein.*

주석

다음과 같은 변화가 줄거리를 더 분명하게 만들어 주고 있다.

단락 1

A, A'. 질문과 이유, 실험의 개요를 추가하고 핵심용어인 "IP3, IP2, and IP"와 "phopholipase C"를 앞부분에서 연결한 것.

D. "calcium experiment"에 관한 실험의 이유와 개요를 추가한 것.

A''. 결과를 알리는 신호를 추가한 것(단락 2와 4에도 추가됨).

단락 2

F, F''. 차이를 기술하는 주제문을 첨가한 것과 질문을 더 구체적으로 만듦으로써 "G protein"의 등장을 독자에게 준비시킨 것.

H. 단락 3에 대해 준비시키기 위해 단락 2의 끝부분에 PDGF에 관해 빠진 대답을 보충한 것(또한 PDGF에 대한 대답이 thrombin에 대한 대답과 대구를 이루도록 한 것).

단락 3

I. 실험을 하기 전에 결과를 가정하는 것을 피하기 위해 "pertussis toxin-insensitive mechanism" 대신 "the signal transduction mechanism"을 사용한 것과 단락 2의 끝부분에 있는 대답과 일관성을 유지하기 위해 질문을 "might involve a pertussis toxin-insensitive G protein"으로 바꾼 것.

L. 대답이 두 메커니즘 간의 유사성이 아니라 차이를 기술하도록 바꿈으로써 단락의 앞부분에서 제기한 질문에 대답하는 동시에 논문의 질문을 다시 기술하고 있다.

단락 4

M. 목적을 두 번째 문장에서 앞부분으로 옮긴 것, 또는
¶3과 4. 대조상태(control)를 실험과 같은 단락에 둔 것.

단락 5

P, P', P''. 단락 5에 배경 정보와 빠진 질문을 담은 문장을 추가하고, 질문(하나의 가능성으로 기술된)을 밝히기 위해 연결구("To check this possibility")를 사용한 것.

중요한 핵심은 P'의 질문이 단락 2의 앞부분에 있는 문장 F의 질문과 대구를 이룬다는 점이다. 이 두 질문은 논문의 질문으로 연결되며 전체 줄거리(숲)를 분명하게 해주고 있다.

T''. 단락의 끝부분에 빠진 대답을 추가한 것.

제7장

연습문제 7.1: 고찰의 줄거리 따라가기

고찰 1

질문: To determine whether increasing heart rate rather than decreasing afterload, increasing preload, or increasing contractility is the most effective method of increasing cardiac output in young lambs.

Discussion

1 [A]Contrary to our expectation, this study shows that **increasing contractility, not increasing heart rate, is the most effective method of increasing cardiac output in young lambs.** [B]Decreasing afterload and increasing preload, as expected, are also not effective. [C]We found that increasing contractility by infusing isoproterenol while heart rate was fixed increased cardiac output by 37% in the younger lambs (5-13 days) and by 62% in the older lambs (15-36 days). [D]In contrast, increasing heart rate above baseline did not significantly increase cardiac output in the younger lambs (4%) and increased cardiac output only moderately in the older lambs (11%). [E]Decreasing afterload by infusing nitroprusside at a fixed heart rate had the same effects as increasing heart rate did (2 and 11%). [F]Increasing preload by infusing blood or 0.9% NaCl increased cardiac output moderately (by 20 and 16%, though the 16% increase was not statistically significant).

2 [G]**The reason we had not expected increasing contractility to increase cardiac output substantially is that in newborns contractility is nearly maximal so that the infant can survive independently of the mother.** [H]Nevertheless, the increases in cardiac output resulting from increasing contractility, though small by adult standards (37 and 62% vs. about 800%), were much greater than the increases resulting from increasing heart rate, decreasing afterload, and increasing preload.

3 [I]**The reason for the unexpectedly small effect of increasing heart rate is uncertain.** [J]**One possibility is that it was due to the pacing rate.** [K]Although the baseline pacing rate we used, 200 beats/min, approximates the resting heart rate of 1- to 2-week-old lambs, it is faster than the resting heart rate of 170 beats/min of 3- to 4-week-old lambs. [L]Therefore, one could argue that if the baseline pacing rate had been lower, larger increases in cardiac output could have been attained by increasing heart rate above baseline. [M]However, our data show that the maximal percentage increase in cardiac output that would have been attained if 170 beats/min had been used as a baseline pacing rate would have been only 17.5% in the younger lambs and 21.0% in the older lambs. [N]These increases are far less than those we found after increasing contractility (37% and 62%, respectively). [O]**Therefore, the small effect that increasing heart rate had on increasing cardiac output is probably not due to the pacing rate we used.**

4 [P]**Another possibility is that the method we used for controlling heart rate—ventricular pacing—may have caused smaller increases in cardiac output than would result from sequential atrioventricular pacing.** [Q]Indeed, it is well known that atrial systole plays an important role in determining effective ventricular stroke volume (9). [R]However, it is unlikely that increases in cardiac output resulting from sequential atrioventricular pacing would have been greater than those resulting from increasing contractility by infusing isoproterenol because at the heart rate at which we were pacing, atrial contributions to cardiac output are minimal (6). [S]Thus, heart rate appears to be less important than contractility for increasing cardiac output in young lambs. [T]Nevertheless, heart rate is important for maintaining cardiac output, since we found that decreasing heart rate below baseline greatly decreased cardiac output.

5 [U]**Although we had not expected decreasing afterload to cause large increases in cardiac output, the increases were not merely small but minimal.** [V]**These minimal increases may relate to the fact that nitroprusside not only**

decreases afterload but also decreases preload by venodilation. [W]Thus, if the initial preload is not optimal for the afterload, decreasing preload will decrease cardiac output. [X]As a result, the increase in cardiac output induced by decreasing afterload will be counteracted by the decrease in cardiac output induced by decreasing a suboptimal preload. [Y]This mismatch between afterload and preload (10), which has been described for failing hearts (10, 11), may also be occurring in the hearts of our lambs. [Z]**If so, this mismatch may be the reason that decreasing afterload by infusing nitroprusside in young lambs does not cause large increases in cardiac output within the range of preloads seen in our lambs.**

6 [AA]The last *method of increasing cardiac output* that we tested, **increasing preload by infusing blood or 0.9% NaCl, yielded a smaller percentage increase in cardiac output than previously reported (1).** [BB]**The reasons for the smaller percentage increase are partly that we infused smaller volumes and partly that the baseline preloads were somewhat higher in our lambs because of ventricular pacing.** [CC]Since the preloads of the lambs in our study were higher than normal, the percentage increase attainable by increasing preload was less. [DD]It is possible, therefore, that larger increases in cardiac output are attainable by infusing larger amounts of fluid into young lambs that have normal atrioventricular node conduction.

7 [EE]*Another reason for our smaller percentage increases in cardiac output after increasing preload could be that* **our indicator of preload was inaccurate.** [FF]**The indicator we used, mean left atrial pressure, may not be a sensitive indicator of preload in the presence of atrioventricular blockade.** [GG]To obtain a more accurate assessment of preload, we measured left ventricular end-diastolic pressure in two lambs. [HH]However, left ventricular end-diastolic pressure was difficult to interpret because of wide variations in pressure at the same heart rate. [II]These variations resulted either from alterations in the temporal relationship between atrial and ventricular contractions or from movement of the ventricular septum into the left ventricle during right ventricular pacing. [JJ]Therefore, we used mean left atrial pressure to measure preload. [KK]**We believe that although mean left atrial pressure may not reflect rapid variations in preload in the presence of atrioventricular blockade, it accurately measures general preload state and changes in preload state.**

8 [LL]**In contrast to previous reports, we found that isoproterenol did not consistently have hypotensive effects.** [MM]Mean aortic pressure decreased in the younger lambs during isoproterenol infusion (Fig. 4A), as it did in previous studies (11-13). *NN*However, mean aortic pressure increased in the older lambs, and systolic aortic pressure increased in both groups of lambs during isoproterenol infusion. *OO*These increases are in contrast to previous reports of decreases in mean and systolic aortic pressures during isoproterenol infusion (12, 14). *PP*Since the major difference between our study and these other studies was that the heart rate was fixed in our lambs, it is possible that some of the hypotensive effects of isoproterenol are due to its strong effects on heart rate.

9 *QQIn summary, this study shows that* **increasing contractility, and not increasing heart rate, is the most effective method of increasing cardiac output in young lambs.** *RR*Although the increase in cardiac output in response to increasing contractility is less in younger than in older lambs, it is still greater than that attainable by changes in heart rate, afterload, or preload. *SS*Nevertheless, increasing cardiac output is of limited benefit to the newborn, much less than its benefit to the adult. *TT*Therefore, when treating the stressed newborn, the clinician must not only attempt to increase cardiac output in order to increase oxygen supply, but must aggressively attempt to minimize oxygen demand.

주석

1. 단락 1에서는 대답을 알리는 신호(문장 A)가 "this study shows that"이다.
   대답에 관한 기술은 다음과 같다(문장 A, B): "*increasing contractility, not increasing heart rate, is the most effective method of increasing cardiac output in young lambs. Decreasing afterload and increasing preload, as expected, are also not effective.*"
   뒷받침하는 결과로 이어지는 연결어구는 "We found that"이다.
   동물은 질문에 포함되었던 것과 마찬가지로 대답에 포함되었으며(문장 A), 결과에서 반복되고 있다(C, D).

2. 대답(문장 A)은 질문에 대한 답이 되고 있다: 핵심용어와 동사가 동일하고, 동사에는 현재시제가 쓰였다. 그러나, 변수의 순서가 바뀌면서 예기치 못한 대답이 먼저 배치되었다.
3. 단락 7과 8 사이에 연속성이 단절된 것 외에는 줄거리가 명료하다. 이 고찰은 중요도 순으로 조직되어 있다.

단락 1은 대답과 이를 뒷받침하는 결과를 기술하고 있다.

단락 2-5는 대답을 설명하고 있다: 우선 저자가 얻은 대답(단락 2)을, 다음에는 기대했지만 얻지 못한 대답(단락 3, 4), 다음에는 기대하지 않았고 얻지도 못한 대답(단락 5).

단락 6-8은 문헌과의 괴리를 설명하고 있다: 우선 독립변수 중 하나에 관한 괴리(단락 6과 7), 다음으로 질문에 존재하지 않는 한 가지 변수에 관한 괴리(단락 8).

각 단락의 주제문은 굵은 글씨로 되어 있다. 단락 3과 6은 두 개의 단락을 망라하는 섹션 주제문으로 시작되며(각각 단락 3과 4 및 단락 6과 7), 각 섹션 주제문에는 단락 주제문이 뒤따르고 있다. 단락 3 앞부분의 단락 주제문(문장 J)은 단락의 주제를 기술하고 있고, 단락 3 끝부분의 단락 주제문(문장 O)은 단락의 메시지를 기술하고 있다.

단락 5에는 세 개의 주제문이 있다. U는 단락의 주제를, V는 단락의 메시지를, Z는 뒷받침문(W-Y)에 기초해 메시지를 좀더 구체적으로 기술하고 있다.

연결어휘와 연결구, 연결절에는 이탤릭체가 사용되었으며, 반복된 핵심용어에는 밑줄이 그어져 있다. 이 고찰의 연속성은 상당 부분 핵심용어의 반복에 기초하고 있다. 단락 3과 4 간의 연속성은 대구되는 연결절의 도움도 받고 있으며, 단락 6에서는 AA의 앞부분에서 핵심용어를 연결한 것이 연결구의 역할을 하고 있다.

4. 결말을 알리는 신호(단락 9)는 "in summary", 대답을 알리는 신호는 "this study shows that"이다.

   결말에서는 대답을 다시 기술하고 있으며 임상적 내포(SS)와 추천(TT)을 기술함으로써 연구의 중요성을 지적하고 있다.

5. 결말부의 대답은 시작부의 대답과 일치한다.

고찰 2

질문: To determine whether the β_3(118−131) sequence of the β_3 subunit of integrin αIIbβ_3 binds ligand and also binds cation.

Discussion

1 [A]When platelets are activated by agonists such as ADP or epinephrine, integrin αIIbβ_3 undergoes conformational changes to become competent to bind fibrinogen and other ligands (35, 37). [B]In this study, we provide functional evidence that **the β_3 (118-131) sequence of the β_3 subunit of integrin aIIbβ_3 binds the ligand fibronogen** *and that* **it also binds cation.** [C]Cation binding is surprising because it occurs even though β_3(118-131), which partially conforms to an EF handlike motif that binds Ca^{2+} in many proteins (3, 54), lacks the usual Gly [but in β_3(118-131), it is Met-126] at the midposition and glu [but in β_3(118-131), it is Ser-130] as the last oxygenated coordination site.

2 ^{D}**Three independent lines of investigation provide functional evidence that the β_3(118-131) sequence of aIIbβ_3 binds the ligand fibrinogen.** ^{E}First, monoclonal antibody (MAb) 454, which is directed against β_3(118-131), blocked platelet aggregation and platelet adhesion to fibrinogen, two functional responses that depend upon binding of fibrinogen to αIIbβ_3. ^{F}MAb 454 also blocked binding of fibrinogen to purified $\alpha_{IIb}\beta_3$. ^{G}Second, the blocking effects of the β_3(118-128) peptide recapitulated those of the MAb. ^{H}Specifically, this peptide blocked platelet aggregation and platelet adhesion to fibrinogen and blocked the binding of fibrinogen to purified $\alpha_{IIb}\beta_3$. ^{I}Third, mass spectroscopy demonstrated that a complex formed between the β_3(118-131) peptide and RGD ligand peptides. ^{J}The specificity of this complexing was indicated by the precise stoichiometry, 1:1, with which the complex formed, by the saturation of complex formation as a function of increasing RGD peptide concentration, and by the failure of numerous other peptides to complex with β_3(118-131). ^{K}**However, this complexing, though specific, may not be selective.** $^{L}\beta_3$(118-131) may also form complexes with the fibrinogen γ chain dodecapeptide. ^{M}Although our mass spectroscopy experiments did not detect complexes of this γ chain dodecapeptide with β_3(118-131), this lack of detection does not necessarily mean that these complexes do not occur. ^{N}The reason these complexes were not detected may be that the affinity between the γ chain dodecapeptide and β_3(118-131) is low. ^{O}Alternatively, specific environmental requirements may have reduced the stability of the complexes or may have prevented detection of the complexes, or both. ^{P}**Thus, our data indicate that β_3(118-131) binds ligand specifically, but not that β_3(118-131) has selective specificity for the RGD ligand peptide.**

3 ^{Q}***In addition to our finding that β_3(118-131) binds ligand,*** **two independent approaches provide clear evidence that β_3(118-131) binds cation.** ^{R}One approach, fluorescence energy transfer from proximal Trp and Tyr residues, showed that β_3(118-131) bound Tb^{3+}. ^{S}This binding was inhibited by Ca^{2+}, Mg^{2+}, and Mn^{2+}, indicating the divalent cation binding capabilities of β_3(118-131). ^{T}CAM mutant β_3(118-131), in which Asp-119 is replaced by Tyr, bound Tb^{3+} to a much lesser degree than did wild-type β_3(118-131). ^{U}This finding stresses the importance of the amino-terminal coordination site, Asp-119, for cation binding function. *V*The other approach showing that β_3(118-131) binds cation, mass spectroscopy, also demonstrated formation of a complex between β3(118-131) and Tb^{3+}. *W*However, unlike the fluorescence data, which showed a dramatic difference (〉 4-fold) in the binding of Tb^{3+} to β_3(118-131) and to CAM mutant β_3(118–131), mass spectroscopy showed only a 1.5-fold difference. *X*Nevertheless, both approaches demonstrate cation binding by β_3(118-131) and the importance of Asp-119 in providing one of the coordination sites for Tb^{3+} binding.

4 *Y***Our finding that the β_3(118-131) sequence of the β_3 subunit of integrin aIIbβ_3 binds not only ligand but also cation suggests a new model for the mechanism of ligand binding to integrins.** *Z*The model, which we call the "cation displacement model," proposes that, as a first step, cation is bound to a ligand-binding site on the integin receptor (Figure 7). *AA*Next, an unstable ternary intermediate complex is formed between the receptor, the cation, and the ligand. *BB*Eventually, as the complex between the ligand and the receptor stabilizes, the cation is displaced from this complex, leaving the ligand bound to the receptor. *CC*The most likely reason that cations are transiently bound to the receptor is to present the ligand-binding sites within the receptor in a conformation that can capture a ligand. *DD*After a ligand is captured, the cation is no longer required at the ligand-binding site and can be displaced by the ligand. *EE***In this model, the stability of the ternary intermediate complex may vary depending upon the particular integrin, the particular cation, and the particular ligand involved.** *FF*For integrin $\alpha_{IIb}\beta_3$, evidence that the ternary intermediate complex that forms is unstable is our finding that RGD ligands displaced cation from β_3(118-131). *GG*This finding also indicates that ligand and cation binding to β_3(118-131) are mutually exclusive. *HH*Strong support for the instability of this ternary intermediate complex is that ligand-induced binding site (LIBS) epitopes within $\alpha_{IIb}\beta_3$ are exposed both when ligand binds to the receptor and when cations from the receptor are chelated in the absence of ligand (13, 17). *II***Thus, in our cation displacement model, the ligand-binding site within the integrin may be viewed as a reactive center, in which the cation, ligand, and specific ligand-binding sites within the receptor form an unstable ternary intermediate complex.**

5 *JJ***The displacement of cations that we propose in our model of ligand binding to integrins may actually occur at two ligand-binding sites in the receptor.** KKThe possibility of displacement at two sites is indicated by our equilibrium gel filtration experiments, which detected the displacement of approximately two cations (Mn^{2+}) from intact $\alpha_{IIb}\beta_3$ after addition of either macromolecular or peptide ligands. *LL*Our data are consistent with β_3(118-131) being one of these sites. *MM*It is tempting to speculate that α_{IIb}(296-306) may be the second site. *NN***The reason is that, in many ways, a_{IIb}(296-306) is similar to β_3(118-131)** *OO*Like β_3(118-131), α_{IIb}(296-306) contains the second EF handlike motif found within α_{IIb}, and like β_3(118-131) peptides, peptides from within α_{IIb}(296-306) inhibit ligand binding by the receptor (11, 53). *PP*In addition, direct comparison suggests that β_3(118−131) and α_{IIb}(296-306) are similarly potent in inhibiting ligand occupancy on the receptor. *QQ*Finally, both β_3(118−131) and α_{IIb}(296-306) are highly conserved among the integrin β and α subunits (9, 10). *RR***Thus, β_3(118-131) and a_{IIb}(296-306) could both be ligand-binding sites.** *SS*Because several such binding sites may be necessary to achieve high-affinity ligand binding (38), it is possible that β_3(118-131) and α_{IIb}(296-306) may contribute ligand binding, cation binding, or both to integrin function. *TT*If so, conformational linkage between these two cation-binding sites, such as observed for many EF handlike Ca^{2+}-binding loops (51), may explain why two cations are displaced by a single ligand-binding event. *UU*However, an alternative possibility, that two RGD ligand peptides can bind per receptor, cannot be entirely excluded. *VV*Steiner et al. (50) detected only one RGD-binding site on $\alpha_{IIb}\beta_3$, but their study used a relatively minor subpopulation of isolated receptors.

6 *WW***An important prediction of our cation displacement model is that divalent cations could drive the ligand-binding event in reverse, thereby suppressing an integrin's ligand-binding function.** *XX*In fact, there is evidence that this suppression does occur. *YY*Specific divalent cations can interfere with the ligand-binding function of $\alpha_L\beta_2$ (8, 55) $\alpha_2\beta_1$ (20, 49), and $\alpha_V\beta_3$ (25). *ZZ*Our finding that divalent cations and ligands can compete for the same site on an integrin provides a structural basis for these observations. *AAA***This model may also have implications for integrin activation** (18). *BBB*Specifically, activation of integrin may involve conformational changes in the integrin that favor ligand-receptor complexes rather than ternary complexes or cation-receptor complexes. *CCC***Finally, an in vivo consequence of our cation displacement model may relate to bone resorption.** *DDD*Integrin $\alpha_V\beta_3$ is the receptor on osteoclasts essential for adhesion to the bone surface (7, 28). *EEE*Liberation of Ca^{2+} from mineralized bone could dissociate $\alpha_V\beta_3$ from its bone ligands, compromising the integrity of osteoclast adhesion.

주석

1. 단락 1에서 대답을 알리는 신호(문장 B)는 "in this study, we provide functional evidence that...and that" 이다.

   대답에 관한 기술(문장 B)은 "*the β_3(118-131) sequence of the β_3 subunit of integrin $\alpha_{IIb}\beta_3$ binds the ligand fibrinogen and... it also binds cation.*" 이다.

   뒷받침하는 결과로 연결되는 부분(단락 2, 문장 D; 단락 3, 문장 Q)은 "*Three independent lines of investigation provide functional evidence that the β_3(118-131) sequence of $\alpha_{IIb}\beta_3$ binds the ligand fibrinogen*" 과 "*In addition to our finding that β_3(118-131) binds ligand, two independent approaches provide clear evidence that β_3(118-131) binds cation.*" 이다.

   결과는 단락 2(E-P)와 단락 3(R-X)의 뒷받침문에 기술되어 있다.

   동물은 고찰의 어느 곳에서도 언급되지 않았으며, 반드시 보충되어야 한다.
2. 대답(문장 B)은 질문의 답이 되고 있다: 핵심용어, 동사, 순서가 모두 동일하며, 동사에는 현재시제가 사용되었다.
3. 줄거리는 명료하다.

   단락 1에서는 배경에 관한 문장과 의외의 결과에 대한 설명 사이에 대답이 기술되었다.

   단락 2와 3은 대답을 뒷받침하는 결과를 제공한다: ligand에 관한 것은 단락 2에서, cation에 관한 것은 단락 3에서.

   단락 4와 5는 대답의 기초해서 ligand binding에 관한 모델을 제시하고 있으며, 단락 4는 그 모델을 설명한다. 단락 5는 해당 모델에서 cation displacement가 일어나는 두 장소를 밝히고 있다.

   각 단락의 주제문은 굵은 글씨로 쓰여 있다.

   단락 2-5의 첫 문장은 모두 단락 주제문이다.

   단락 2의 문장 D는 단락의 메시지를 기술하는 주제문이며, 문장 K는 소주제에 관한 주제문, 문장 P는 더 많은 세부사항을 담아 메시지를 다시 기술하고 있는 주제문이다.

   단락 3에서는 앞부분의 주제문(Q)이 연결구로 시작하고 있으며, 이 연결구는 단락 2의 메시지를 반복함으로써 단락 3을 단락 2에 연결하고 있다. 문장 Q의 주어와 동사, 보어군은 문장 D와 대구를 이루는 한 편 메시지를 기술하고 있다. 단락 끝부분에 있는 주제문인 문장 X는 메시지를 다시 기술하면서 확장시키고 있다.

   단락 4에서는 주제문(Y)의 주어가 대답을 다시 기술함으로써 단락 4를 단락

1-3에 연결시키고 있으며, 동사와 보어군은 단락 4의 주제(the new model)를 기술하고 있다. 이 단락에는 세 개의 소주제가 있다: Z-BB는 해당 모델을 설명한다(문장 Z의 주어에 있는 핵심용어 "model"이 신호다); CC-DD는 이 모델의 핵심적인 특징인 "transient binding of cation"의 이유를 기술하고 있다: "The most likely reason that cations are transiently bound to the receptor is…"); EE-HH는 모델의 안정성을 논하고 있다(연결구이 "in this model" 뒤에 핵심용어인 "stability"가 문장 EE의 주어로 사용되었다). 단락의 끝부분에서는 문장 II가 모델을 요약하면서 단락의 메시지를 기술하고 있다.

단락 5의 주제문인 JJ는 메시지를 기술하고 있으며, Nn는 소주제문이다 . RR는 JJ보다 단락의 메시지를 좀더 구체적으로 기술하는 주제문이다.

단락 6의 WW는 단락의 주제문이 아니다. 문장 WW 앞부분의 연결절은 첫 번째 소주제의 등장을 알리고 있으며, 이 소주제가 단락의 주제다(implications). 문장 WW의 나머지는 세 가지 내포 중 첫 번째에 관한 소주제문이며, 문장 AAA와 CCC는 두 번째 및 세 번째 내포에 관한 소주제문이다.

연결어휘와 연결절에는 이탤릭체가 사용되었으며, 반복된 핵심용어에는 밑줄이 그어져 있다. 이 고찰의 연속성은 주로 핵심용어의 반복에 의존하고 있으며, 단락 2와 3 간의 연속성은 대구 형식과 단락 앞부분의 연결구의 도움도 받고 있다.

4. 결말을 알리는 신호는 없다.

결말은 세 가지 내포(implication)를 기술함으로써 연구의 중요성을 지적하고 있다.

어떤 독자는 내포를 결말에 사용하는 것이 끝나는 인상을 주지 않는다고 생각할 수도 있다. 이런 독자를 만족시키려면, 다음과 같이 대답과 모델, 내포를 요약하는 단락을 첨가할 수도 있다:

7 *Thus, in this study, we provide functional evidence that* the β_3(118−131) sequence of the β_3 subunit of integrin $\alpha_{IIb}\beta_3$ binds the ligand fibrinogen and that it also binds cation. This binding suggests a new cation displacement model for the mechanism of ligand binding to integrins. If true, this model has important implications about suppression of ligand binding by integrins, about integrin activation, and about bone resorption.

단락 7에서는 "thus"가 결말의 등장을, "in this study, we provide functional evidence that…and that"이 대답의 등장을 알리고 있으며 단락 7의 대답은 앞부분에 기술된 대답과 일치한다.

연습문제 7.2: 고찰의 메시지와 줄거리

고찰 1

원문에 관한 주석

단락의 주제

단락 1-3:	서론
단락 4:	괴리의 설명
단락 5:	질문 2에 관한 결과
단락 6:	질문 2의 대답에 관한 이유로 "steal" 에 대한 추측 제시
단락 7:	"steal" 이 일어날 수 있는 다른 장소에 관한 추측
단락 8-9:	결론

질문에 대한 대답

질문 1에 대한 대답은 기술되지 않았으며, 저자의 연구가 앞서 수행된 연구와 다른 점을 설명하고 있는 단락 4의 문장 N에는 질문 1에 관한 결과가 언급되어 있다. 질문 1에 관한 결과는 단락 8의 앞부분에서 더 두드러지게 기술되어 있으며, 이러한 언급들은 너무 미미하거나 너무 때늦은 것이다.

질문 2에 대한 대답은 기술되지 않았으며, 질문 2에 관한 결과는 단락 5에 제시되어 있다. 문장 W의 "decreased" 뒤에 "absent" 가 추가되어야 한다는 점에 유의하라(단락 4의 문장 N과 단락 8의 문장 II를 비교하라). 대답은 단락 5의 마지막 문장인 문장 Y에 암시되고 있지만, 결과가 앞서 나온 결론을 뒷받침하고 있다고 말하면 연구가 독창적이지 못하다는 뜻으로 들린다. 사실, 이 연구의 결과는 앞서 발견된 범위를 뛰어 넘는 것이며 확증적이지는 못하더라도 참신하다고 할 수 있다. 따라서, 문장 Y는 생략할 수 있다. 앞서 나온 결론과의 관계는 괴리로서(교정문 1과 2의 단락 2), 또는 선행된 연구의 연장으로서(교정문 3의 문장 A와 B) 다루어질 수 있다. 단락 5의 첫 문장은 질문 2에 대한 대답을 기술하도록 교정해야 한다. 동사는 현재시제이어야 하며 모집단은 "patent ductus arteriosus" 를 통해 대량의 션트(shunt)가 일어나고 있는 모든 "preterm infants" 로 확장되어야 한다.

질문에 대한 대답을 더 강조하려면, 고찰의 앞부분(단락 1)에 대답을 기술해야 한다.

고찰의 시작부

고찰의 시작부(단락 1-3)에는 서론에 해당하는 정보가 들어있으며, 이런 정보는 생략해야 한다. 이 정보는 단순히 하행 대동맥의 혈액 역류와 대뇌동맥의 혈류감소에 관한 증거를 리뷰한 것에 지나지 않으며 서론에서 해당 증거를 압축해서 제시한 것만으로도 충분하다.

고찰의 중간부

단락 6의 첫 문장은 저자가 대뇌혈류와 대동맥혈류 간의 평행 관계에 관한 한 가지 설명을 제시할 것이라는 점을 지적하는 주제문이어야 한다. 교정문에서는 두 개의 괜찮은 주제문이 주어졌다(교정문 1과 2의 단락 3의 첫 문장).

단락 7의 첫 문장은 이 단락이 곁길로 새는 주제, 즉 "steal"이 일어날 수 있는 다른 장소에 관한 추측을 제시하고 있다는 점을 지적하는 주제문이어야 한다. 원문에서는 단락 7이 전체 줄거리와 일맥상통한다는 점을 파악하는 것이 거의 불가능하다. 또한 "steal"이 일어날 수 있는 다른 장소들이 무엇인지 명확하게 밝혀지도록 단락 7을 교정해야 한다(교정문 1과 2의 단락 4 참조).

고찰의 결말부

고찰의 결말부(단락 8과 9)가 너무 길고 부적합하다. 단락 8의 첫 문장은 질문 1에 대한 대답(질문 1에 대한 결과가 아니라)을 기술하도록 교정해야 하며, 질문 2에 대한 대답이 추가되어야 한다. 단락 8의 나머지 문장은 적절하게 교정하던지 생략해야 한다. 단락 9의 첫 문장은 이 논문의 목적에 맞지 않으며 따라서 적절하게 교정하던지 생략해야 한다. 단락 9의 두 번째 문장은 단락 8의 문장 JJ와 유사하지만 발견한 결과들이 "steal"을 "suggest"하는 것이 아니라 "show"한다고 부정확하게 표현했다. 결말부에서 "steal"에 관한 두 문장은 모두 불필요하다. 마지막 문장은 비정상적인 대뇌혈류의 합병증을 기술하고 있으며, 그대로 유지해도 좋다. 이 고찰을 멋지게 끝내는 두 가지 방법이 교정문 1과 2의 마지막 단락에 예시되어 있다.

교정문

교정문 1

질문

1. To determine if diastolic blood flow <u>can be</u> retrograde in the cerebral arteries of preterm infants who have a large shunt through a patent ductus arteriosus.
2. To determine how alterations in cerebral blood flow <u>are</u> related to alterations in aortic blood flow.고찰

교정문 1에 대한 주석

1 대답과 이를 뒷받침하는 결과
A 질문 1에 대한 대답
B 질문 2에 대한 대답
C, D 뒷받침하는 결과
A-C 대답과 결과를 알리는 신호

1 [A]In this study we have shown that diastolic blood flow can be retrograde in the cerebral arteries of preterm infants who have a large shunt through a patent ductus arteriosus. [B]We also have evidence that these alterations in cerebral blood flow closely **parallel** alterations in aortic blood flow. [C]We found that in all infants with a large ductal shunt, who had retrograde diastolic blood flow in the descending aorta, the cerebral blood flow was greatly decreased, absent, or retrograde. [D]Moreover, after closure of the patent ductus arteriosus in these infants, so that they no longer had retrograde blood flow in the descending aorta, the diastolic blood flow was also forward in the cerebral arteries.

2 괴리의 설명
E 핵심용어 주제문
F 소주제문
H 소주제문
J 압축의 좋은 예

2 [E]Our observations extend beyond those of Perlman et al. (6), who were able to find only a decrease in cerebral blood flow during diastole and did not report any retrograde or absent blood flow. [F]Two factors may explain our more severe findings. [G]First, the infants in our series may have had larger left-to-right ductal shunts and therefore greater changes in cerebral blood flow. [H]Second, the different methods of detection may have led to different findings. [I]Whereas Perlman et al. (6) used a continuous-wave Doppler velocitometer, we measured cerebral blood flow with a range-gated pulsed-Doppler system. [J]Compared to the pulsed-Doppler system, continuous-wave analysis is limited by lower resolution and a potential for signal loss (15, 16), either of which could result in undermeasured cerebral blood flow.

3 "Cerebral steal"에 관한 추측
K 핵심용어 주제문

3 [K]The parallel alterations in aortic and cerebral blood flows that we observed may be explained by the difference in resistance between the pulmonary and the systemic vasculature. [L]In infants who have a large shunt through a patent ductus arteriosus, the pulmonary vascular bed, which has low resistance to blood flow, freely communicates with the systemic vascular bed, which has higher resistance. [M]Therefore, the presence of a large shunt through a patent ductus arteriosus results in diastolic steal of blood from the aorta through the patent ductus arteriosus and into the pulmonary vasculature. [N]Concomitantly, diastolic blood flow in the cerebral arteries decreases. [O]Eventually, the cerebral blood flow reverses and may lead to diastolic steal of blood from the cerebral circulation.

4 "Cerebral steal"에 관한 추측
P 연결구 주제문

4 [P]As opposed to diastolic steal in the cerebral arteries and the descending aorta, we found no diastolic steal from the coronary arteries in preterm infants who have a large shunt through a patent ductus arteriosus. [Q]In Doppler tracings taken from the ascending aorta just above the aortic valve, no differences in diastolic blood flow were apparent between control infants and infants who had a large ductal shunt. [R]However, retrograde blood flow from the coronary arteries may have been too small to be detected by our technique.

5 결말
S, T 다시 기술된 대답
U 임상적 내포

5 [S]In summary, this study shows that diastolic blood flow can be retrograde in the cerebral arteries, as well as in the descending aorta, of preterm infants who have a large shunt through a patent ductus arteriosus. [T]In addition, the retrograde blood flow in the cerebral arteries closely parallels the retrograde aortic blood flow. [U]This retrograde cerebral blood flow may lead to complications such as ischemia or hemorrhagic brain injury.

시작부

교정문 1의 단락 1은 앞부분에 두 질문에 대한 대답을 기술한 뒤에 이를 뒷받침하는 결과를 제시하고 있다. 공교롭게도 같은 결과가 두 대답을 모두 뒷받침하기 때문에 이런 형태의 결과 제시는 대단히 효율적이다. 또한, "aortic blood flow"에 관한 결과가 각 문장(문장 C, D)의 앞부분에 종속되어 있기 때문에, 문장이 중요한 결과("cerebral blood flow"에 관한 결과)에 초점을 맞출 수 있게 되었다. "control infants"에 관한 결과는 고찰에서 불필요하므로 생략했다.

대답이 질문과 일치하고 있다. 질문 1에 대한 대답은 질문과 동일한 핵심용어와 동사를 사용하고 있으며, 질문 2에 대한 대답 역시 질문과 동일한 핵심용어를 사용하고 있지만 "is related to" 대신 "parallels"를 사용해 관계를 구체화시키고 있다. "is directly related to"도 타당한 대답이기는 하지만 구체적인 동사("parallels")를 사용했을 때처럼 독자의 마음에 이미지를 불러일으키지 못한다는 점에 유의하라.

중간부

단락 2와 3은 두 가지 중요한 주제를 제시한다: 괴리의 설명과 "steal"에 대한 추측. 단락 2에서는 비교가 시작되는 부분에서 두 연구의 차이를 분명하게 구체화시키고 있다("Our observations extend beyond")(문장 E). 또한, 앞서 사용된 방법의 한계에 대한 설명이 각 한계의 본질적 특징만을 기술하는 것으로 멋지게 압축되었다(문장 J). 앞서 출판된 논문의 저자들이 원문에서처럼 그냥 "Perlman"이 아니라 "Perlman et al."로 올바르게 언급되었다는 점도 눈 여겨 볼 필요가 있다.

단락 3(=원문의 단락 6)에는 주제문이 추가되었으며, 설명도 명확해졌다.

단락 4는 대단히 명쾌한 연결구 주제문을 사용해서 두 번째 논점("steal in the coronary arteries")을 도입한 뒤 해당 논점을 분명하게 설명하고 있다. 원문에서는 이 주제의 등장을 명확하게 알리는 신호가 없었으며 설명도 불분명했다(단락 7, 문장 GG와 HH).

따라서, 이 고찰의 중간부에서는 두 개의 핵심용어 주제문과 하나의 연결구 주제문이 전체 줄거리를 만들어 내고 있다. (단락 2의 주제문은 핵심용어 대신 범주형 용어인 "observations"을 사용해서 단락 1에서 언급된 혈류의 변화를 지칭하고 있다.) 각 단락의 첫 문장 만을 읽더라도 고찰의 전체 줄거리를 알 수 있다.

결말부

단락 5(결말)는 대답을 있는 그대로 제시한 뒤에 임상적 내포를 기술하고 있으며, 결말부의 대답은 시작부의 대답과 일치한다. 임상적 내포는 서론의 첫 단락의 마지막에서도 언급되었기 때문에 줄거리가 하나의 완벽한 원을 이룬다.

교정문 2

1 대답
A 문맥
A₁ "Aorta"의 종속화
A₂ "Cerebral arteries"의 강조
B 대답
B₁ 질문 1에 대한 대답
B₂ 질문 2에 대한 대답
C 소주제문
D-E 뒷받침하는 결과(압축됨)

1 *A₁*Although retrograde blood flow in the descending aorta during diastole is a common finding in preterm infants who have a patent ductus arteriosus (4, 5, 9-14), *A₂*it has only recently been suggested that blood flow in the cerebral arteries may be similarly altered (6). *B*The results of our study indicate [1]that diastolic blood flow can be retrograde in the cerebral arteries of preterm infants who have a large shunt through a patent ductus arteriosus and [2]that alterations in cerebral blood flow closely parallel alterations in aortic blood flow. *C*The parallel relationship between cerebral and aortic blood flows, and the importance of shunt size, are apparent from our findings. *D*Thus, in control infants and infants who had a small ductal shunt, there was no evidence of abnormal diastolic blood flow in the cerebral arteries or in the descending aorta. *E*However, in infants who had a large ductal shunt, diastolic blood flow was reduced, absent, or retrograde in the cerebral arteries, and retrograde in the descending aorta. *F*Moreover, after closure of the ductus, normal diastolic blood flow was re-established at both sites.

2 괴리의 설명
G 연결구+핵심용어 주제문
H 소주제문

2 *G*In contrast to our results, Perlman et al. (6) reported only reduced diastolic blood flow in the cerebral arteries of preterm infants who have a large ductal shunt. *H*Two factors might explain the more severe alterations in cerebral blood flow that we observed (absent and retrograde flow): the size of the shunt and the technique used. *I*First, the infants in our study may have had a larger ductal shunt, and consequently greater changes in cerebral blood flow, than the infants in Perlman et al.'s study. *J*Second, whereas Perlman et al. used a continuous-wave Doppler velocitometer, we measured cerebral blood flow with a range-gated pulsed-Doppler system. [K]Compared to the pulsed-Doppler system, continuous-wave analysis is limited by lower resolution and a potential for signal loss (15, 16), either of which could result in undermeasured cerebral blood flow.

3 "Cerebral arteries"에 관한 추측
L 핵심용어 주제문

3 [L]A likely explanation for our results is that, in the presence of a large shunt through a patent ductus arteriosus, the systemic circulation, which has high resistance to blood flow, communicates with the pulmonary circulation, which has lower resistance. As a result, blood is diverted away from the aorta into the pulmonary circulation via the patent ductus arteriosus, and diastolic blood pressure falls. [M]As the diastolic blood pressure in the aorta falls, diastolic blood flow in the cerebral arteries decreases and eventually reverses, thereby diverting blood away from the cerebral arteries as well. [N]The failure of the cerebral arteries to decrease resistance and maintain forward diastolic flow is probably due to maximum vasodilation or impaired autoregulation, both of which are believed to occur in preterm infants who have a large ductal shunt (6, 17, 28).

4 "Retrograde blood flow in other anteries"
O 연결어휘+핵심용어 주제문

4 [O]Our results suggest that blood flow may also be diverted from other arteries during diastole. [P]We found forward blood flow in the transverse aorta proximal to the ductus arteriosus during diastole, when there is normally no blood flow. [Q]We believe that this blood flow reflects blood diverted from the carotid and subclavian arteries toward the ductus arteriosus via the transverse aorta. [R]Similar findings have been reported previously (5, 10, 11). [S]However, in measurements taken from the ascending aorta just above the aortic valve, we found no differences in blood flow between control infants and infants who had a large ductal shunt. [T]Thus, if blood is also diverted from the coronary arteries during diastole, it was too little to be detected by our technique.

5 결말
U 핵심용어 주제문 (대답 1을 다시 기술)
U-W 임상적 내포
X 방법의 응용

5 [U]Some of the clinical complications of a patent ductus arteriosus, such as cerebral ischemia, may be explained by our findings that cerebral blood flow during diastole can be decreased, absent, or retrograde. [V]The extent of these changes in blood flow appears to be related to the size of the ductal shunt, and thus a large shunt may predispose infants to serious complications. [W]It is therefore important to recognize these changes in blood flow within a vessel. [X]Because range-gated pulsed-Doppler echocardiography is a safe, noninvasive means of assessing not only the patency of the ductus arteriosus but also alterations in blood flow within a vessel, this echocardiographic technique can be used to improve the diagnosis and management of complications of a patent ductus arteriosus.

교정문 1과 2의 차이

시작부

교정문 2의 단락 1은 문맥(A)으로 시작한 뒤에 대답(B)과 뒷받침하는 결과(C-F)를 기술하고 있다. 소주제문(C)을 사용해서 뒷받침하는 결과를 소개하고 있으며, 결과가 멋지게 압축되어 있다.

중간부

단락 2는 본질적으로 교정문 1과 마찬가지고 괴리를 설명하고 있지만 소주제문(H)에 각 설명의 주제를 첨가함으로써 명쾌한 개요를 제공하고 있다.

단락 3은 "steal"에 대한 추측을 제시하고 있지만 "steal"이란 용어를 "diverting"으로 바꿨다. 이 교정문은 "maximum vasodilation"과 "impaired autoregulation"에 대한 문장을 포함하고 있으며, 이 문장은 교정문 1에서는 생략되었다.

단락 4는 연결어휘+핵심용어 주제문을 이용해서 두 번째 논점("whether blood flow is also diverted from other arteries")을 도입하고 있으며, 이 주제문은 원문처럼 결과를 기술하지 않고(단락 7), 대신에 논점을 제시하고 있기 때문에 단락의 주제가 명쾌하게 드러나 있다. 이 단락은 원문에서 언급된 모든 동맥을 포함하고 있으나 교정문 1에서는 "coronary arteries"만이 언급되어 있다. 더 명확하게 설명하기 위해 세부사항(밑줄 친)이 추가되었다.

교정문 1이 두 개의 핵심용어 주제문과 하나의 연결구 주제문을 사용하는 데 반해 교정문 2는 두 개의 연결구 주제문과 단 하나의 핵심용어 주제문을 사용해서 전체 줄거리를 전개하고 있다.

결말부

단락 5(결말)는 임상적 내포와 방법의 응용에 관해 기술하고 있다. 첫 번째 대답은 임상적 내포를 의미하는 첫 문장(U)에 포함되어 있으며, 이런 형태로 대답을 제시하는 것은 대답을 있는 그대로 다시 기술하는 것보다 분명하지 못하다. 임상적 내포와 방법의 응용이 매끄럽게 연결되었다는 점에 주목하라(W). 이렇게 함으로써 원문(단락 9, 문장 PP)에서는 적절하지 않게 보였던 방법(method)이 이제 더 적절하게 보인다.

전체줄거리

두 교정문 모두 각 단락의 첫 한두 문장만 읽어도 전체 줄거리를 알 수 있다. 두 교정문 모두 단계별 기법을 이용해 줄거리를 전개한다.

교정문 3

[A]In this study, we have extended previous work showing decreased blood flow in the cerebral arteries of preterm infants who have a large shunt through a patent ductus arteriosus (6). [B]Our results demonstrate that, in these infants, cerebral blood flow can be not only decreased but also absent or even retrograde and that these alterations in cerebral blood flow closely parallel alterations in aortic blood flow.

교정문 3은 고찰을 시작하는 또 하나의 방법을 보여준다. 여기에서는 "abnormal cerebral blood flow in preterm infants" 라는 주제에 관해 앞서 출판된 연구의 연장선상에서 질문에 대한 대답을 제시하고 있다. 대단히 솔직한 방법이다.

고찰 2

1 *대답 1+결과*

대답 2+결과

1 [I]In this study, we show that mper2 is a **circadian** clock gene. [H]The evidence is that it was expressed in a **circadian** pattern in the suprachiasmatic nucleus (SCN), it maintained expression under free-running conditions (constant darkness), and it was able to be synchronized to the cycle of an external light source (entrainment). [M]We also show that *mper2*, unlike *mper1*, is not directly **light inducible**. [L]In our mice, *mper1* expression began within 7-15 min ***Resultsof*** exposure to a 15-min light pulse at CT22. ***Results*** However, mper2 was not expressed at any time during the 2-h observation period or even at 4 h after the light pulse. [M′]Thus, *mper2* behaves more like the *Drosophila per* gene than does *mper1*, since the *Drosophila per* gene is also not **inducible** by **light** (20, 44).

2-6 *대답의 중요성*
2-5 *대답의 해석 ("interdependence of functioning of mperl and mper 2)*
2 *"interdependence" 를 뒷받침*

2 [TS]Our finding that ***mper1*** is **light inducible** but that ***mper2*** is not suggests that **mper1** and **mper2** may have some **interdependent functions** and that **mper1** may be the **pacemaker**. [N]Although mper2 expression lagged behind mper1 expression by about 4 h, [O]**interdependent functioning** is possible because mper2 was expressed at ZT/CT6, [N]when mper1 expression was maximal. [O]Thus, the neurons of the SCN may contain transcripts from both genes. [P]Assuming that the sequential expression of mper1 and mper2 mirrors the sequential expression of their transcripts, then mper1 and mper2 may interact. [Q]Interaction could occur because the mper proteins have highly homologous

PAS domains (61% identity); these domains have been shown to mediate the interaction of different PAS-domain-containing proteins (19, 25, 43). ^R^mper1 and mper2 may also interact with other proteins in this pathway, ^Q″^since PAS domains also mediate the interaction of PAS-domain-containing proteins with other transacting factors (19, 25, 43). ^S^One such protein could be clock, which is widely expressed in the brain, including the SCN (22). ^TS^Thus, it is possible that **mper1** and **mper2 function interdependently**. ^T^In contrast, in other tissues such as skeletal muscle that express mper1 but not mper2, Umper1 may **function independently** of mper2, possibly in conjunction with other PAS-domain-containing proteins.

3 *Relation of interdependence to the mechanism of the mammalian circadian clock; preparation for mper 1 as the pacemaker*

3 ^V^The presumed **interdependent functions** of **mper1** and **mper2** can be fitted into our growing understanding of the molecular mechanism by which the mammalian circadian clock responds to light. ^W^It has previously been established that activation of photoreceptors in the retina generates **signals** that are **transduced** to the SCN through the retinohypothalamic tract (RHT) (reviewed by Moore, 27). ^X^In the retinorecipient area of the SCN, the region into which the RHT projects (18, 21, 28), this **signal transduction** results in glutamate release, evoking calcium influx, which may activate the nitric oxide signaling cascade (11, 17, 36). ^Y^The molecular **targets** of this **signal transduction** process are one or more proteins of the circadian clock. ^Z^Since our findings qualify the per proteins as circadian clock components, they are potential **targets** of the **signal** mediated through the RHT. ^AA^In particular, **mper1** is likely to be a **target** because **mper1** was induced by a pulse of light within 15 min after the light source was turned on. ^BB^Induction of mper1 by light initially occurred in a small number of ventrally located cells, and by 30 min, mper1 transcripts were found in a broader, but still ventral, region of the SCN. ^CC^This is the retinorecipient area (18, 21, 28), which is also characterized by the expression of several neuropeptides (reviewed in Card and Moore, 7). ^DD^Between 60 and 120 min, more dorsal neurons initiated mper1 transcription. ^EE^This broadening of expression eventually led to uniform expression encompassing the whole SCN.

5 *Possible interdependent functioning: entrainment; mper1=pacemaker*

5 ^TS^If **mper1** is the **target** of **signal transduction**, then **mper1** may be the **pacemaker**, and both **mper1** and **mper2** may be involved when the endogenous clock is **entrained** to a new day/night cycle. ^NN^A possible model is that light evokes a **signal** in the retina, which is transduced through the RHT to the ventral portion of the SCN, the region where mper1 is first transcribed.

OO This **signal** sets up a positive autoregulatory loop of mper1 expression. PP This initial expression establishes a condition in which light is no longer required to maintain mper1 expression. QQ Our data show that mper1 expression continues hours after the light pulse is terminated. RR mper1 would then activate the mper2 gene, which is not itself light-inducible. SS The 4-h time delay between mper1 and mper2 expression could be explained by the requirement of a threshold concentration of mper1 protein to turn on mper2. TS If this model is correct, then **mper1** is the **pacemaker** that responds to light and mper1 mediates **entrainment**, which involves mper2.

6 *Benefits of having two mper genes*

6 TT Other than **entrainment**, what could be the benefit of having both mper1 and mper2 genes? UU These two genes are clearly not redundant: they are maximally expressed at different times of the circadian cycle, they differ with regard to their response to light, and their tissue expression profiles differ greatly. VV Thus, these two genes must have different regulatory regions, a diversity that would allow response to a broader spectrum of input cues or perhaps interaction with different downstream components. WW The mper1 regulatory region may respond primarily to light, whereas the regulatory region of mper2 might respond to hormonal or other signals. XX Thus, diverse input signals could result in the biosynthesis of two similar proteins, which, because of their relatedness, can drive the same signaling pathways.

주석

이 교정문에서는 모든 단락의 앞부분에서 개요를 제시하고 있는 주제문과 연결어휘, 연결구, 연결절 및 핵심용어의 반복을 통해 고찰의 시작부터 결말까지 줄거리가 이어지고 있다.

연속성을 위한 기법

주제문: 단락 1: I, M, M' ; 단락 2: TS X 2; 단락 3: V; 단락 5: TS X 2; 단락 6: TT.
연결어휘: 단락 1: Results, M' ; 단락 2: O, TS, T; 단락 3: AA; 단락 6: VV, XX.
연결구: 단락 1: L; 단락 2: T; 단락 6: TT.
연결절: 단락 1: I, H, M; 단락 2: TS, Q, TS; 단락 3: W; 단락 5: NN, QQ.
핵심용어의 반복: 굵은 글씨.

제8장

연습문제 8.1: 그림과 표의 디자인 및 텍스트와의 상관관계

주석

이 결과 섹션에서는 그림과 표가 명쾌하게 디자인되지 않았으며 텍스트와 잘 연관되어 있지도 않다.

그림 2

그래프의 종류. 선그래프 보다는 막대그래프가 "airflow resistance" 증가와 전후값을 더 분명하게 보여줄 수 있을 것이다.

축. 언뜻 보면 로그 함수처럼 보이지만 사실은 선형이다. 그래프가 선형처럼 보이도록 하려면 눈금과 척도 숫자가 동일한 간격으로 배치되어야 한다.

두 배 및 여덟 배의 증가를 쉽게 파악할 수 있도록 더 많은 눈금을 추가할 수도 있다.

텍스트와의 관계. 눈금을 추가하면 "여덟 배"라는 점이 조금 과장되었다는 것을 알 수 있다. 실제 값은 일곱 배와 여덟 배의 사이에 있다. 독자에게 데이터를 부풀리고 있다는 인상을 주지 않으려면 과대평가하는 것보다는 과소평가하는 편이 낫다.

텍스트와 그림 범례, 축의 제목에 동일한 핵심용어를 사용했더라면 그림과 텍스트의 관계가 더 분명해졌을 것이다. 지표("airflow resistance")를 측정한 것이기 때문에 변수("bronchoconstriction")가 아니라 지표를 그림 범례에 사용해야 한다. 또한, 핵심용어인 "airflow resistance"는 축의 제목에도 사용되어야 한다. 약어(Rrs)를 사용하려면, 그림 범례에서 정의해야 한다. 마찬가지로, 텍스트의 "dose of smoke inhaled"는 그림의 "number of smoke inhalations"과 잘 연결되지 않는다.

그림 범례. 논점을 기술할 때는 "bronchoconstriction" 대신 "increases in airflow resistance"를 사용해야 한다.

그림 범례는 통계학적 세부사항 앞에 대부분의 실험적 세부사항을 제공하도록 교정할 수 있다. 또한, 측정 시간도 추가될 수 있다.

측정된 평균값이 참평균값에 얼마나 가까운지를 보이기보다는 데이터의 변이성을 보이기 위해 SE 대신 SD를 제시할 수 있다(표 1처럼).

표 1

일러스트레이션의 종류. 표 보다는 선그래프가 시간의 흐름을 더 분명하게 보여준다.

텍스트와의 관계. 텍스트는 1분 이내에 최대치에 도달했다고 말하고 있지만, 평균값은 1/2 분 이내에 최대값에 도달했다는 점을 보여주고 있다. 반면에 개별 데이터를 보면 2분 이내에 평균값에 도달했다고 말해야 할 것이다(dogs 2-4, 1/2 min; dog 1, 1min; dog 5, 2min). 마찬가지로 "airflow resistance" 도 2분 이내에 최대치의 절반으로 감소했다(2min의 평균인 188%와 4min의 평균이 190%에는 차이가 없다).

제목의 "bronchoconstriction" 은 "airflow resistance" 로 바뀌어야 한다.

교정문

Results

Inhalation of cigarette smoke into the lungs of anesthetized dogs caused two- to sevenfold increases in airflow resistance of the total respiratory system depending on the number of tidal volumes of smoke inhaled (Fig. 2). Airflow resistance increased rapidly after the start of smoke inhalation; on average, the maximum was reached within 1/2 min (Fig. 3). Airflow resistance remained increased transiently, decreased to one-half the maximal value within 2 min (Fig. 3), and returned to baseline before the next dose 20 min later [figure citation omitted].

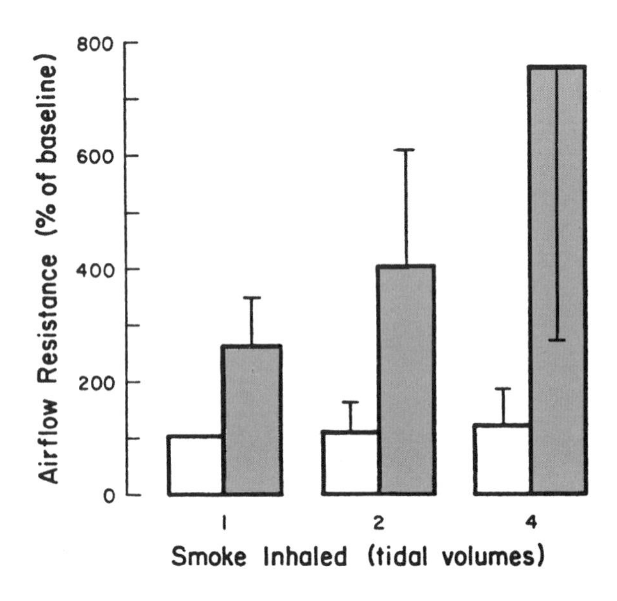

그림 2. AIncreases in airflow resistance of the total respiratory system after inhalation of cigarette smoke in 5 anesthetized dogs. BThe dogs were given 1, 2, or 4 tidal-volume inhalations of cigarette smoke. CInhalations were separated by 20 min. DValues are means ± SD 1/2 min before (□) and 1/2 min after (■) each series of inhalations.

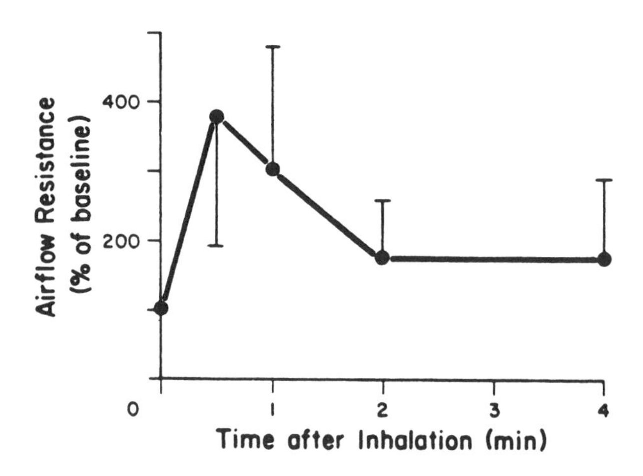

그림 3. Time course of airflow resistance of the total respiratory system after inhalation of 2 tidal volumes of cigarette smoke in 5 anesthetized dogs. Data are means ± SD.

연습문제 8.2: 표의 디자인 및 텍스트와의 상관관계

교정문

표 1. Plasma Apoprotein Levels in Renal Disease and Control Subjects

	Plasma Apoprotein (mg/dl)					
Treatment	Apo A-I	Apo A-II	Apo B	Apo D	Apo E	Apo A-I/ Apo B
Control	163 ± 23	36.4 ± 2.0	98 ± 32	5.6 ± 1.2	7.3 ± 1.6	1.7 ± 0.6
Peritoneal Dialysis	123 ± 20	36.0 ± 4.0	94 ± 8	9.5 ± 1.0*	7.5 ± 0.9	1.3 ± 0.2
Hemodialysis	102 ± 17*	34.8 ± 6.5	89 ± 14	6.7 ± 1.3	6.8 ± 0.8	1.2 ± 0.2†

Values are means ± SD from 10 control subjects, 6 peritoneal dialysis patients, and 15 hemodialysis patients.
*P 〈 0.0005, †P 〈 0.01 vs. control.

주석

원문은 전반적으로 명료하지만 더 명쾌하게 교정될 수 있다.

제목과 열의 표제단어. 교정문에서는 제목을 완전하게 만들기 위해 독립변수("peritoneal dialysis" 및 "hemodialysis")가 추가되고 대조군은 생략되었다. 결과적으로, 제목의 핵심용어들은 왼쪽 첫 번째 열(column)의 핵심용어와 일치한다("peritoneal dialysis"와 "hemodialysis").

또한, "Plasma Apoprotein"이라는 표제단어가 추가되어 제목의 핵심용어와 연결되고 있으며 측정단위(mg/dl)가 각 apoprotein 뒤에 표시되지 않고 이를 모두 포함하는 표제단어인 "Plasma Apoprotein" 뒤에 표시되었다.

제목은 "Effects of X on Y in Z"의 형식이 아니라 "Y after X in Z"의 형식이 될 수 있으며, 논점("Greater Changes")을 포함시킬 수 있다:

Plasma Apoproteins After Peritoneal Dialysis or Hemodialysis in Patients Who Have End-Stage Renal Disease

Changes in Plasma Apoproteins After Peritoneal Dialysis or Hemodialysis in Patients Who Have End-Stage Renal Disease

Greater Changes in Plasma Apoproteins After Hemodialysis than After Peritoneal Dialysis in Patients Who Have End-Stage Renal Disease.

텍스트와의 상관관계. 텍스트에 설명된 apo A-I 및 apo A-I/apo B의 감소를 표를 통해 보여주려면 대조군의 값이 첫 번째 항(관습적으로 사용되는 것과 같이)으로 옮겨져야 하며, peritoneal dialysis의 값은 중간에("intermediate"), hemodialysis 값은 마지막에 와야 한다("much lower").

또한, 질문과 마찬가지로 제목에서도 환자가 충분히 설명되었다("Patients who have end-stage renal disease").

유의한 차이를 보여줌. 통계학적으로 유의한 차이를 보여주기 위해 차이를 보이는 값 뒤에 기호(*, †)를 배치했으며, P 값과 비교되는 값이 무엇인지를 기술하기 위해 각주가 첨가되었다.

숫자의 프리젠테이션. 숫자를 소수점이나 ±에 단정하게 정열시키기 위해 표의 열과 행의 위치를 바꿨다: 독립변수가 좌측 첫 번째 열에, 종속변수가 우측 열에.

데이터가 열에 정열되면, apo A-II와 apo A-I/apo B의 데이터의 소수자리가 다르다는 점을 쉽게 파악할 수 있다. 교정된 표에서는 각 열의 모든 값이 동일한 수의 소수자리를 갖는다.

제10장

연습문제 10.1: 초록

초록 1

등급: C

장점: 간결한 초록, 간결한 문장, 명쾌한 결과

가장 큰 문제점:

질문이 기술되지 않았다.
대답은 연구한 동물과 연구된 유전자로 한정되어야 한다(H).
대답이 너무 자세하다:
"Histone acetyltransferase activity"는 초록의 앞부분에서 언급되지 않았다.
"A coactivator endowed with histone acetyltransferase activity"는 "p300"으로 대치되어야 한다.

다른 문제점

질문과 대답에 연관되도록 배경 정보를 확장시키라.
실험의 개요에 종속변수를 추가하라.
결과의 등장을 알리는 신호를 추가하라.
질문에 대한 대답을 기술한 후에 예기치 못한 대답을 기술하라.
두 대답 간의 관계가 더 명료해지도록 하라.
단순한 어휘를 사용하고 주제가 주어가 되도록 하며, 동작은 동사에 담으라(E, F: died).
"considerable"을 정량화하라(E)(또는 "most"를 사용하라).
"overall gene dosage"를 분명하게 밝히라(G).

교정문

*A*The transcriptional coactivator and integrator p300 and its closely related family member CBP are believed to mediate numerous signal-dependent transcriptional events, including those involved in embryo development. *B1*To determine whether the p300 gene is necessary for mouse embryo development and cell proliferation, *B2*we assessed these variables in mice we generated lacking a functional p300 gene. *C*We found that mouse embryos nullizygous for p300 died between days 9 and 11.5 of gestation, exhibiting defects in neurulation, cell proliferation, and heart development. *D*Cells derived from p300-deficient embryos displayed specific transcriptional defects and proliferated poorly. *E*Surprisingly, most of the p300 heterozygous embryos also died. *F*Moreover, all embryos doubly heterozygous for p300 and cbp died. *H*Thus, the p300 gene is essential for mouse embryo development and cell proliferation. *G*Our findings also show that normal mouse embryo development is exquisitely sensitive to underdosage and overdosage of p300 and cbp genes.

144 words, 18 words/sentence

초록 2

등급: D

장점: 간결한 초록, 유용한 배경 정보.

가장 큰 문제점:

질문이 기술되지 않았다.

가설검증논문의 초록이 아닌 기술논문의 초록이다. 기술논문에는 메시지(문장 B)가 타당한 것이기 때문에 이런 형식을 사용하면 대단히 오해하기가 쉽다.

핵심용어를 바꿨기 때문에 대답(G)이 명료하지 않다:

"binding" (title, B, D); "interact" (A, G)

"represses" (title, E, F); "positively regulate" (A), "positive and negative factors" (G).

"transcription" (title, F, G), "expression" (E)

"GC-rich sequence" (A, B), "control element" (G).

대답을 알리는 신호에 사용된 동사가 너무 약하다; 대답이 아니라 내포를 알리는 신호처럼 들린다.

발견한 결과를 알리는 신호가 없다.

결과에 현재시제가 사용되었다(D-F).

다른 문제점:

대등하지 않은 개념이 "and" 로 연결되었다(A).

주제가 주어가 아니다(C).

마지막 문장의 결말이 "interaction" 의 목적을 설명하는 것처럼 들린다("to account for"). 분명히 이 부분은 추측에 해당하는 것일 게다("and thus may account for").

교정문

A Factor That Represses Transcription Binds to the Same GC-Rich Sequence Repeat as Factors That Activate Transcription

A 배경
AA 질문

[A]Several **factors that bind to** **GC-rich sequences** **activate transcription** of both housekeeping genes and cellular oncogenes. [AA]We asked whether **factors** that **repress transcription can bind to** the same **GC-rich sequence repeat** as **factors**

B 수행한 실험

C-F 발견된 결과

G 대답

that **activate transcription**. [B]To answer this question, we characterized a human cDNA that encodes a **factor** that **binds to a GC-rich sequence repeat** present in promoters of the epidermal growth factor receptor (EGFR), β-actin, and calcium-dependent protease (CANP). [C]We found that this **factor is** a 91-kd protein with an extremely basic region at its amino terminus. [D]Deletion analyses indicated that this basic region functions as the DNA binding domain. [E]When we expressed this **factor** in CV1 cells, we found that it **repressed transcription** originating both from the EGFR and β-actin promoters and from chimeric promoters containing the CANP gene. [F]It also **repressed transcription** in cell-free extracts. [G]These results indicate that **factors** that **repress transcription can bind to** the same **GC-rich sequence repeat** as factors that **activate** transcription.

169 words, 21 words/sentence

초록 3

등급: C

장점

읽기 쉽다.

발견한 바를 간결하고 완전하게 기술하고 있다.

수행한 실험과 결과, 질문에 대한 대답의 등장을 새로운 문장을 통해 지적하는 명쾌한 짜임새를 가지고 있다.

문제점

질문이 모호하다: 독립변수가 빠져있다.

연구한 동물?

실험의 개요(A)가 불분명하다:

How was one lung exposed—surgically?

What was it exposed to?

실험의 개요가 불완전하다: 다른 폐에 일어난 일이 문장 C 전에 설명되지 않았다; 사실 문장 A에 기술되어야 한다.

실험의 몇 가지 세부사항이 빠져있다:

What was the concentration of ozone?

How long was the exposure?

What was the state of the animals during the study?
What cells were studied?
대답이 기술되지 않았거나, 이를 알리는 신호가 분명하지 않거나 둘 다에 해당함:

마지막 문장(E)은 대답의 등장을 알리고 있지만 "could be" 라는 동사의 사용과 이 연구에 박테리아가 주어지지 않았으며 사망률(mortality)이 평가되지 않았다는 사실이 가리키는 바와 같이 내포를 기술하고 있다. "bronchoalveolar lavage"의 결과가 폐 전체로 확대될 수 있는지는 모르겠지만 대답은 폐의 방어 메커니즘에 대한 오존의 효과(제목 참조)에 관한 것이어야 한다. 저자가 의도한 대답은 "polymorphonuclear leukocytes"의 숫자가 증가한 것이 폐의 방어에 좋은 것일 수도 있지만 오존은 폐의 방어 메커니즘을 손상시킨다는 내용인 것 같다.

문장 D는 신호가 명료하지 않다("were found to be"): 이런 신호는 결과를 가리킬 수도, 대답을 가리킬 수도 있다.

두 개의 질문과 두 개의 대답이 있을 수도 있다: 하나는 방어 메커니즘에 대한 오존의 효과, 다른 하나는 직접적인 독성(문장 D)(교정문 2 참조).

글은 전반적으로 명료하지만 몇 가지 전문용어("unilateral lung exposure technique", "bacterial challenge")와 불분명한 어휘 선택("depress various intracellular hydrolytic enzymes"의 의미가 무엇인가? "decrease the numbers of enzymes"인가 아니면 "decrease enzyme activity"?). 또한 결과를 알리는 신호를 문장의 앞부분에 두었더라면 더 분명해졌을 것이다. 제목의 "defensive mechanism"은 "defense mechanism"으로 고쳐야 한다.

교정문 1 (하나의 질문)

OZONE SUPPRESSES THE DEFENSE
MECHANISM of RABBITS' LUNGS

A_1 질문; 배경
A_2 수행한 실험; 조건
B, C 발견된 결과; 방법의 세부사항

A_1To determine how low concentrations of ozone affect the endogenous defense mechanism of rabbits' lungs, A_2we ventilated one lung with ozone and the other lung with air during light anesthesia. BWe found that ozone (0.5−3.0 ppm for 3 h) decreased the viability of alveolar macrophages and the activity of intracellular hydrolytic enzymes (lysozyme, beta-glucuronidase, and acid phosphatase. It also increased the absolute number and percentage of polymorphonuclear leukocytes in pulmonary lavage fluid. CAll these effects were dose related, appeared only in the lung ventilated with ozone, and resulted from direct toxicity of ozone and not from a generalized systemic

D 대답
E 내포

response. *D*We conclude that ozone suppresses the defense mechanism of rabbits' lungs. *E*We suggest that this suppression may be responsible for the high death rate of rabbits infected with bacteria after their lungs are ventilated with ozone.

주석

교정문 1에서는 질문(A1)에 독립변수가 추가되었으며 동물(A1)과 방법의 세부사항(A2,B), 대답(D)이 마찬가지로 추가되었다. A2 에서는 이제 실험의 개요가 완전해졌으며 정확한 어휘 선택으로 인해 폐가 어떻게 노출되었으며 각 폐가 무엇에 노출되었는지가 분명해 졌다. A2 와 B에서는 방법의 세부사항이 다음과 같이 포함되었다: the condition of the rabbits (lightly anesthetized), the concentration of ozone (0.5−3.0 ppm), the duration of exposure to ozone (3 h), and the type of cells studied (alveolar macrophages).

대답(D)은 제기된 질문에 답이 되고 있다: 독립변수와 종속변수와 관련된 핵심용어가 질문과 대답에서 동일하며, 관점도 같다. 또한, 결과를 알리는 신호("We found that")가 문장의 앞부분으로 옮겨졌고(B), "hydrolytic enzymes"의 결과가 더 정확하게 기술되었다("decreased the activity of intracellular hydrolytic enzymes"). 마지막으로, 내포(E)에서는 어휘 선택이 더 단순해졌고("increased mortality" 대신 "high death rate") 전문용어의 사용을 피했으며("given a bacterial challenge" 대신 "infected with bacteria") 적절한 신호가 사용되었다("We suggest that").

교정문 2 (두 개의 질문)

OZONE DIRECTLY IMPAIRS ENDOGENOUS
DEFENSES IN RABBIT LUNGS

A, B 배경
A 알려진 사실
B 알려지지 않은 사실

C_1 질문 1; 동물
C_2 질문 2

D 수행한 실험
D_1 종속변수; 조건
D_2 독립변수

*A*In rabbits exposed to ozone and then given an injection of bacteria, mortality is increased. *B*The increased mortality may result from ozone-induced impairment of the lungs' defense mechanisms. C_1We therefore asked whether ozone exposure impairs endogenous defense mechanisms in rabbits' lungs and, C_2if so, whether the impairment is caused by direct toxicity of ozone or by a generalized systemic response. D_1For this study, we assessed components of the lungs' defense mechanisms in lavage fluid from both lungs of lightly anesthetized rabbits D_2after ventilating one lung with ozone (0.5−3.0 ppm for 3

E, F 발견된 결과

h) and the other lung with air. [E]We found that low concentrations of ozone decreased the viability of alveolar macrophages and the activity of various intracellular hydrolytic enzymes (lysozyme, beta-glucuronidase, and acid phosphatase). Ozone also increased the absolute number and percent of polymorphonuclear leukocytes within pulmonary lavage fluid. [F]All these effects were dose related and were found only in the lung exposed to ozone. [G]These results indicate that ozone exposure impairs endogenous defense mechanisms in rabbits' lungs and that this impairment is caused by direct toxicity. [H]We speculate that these impaired lung defenses may be responsible for the increased mortality of rabbits infected with bacteria after exposure to ozone.

주석

교정문 2는 두 개의 질문을 제기하고(C1, C2) 두 개의 대답을 제시하고 있다(G). 교정문 2의 질문 1은 교정문 1의 동일한 질문보다 더 구체적으로 기술되어 있으며 따라서 대답을 더 분명하게 기대할 수 있게 되었다. 교정문 2의 질문이 더 구체적인 이유는 일반적인 동사 "affect" 대신 대답에 사용된 것과 동일한 동사("impairs")를 사용했기 때문이다.

또한, 교정문 2에서는 배경 정보가 추가되어(A, B) 초록 마지막 부분에 나오는 추측(H)에 대해 준비시켜 준다. 문장 B에는 저자가 흥미를 가지고 있는 궁극적인 질문이, 문장 H에는 그 궁극적인 질문의 대답에 관한 추측이 기술되어 있다.

교정문 2에는 교정문 1과 마찬가지로 다른 세부사항이 추가되었다.

교정문 4

등급 : F

문제점

과도한 세부사항. 나무에 가려 숲을 볼 수 없다.

실험을 설명할 때(A)는 모든 변수 대신 일반적인 접근방법을 설명하고 변수 간의 관계를 지적하라.

결과를 기술할 때(B-F)는 가장 중요한 발견에 대해서만 데이터를 제공하고, 평균값과 평균오차 대신 퍼센트 변화를 제공하거나 데이터를 모두 생략하라. P 값을 생략하라. "significantly"는 모두 생략하라. "mean±SE"는 한 번만(사용된다면) 기술하라.

약어의 과도한 사용. Qs/Qt 는 "shunt fraction"으로 대치할 수 있다. VA/Q와 Cair는 결코 다시 언급되지 않았으며, Pst(L)과 TLS는 각각 한 번만 사용되었으므로 불필요하다. Sair와 SO_2는 이상하다.

질문이 기술되지 않았다.

마지막 문장이 불분명하다: 이 연구의 내포인가 아니면 다른 연구의 내포인가? 다른 연구의 내포라면 이 초록에 있을 필요가 없다.

교정문

A 배경
B_1 질문
B_2 수행한 실험
D 발견된 결과
E 대답

*A*Elastic recoil pressure of the lungs increases when total lung capacity decreases. *B_1*To determine whether this increased pressure is due to atelectasis, *B_2*we measured elastic recoil pressure and the right-to-left intrapulmonary shunt fraction (an index of atelectasis) before and during chest strapping (a condition that decreases lung capacity) in healthy men. *C*Experiments were done while the men breathed room air (baseline) or 100% oxygen (to induce atelectasis). *D*We found that although elastic recoil pressure increased by 50% during chest strapping, shunt fraction was unchanged while the men breathed room air and increased minimally while they breathed 100% oxygen. *E*We conclude that increased elastic recoil pressure in the lungs during conditions of decreased total lung capacity is not due to atelectasis.

주석

질문이 기술되었고(B1), 실험적 접근방법이 개요를 제시하고(B_2, C), 지표가 밝혀졌으며(B_2, C) 불필요한 세부사항(중요하지 않은 변수, 데이터, 통계학적 정보, 끝부분의 내포)과 모든 약어가 생략되었다.

제11장

연습문제 11.1: 제목

초록 1

질문: *B_2*the effect of CPAP on renal function in newborns.

대답: *F*CPAP can impair renal function in newborns.

제목

1. Continuous Positive Airway Pressure Impairs Renal Function in Anesthetized Newborn Goats (88)
2. Impaired Renal Function From Continuous Positive Airway Pressure in Anesthetized Newborn Goats (94)

난외표제: CPAP Impairs Renal Function (27)

주석

초록이 명쾌하게 쓰여졌기 때문에 초록 1의 제목은 쉽게 붙일 수 있어야 한다.

역할

두 제목 모두 논문의 메시지를 밝히고 있다.

두 제목 모두 중요한 단어를 먼저 배치함으로써 적합한 독자를 끌어 모으려는 시도를 하고 있다.

"continuous positive airway pressure"를 앞에 두면 신생아전문의가 관심을 가질 것이다.

"impaired renal function"을 앞에 두면 신장내과전문의가 관심을 가질 것이다.

내용

두 제목 모두 필수적인 정보를 포함하고 있다:

- 독립변수("continuous positive airway pressure").
- 종속변수("renal function").
- 연구한 동물("newborn goats").
- 동물의 조건("anesthetized").
- 메시지("impairs, impaired").

첫 번째 제목은 한 문장으로서 현재시제의 동사를 통해 논점을 표현하고 있다("impairs").

두 번째 제목은 구(句)로서 형용사를 통해 논점을 표현하고 있다("impaired").

특징

두 제목 모두 정확하고, 완전하며, 구체적으로 논문의 메시지를 밝히고 있다.

질문과 대답과 동일한 핵심용어가 제목에 사용되었다.

수행한 실험에서 동물과 조건을 추려냈다(문장 C). 마취가 측정된 변수에 영향을 미칠 수 있기 때문에 제목에 조건이 포함되었지만, 일부 저자는 "anesthetized"를 생략하는 것을 선호하기도 한다.

두 제목 모두 명확하다.

명사 연결구나 약어가 사용되지 않았다. "CPAP"은 신생아 분야에서 표준적인 약어이며 초록에 사용되었지만 다른 분야의 독자에게 친숙하지 않을 수 있으며 따라서 Index Medicus와 같은 자료를 활용하는 독자에게는 의미가 없을 수 있기 때문에 제목에는 사용되지 않았다.

위의 제목들과 달리, "Impairment of Renal Function Induced by Continuous Positive Airway Pressure"는 불분명하다. 이 제목에서는 " continuous positive airway pressure"가 무엇을 유도했는지가 분명하지 않다("the impairment or the renal function").

두 제목 모두 간결하다.

두 제목 모두 모든 종속변수(urine flow, sodium excretion, glomerular filtration rate)를 명명하는 대신 범주형 용어를 사용해서 필요한 단어를 압축했다.

또한, 두 번째 제목은 가능한 가장 짧은 용어를 사용하고 있다: "impairment of" 대신 "impaired"(8 vs. 13); "induced by" 대신 "from"(4 vs. 10).

두 제목 모두 중요한 단어로 시작한다.

초록 2

메시지: We describe a new gene, fringe, which is expressed in dorsal cells and encodes for a novel protein that is predicted to be secreted.

내포: These observations suggest that fringe encodes a boundary-specific cell-signaling molecule that is responsible for dorsal cell-ventral cell interactions during wing development.

제목:

1. fringe, a Boundary-Specific Signaling Molecule, Mediates Interactions Between Dorsal and Ventral Cells During Drosophila Wing Development
2. fringe, a New Gene Responsible for Dorsal Cell-Ventral Cell Interactions During Drosophila Wing Development

난외표제: *fringe* Mediates Dorsal-Ventral Interactions(43)

주석

역할

두 제목 모두 논문의 메시지를 밝히고 있다.

내용

두 제목 모두 구조와 기능을 포함하고 있다.

첫 번째 제목은 문장의 동사와 보어군을 통해 기능을 기술하고 있으며, "fringe"가 속하는 범주를 밝히기 위해 동사 앞에 동격어("a boundary-specific signaling molecule")를 사용하고 있다.

두 번째 제목은 범주와 기능을 동격어(쉼표 뒤)를 통해 기술하고 있다.

특징

두 제목 모두 논문의 메시지를 정확하고 완전하며 구체적으로 밝히고 있다. 제목에는 메시지와 내포에 사용된 것과 동일한 핵심용어가 사용되었다.

두 제목 모두 명확하다.

첫 번째 제목(출판된 제목)은 너무 길다. 두 번째 제목은 "fringe"를 설명하기 위해 짧은 범주형 용어("new gene")를 사용했기 때문에 더 간결해졌다.

두 제목 모두 중요한 단어로 시작한다.

초록 3

Science에서 발췌한 초록 3은 일반적인 형식을 따르지 않으며(질문, 수행한 실험, 발견한 결과, 대답), 대신에 결과(A)와 내포(B)만을 기술하고 있다.

제목: Glue Sniffing Causes Heart Block in Mice (40)

주석

교정된 이 제목은 세 가지 핵심을 보여주고 있다:

제목이 허용된 공간을 다 채울 필요는 없으며, 긴 제목보다는 짧은 제목이 더 효과적이다.

일반적인 저널에 출판된 논문의 제목도 매력적일 수 있다.

제목은 내포나 추측이 아니라 충실한 결과에 기초해야 한다. 어떤 사람은 소제목에 질문을 사용함으로써 제목에 인간과 돌연사를 포함시키려 하지만("A cause of sudden death in humans?") 가설검증논문의 제목에 모호한 내포가 포함되어서는 안 되기 때문에 그런 소제목은 생략해야 한다.

초록의 세 가지 모든 결과를 제목에 끼워 맞춘다는 것은 불가능하다. 이를 해결하려면 위의 제목과 같이 그 중 하나만을 선택하던가 "impaired cardiac conduction" 이나 "cardiac conduction abnormalities", "cardiac rhythm disturbances" 와 같은 범주형 용어를 사용해야 한다. 그러나, 이런 범주형 용어는 "heart block" 보다 훨씬 추상적이기 때문에 위의 제목처럼 매력적이지는 못하다. 마찬가지로, 제목에 두 가지 독립변수를 모두 포함시키기란 쉽지 않다. 하지만, "toluene" 은 "airplane glue" 에 사용되는 용매이기 때문에 제목에서 "toluene" 이나 "airplane glue" 중 하나를 생략할 수 있다. 친숙하지 않은 "toluene" 보다는 "airplane glue" 가 훨씬 매력적이다.

이 제목에서 주의 깊게 단어를 압축한 방법을 눈 여겨 보자. "Glue sniffing" 은 매력적일 뿐만 아니라 긴 용어인 "inhalation of airplane glue" 를 압축하고 있다. "Causes" 는 "sensitizes the heart to" 를 압축시키는 방법이다. 일부 독자에게는 "causes" 가 과장된 것처럼 들릴 수도 있으며 특별히 "asphyxia-induced" 가 생략되었기 때문에 더욱 그러하다. 이런 독자는 "causes" 보다 덜 직접적인 "leads to" 를 선호할 수 있다. 마지막으로, "heart block" 은 약어("A-V block")를 사용하지 않고 "atrioventricular block" 을 압축하는 방법이다.

이 제목은 매력적이고 따라서 독자에게 호소력이 있는 동시에 좋은 제목의 내용과 특징에 관한 가이드라인을 따르고 있으며 필요한 모든 정보가 포함되어 있다: "glue" 는 독립변수, "sniffing" 은 실험적 접근방법, "causes" 는 메시지, "heart block" 은 종속변수, "mice" 는 연구한 동물이다. 또한, 일부 독자는 이 제목의 정확성과 어쩌면 완전성에까지 이의를 제기할 수도 있겠지만 이 제목은 논문의 메시지를 구체적으로 밝히고 있으며, 명확하고, 간결하며, 중요한 용어로 시작되고 있다.

제12장

연습문제 12.1: 큰 그림

장점

전반적으로

논문이 상당히 간결하고, 충실하며, 명료하다.

앞뒤가 어긋나는 법이 없다.

핵심용어가 대부분 일관적으로 유지되고 있으며 알아볼 수 있을 만큼 압축되었다(예를 들어, "umbilical cord occulsion" 을 "cord occlusion" 으로).

세 가지 약어만이 사용되었다: pO2, pCO2, SD(partial pressure of oxygen, partial pressure of carbon dioxide, standard deviation).

서론

알려진 사실(A-D)과 중요성(E)이 분명하게 기술되었다.

서론이 구체적인 주제에 근접해서 시작하고 있다.

단락 3의 초반부(F-J)의 깔때기 형식이 명확하다.

질문을 알리는 신호(O)가 명료하다.

실험적 접근방법(P)에 관한 기술이 단락 2에서 언급된 문제점(J)을 분명하게 다루고 있다.

대상 및 방법

소제목이 대상 및 방법 섹션의 서브섹션들을 분명하게 밝히고 있다.

문자적 신호가 일부 서브섹션에 사용되었다:

Surgical Preparation: Topic sentence ("The surgical protocol has been described previously. Briefly,...").

Study Design: A topic sentence that gives a brief overview ("Four experiments were performed in the sequence presented below.").

각 실험에서, 무엇을 수행했고, 독립변수와 종속변수, 대조상태가 무엇인지를 알 수 있다.

각 실험에 관한 설명이 질문에 나열된 독립변수의 순서에 따라 조직되어 있다(ventilation, oxygenation, umbilical cord occlusion).

목적(단락 4, 5, 7)과 이유(단락 6, 7, 9, 10, 12)가 구체적인 절차에 포함되어 있다.

"Calculations" 와 "Analysis of Data" 에 생각의 전개가 분명하게 제시되어 있다.

결과

단락 1, 2, 3 내에서 독립변수의 순서가 일관적이다(ventilation, oxygenation, umbilical cord occlusion).

저자가 질문에 대답이 되지 않는 일부 결과를 보고하는 이유를 설명하기 위해 "Major vs. Minor Responders During Ventilation Alone" 에서 생각의 전개가 분명하게 제시되어 있다. 이런 결과에 대한 질문은 본래 디자인된 것이 아니기 때문에 결과 섹션에서 질문을 기술하고 방법을 설명하는 편이 적절하다.

고찰

이 고찰은 세 개의 표준적인 부분으로 구성되어 있다: 시작부에 질문에 대한 대답, 중반부에 대답에 대한 설명과 확장, 결말부에 대답의 재기술과 추측.

주제는 질문과 대답에 대한 중요도 순으로 조직되어 있다.

각 단락의 앞부분에 있는 주제문이 줄거리의 개요를 제공한다.

단락 1:

문맥에 대한 명쾌한 기술(A).

대답에 대한 명쾌한 기술(B).

단락 2:

명쾌한 주제문(D).

단락 3:

명료함.

연구디자인의 한계가 포함됨(X).

단락 3의 주제가 벗어나는 것이지만 저자는 이 주제가 최소한 질문과 대답만큼이나 중요하다고 생각했기 때문에 고찰에 포함시켰다.

단락 4:

명료함.

단락 5:

마지막 문장은 서론에서 처음 언급되었던(E) "the syndrome of persistent pulmonary hypertension of the newborn"을 언급함으로써 줄거리를 완전한 하나의 원으로 매듭짓고 있다.

참고문헌

목록에 있는 모든 참고문헌이 텍스트에 있으며, 그 반대도 마찬가지다.

그림과 표

그림이 대구를 이루고 있다.

표는 명료하고, 텍스트의 기술을 분명하게 뒷받침하고 있으며 형태도 대구를 이루고 있다.

그림과 표의 변수와 값은 텍스트와 동일하다. 핵심용어와 측정단위도 동일하다.

연구한 동물은 모든 그림과 표에 기술되어 있다.

모든 그림과 표에서 데이터가 mean±SD 및 n(샘플 규모)의 형태로 제시되어 있다.

그림 범례와 표의 각주는 텍스트를 참고하지 않고 그림과 표를 이해하기에 충분한 정보를 제공하고 있다.

그림의 데이터와 표의 데이터가 중첩되지 않는다.

초록

결과를 알리는 신호(E)와 대답을 알리는 신호(K)가 분명하다.

배경에 관한 기술(A)이 분명하다.
결과에 관한 기술(E-J)이 분명하다.
초록의 결과 및 데이터가 결과 섹션의 결과 및 데이터와 동일하다.
연구한 동물은 실험을 설명할 때(C) 기술되었다.
데이터는 평균값과 표준편차 대신 퍼센트 변화로 제시되었다.

단점

전반적

질문에 관한 기술이 모두 동일하지 않다.

초록: "to determine whether ventilation and oxygenation of the fetal lungs could cause this decrease in resistance" (C).

서론: "to determine whether the sequential exposure of the fetus to gaseous ventilation, oxygenation, and umbilical cord occlusion could decrease pulmonary vascular resistance to levels seen at birth" (O).

대답에 관한 기술이 모두 동일하지 않다.

초록: "The changes in pulmonary vascular resistance and blood flow that occur at birth can be achieved by in utero ventilation and oxygenation" (K).

고찰: "Ventilation and oxygenation together can account for the decrease in pulmonary vascular resistance, and thus for the large increase in pulmonary blood flow, that normally occur at birth" (B).

고찰: "The changes in pulmonary vascular resistance and blood flow that are critical to the adaptation of the fetus to the postnatal environment can be achieved by in utero ventilation and oxygenation (EE). Moreover, much of the vasodilatory response can be achieved without an increase in fetal pO_2" (FF).

대답은 제기된 질문에 답이 되지 못하고 있다. 모든 대답에 사용된 동사가 질문에 사용된 동사와 다르다. 또한, 고찰의 결말(FF)에 질문이 없는 대답이 포함되어 있으며, 이것은 전체 개요에 심각한 괴리가 되고 있다.

텍스트의 개요는 초록의 개요처럼 명료하지 못하다. 텍스트에는 중요도 순으로 조직하는 방법이 더 많이 사용되어야 하며, 또한, 연속성을 위한 기법을 사용해서 개요를 명쾌하게 만들 필요가 있다: 주제문, 주제를 알리는 문자적, 시각적 신호, 핵심용어의 정확한 반복. 마지막으로, 긴 설명은 압축해야 한다.

"ventilation"은 정확한 용어가 아니다. 원문의 서론에서 정의한 바와 같이(문장 G) 더 정확한 용어는 "lung distension"이다.

글이 더 활기찰 수도 있었다.

서론

문헌리뷰 [evidence that the pulmonary vascular response to ventilation, oxygenation, and umbilical cord occlusion may be altered by the metabolic effects of acute surgery and anesthesia (K−N)]가 불필요하다. 이 주제는 고찰(단락 2)에서 더 적절하게 다루어진다.

문헌리뷰의 참고문헌(11-25)이 불필요하다.

"umbilical cord occlusion"의 효과를 연구하는 이유가 추가되어야 한다.

"cumulative study design"의 이유를 강조하기 위해 이를 방법 섹션의 "Analysis of Data" 서브섹션보다는 서론에 포함시켜야 한다.

질문(O)은 첫 번째 대답에만 연결된다. 한 가지 해결책은 두 번째 대답과 연결되는 질문을 추가하는 것이며 다른 한 가지 해결책은 다음의 교정문에서처럼 두 번째 질문만을 제기하는 것이다.

대상 및 방법

Surgical Preparation: 설명이 충분히 간결하지 않다.

Study Design:

앞부분에 개요가 더 필요하다.

"control" 대신 더 정확한 용어인 "baseline"을 사용할 수 있다.

조작의 세부사항과 측정 방법의 세부사항은 별도의 서브섹션으로 옮겨져야 한다. 단락 8은 "Calculations" 서브섹션의 끝부분에 위치해야 한다.

Calculations:

중요도 순으로 조직했더라면 질문의 종속변수("pulmonary vascular resistance")를 더 강조할 수 있었을 것이다.

더 많은 개요가 필요하다. 특별히, "microspheres"가 두 가지 방식으로 주입된다는 점에 관한 주제문과 그 다음 단락에서 "microspheres"의 두 번째 주입 방식을 말해주는 동반 주제문, "microspheres"를 좌심방에 주입하는 목적을 기술하는 연결구가 필요하다. 또한, "microsphere method"에 대한 간략한 설명을 추가할 수도 있다(교정문의 단락 10).

결과

"pulmonary vascular resistance"를 결과 섹션의 중간에 두고 또한 이들을 "pressures"에 관한 단락(단락 3)의 끝부분에 매장하면 중요한 결과를 찾기가 어려워진다. 중요도 순으로 조직했더라면 결과 섹션과 그림 모두에서 대답과 결과를 강조할 수 있었을 것이다(가장 중요한 종속변수인 "pulmonary vascular resistance"가 그림 1에 있을 것이다). 그 다음에는 "pulmonary vascular resistance"를 계산하는 기초가 된 변수(pulmonary blood flow and mean pulmonary arterial and left atrial pressures)가 올 수 있으며, "blood gasses"와 "pH"는 마지막에 와야 한다. 이렇게 조직하려면 "pulmonary blood flow"를 "pulmonary vascular resistance"에 연결하는 주제문이 추가되어야 한다(교정문의 결과 섹션의 단락 2 참조).

한편, 종속변수가 아니라 방법 섹션의 조직과 마찬가지로 독립변수를 기준으로 결과를 다시 조직하면 결과 섹션이 질문과 초록, 방법 섹션, "pulmonary vascular resistance"의 계산과 더 명쾌하게 일치하게 된다.

연구한 동물은 결과 섹션의 앞부분에 언급되어야 한다.

"pulmonary blood flow"와 "pulmonary vascular resistance"에 관한 데이터는 언급할 필요가 없으며, 그림을 인용하는 것만으로 충분하다.

단락 2에서는 대조군의 결과 뒤가 아니라 실험 결과(the effect of ventilation) 뒤에 그림 1을 인용해야 한다. 단락 3에서는 문장의 끝부분이 아닌 "ventilation" 단독에 관한 결과(the dramatic decrease) 뒤에 그림 2를 인용해야 한다.

단락 5에서는 첫 문장(방법)을 두 번째 문장(결과)에 종속시켜야 하며, 표 4는 방법 뒤가 아니라 결과 뒤에 인용해야 한다. 세부사항이 고찰(단락 3)에 포함되어 있기 때문에 나머지 문장은 생략할 수 있다.

고찰

단락 1:

B에 대답을 알리는 더 강력한 신호를, B와 A 사이에 더 강력한 연결고리를 사용한다면 도움이 될 것이다(교정문 참조).

연구한 동물은 대답을 알리는 신호에 언급되어야 한다.

문장 C는 결과가 아니라 대답을 기술해야 한다. 변수는 "pulmonary vascular resistance"가, 동사는 현재시제가 되어야 한다.

단락 2-4:

압축하면 단락들이 더 명료해질 것이다.

단락 3:

"fetal pulmonary blood flow"의 반응에 상당한 변이성이 있었다는 점이 예기치 못한 발견이라는 점을 밝히면(문장 M) 개요가 더 분명해질 것이다.

단락 4:

주제문을 덜 부정적으로 만들고 줄거리의 초점을 단락 4의 주제에 맞추려면, 문장 Y의 첫 논점이 두 번째 논점에 종속되어야 한다.

단락 5:

"In utero"는 대답이 아니라 실험적 접근방법에 해당한다(EE).

대답을 알리는 신호가 추가되고 연구한 동물은 신호에서 언급되어야 한다.

핵심용어를 바꾸면("ventilation"을 "without an increase in fetal pO2"로) 두 번째 대답(FF)을 이해하기가 어렵다.

"pulmonary vascular resistance"는 종속변수에 기초한 임상적 문제에 연관시키기 전에 추측을 대답에 있는 종속변수와 연관시키기 위해 마지막 문장(II)에 추가해야 한다.

그림과 표

표에서는 샘플 규모가 16 이하인 것은 모두 설명되어야 한다. (Table 1에서 "umbilical cord occlusion" 동안 샘플 규모가 12인 것은 방법 섹션의 단락 7에서 설명되고 있다. "left atrial pressure during ventilation and oxygenation"에서 샘플 규모가 12인 것은 결과 섹션의 단락 3에서 설명되고 있다.)

Table 1-3은 독립변수가 좌측 첫 번째 열에 배치되도록 다시 디자인될 수 있다(교정문 참조). 또한, Table 2-4의 데이터는 비정규분포를 보이기 때문에 중앙값과 사분위수범위가 되어야 한다.

Figure 1과 2는 데이터가 비정규분포를 보이기 때문에 상자수염그림(box-and-whisker plot)을 사용해야 한다(그래서 Mann-Whitney U test로 데이터를 분석한 것이다).

질문에 대한 대답에 관한 데이터를 두 개의 그림과 하나의 표(Figs. 1, 2 와 Table 3)로 나누어서는 안 된다. "pulmonary blood flow"에서 "pulmonary vascular resistance"를 계산한 것과 "left atrial pressure"와 "systemic arterial pressure"의 차이를 명쾌하게 하려면 모든 데이터를 하나의 표에 제시해야 한다(교정문 참조).

Figure 3에서는 곡선이 중첩되어 각 곡선을 따라가고 비교하기가 어렵기 때문에 "pulmonary blood flow"의 개별적인 변화가 극도로 가변적이라는 논점을 파악하기가 쉽지 않다. Figure 3에서 논점을 제시하는 한 가지 방법은 "major responders"와 "minor responders"에 대해 그래프를 각각 그리는 것이다.

초록

초록의 질문(C)은 독립변수 중 하나(umbilical cord occlusion)가 생략되었기 때문에 논문을 정확하게 반영하지 않고 있으며 따라서 논문 주제의 일부만을 기대하게 한다.

수행한 실험에 "pulmonary vascular resistance"를 언급해야 한다(D).

핵심용어인 "ventilation"을 "ventilation...with a gas mixture that produced no changes in arterial blood gases"(E)와 "without an increase in fetal pO_2"로 바꾸는 것은 혼란스럽다.

문장 I의 결과의 앞부분에는 "Unexpectedly"를 추가해야 한다.

대답(K)의 관점은 질문의 관점과 동일해야 하며, 동사도 같아야 한다. 또한, "in utero"는 대답이 아니라 실험에 관한 설명에 속한다.

필요한 것 이상으로 초록이 길다. 문장 B(배경)와 M(추측)은 생략할 수 있다. 문장 E-H는 압축해야 한다.

제목

제목이 논문의 주제를 모호하게 가리키고 있다.

"Changes"는 "decreases"로 바뀌어야 한다.

"Pulmonary Circulation"은 "pulmonary vascular resistance"(종속변수)로 바뀌어야 한다.

"Birth-Related Events" 대신에 "pulmonary vascular resistance"를 감소시킨 구체적인 독립변수가 언급되어야 한다.

제목을 최대한 구체화시키려면 동사를 통해 메시지를 기술해야 한다("decrease").

연구한 동물이 제목에 포함되어야 한다.

교정문

LUNG DISTENSION: THE MAJOR CAUSE OF DECREASED
PULMONARY VASCULAR RESISTANCE
IN NEAR-TERM FETAL SHEEP

Abstract

*A*In this study, we asked whether distension of the lungs, oxygenation of the lungs, or occlusion of the umbilical cord is the major cause of the decrease in pulmonary vascular resistance that normally occurs at birth. *B*To answer this question, we assessed the cumulative effects of lung distension, oxygenation, and umbilical cord occlusion on pulmonary vascular resistance in 16 chronically instrumented near-term fetal sheep in utero. *C*We calculated pulmonary vascular resistance from vascular pressures and pulmonary blood flow (obtained by injecting radionuclide-labeled microspheres) during baseline, lung distension, oxygenation, and umbilical cord occlusion. *D*We found that lung distension alone decreased pulmonary vascular resistance to 34% of baseline, because of a 400% increase in pulmonary blood flow, no change in pulmonary arterial pressure, and a 200% increase in left atrial pressure. *E*Oxygenation decreased pulmonary vascular resistance further (to 10% of baseline), because of a modest further increase in pulmonary blood flow and a decrease in pulmonary arterial pressure. *F*Umbilical cord occlusion caused no further change in any of the variables. *G*Unexpectedly, the fetuses responded differently to lung distension: in eight, pulmonary blood flow was maximal during lung distension whereas in the other eight, it was only 20% of maximal. *H*We found no differences between the two groups of fetuses to explain their different responses. *I*We conclude that lung distension is the major cause of the decrease in pulmonary vascular resistance that normally occurs at birth.

Introduction

1 *A*At birth, as the lungs replace the placenta as the main organ of gas exchange, pulmonary vascular resistance must decrease dramatically, allowing pulmonary blood flow to increase and oxygen exchange to occur in the lungs. *B*If pulmonary vascular resistance does not decrease, the syndrome of persistent pulmonary hypertension of the newborn occurs, often leading to death.

2 *C*Which of the many events that occur at birth **cause** the normal decrease in pulmonary vascular resistance is not fully understood. *D*Three major events that could cause this decrease are rhythmic gaseous distension of the lungs, oxygenation of the lungs, and occlusion of the umbilical cord. *E*Two of these events—distension and oxygenation—have been studied in acutely exteriorized fetal sheep. *F*The studies suggested that oxygenation rather than distension of the fetal lungs **is the major cause** of the decrease in pulmonary vascular resistance (5—10). *G*However, the metabolic effects of acute anesthesia and surgery used to exteriorize the fetal sheep may have altered the pulmonary vascular response in these studies, because this response is considered to be at least partly mediated by vasoactive metabolites (11). *H*In addition, although the effect of umbilical cord occlusion on pulmonary vascular resistance has been studied only indirectly, umbilical cord occlusion has been found to increase catecholamines greatly (ref). *I*This increase in catecholamines could alter pulmonary vascular tone and thus could change pulmonary vascular resistance.

3 *J*Therefore, in this study, we asked whether distension of the lungs, oxygenation of the lungs, or occlusion of the umbilical cord (D) is the major **cause** (F) of the decrease in pulmonary vascular resistance that normally occurs at birth (A, C). *K*To answer this question, we assessed the cumulative effects of lung distension, oxygenation, and umbilical cord occlusion on pulmonary vascular resistance in 16 near-term fetal sheep in utero. *L*We studied the cumulative effects rather than the independent effects because the order of the experiments could not be randomized. *M*One reason is that we were concerned that oxygenation of the fetal lungs might induce numerous and perhaps irreversible metabolic and hemodynamic consequences, so that subsequent lung distension in the absence of oxygenation could not be studied. *N*Another reason is that the umbilical cord cannot be occluded before oxygenation. *O*Thus, the study is composed of four cumulative experiments: baseline, lung distension, oxygenation, and umbilical cord occlusion.* *P*To avoid the superimposed effects of acute anesthetic and surgical stresses and of other components of the birth process, such as prenatal hormonal surges, labor, delivery, and cold exposure, we did these experiments in near-term fetal sheep in utero 2–3 days after surgery for catheter placement.

Materials and Methods

(Topic sentences, transition phrases, and key terms that signal topics of paragraphs or subtopics within paragraphs are underlined)

Animals

1 *A*Sixteen fetal sheep were studied at 134.9 ± 1.2 (SD) days of gestation (term is about 145 days). *B*The fetuses were of normal weight (3.6 ± 0.6 kg) and had normal blood gases (see Results) and hemoglobin concentrations (10.9 ± 1.6 g/dl) at the beginning of the study. *C*Animal husbandry and the study design followed the guidelines of the National Institutes of Health. The study design was approved by the Committee on Animal Research at our university.

Surgical Preparation

2 *D*The surgical protocol has been described previously (4, 12). *E*Briefly,

*Sentences K-O were originally in the Analysis of Data subsection of Methods.

during anesthesia, for measurement of pulmonary blood flow and vascular pressures, catheters were placed in the ascending aorta, the descending aorta, the inferior vena cava, the left atrium, the pulmonary artery, and the amniotic cavity (for zero pressure reference). [F]The ascending aortic catheter was also used to obtain blood samples for determination of pH, pO_2, pCO_2, hemoglobin concentration, and hemoglobin oxygen saturation. [G]For ventilation, an endotracheal tube was inserted. [H]Attached to the endotracheal tube were two pieces of polyvinyl tubing. [I]One piece was sealed. [J]The other piece was placed in the amniotic cavity to allow free drainage of tracheal fluid postoperatively. [K]In addition, a catheter was placed in the pleural cavity for treatment in the event of a pneumothorax. [L]Finally, a balloon occluder was placed around the umbilical cord.

Study Design

3 [M]Two to three days after surgery, we performed four cumulative experiments on each of the 16 fetal sheep in the following sequence: first, baseline; then added lung distension (induced by ventilation with a gas mixture that preserved normal fetal blood gas content); then added oxygenation (ventilation with 100% oxygen); and last added umbilical cord occlusion. [N]During each of the four experiments, we first sampled fetal blood from the ascending aorta for assessment of indicators of oxygenation and acid-base status (pH, pO_2, pCO_2, hemoglobin concentration, and hemoglobin oxygen saturation). [O]Next, for the calculation of pulmonary vascular resistance, we measured mean pressures in the pulmonary artery and the left atrium and then injected radionuclide-labeled microspheres for calculation of pulmonary blood flow. [P]We also measured systemic arterial pressure as a check of hemodynamic stability. [Q]We obtained all data within 5 min and during hemodynamic stability.

4 [R]Before the first experiment, we placed the ewe in a study cage and allowed it free access to alfalfa pellets and water. [S]Before beginning the experimental measurements, we waited for at least 15 min after the intervention for pressures and blood gases to stabilize. [T]After taking blood samples, we gave fetal or maternal blood to replace blood loss.

Interventions (new subsection)

5 [U]For lung distension, we ventilated the fetus' s lungs with a gas mixture that preserved normal fetal blood gas content. [V]First, we opened the two polyvinyl tubes connected to the tracheal tube and allowed the tracheal fluid to drain by gravity. *W*Then we balanced a mixture of nitrogen, oxygen, and carbon dioxide to match the fetal blood gases obtained during the baseline experiment. *X*The gas mixture was about 92% nitrogen, 3% oxygen, and 5% carbon dioxide. *Y*Before beginning ventilation, we allowed this gas mixture to flow through the polyvinyl tubing for a few seconds at a rate of about 10 L/min so that the fetus would not be exposed to high concentrations of oxygen at the onset of ventilation. *Z*Then we connected the tubing to a specially designed respirator and adjusted ventilation as described previously (12). AAVentilatory settings are presented in Table 1.

Table 1. Ventilatory Settings for Variables in the Fetal Sheep During Lung Distension, Oxygenation, and Umbilical Cord Occlusion

Experiment	Respiratory Rate (breaths/min)	Peak Inspiratory Pressure[a] (mmHg)	End Expiratory Pressure[a] (mmHg)
Lung Distension[b]	50 ± 8 (15)[c]	27 ± 10 (15)	3 ± 6 (15)
Oxygenation	57 ± 12 (13)	26 ± 9 (14)	4 ± 6 (14)
Cord Occlusion	57 ± 13 (11)	25 ± 9 (12)	4 ± 6 (12)

[a]Pressures are referenced to amniotic cavity pressure.
[b]During lung distension, fetuses received a mixture of nitrogen, oxygen, and carbon dioxide balanced to match their blood gases during the baseline experiment.
[c]Data are mean ± 1 SD for the number of fetuses given in parentheses. There were no statistically significant differences between experiments for any of the variables.

6 *BB*For oxygenation, we changed the gas mixture to 100% oxygen and continued ventilation. *CC*We did not add carbon dioxide to the oxygen because its addition in the first few studies increased fetal pCO_2. *DD*This increase probably occurred because placental blood flow fell during oxygenation (4), impairing carbon dioxide removal.

7 *EE*For umbilical cord occlusion, we fully inflated the balloon around the umbilical cord, thus abolishing placental blood flow (4). *FF*In 4 of the 16 fetuses, we could not study cord occlusion, because of a faulty balloon in two and the development of pneumothoraces, which led to cardiovascular decompensation, in two.

Methods of Measurement (new subsection)

8 *GG*Blood pressures were measured by connecting the vascular catheters to

Statham P23Db strain-gauge transducers (Statham Instruments, Oxnard, CA) and recording the tracings on a direct-writing polygraph (Beckman Instruments, San Jose, CA). *HH*Blood gases and pH were analyzed on a Corning 158 pH/blood gas analyzer (Medfield, MA) and hemoglobin oxygen saturations on a Radiometer OSM2 hemoximeter (Copenhagen, Denmark).

Calculations

9 *II*We calculated pulmonary vascular resistance as the difference between mean pulmonary arterial pressure and mean left atrial pressure divided by pulmonary blood flow. *JJ*For the six fetuses in which we were unable to measure left atrial pressure for technical reasons, we used the mean values obtained from the other ten fetuses during the same experiment.

10 *KK*To calculate pulmonary and other blood flows, we used the radionuclide-labeled microsphere method (ref). *LL*Briefly, we injected radionuclide-labeled microspheres (selected from ^{57}Co, ^{51}Cr, ^{153}Gd, ^{114}In, ^{54}Mn, ^{95}Nb, ^{113}Sn, ^{85}Sr, and ^{65}Zn), 15 μm in diameter, into the inferior vena cava or into the inferior vena cava and the left atrium. *MM*During the injection, we withdrew reference blood samples from vessels proximal to each organ group (pulmonary artery for the lungs, ascending aorta for the upper body, and descending aorta for the lower body and placenta) at a rate of 4 ml/min. *NN*We used this reference flow, along with reference radioactivity counts and also organ weights and counts, to calculate blood flows.

11 *OO*For calculation of pulmonary blood flow, we injected microspheres in two ways. *PP*During the baseline experiment, because there is no left-to-right shunt through the ductus arteriosus (14), we injected microspheres into the inferior vena cava and withdrew blood samples from the pulmonary artery. *QQ*This injection and withdrawal technique excludes bronchial blood flow. *RR*To calculate bronchial blood flow, in six fetal sheep we also injected microspheres into the left atrium during the baseline experiment. *SS*We found that bronchial blood flow was relatively constant and quite small, always less than 3% of combined ventricular output. *TT*We then subtracted this value from the pulmonary blood flow values in the remaining experiments.

12 *UU*During lung distension, oxygenation, and umbilical cord occlusion, we injected microspheres for calculation of pulmonary blood flow differently. *VV*The reason is that upon ventilation, pulmonary vascular resistance falls and blood flow increases dramatically. *WW*Thus, a left-to-right shunt through the ductus arteriosus cannot be excluded. *XX*To calculate pulmonary blood flow in the presence of a left-to-right shunt requires a technique that determines the contributions of left ventricular output to pulmonary blood flow. *YY*Therefore, during lung distension, oxygenation, and umbilical cord occlusion, we injected microspheres labeled with different radionuclides simultaneously into both the inferior vena cava and the left atrium and calculated pulmonary blood flow as the difference between combined ventricular output and the sum of blood flows to the fetal body and placenta (4). *ZZ*Combined ventricular output was calculated as the sum of left and right ventricular outputs. *AAA*Blood flows to the fetal body and placenta were calculated from the left atrial injections and reference blood withdrawals from the ascending and descending aorta (4).

13 *BBB*Upon completion of the last experiment, we gave the ewe a lethal dose of sodium pentobarbital, removed the fetus from the uterus, and weighed it. *CCC*To obtain radioactivity counts for calculation of pulmonary blood flow, we removed and weighed all organs and placed them in formalin. *DDD*Then we separately carbonized the organs in an oven, ground them into a coarse powder, and placed them in plastic vials to a uniform height of 3 cm. *EEE*To count the radioactivity of the organs and the reference blood samples, we used a 1000-channel multichannel pulse-height analyzer (Norland, Fort Atkinson, WI). *FFF*We calculated the specific activity of each isotope within a sample by the least-squares method (13). *GGG***From the reference flow and radioactivity counts and the organ weights and counts, we calculated blood flows according to standard formulas (ref).**

Analysis of Data

14 *HHH*We analyzed the data from each experiment by the Mann-Whitney U test, comparing only the data obtained during one experiment with data obtained during the experiment immediately preceding it. *III*We considered statistical significance present when the P value was $\leq$ 0.001. *JJJ*All data are presented as mean $\pm$ 1 SD.

Results

1 *A*Pulmonary vascular resistance in the 16 fetal sheep decreased to 34% of baseline values during lung distension alone (Figure 1). *B*It decreased an additional 10% during oxygenation. *C*It did not change further after umbilical

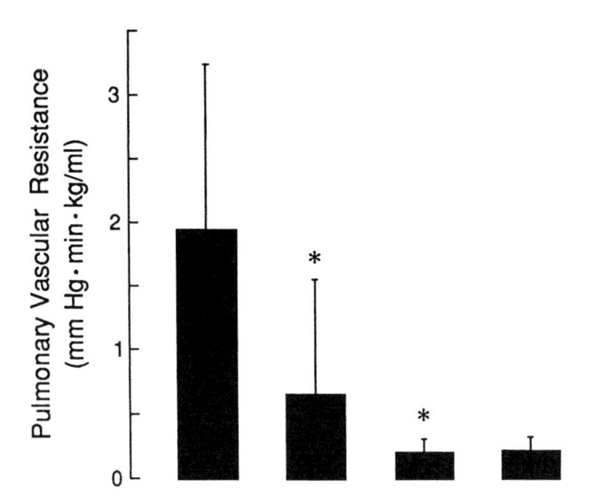

Figure 1. Pulmonary vascular resistance during sequential lung distension, oxygenation, and umbilical cord occlusion in the 16 fetal sheep. Data are mean ± 1 SD. *P ≤ 0.001 vs. the experiment immediately preceding it. (*Note: This bar graph would be appropriate if the data were normally distributed. But because the data are not normally distributed, a box-and-whisker plot should be drawn.*)

cord occlusion.

2 ^{D}These decreases in pulmonary vascular resistance mainly reflect increases in pulmonary blood flow. ^{E}Mean pulmonary blood flow increased to four times the baseline value during lung distension and to six times the baseline value during oxygenation (Table 2). ^{F}A doubling of left atrial pressure also contributed to the decrease in pulmonary vascular resistance during lung

Table 2. Changes in Pulmonary Vascular Resistance and Its Components During Cumulative Lung Distension, Oxygenation, and Umbilical Cord Occlusion in Fetal Sheep

Experiment	Systemic Arterial Pressure[a] (mmHg)	Pulmonary Arterial Pressure[a] (mmHg)	Left Atrial Pressure[a] (mmHg)	Pulmonary Blood Flow ((ml/min)/kg)	Pulmonary Vascular Resistance (mmHg·min· kg/ml)
Baseline	52 ± 6 (15)[b]	53 ± 8 (15)	4 ± 5 (12)	33 ± 17 (16)	1.93 ± 1.31 (16)
Lung Distension	53 ± 6 (15)	55 ± 9 (15)	9 ± 4* (10)	133 ± 94† (16)	0.66 ± 0.90† (16)
Oxygenation	48 ± 6† (15)	47 ± 6† (15)	10 ± 5 (10)	206 ± 64‡ (16)	0.20 ± 0.77† (16)
Cord Occlusion	58 ± 16 (12)	48 ± 16 (12)	9 ± 5 (7)	190 ± 69 (16)	0.22 ± 0.11 (16)

[a]Pressures are referenced to amniotic cavity pressure.
[b]Data are mean ± 1 SD for the number of fetal sheep given in parentheses.
* P≤0.05, †P≤0.001, ‡P≤0.01 vs. the experiment immediately preceding it.
(Note: Because the data are not normally distributed, they should be summarized as median and interquartile range, not as mean and standard deviation.)

distension (Table 2). ^{G}A **small but significant** decrease in mean pulmonary arterial pressure also contributed to the decrease in pulmonary vascular resistance during oxygenation.

3 ^{H}The individual changes in pulmonary blood flow during the experiments were extremely variable (Fig. 2). ^{I}In some fetuses the majority of the increase occurred during lung distension, whereas in others there was almost no increase until oxygenation. ^{J}To look for factors that might predict these differences in pulmonary blood flow, first we arbitrarily divided the fetuses into major responders (increase in pulmonary blood flow at least 50% of the cumulative increase over the four experiments) and minor responders (increase less than 50% of the cumulative increase). ^{K}The eight major responders had an increase in pulmonary blood flow during lung distension that was equal to the cumulative increase (103 ± 52%), whereas the eight minor responders had a much smaller increase (20 ± 17%). ^{L}Then we assessed baseline variables that might be different in the major and minor responders. ^{M}In addition, to see if the difference could have resulted from differences in the ultimate vasodilation and pulmonary blood flow, we looked at two indicators of vasodilation and at pulmonary blood flow during oxygenation. ^{N}None of these variables showed **statistically significant** differences between the two groups (Table 3) (unchanged from Table 4 in the original version).

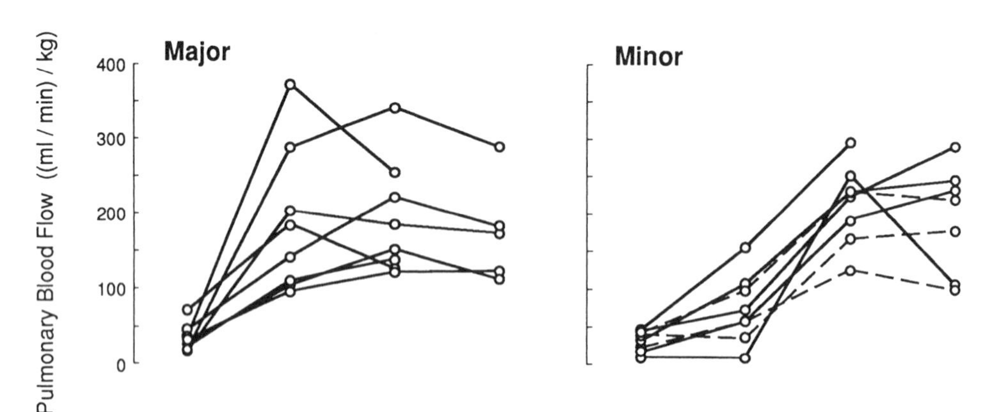

Figure 2. Individual changes in pulmonary blood flow in each of the **8 major responders and the 8 minor responders** during cumulative lung distension, oxygenation, and umbilical cord occlusion.

4 ^{O}Except for pO_2 and hemoglobin oxygen saturation, which increased appropriately during oxygenation, systemic arterial blood gases and

Table 4. Ascending Aortic pH, Blood Gases, and Hemoglobin Oxygen Saturations during the Experiments

Experiment	pH	pO_2 (mmHg)	pCO_2 (mmHg)	Hgb O_2 sat[a] (%)
Control	7.37 ± 0.06[b] (15)	18 ± 3 (16)	55 ± 26 (15)	47 ± 13 (16)
Lung Distension	7.35 ± 0.07 (16)	19 ± 4 (16)	54 ± 6 (16)	46 ± 12 (16)
Oxygenation	7.34 ± 0.09 (16)	215 ± 154* (16)	51 ± 10 (16)	97 ± 6* (16)
Cord Occlusion	7.29 ± 0.15 (13)	263 ± 168 (13)	58 ± 21 (12)	95 ± 10 (16)

[a]Hgb O_2 sat, hemoglobin oxygen saturation.
[b]Data are mean ± 1 SD for four cumulative experiments on the number of fetal sheep given in parentheses.
*Significantly different from the value during the immediately preceding experiment, $P \leq 0.01$.
(Note: Because the data are not normally distributed, they should be summarized as median and interquartile range, not mean and standard deviation.)

hemoglobin oxygen saturation did not change **significantly** during lung distension, oxygenation, or umbilical cord occlusion (Table 4).

Discussion

1 *A*Of the three major events that occur at birth, rhythmic gaseous distension of the lungs, oxygenation of the lungs, and umbilical cord occlusion, oxygenation has been reported to be the major cause of the decrease in pulmonary vascular resistance that normally occurs at birth (5–10). *B*In this study in fetal sheep, we found that distension of the lungs, not oxygenation, **is the major cause** of this decrease. *C*In our near-term fetal sheep in utero, nearly two-thirds of the decrease in pulmonary vascular resistance occurred during lung distension and the remaining one-third occurred during oxygenation. *D*No further decrease occurred during umbilical cord occlusion.

2 *E*The reason we found a larger decrease in pulmonary vascular resistance during lung distension than previously reported may be that previous studies were performed on acutely exteriorized fetuses (5, 6, 8–10). *F*An acute stress such as that caused by the anesthesia and surgery used to exteriorize a fetus can greatly alter production and inhibition of various metabolic agents, such as prostaglandins. *G*Altered production and inhibition of prostaglandins could have slowed the rate of decrease in pulmonary vascular resistance in those studies. *H*Evidence for this possibility is that the prostaglandin synthesis inhibitor indomethacin has been shown to attenuate this decrease (30). *I*Further evidence is that prostaglandin I_2, a potent pulmonary vasodilator, is produced in response to either mechanical ventilation (20, 21) or breathing (19) in recently delivered fetal lambs. *J*Greater vasodilation would decrease pulmonary vascular resistance. *K*In addition, the production of prostaglandin E_1, prostaglandin D_2, and bradykinin and the inhibition of leukotrienes C_4 and D_4 may affect pulmonary vascular resistance (31). *L*Thus, the variable but generally lesser effects of lung distension in the previous studies may be ascribed to the variable effects of the study protocols on the metabolic milieu of the pulmonary vascular bed.

3 *M*Unexpectedly, we also found great variability in the response of fetal pulmonary blood flow to the effects of lung distension. *N*In one-half of the fetuses, the mean increase in pulmonary blood flow during lung distension was maximal, whereas in the other half it was only about 20% of the cumulative response. *O*Interestingly, Cook et al. (11) found similar variability in their study of nitrogen and air ventilation: of the six fetuses studied, two showed no effect of nitrogen ventilation but a large effect upon changing to air, two showed a small effect of nitrogen and a larger response to air, and two showed a large increase in pulmonary blood flow during nitrogen ventilation with no further change upon exposure to air. *P*To explain these findings, Cook et al. noted that nitrogen had the greatest effect on the smallest fetuses. *Q*However, we were unable to identify the reasons for the variability we found. *R*It was not on a purely arithmetic basis. *S*That is, the major responders did not begin with lower control flows or have lower maximal flows. *T*In fact, the two groups had remarkably similar pulmonary blood flows both during baseline measurements and during ventilation with 100% oxygen. *U*The groups were also not different in their overall maturity, with respect to either gestational age or weight. *V*In addition, differences in pO_2 were not responsible for the differences between major and minor responders, since both during baseline measurements and during lung distension, the minor responders were neither more hypoxic nor more hypercapnic than the major responders. *W*Lastly, adequacy of alveolar ventilation was probably not responsible for the difference between the groups. *X*Although we were not able to determine the adequacy of alveolar ventilation during lung distension, during oxygenation, pO_2 and pCO_2 values were similar in the two groups, without the method of ventilation having been changed in either group.

4 *Y*Although the marked difference between the pulmonary vasodilatory responses of the two groups of fetuses is thus unexplained, this difference may have important implications. *Z*First, it may be important in uncovering the metabolic processes responsible for an incomplete decrease in pulmonary vascular resistance at birth. *AA*Second, evaluation of the concentrations and fluxes of the putative metabolic agents involved may demonstrate different fates of these agents in major and minor responders.

5 *BB*In summary, this study in fetal sheep shows that distension of the lungs, not oxygenation, **is the major cause** of the decrease in pulmonary vascular resistance that normally occurs at birth. *CC*However, the effect of lung distension is variable. *DD*The variability is probably mediated in part by alterations in a variety of vasoactive metabolites. *EE*By using an in utero preparation to investigate the metabolic differences between fetuses that do and do not respond to lung distension alone, the processes responsible for an incomplete decrease in pulmonary vascular resistance and thus for the syndrome of persistent pulmonary hypertension of the newborn may be better elucidated.

인용된 문헌

목적은 바로 명쾌한 글쓰기

Woodford FP. Sounder thinking through clearer writing. Science 12 May 1967;156(3776):743−5.

과학논문에서 나쁜 글쓰기의 부정적인 효과를 설명하고 과학적 글쓰기를 향상시키는 방법을 제안하고 있는 생생하고 명쾌한 글.

제 1 장: 단어의 선택

Webster's third new international dictionary of the English language unabridged. Springfield, Massachusetts: Merriam, 1976.

요약판이 아닌 표준 미국영어 사전. 과학용어와 일반용어 모두에 관한 명료한 정의와 더불어 단어의 용례를 보여주는 인용문과 훌륭한 동의어 목록을 포함하고 있다.

The American heritage dictionary of the English language. 3rd ed. Boston: American Heritage and Houghton Mifflin, 1992.

표준적인 탁상용 사전으로서 일반적으로 사용되는 어휘에 특별히 유용하다. 훌륭한 용례와 동의어 목록을 다수 포함하고 있다. 아름다운 일러스트레이션이 압권이다.

Strunk W Jr, White EB. The elements of style. 3rd ed. New York: Macmillan, 1979.

명료하고 우아한 글쓰기의 법칙을 간결하게 기술 및 예시해준다. 1918년에 처음 출판되었지만 아직도 이루 말할 수 없을 만큼 유용하다.

제 2 장: 문장 구조

Woodford FP, ed. Scientific writing for graduate students: a manual on the teaching of scientific writing. Bethesda, Maryland: Council of Biology Editors, 1986.

교사 뿐만 아니라 학생에게도 유용하며, 과학연구논문 집필에 관한 절차적 접근방법이 소개되어 있다. "Further Revision; Polishing the Style"과 "Design of Tables and Figures"에 관한 훌륭한 내용을 담고 있다.

Strunk and White. 제 1 장 참조.

제 3 장: 단락 구조

Fowler HW. "Elegant variation," in A dictionary of modern English usage. 2nd ed. New York and Oxford: Oxford University Press, 1965.

언어 사용에 헌신적인 사람에게는 이 재기발랄하고 뛰어난 책이 금광이 되어줄 것이다.

제 4 장: 서론

DeBakey L. The scientific journal: editorial policies and practices: guidelines for editors, reviewers, and authors. St. Louis: Mosby, 1976.

출판을 위해 원고를 리뷰하고 저널을 운영하는 것과 관련한 문제들을 간결하고 객관적으로 다루고 있는 설득력있는 책.

제 5 장: 대상 및 방법

Glantz SA. Primer of biostatistics, 4th ed. New York: McGraw-Hill, 1997.

생의학 연구에서 데이터를 분석할 때 흔히 제기되는 문제에 초점을 맞추고 있다. 이야기체로 쓰여져 있다.

Gardner MJ, Altman DG. Confidence intervals rather than P values: estimation rather than hypothesis testing. Br Med J 15 March 1986;292:746−50.
신뢰구간을 왜, 어떻게 사용해야 하는가에 관한 명쾌한 설명.

CBE Style Manual Committee. CBE style manual: a guide for authors, editors, and publishers in the biological sciences. 5th ed. Bethesda, Maryland: Council of Biology Editors, 1983.
측정단위와 명명법, 약어, 교정기호에 관한 많은 표를 담고 있다.

Young DS. Implementation of SI units for clinical laboratory data: style specifications and conversion tables. Ann Intern Med 1987;106:114−29.
국제단위가 무엇이며 왜, 어떻게 국제단위를 사용해야 하는지 설명해준다.

제 6 장: 결과

Glantz. 제 5 장 참조.
Gardner and Altman. 제 5 장 참조.

제 8 장: 그림과 표

Scientific Illustration Committee of the Council of Biology Editors. Illustrating science: standards for publication. Bethesda, Maryland: Council of Biology Editors, 1988.
효과적인 그림과 그래프, 지도, 컴퓨터 그래픽을 출판하기 위한 표준을 제시한다.

Woodford. Scientific writing for graduate students. 제 2 장 참조.

Briscoe MH. Preparing scientific illustrations: a guide to better posters, presentations, and publications. 2nd ed. New York: Springer-Verlag, 1996.

생의학연구논문에 사용되는 모든 종류의 일러스트레이션을 효과적으로 제시하는 방법에 관한 명쾌하고 구체적인 설명. 각 종류의 일러스트레이션에 관한 명료한 예를 담고 있다. 또한 표에 관한 섹션도 있다.

제 9 장: 참고문헌

Lock S. A difficult balance: editorial peer review in medicine. Philadelphia: ISI Press, 1986.

피어 리뷰(peer review)가 출판된 논문의 정당성을 뒷받침하며 그러한 뒷받침이 가치있는 것인가를 결정하기 위해 의학 저널에서의 피어 리뷰를 연구한 내용이다. 논문의 정당성을 뒷받침해주는 유일한 잣대는 시간이며 피어 리뷰는 출판할 논문을 선택하고 과학과 저널 논문의 집필을 발전시키는 최선의 수단이라는 점이 결론이다.

International Committee of Medical Journal Editors. Uniform requirements for manuscripts submitted to biomedical journals. Ann Intern Med 1997;126:36−47. Also available at http://www.acponline.org/journals/resource/unifreqr.htm.

세계적으로 300개가 넘는 영어 생의학 저널에 제출할 원고를 준비할 때 필요한 참고문헌의 형식을 비롯한 형식에 관한 요구사항들이 제시되어 있다. 미리 출판된 논문과 재출판, 저작권, 감사의 말(acknowledgments)에 관한 기술도 포함되어 있다. Bailar JC III, Mosteller F. Guidelines for statistical reporting in articles for medical journals: amplifications and explanations. Ann Intern Med 1988;108:266−73.도 참고하라.

제 10 장: 초록

Uniform Requirements. 제 9 장 참조.

목표에 도달하기: 글쓰기에 관한 조언

Huth EJ. Writing and publishing in medicine, 3rd ed. Baltimore: Lippincott, Williams & Wilkins, 1998.

연구논문과 케이스 리포트(case report), 리뷰 논문, 사설(editorial), 북 리뷰, 편집자에게 보내는 편지를 쓰는 방법과 문헌 리뷰로부터 이런 논문들을 준비하고 출판하는 단계 등을 설명해준다.